TUSHUGUANXUE QINGBAOXUE

图书馆学情报学

TANSUO DE ZUJI

探索的足迹

——陈光祚文集

陈光祚 著

北京图书馆出版社

图书在版编目(CIP)数据

图书馆学情报学探索的足迹：陈光祚文集/陈光祚著．—北京：北京图书馆出版社，2006.10

ISBN 7-5013-3166-9

Ⅰ．图…　Ⅱ．陈…　Ⅲ．①图书馆学—文集②情报学—文集　Ⅳ．①G250-53②G350-53

中国版本图书馆 CIP 数据核字(2006)第 107065 号

书名　图书馆学情报学探索的足迹——陈光祚文集

著者　陈光祚　著

出版　北京图书馆出版社　(100034　北京西城区文津街 7 号)

发行　010-66139745　66175620　66126153

66174391(传真)　66126156(门市部)

E-mail　cbs@nlc.gov.cn(投稿)　btsfxb@nlc.gov.cn(邮购)

Website　www.nlcpress.com

经销　新华书店

印刷　北京集惠印刷有限责任公司

开本　787×1092 毫米　1/16

印张　25.625

版次　2006 年 10 月第 1 版　2006 年 10 月第 1 次印刷

字数　600 千字

书号　ISBN 7-5013-3166-9/G·668

定价　75.00 元

序

国防科技信息研究中心　曾民族

陈光祚老师1957年毕业于北京大学图书馆学系，主攻专业是目录学，毕业后到武汉大学图书馆学系担任“目录学”课程教学工作。四十多年来，陈光祚老师治学领域从目录学转向文献检索，从文献检索转向计算机检索，逐步深入到索引语言、检索系统设计、图书馆自动化、电子出版物、个人数字图书馆等领域，不断与时俱进，锐意进取，探索前沿，开拓创新，成为国内图书馆业界和科技情报业界闻名的教授、博士生导师和成果耀眼的专家学者。《图书馆学情报学探索的足迹——陈光祚文集》记载了陈老师拓展学术领域和攀登科学高峰的足迹，反映了几十年来中国图书馆学情报学变化发展的历程，同时也折射了国内图书情报领域众多专家、学者、教授为实现这个变化发展所付出的努力。因此，文集的出版不仅是陈老师个人论著的汇集，也是国内图书馆学情报学业界变化发展的历史记载，值得业界同行关注和庆贺。本人从事科技信息服务工作，几十年来同陈光祚老师在学术活动、学会活动、项目合作、研究生培养等方面有很多机会接触、交流和探讨，尤其在科技情报现代化领域直接见证了书中记载的许多活动和事例，因此对文集倍感亲切和关注。

文集内容丰富多彩，学科覆盖宽阔，从纵向（著作类型）看包括专著、教材、系统研制、电子出版物、期刊论文、指导研究生的学位论文等，从横向（学科领域）看凸现几个主要的学术切入点：从目录学转向科技文献检索研究，从文献检索转向计算机检索研究，从全文数据库转向电子出版物研究，从多媒体数据库转向个人数字图书馆研究。不难看出，这些研究在不同历史背景和条件下都是图书馆界情报界共同关注的学科发展和现实需要的热点或焦点课题，陈光祚老师把学科建设、实践需求同教学或课程设计的任务结合起来开展研究，这是他的论著既有学术意义又有现实意义并取得丰硕成果的主要原因。下面仅就我接触的范围谈谈阅读文集部分论著的体会：

一、从目录学转向科技文献检索研究

陈光祚老师走向工作不久，即在《武汉大学学报》（人文社会科学版）1959年第7期发表《目录学的对象和任务》一文，对目录学的研究对象提出了“新颖的矛盾说”，指出庞大的图书财富与人们对图书的特定需要之间是存在矛盾的，正是为了解决这个矛盾，才导致目录学的产生，并且是推动目录学发展的内在力量。因而他将目录学定义为“研究用书目索引方式解决庞大的图书财富与人们的特定需求之间矛盾的科学”。这一新的提法突破了目录学对象传统的“图书说”与“目录说”,引进了“读者需求”这一过去被忽略的方面,为系统地研究社会的书目奠定了基础。陈光祚老师还在《武汉大学学报》(人文社会科学版)相继发表“苏维埃目录学的几个理论问题”、“谈科学情报书目”、“梁启超的目录学理论观点和实践活动”等论文,阐述他对目录学的观点。正是在对目录学认真研究的基础上,80 年代初,陈光祚老师觉得,要有助于实现我国的“四化”目标,自己的治学方向应该转向现实需要的轨道上来。而“工具书使用法”课程,缺乏学术深度。因此,陈光祚老师从 1972 年起着手创立“科技文献检索”课程,1974 年初编出教材,将检索的理论、检索工具、各种类型文献的检索方法、检索策略及检索服务结合在一起,在系统性和学术体系上形成了此后同类教材和专著的雏形,起了一定发凡起例的作用。这门新课程很快被兄弟院校的图书馆学专业所采用,教材也被全国各地图书馆和情报部门广泛重视和参考。教育部于 1984 年发文正式将文献检索课列入高校的教学计划,陈光祚老师是全国图工委“文献检索系列教材编委会”成员。“文献检索课的意义,不仅在于它为今天已蔚为潮流的信息素质教育奠定了基础,还在于它是图书馆界为高校教学和科研提供优质服务的一次成绩卓著的主动出击,我们不应当忘记当年开基肇始的创业者们,那是高校图书馆人在中国当代图书馆事业史上曾经写下的灿烂篇章”(纪念文献检索课全面推广 20 周年. 大学图书馆学报,2004 年第 4 期)。陈光祚老师正是文献检索课开基肇始者的高校图书馆人的优秀代表。

二、从文献检索转向计算机检索研究

20 世纪 70 年代末,中国图书馆界情报界开始了现代化萌动,索引语言研制和计算机检索成了普遍关注的课题。陈光祚老师在这个关键时刻转向计算机检索研究,开始了他的学术生涯另一段不平凡历程。1979 年,陈光祚老师发表了“英国的联机检索与编目系统:BLAISE”(1979 - 01)、“联机情报检索的现状与展望”(1979 - 04),这是陈光祚老师关注计算机检索领域的起步,80 年代以来陈光祚老师有关计算机检索的研究领域几乎是全方位的,在计算机检索理论、检索软件、软件算法、索引语言、全文检索、系统研制、数据库开发、图书馆自动化、数字图书馆、检索教育等领域,发表专著多部和论文 100 多篇。

陈光祚老师是武汉大学信息管理学院最早开设有关计算机情报检索课程的老师,他指导的研究生绝大部分选题都同计算机检索以及情报现代化前沿领域有关,被公认是图书馆学教育界积极推动现代化的代表人物之一。陈光祚老师影响较大的专著有:《情报检索系统——特性、试验和评价》(1984),《计算机检索概论》(1984),《计算机情报检索系统导论》(1993)。发表的论文中,软件和算法方面有:“关于微型机作为联机检索终端的若干功能及其相应软件”(1987),“一种改进布尔逻辑检索的新技术——法定数检索"(陈光祚、谢新洲,1989),"论单汉字检索系统"(1992)。系统研制方面有:"论全文检索系统"(1989),"湖北省地方志全文检索系统"(陈睿、陈光祚等,1991)。数据库方面有:"机读数据库及其发展"(1982),"论'中国图书情报学书目数据库'的设计与实现"(1998)。

陈光祚老师自己设计和建立的"中国图书情报学书目数据库",现由深圳南山图书馆提供在线检索服务。此库为目前国内最大的图书情报学领域的书目数据库。

图书馆自动化是陈光祚老师悉心研究的领域之一,早在80年代初即发表"美国图书馆自动化的发展及其启示"(1982年)。1983年发表"联机情报检索和图书馆"。1992年对美国图书馆自动化先驱OCLC进行了专题研究,发表了一系列OCLC自动化文章,内容有"OCLC近年来的主要研究领域和课题"、"OCLC的咨询委员会"、"OCLC二十年来联机作业的进展"、"OCLC数据库的发展"、"OCLC新联机系统——PRISM"、"图书馆的自动化应该有相应的社会服务系统,图书馆自动化应该增强信息资源的开发——从OCLC看图书馆自动化的趋势"、"OCLC关于为学术界服务的电子情报提供系统(EIDOS)"、"OCLC发展史编年"等。

陈光祚老师前后培养了36名硕士生、8名博士生。这些研究生论文绝大多数具有较高的学术理论价值和现实意义。例如:"检索策略研究"(孙凌硕士论文,1983),"情报检索系统评价"(王兵硕士论文,1985),"计算机辅助情报分析"(黄祥喜硕士论文,1985),"情报检索的模糊数学描述及确定归属度权的方法"(黄颖臻硕士论文,1987),"走出布尔检索——提出一种新的检索模式"(汪红秋硕士论文,1989);"计算机情报管理系统软件开发环境"(陈睿硕士论文,1990),"电子出版物研究"(王军硕士论文,1993),"论全文检索系统及其研究"(王在平硕士论文,1994),"国内外经济商情数据库发展现状与趋势"(冉文格硕士论文,1997),"我国网络型电子出版物研究"(匡文波博士论文,2000);"电子期刊研究"(雷燕博士论文,2001),"e印本文库建设与利用:一种科技论文非正式交流系统"(乔冬梅博士论文,2005),等等。这些研究生论文都是在陈光祚老师悉心指导下完成的,体现导师对当时学科发展动向、技术发展水平和热点趋势动向的把握,有些论文已经在实际应用中发挥效益。例如,"计算机情报管理系统软件开发环境"(陈睿硕士论文,1990)成功用于"湖北省地方志全文检索系统"。这些论文绝大多数选题具有前沿性、前瞻性和时代特点,体现了陈光祚老师的学术方向和开拓创新的思想。

陈光祚老师以他的学术洞察力和学术业绩赢得了社会的信任,在许多重要的学术团体和机构中担任重要的社会职务:国家教委《文献检索》教学指导小组成员、国家教委《文献检索》系列教材编委会委员、中国图书馆学会图书馆自动化分委员会主任、文化部文化科技开发自动化研究员、《情报学报》编委、中国科技情报学会计算机信息管理专业委员会委员、南京大学兼职教授、联合国WINISIS中国发行人等等。

三、从全文数据库转向电子出版物研究

陈光祚老师广阔范围的学术业绩中另一项值得提笔的是关于电子出版物的研究与实践，这是他在全文数据库研究基础上合乎客观发展规律的延伸和发展。20世纪80年代以来，知识和信息传播的方式发生了极大的变化，以纸质媒体为主的信息传播与知识交流方式受到了现代化电子信息传播与交流方式的冲击。电子出版物是以磁带、磁盘、光盘为载体，以数字化形式记载其内容，通过计算机自动编成、检索、阅读、利用的出版物，具有体积小、重量轻、便于收藏、检索迅速、复制方便、成本低廉、能高密度大容量存储信息并能高效率、多功能加工转换信息、通过网络实现信息的远距离传输等优点。陈光祚老师通过建立全文数据库的研究与实践，敏锐地捕捉电子出版物这一新出现的新技术，并积极地卓有成效地创建电子出版物。

陈光祚老师80年代后期在国内较早地开始全文数据库研究，建立了"湖北省地方志"全文数据库，这是国内较早投入实际应用的全文数据库检索系统，这种全文数据库检索系统实际上已经具备电子出版物的主要特征。在成功建立"湖北省地方志"全文数据库基础上，陈光作老师于1991年制作成功《国共两党关系通史》电子出版物，这是国内最早发行的电子书（武汉大学出版社）。陈光祚发表了一系列既有理论又有实践经验的电子出版物研究论文，在当时国内图书馆界情报界产生较大的影响。例如：陈光祚老师1992年在《中国出版》先后三期发表连载的"论我国电子版图书及其制作技术"讲座，1993年在《情报学报》发表"利用全文检索技术制作电子出版物"论文，对国内外几种电子出版物的制作技术、过程和特点作了分析、介绍。陈光祚老师有关电子出版物研究的重要论著还包括："电子出版物的特征与范围"（1994），"电子出版物与索引编制自动化"（1994），"作为全文数据库的电子出版物对信息产业的影响"（1994），"电子出版物及其对图书情报工作的影响"（1994），"我国电子出版物与全文数据库建设"（1995）等。

陈光祚老师指导他的博士研究生雷燕进行了《网络电子期刊研究》的研究，具有明显的开拓性和创新性。网络电子杂志是以电子化数字化形式并以网络为传输工具进行组稿、审稿、制作、出版、发布、阅读、利用的新型网络电子杂志，在理论探索、学科拓展、技术开发等方面有着宽阔发展空间。该论文分析和比较了网络期刊出版的几种模式，提出了一种综合各种模式优点的理论模式；研究了网络电子期刊建设同国际接轨的几个关键技术课题，如OAI、SANTA FE协定、Dublin Core、PICS等；在把网络电子期刊的研究作为一门新兴学科从理论上进行系统深入探讨的同时，又把它作为一门应用技术全面探索其实际应用中的主要问题和解决方案。

陈光祚老师指导他的博士研究生乔冬梅进行的《e印本文库建设与利用——一种科技论文非正式交流系统》研究，探讨了利用e印本文库进行非正式交流的重要性和可行性。大家知道，苏联著名情报学家米哈伊诺夫在其《情报学概论》一书中论述

了非正式科学交流的重要性，把科学家之间直接交流的信息称为“零次情报”，也就是今日知识管理所称的“隐性知识”。这种非正式科学交流比正式科学交流更直接、快速、有效，但由于社会环境和技术条件限制，当时只能作为理论值进行探讨。今天网络技术和信息技术的发展，使非正式科学交流成为可能和现实，e 印本文库正是非正式交流的一种重要形式。《e 印本文库建设与利用——一种科技论文非正式交流系统》系统、深入地研究了 e 印本文库新型科学交流方式，划分 e 印本文库的基本类型，以事例解析 e 印本文库的创建过程以及基于《开放文库计划》(OAI)开发信息增值服务的原理与实践。论文结合我国的具体情况，论述了 e 印本文库在我国发展的现实意义，并对我国 e 印本文库的发展与利用提出了具体建议。

四、从多媒体数据库转向个人数字图书馆研究

2000 年，陈光祚老师虽然退休了，但是他在个人数字图书馆研究领域开始了新的探索并达到了新的学术高峰。在今日国内图书馆学情报学界，在理论上论证、阐述个人数字图书馆的原理、功能和学科属性，在软件实现上提供了具有国际普遍采用可行性的应用系统，在实践上亲自动手建立了完全实用化的个人数字图书馆，陈光祚老师是第一人。陈光祚老师在个人数字图书馆上的探索，是他一生在目录学、文献检索、计算机检索、全文数据库和电子出版领域开拓创新的成果汇总和智慧集成。陈光祚老师(以及他的博士研究生阮建海、臧国全)近年来发表了有关个人数字图书馆研究的一系列论文，以其时代性和创新性引起了业界的瞩目。例如，“论个人数字图书馆”(2001)、“营造‘e’时代的私人藏书楼——个人数字图书馆”(2002)、“论免费国际软件 WINISIS 在我国图书情报界的应用”(2002)、“利用国际免费软件 WINISIS 建立博士论文全文数据库——联合国教科文组织信息软件 WINISIS 的应用”(2003)、“为‘个人数字图书馆’鸣锣开道”(2005)等，阐述了“数字图书馆”这一“巨无霸”加以“个人化”的思想及其实现途径。陈光祚和他的学生将联合国教科文组织的 WINISIS 免费软件进行了汉化，并以这个软件为基础，建立了多个示范性个人数字图书馆。其中最引人注目的是陈光祚老师自己创建的个人数字图书馆，它记载了陈光祚老师毕生的学术足迹，也记载下陈光祚老师毕生的学术业绩，极具个性化特色。三年多来，“陈光祚个人数字图书馆”已建立了五万条记录，每条记录(论文、照片等)可设立数 10 个检索点，检索时可通过单项检索，多项的布尔逻辑检索、未索引字段的全部顺序扫描检索等手段进行检索。数百万检索点，可以在瞬间检索到，并可显示文献全文、图像、展播音乐。“陈光祚个人数字图书馆”内容包括：①收录了一百多篇陈光祚老师著作的全文，近 40 篇陈光祚老师指导的博士、硕士论文的书影，几百张照片，以及有关的证书、聘书、友人信件。②作为陈光祚老师从事学术研究的工具，收录了图书馆学、情报学、文献学、数字图书馆、电子出版等领域的数千篇论文、报告及鉴定材料，作为跟踪学术进展的利器。③出于陈光祚老师自己的爱好和艺术欣赏，收录了国内外的风景名胜、历代书画、人物、宗教、少数民族、花卉、动植物的照片，以及时事（如伊拉克战争的照片就达600多张）、科技（如航天、火星探测等）的图文及地图。此外也收录了感兴趣的歌曲、动画、春节联欢晚会节目的录像等。真可谓是上至天文，下至地理，诸子百家，三教九流的资料，都在选藏之列，是陈光祚老师的“百科全书”。目前，“陈光祚个人数字图书馆”的容量已超过20 G，今后还会与日俱增。从理论上说，WINISIS允许装载多达3000万条记录，足够超出任何个人一生的建库量。

限于个人专业范围和知识水平，本人对陈光祚老师学术造诣和业绩的认识只能是局部的，而且有局限性，但是从陈光祚老师在图书情报现代化领域的开拓创新和学术成长中却得到了很多创新启迪和宝贵知识。

陈光祚老师在广阔学术空间的探索开拓，贯穿着一个崇高的学术目标：既“与人以鱼”又同时“授人以渔”。作为图书馆学情报学的一名老师，教授专业课程、传授专业知识固然重要，而陈光祚老师在广阔学术空间的努力，更着眼于“授人以渔”的探索和研究。2001年，美国总统信息技术咨询委员会（PITAC）向美国总统布什提交的“Digital Libraries：Universal Access to Human Knowledge”（数字图书馆：人类知识的普适存取）报告，描绘了未来人类利用知识的前景：“任何公民在任何地方、任何时候、能够利用与Internet连接的任何数字设备，检索人类全部知识。通过Internet，他们能够访问全世界传统图书馆、博物馆、档案馆、大学、政府机构、专业组织乃至个人创建的数字化资源所包含的知识。这些新型图书馆提供传统图书馆、博物馆、档案馆等包括文本、文件、视频、音频、图像等在内的电子版信息资源。而且，他们提供强大的新技术能力，使最终用户能够不断反馈提问，分析结果，并改变信息的形式，同系统沟通、对话。”陈光祚老师竭力主张教育系统的“文献检索课”要不断拓新，与时俱进，个人数字图书馆的建立和利用应该成为“文献检索课”未来发展的重要组成部分。试想，今天为陈光祚老师“鸣锣开道”的个人数字图书馆如果能够普及到广大科研人员、管理干部、高校师生乃至社会上广大用户群体用于组织和利用知识，对营造“人类知识的普适存取”时代将产生多大的影响。

陈光祚老师的学术业绩表明，他是一位努力跟进时代步伐、锐意开拓创新的学者，值得业界同行敬佩和学习。陈光祚老师每次完成专业跨度较大的研究领域的改变，需要有相当大的勇气和再学习的努力。陈光祚老师不断学习充电，不断更新知识，克服种种困难，艰苦拼搏突破，这种与时俱进、永远进取的精神不仅是年青一代图书馆人情报人应该继承的，也为我们老一代同行树立了学习榜样。

陈光祚老师论著数量多、类型多、产量多，在同行中是超群的，而他勇于实践，不尚空谈，身体力行，自己动手的独特学术风格，更是出类拔萃的。陈光祚老师的论著，绝大多数是理论与实践相结合，系统分析和案例实践相结合，软件设计和内容相结合。他指导的研究生论文大都具有学术价值和实用意义。陈光祚老师的“图书馆情报学书目数据库”、“湖北地方志全文数据库”和“陈光祚个人数字图书馆”等，都是陈光祚老师自己动手创建的。一位年过 70 的老科学家,从数据输入、系统分析、检索功能和页面设计等,自己能够动手解决问题,可以看出他与别人的不同之处。

本人从同陈光祚老师数十年的交往中,同他的研究生对导师的评价中,从同行对陈光祚老师的敬意中体会到,值得大家敬重的不仅是陈光祚丰富的学术论著和站在学科发展前沿的贡献,还有他对“勤奋、严谨、求实、创新”(北大校训)和“自强宏毅,求实拓新”(武大校训)精神的完美实践。

目　录

学术生涯

目录学研究

信息检索研究

图书馆自动化研究

电子出版物研究

数字图书馆研究

文献计量研究

其他研究

学术生涯

一个与时俱进的学科探索者

——与我国著名图书馆学家、情报学家陈光祚先生访谈录

邰向荣

陈老师您好！今年是您70寿辰，首先祝您健康、长寿。您是我国著名的图书馆学、情报学专家，从事科学研究近50年，先简单回顾一下您的治学道路，好吗？

说起我的治学道路，与同辈人相比，或许可以说有些特殊。我的治学领域经历了两次大的转向：第一次转向是由图书馆学、目录学转向情报学；第二次转向是从图书情报的传统方式转向现代化。我个人的经历反映了我们国家几十年来图书馆工作情报化、图书情报工作一体化、图书情报工作现代化的历史性进程。体现在个人的治学领域的转向上，确实使我经历了许多"苦"与"难"。因为这需要不断地学习新的领域，需要不断的重新学习。就我近50年的治学历程来看，我个人认为有五次探索是比较重要的。第一次探索是提出目录学研究的"矛盾说"，揭开了新中国目录学对象问题的第一次大讨论的序幕；第二次探索是中国文学书籍专科目录学的体系；第三次探索是为科技文献检索课程奠基；第四次探索是研制电子出版物；第五次探索是对个人数字图书馆的研究。我的研究领域涉及图书馆学和情报学，与其他人比较来说，可能视野更宽阔些。这也是我治学的一个特点吧。

问：您最开始从事的是目录学研究和教学工作，且有许多重要的研究成果，但因后来您转向了情报学方面的研究，所以，业界人士都知道您是情报学领域的专家，而对您从事目录学研究的情况可能并不知晓，能否介绍一下您的目录学实践和研究情况呢？

我于1957年从北京大学图书馆学专业毕业来到武汉大学图书馆学系，开设的第一门课程就是目录学，一直到1972年，专门从事目录学研究与教学工作达15年。对目录学有着很深的感情，现在也还关注着目录学的研究动向和发展。

最早的目录学实践活动是编制《人民公社图书馆基本书目》。1958年我被下放到湖北浠水县，劳动之余创办了公社图书馆，并响应当时文化部部长钱瑞正的建议，

编写了公社图书馆基本书目。1959 年,根据基本书目的编制写了《谈〈人民公社图书馆基本书目〉》一文,发表在《武汉大学人文科学学报》上。

虽然人民公社已成为历史,但如何为基层图书馆特别是农村图书馆编写一个好的书目是图书馆工作者的基本任务,是目录工作者应该牢记在心的一项任务,同时这也是目录学研究的一个方向。

1959 年,我发表了《目录学的对象和任务》一文,指出"人类巨大的图书财富和读者对于图书的一定的需要两者之间,是存在着矛盾的","目录学是由于人类巨大的图书财富和读者对于图书的一定的需要而产生和发展起来的","每一种书目资料,在透过它们的书目索引这种形式的后面,都隐藏着人类巨大图书财富和读者对图书一定需要之间的矛盾关系","目录学所要研究的书目索引的方式方法,是作为解决巨大的图书财富和人们对图书的一定需要之间矛盾的方式方法"。

文章发表之后,引发了新中国第一次有关目录学研究对象的大讨论,王文杰、周学浩、朱天俊、王煦华等分别提出了"图书说"、"目录说"、"图书与目录说"等观点。"矛盾说"的主要特点在于引入了读者用户需求这个过去被忽视的重要方面。现在书目情报需求和书目情报服务研究扩张和丰富了传统的目录学研究领域,这些进展与"矛盾说"是有一定的联系的。

1960 年,我在《武汉大学学报》人文科学版发表了《谈科学书目情报》一文,指出"科学情报书目是近几年来苏联目录学界在讨论书目种类划分问题争论中产生的新术语","它是指以辅助生产建设和科学研究工作为目的,以科学技术工作者为主要对象,通报和宣传科学文献(如科学书籍、论文、专利文献、档案资料等)的各种书目资料"。"科学书目情报服务是客观存在的,同时它在我国越来越迫切地需要重视和发展,我们不仅要承认它的存在,而且要对它进行系统的理论研究"。我是较早提出书目情报的,刘国华在《剖析书目情报理论:对书目情报理论的理性批判》一书中提到最早谈到书目情报的是赵继生先生,我继赵先生之后。

20 世纪 60 年代我开始从事中国文学书籍目录学的教学,并于 1963 年编印了《中国文学书籍目录学》,约 10 万字,这是我国专科目录学建设较早的项目之一。在该书中,我指出:"中国文学目录学是一门专科目录学。它以中国文学书籍为对象,用目录学的方法研究各个时代文学书籍的存在状况及其目录资料。"其研究内容主要有:"揭示与掌握各时代文学书籍总的状况——文学书籍的出版情况,流传与散佚情况,主要文学书籍的内容梗概;通过书目索引这种系统化记载图书的工具,了解文学书籍的范围、各种出版类型、文学书籍的各种分类类别的发展变化;指出和确定最好最正确的文学书籍和书籍的版本,用以宣传优秀文学书籍,指导读者阅读,并为文学研究者提供可靠有用的资料;探讨将各种分散的数量庞大的文学书籍,根据一定的目的加以系统化的组织——即编制各种类型的文学书目索引的方法与特点。"在 60 年代,从事专科目录学研究的人还不是很多。我所做的这些可以算是一种探索,但由于“文化大革命”,我中断了该研究,且该教材也没有公开出版,这对我来说是有些许遗憾的。加上70年代初,我转向了科技文献检索领域,在目录学方面的这项研究就鲜为人知了。

1963年,我在《武汉大学学报》第四期发表了《梁启超的目录学理论观点和实践活动》,总结了梁启超目录学理论观点的特点:(一)他主张“著述足以备读者之顾问,实目录学家之最重要之职务也”,他还创造性地发展了作为宣传图书、指导阅读的推荐书目的编制方式方法。(二)他在《西学书目表》中提出了一个新的资产阶级图书分类体系,提出了一些图书分类的理论和方法,从而开始冲击中国封建社会被定为“永制”的四部分类法的体系,为近代新分类法的输入和产生打开了局面。(三)他主张目录学应具有详尽、准确、严谨的科学态度,主张目录学对于图书要“全收无遗”、“一一群载”、“辨别真伪”、“抱残守缺”、“搜采遗逸”、“设立存目”、“令读者毋惑”。另一方面,他反对“爱古薄今”,主张目录学的重点,应该放在新书和现存之书方面。(四)梁启超总结了我国目录学史上史家目录学、读书家目录学、藏书家目录学及目录家目录学对目录学性质作用的基本观点,把它们进行综合和系统化,提出较全面的见解,即认为目录与目录学是查考各时代著述史、图书史、学术文化史、藏书史和进行读书治学的重要工具。目前很多研究梁启超目录学思想的文章还将该文作为参考文献。梁启超的目录学思想是很有特点的(如充分利用导读书目为其政治主张服务),对他还是应该进行深入研究的。

1990年,我发表了《目录学是研究文献流的整序、测度和导向的科学》一文,认为目录学的研究对象是文献流的整序、测度和导向(文献流是指一个国家、一个民族、一个地区、一个时代出现与存在的各种出版物的总汇)。目录学的具体研究内容是揭示与掌握各时代文献的总的状况,即文献的出版、流传与散佚的情况,主要文献的内容梗概,同时又从整个文献流的高度设计对文献有合理网罗度的书目体系;对文献流的各种统计测度;将文献流有针对性地引向读者和情报用户,形成“灌溉网络”,以满足他们对图书文献的特定需要,使目录学成为读书治学和思想教育的武器。这一观点也引起了学术界很大的反响。在该文中我还对1959年提出的目录学研究的“矛盾说”进行了“修正”。指出当时的提法虽然基本思想是正确的,但存在缺点:一是“出版物”、“图书”的概念,没有提到文献流的高度;二是“书目索引方式”仍欠明确,不如“整序、测度与导向”。

对现代目录学的研究主要是以下两个方面。一是独立编制“中国图书情报书目数据库”。这次的实践活动没有申请到课题,没有经费,完全是自己单干的。这个库包括图书、期刊论文、学位论文、会议资料等文献,并非单一的“图书目录”或“期刊论文索引”。著录有题名、著者、出处、年代、标引关键词及一部分条目的摘要。建库工作是艰苦的,我每天几乎大部分时间都在录入。那时我已年过六旬,夏天流汗,冬天冻得手指发僵,但我坚持干。有些朋友对我做这种基础工作很惊讶。一次我出差到广东与朋友谈起来时，他们说我做这种基础工作划不来，用这时间来保养身体，多写些文章才是上策，也有人说，一些机构已经出版图书情报学书目或建立了包含有图书情报学文献的数据库，其中有的以光盘形式发行，有的上网服务。但我觉得这些书目或数据收录的文献多是单类型的，即只是期刊论文，或只是图书，没有包含学位论文、会议资料，以及其他难得的文献，对于研究者来说，各种文献类型都是必要的。再者，光盘及网上数据库的文献追溯期年限不长。经过三年多的时间的硬干、傻干，积累了数以万计的书目款目，尽管这样，我还是觉得这种方法跟不上新文献增长的速度。对老的资料，例如，1901 年起的文献，要回溯建库更是困难。于是我就在光盘或网上下载一些书目资料，编制了计算机格式转换程序，使其符合我的库结构。到 1998 年，全库已达 6.4 万条书录记录，这 6 万条记录全部由我自己录入。深圳南山图书馆馆长程亚男对此库感兴趣，我就将 6 万多条记录的库给了南山图书馆。他们将此库上网并向全国提供检索服务，并与原光盘所有者协商解决下载数据的版权问题。由于南山图书馆使用的是“易宝”软件，我帮他们将 CDS/ISIS 格式转换成 TRS（易宝）格式，并且很快就上网服务了。南山图书馆不断对这个库进行补充，现在此库已达 12 万多条记录。这是完全免费使用的数据库，引起了国内同行的重视，北京大学图书馆编制的“图书馆学、情报学网上资源导航”将其列为第一条。我们武汉大学的师生越来越多地使用这一资源。这项实践虽然没有获得什么“奖”，也使我付出了巨大的精力，以致健康状况也受到影响，但看到这个专科书目数据库由南山图书馆不断地更新，具有长久的生命力，并且有越来越多的用户，对我来说这是最大的奖励。

二是在我临退休之际参与编制武汉市地方志索引。我于 1998 年开始参与编制武汉市地方志索引，主要承担总体设计，确定索引条目的选取和表达形式，以及有关的规则。两年间我常常去汉口，与他们一起开会讨论，落实计划，解决疑难问题。2002 年 12 月，两卷本的《武汉市地方志索引》（上、下册）编制完成，其编纂工作是利用计算机完成的，索引条目输入计算机，人工校阅，最后由计算机排序。这两部《索引》的出版与以前出版的 28 卷地方志合成了一个体系，成为一部完整的《武汉市志》。《索引》成为查阅 28 卷市志不可缺少的工具。碰巧该书出版之日是我 65 岁退休之时，这也算是一种纪念吧。

我的目录学实践的轨迹，是从手工走向计算机，从学校走向社会，从小型书目走向大型书目，从书目编制到索引编制，从实验走向实用化。从而参与和见证了我国目录学的进步。虽然后来我转向到其他方面，重点不在此，但认为目录学还有很大的研究价值，历史上的目录学家都是博览群书的大学问家，以书为本，如唐弢的《晦庵书话》中介绍了很多好书或作者，唐弢对文献很熟悉，对目录研究做了很大的贡献。现代的目录学与传统的目录学不一样，是以计算机为基础的书目检索的自动化，计算机的应用带来技术革新。我打算呢，在有生之年对目录学，特别是对今后目录学的发展问题再进行一些研究，写一些文章。

问:我国第一部正式的文献检索课的教材《科技文献检索》是由您编写出版的,您是如何想到由目录学研究转到文献检索方面的?另外您对文献检索课今后的发展有什么好的建议?

1973年,我从目录学研究转到科技文献检索。当时的想法很简单:就是觉得我国目录学真正精彩的是目录学史,但目录学应该和社会需要相结合,为四化建设服务。基于这样的想法,我转到科技文献检索方面的研究。虽然当时转向的想法很简单,但也意识到很困难。目录学要求文史知识,而科技文献则要求科技知识,前者的对象是中国文献,后者则在很大程度上是国外文献,前者基本上不涉及外文,后者则要求一定的外语。我刚刚涉足科技文献检索时,感到很多地方都很陌生,许多新名词及其译法都需要费时间去推敲,再加上由于"文化大革命",图书情报学的刊物停刊,专业论著也基本上没有出版,参考资料也找不到,这又增加了难度。我当时用的办法也很"笨",是将化学文摘说明用打字机全部打出,并到北京图书馆学习它的每一个检索式,确实付出了很大的努力。记得当时经常干到凌晨2点钟,武汉那时还经常停电,就用煤油灯挑灯夜战,亲自做出了1000多张卡片。1974年初,《科技文献检索》教材编成了,不过当时是校内的油印本。但没有想到的是不久之后,它就被国防科工委的一个情报所翻印成了铅印本,在国内流传。从此,这门课呢,就正式被列入图书情报学专业的教学计划,并得到各兄弟院校图书情报专业的响应,文化部也将该门课列为图书馆职称考核的课程之一。这本书是国内出现的第一部此类教材,著名的文献专家范铮曾写文指出:1974年2月,武汉大学图书馆学系陈光祚老师编出了国内第一本正式教材《科技文献检索》。后来国家教委(前教育部)发文,将"文献检索与利用"列为全国理工农医等各专业本科生的必修或选修课程。全国数百万大学生、研究生及中专生听了这门课程,普及了图书情报知识和培养了大学生的情报意识。目前文献检索课在高等学校普遍开设,这方面的教材也涌现出了很多,其发展如此之好,让我感到很欣慰。

问:目前我国电子图书总量已经达到805万册,但据报道,人们仍然认为该数量"少",人们越来越多地利用电子图书尤其是免费电子图书,它有省钱、检索方便、较易获得等优点,给人们的阅读带来了很大的方便。这应该归功于您了,因为我国第一部电子图书就是由您于1991年研制成功的,可以说您是我国这个领域的开山者。下面请您谈一下该书的研制过程及其产生的影响。

80年代末90年代初,我从书目数据库进入到全文数据库研究,书目数据库比较间接,读者要看全文还需要到图书馆去查看,这样给读者带来很大的不便。而全文库则免去了这样的不便。我对全文数据库的研究也是先从实践开始的,先是编制《湖北省地方志大事记》,后来又搞了《国共两党关系通史》和《中国名胜诗词大词典》。《国共两党关系通史》于1991年研制成功。它是1991年与武汉大学出版社合作,以出版过程的中间产品——书稿的计算机排版文本为原料,用全文数据库技术制作而成的我国第一部电子出版物。它的出现为出版界利用计算机排版文本开发电子出版物探索出一条新路,为文献资源的开发开辟了一个新的、潜力巨大的领域。这部电子图书,在中央电视台和许多报刊上作过报道,并在四次国际会议上作了报告。必胜网在《回眸中国出版大事》一文中,对中国出版大事记罗列了26项,其中两项都是我们搞的,一是第一本电子出版物——《国共两党关系通史》,另一个是第一本论述电子出版物的专著——《论我国电子版图书及其制作技术》。该教材获得全国高等学校人文社会科学研究成果二等奖,中国电子出版研究会议论文一等奖。

当时转向电子出版物的研究基于两个原因。一个是我在科技文献检索教学与研究中,深深感到,仅仅会手工检索是不够的,从手工检索到计算机检索是一个很自然的过程;二是受我的老师刘国钧教授的启发,记得70年代后期,我去看望他,他在病床上对我说"要跟上时代前进",他这一句话影响了我以后的治学生涯。另外,他是我国第一个著文介绍美国图书馆的MARC计划的,为我做了很好的榜样。基于上面两个原因,我开始致力于计算机情报检索教学和研究,但这次的转向跨度比较大,由纯文科转向理科,有点"先天不足"。不仅要学习计算机等现代技术,还必须熟悉计算机操作,而且从年龄方面来说,我也不占优势,当时从事计算机检索研究的,大多数是朝气蓬勃的年轻人。但我还是下定决心一切从头学起。我请计算机系的老师来启蒙,从二进制开始学;没有条件搞独立研究,就与一机部情报所合作,在四川省机械工业厅的计算机中心用机器代码这种原始的计算机语言实现了SDI检索,并同学校计算机中心一起在进口机器上开发INSPEC数据库检索程序。我克服了很多困难,不放过任何学习的机会,终于有成果——《国共两党关系通史》和《中国名胜诗词大词典》电子版的出现。台湾的《中国时报》中的《大陆光盘出版物忽如一夜春风来》提到了四部较有影响的电子图书,其中两部就是《国共两党关系通史》和《中国名胜诗词大词典》,这也可以看出它们的影响了。

电子出版物的出现增加了人们的一个选择,并无法完全取代纸本书籍。但电子书籍有极大的方便性,如查找、检索很方便。举个例子,深圳开发其旅游资源,为了增加文化色彩,委派一个人专门查找《红楼梦》里有几回提到了荔枝,这个人花了一星期的时间,才查出来三回,但用《红楼梦》电子图书,一分钟就可以查到,而且还更精确(实际上是四回)。

问:在我国,您是最早从事个人数字图书馆研究开发的人,能否谈一下个人数字图书馆的特点及其发展前景?

个人数字图书馆使用的是 Winisis 软件的汉化版（Winisis 软件是联合国教科文组织开发维护并免费推广的信息存储与检索软件）。对 Winisis 的汉化是由我和所带的两名博士生共同努力，经过 8 个月的艰苦工作而完成的，就是现在使用的 C-Winisis。软件汉化对我来说是一件辛苦的事情，一是我是纯文科背景出身，很多东西要重新学，二是当时我已经 60 多岁，年龄上也不占优势。我现在经常说自己做一些和自己年龄不是很相称的工作，以至于把身体搞垮了。

2002 年起我正式开始研究个人数字图书馆，这三年一直在进行这方面的研究。2002 年发表于《中国图书馆学报》上的《论个人数字图书馆》是研究个人数字图书馆最早的成果。我认为个人数字图书馆有如下特点：一是它存储和处理的对象是一次文献，即文献的全文、图像和声音，也就是原始文献或一次文献。二是它是多媒体数据库，如在我的个人数字图书馆中，既有《红楼梦》全文，也有金陵十二钗的绘画，还有红楼梦的主题歌曲，可以多方面提供有关信息，这是当前大多数大型数字图书馆也难以做到的。三是采集加工个人信息，使“藏书”具有鲜明的“个性化”。如个人一生的著作全文和目录、照片、友人信件、各种有关证书（如获奖、职称、聘书等），以及含有个人隐私的文件（如身体健康检查、化验单）等。四是无钱的人也可以成为收藏家。个人数字图书馆不需要藏书处所，不需要购买书画，且个人数字图书馆的管理软件是免费的。五是与计算机的文件夹不同，文件夹本身只是简单地存储用户下载的文件，无检索、整序的功能。个人数字图书馆具有数据库的结构与功能，能够存储文字、图像、声音。每个库可存储量最多可达 3000 万条记录。它还具有自动索引的功能，具有强大的检索功能：单词检索、多词的布尔检索、字段限定检索、截词检索、后控词表检索、全库的顺序扫描检索等。此外，个人数字图书馆是个开放的数据库，允许随时增加、修改或删除记录。

从图书馆的发展历史来看，个人数字图书馆将是一个大的发展趋势。世界图书馆的发展历史是：开始是只有国家图书馆，随着社会的进步，一些地主和有钱又喜欢图书的人开始办私人藏书楼，但官府藏书、士大夫藏书是不让人随便进入的。到了资产阶级时代，出现了大量的公共图书馆，又随着社会的发展，图书馆开始普及，出现了国家、省、市、县、乡、社区等各级图书馆。数字图书馆也是首先由国家开展，最早的是美国开始开发的（美国记忆），发展到现在的个人数字图书馆的建设，它将是一个大的发展趋势之一，但不是“正规军”，其著录、标引不是很标准。但是个人数字图书馆的数量庞大，据报道，中国现在有 9880 万网民，如果有千分之一的人来搞个人数字图书馆，将有近 10 万。个人数字图书馆应该探讨，它是一个新的阶段，是个性化服务的一个重要的手段。我相信个人数字图书馆很有前途，现在主要是如何推广，教用户如何使用个人数字图书馆管理软件，但目前我国有关部门好像还不是很重视。希望今后能引起大家的重视。

注：笔者在与陈老师交谈时，谈到某个话题，陈老师则向笔者展示其个人数字图

书馆中存储的材料。内容非常丰富,天文、地理、文学、艺术、书法、手迹均有,且以各种文献形式存在:图片、照片、视频、音频等。从个人数字图书馆中检索所需内容也十分方便,只需输入所需内容的相关字段,有关材料就会列出,如输入安阳,则收录的关于安阳的7条记录就会列出,比传统的从所收藏的纸质文献中查找相关资料要方便快捷得多,与利用搜索引擎查找资料相比,则又精确、稳定得多。在访谈过程中,陈老师一直对以前的一些重要的材料如信件、文章、照片等因没有保存下来而遗憾,说那时候要是有个人数字图书馆,这种遗憾肯定就会少些。他殷切希望个人数字图书馆能够得到大力宣传,让更多的人特别是致力于学术研究的人了解它,进而充分利用它。个人数字图书馆的容量之大,使用之便,费用之省令笔者非常惊叹!

问:您40多年的科学研究生涯中有几个第一,且都对该领域今后的发展产生了很深远的影响,这些成果的取得需要付出很艰苦的努力,同时也需要有很好的治学方法,能否谈一下您的治学体会呢?

我的体会主要有四点:一是要不断跟着时代前进。从这几十年科研、治学道路来看,我是在不断地跟着时代前进。先是目录学,当时学习毛泽东思想,将其引进目录学研究,提出目录学研究的"矛盾说",之后又搞文献检索、电子出版物、个人数字图书馆等的研究。时代在前进,学术在发展,国家的需要也在前进,只有跟着时代前进,我们的科研才能符合国家的需要。我一直不断跟着时代前进,是受我的老师刘国钧教授的启发。这个信念很好,但跟的有些吃力,很辛苦,身体也垮了,总的看来还算跟上了。

二是要敏感。要敏感地看到科学研究发展的动向,动向当然很多,但要选择对国家有意义,同时自己也能承受得了的方向研究。当然,敏感不是凭空而来的,不是"灵感",它需要知识的广泛积累和综合。这就要求平时对知识的吸收面"杂"一点,宽一点。有时在吸收某一知识时,并不能立竿见影地立即进行"联想",得到启发,但在日后可能有用。所以平时应广泛涉猎,拓宽知识面,但并不是对什么都"浮光掠影",而是有针对性的。

三是要理论实践相结合。目前我们这个领域,存在很多理论家,提一些理论,评论一些观点,以为放之四海而皆准,实际的东西不愿意搞。我的个人数字图书馆4万多条记录,书目数据库的6万多条记录都是我录入的,很多人笑我这个重复劳动,但我觉得只有通过实际做了,才能透彻地了解其内容,而不是看一些文献,将他们一综合分析就可以达到的。我总是先做出来实际的东西后,才写文章发表。

四是要不怕苦,愿意做"粗"活。如录入记录,总要一条条地录入,实践出真知。但从某种意义上说,这也是很笨的方法。但能够把有些成果留给后人,也是一个安慰。

最后一点不算是我的治学体会,但它是治学当中体会很深的一个方面:即我们图书馆学、情报学领域学术史专家的缺乏。关于一个问题是谁先提出的,谁继承的,做了什么发展,这些都需要被清晰地揭示,但现在我们这个领域很缺乏做这样工作的人。现在的一些风气很不好,往往割断历史,以为自己是天下第一;另外抄袭剽窃现象严重;现在文献数量很庞大,一些文献往往被埋没,我们把它比作沙尘,新的不断覆盖原来的,使人们很难窥见对一些问题研究的全貌,这都需要学术史专家,使用先进的手段,解释一些问题,端正我们的学风。现在有一些研究学术史的专家,图书馆学领域如程焕文、范并思等,但人数还不够。另外,学术史家目前的治学手段还略显落后,没有充分利用书目数据库或全文数据库等较先进的工具。他们应既有深厚的目录学知识,还应借助先进的手段,如建立一些书目数据库或利用个人数字图书馆来搞学术研究。

还有一个问题是像你这一年龄阶段的人好像对这个问题不感兴趣,这也是很令人担忧的地方。一方面需要大量的学术史专家,一方面又没有人愿意从事学术史研究。所以我希望年青一代能有更多的人搞学术史研究。

探索——治学的根本

我从1957年北京大学图书馆学专业毕业来武汉大学图书馆学系(即今天的图书情报学院)任教以来,已有40年。与同辈人相比,我的治学道路似乎有些“特殊”。我的治学领域经历了两次大的转向:从目录学、图书馆学转向情报学;从图书情报的传统方式转向现代化。我个人的经历反映了我们国家几十年来图书馆工作情报化、图书情报工作一体化、现代化的历史性进程。这个历史进程是由千万个图书情报工作者协同完成的。但是,体现在个人的治学领域的转向上,确实使我经历了许多“苦”与“难”。因为这需要不断地跨入新领域,不断地重新学习,付出勇气和汗水。

“苦”字,是我从小就遇到的。我于1935年出生在浙江省衢县一个小商人家庭,家里开一个小店,主要从事“鹅蛋粉”(一种妇女化妆用品)的制作和销售。1942年,日本飞机疯狂轰炸我们县城,我的家(家与店在一起)被燃烧弹烧光了,只跑出了一只鸡。从此我家沦为赤贫。为了生活,父亲摆地摊,母亲给人家洗衣服,姐姐提着篮子沿街叫卖油条烧饼,因此我小时候经常吃不饱。记得过10岁生日时,我提出的要求是要吃一餐豆腐。小学毕业,父亲要我到商店去当学徒,我不愿意,就冒险去考名额仅2名的中学公费生,结果考上了,才得以继续求学。小时候的经历,使我养成了艰苦朴素的习惯。1954年上北京大学时,我曾想把半瓶剩下的蓝墨水带到北京去,不巧在火车上墨水瓶翻了,把一条毛巾都染蓝了,而这条蓝毛巾则陪伴我度过了大半个大学生涯。在北大读书期间,我没有雨伞套鞋,甚至没有一个书包,教材讲义是用一张牛皮纸包着,挟在腋下穿梭于教室与宿舍之间的。快毕业时,同学张万荃送给我一个旧书包,结果这还引起一点小误会,人家说:“你为什么老帮别人提书包?”

艰苦,却也使我得到了磨炼,养成了吃苦耐劳的作风。在治学的道路上,不怕条件差,不怕起点低,不怕困难大,只要刻苦,就能引起矛盾的转化,这成了我的信念。确实,我不仅在大学期间每门课程都取得优秀成绩,而且在我的两次大转向中,往往“不自量力”、“自找苦吃”,所遇到的失误、弯路、无用之功可以说比比皆是,但是,“学海无涯苦作舟”,只要刻苦,就能攀登。这是我的一点经验和心得。

1　第一次探索，提出目录学研究的"矛盾说"，揭开了新中国目录学对象问题第一次大讨论的序幕

在武汉大学，我开设的第一门课程就是目录学，因而我最初的治学领域是目录学。当我进入这一领域，一开始就为我国丰富的目录学传统与遗产所倾倒。联系着我国数量极其庞大的典籍的目录学，尤其是灿烂的目录学史，使我觉得这是一个我一辈子也难以学完的领域，我庆幸自己进入了这一领域。然而，我渐渐地发现，目录学的研究对象以及作为一门学科的目录学的定义，尚无一个确切的说法，而且越学越感到困惑。这样，我开始试图用马克思主义的观点，特别是毛泽东同志关于"科学研究的区分，就是根据科学对象所具有的特殊的矛盾性。因此，对于某一现象的领域所特有的某一种矛盾的研究，就构成某一门科学的对象"的论断（《矛盾论》），提出目录正是"由于人类巨大的图书财富和读者对图书的一定的需要之间，存在着矛盾和解决这个矛盾的需要而产生发展起来的"（见《武汉大学人文科学学报》1959 年第 7 期）。这一"矛盾说"，在目录学领域是一种新的说法。文章发表后，引发了新中国第一次有关目录学研究对象的大讨论，王文杰、周学浩、朱天俊、王煦华等同志纷纷发表文章，分别提出"图书说"、"目录说"、"图书与目录说"等观点。现在看来，"矛盾说"的主要特点在于引入了读者用户需求这个过去被忽视的重要方面。事实上，这是与情报学的发展逐步走向"U 规范"（以用户的需求为中心）是一致的。今天，社会的书目情报需求研究，以及书目情报服务的研究，已扩展和丰富了传统的目录学研究领域。这些进展也可能与"矛盾说"有一定的联系。

2　探索之二：探索中国文学书籍专科目录学的体系

60 年代初，我从事专科目录学——中国文学书籍目录学的教学，并于 1963 年编印了作为校内教材的同名教材，约 10 万字。这是解放后我国专科目录学建设较早的项目之一。

如果说提出新的观点是一种探索，那么从事系统综合，使其成为一门学科，也是一种探索。在文学书籍目录学领域内，郑振铎、孙楷弟、阿英等前辈成绩斐然。然而，作为一个完整的中国文学书籍目录学的体系尚未建立。

我在这部教材中，提出了作为专科目录学的"中国文学书籍目录学"的对象和任务，指出："中国文学书籍目录学是一门专科目录学。它以中国文学书籍为对象，用目录学的方法研究各个时代文学书籍的存在状况及其目录资料。"关于这门学科的具体内容是："一、提示与掌握各时代文学书籍的总的状况——文学书籍的出版情况，流传与散佚情况，主要文学书籍的内容梗概；二、通过书目索引这种系统化记载图书的工具，了解文学书籍的范围、各种出版类型、文学书籍的各种分类类别的发展变化；三、指出和确定最好、最正确的文学书籍和书籍的版本，用以宣传优秀文学书籍，

指导读者阅读,并为文学研究者提供可靠有用的资料;四、探讨将各种分散的数量庞大的文学书籍,根据一定的目的,加以系统化的组织——即编制各种类型文学书目索引的方法与特点。"

在60年代初,国内从事专科目录学研究的人还不多。上述有关专科目录学对象、内容的见解,可算是一种探索。80年代,人们又恢复了专科目录学的研究。从历史角度来说,这是专科目录学研究的继续和深入。对此,我是颇感欣慰的。但对我个人来说,由于"文化大革命"的开始,中断了文学书籍目录学的研究与建设,没有对1963年的这部教材进行修改补充,这是我治学道路上的一个遗憾。而这个探索,也鲜为人知,除了"文化大革命"的因素之外,还由于在70年代初,我开始了"转向"——转向科技文献检索领域。

3 探索之三:为科技文献检索课程奠基

70年代初,我觉得要使我们的教学乃至图书情报工作跟上时代要求,就要紧跟图书馆情报化的过程。情报检索,是整个情报工作的基础与中心环节。科技文献数量大、增长快、它是与社会主义建设最直接相关的情报源。

从文学书籍目录学转向科技文献检索,二者在原理方面是彼此有沟通之处的。通过各种检索工具(书目、索引、文摘等)以查找文献,将分散无序的文献编成检索工具,使之成为随时可被激活的情报,这两个方面正源于目录学原理。但是,对于一个人的治学来说,二者之间也有很大的区别。这主要是所要求的基础知识的不同。前者的对象是中国文献,后者则在很大程度上是国外文献;前者基本上不涉及外文,后者则要求一定的外语,特别是科技知识和科技词汇,在检索技术上,由于国外科技文献检索工具早在60年代就进入计算机排版及计算机编制索引的时代,各种机编索引的原理与检索技术是新型的。当我涉足科技文献检索领域时,许多地方感到陌生,许多新的名词及其译法需要费时间去推敲。由于从"文化大革命"开始,图书情报学的刊物停刊,专业论著也基本上没有出版,找不到参考资料。因此,我下决心做两件事。第一,弄清楚像《化学文摘》等各种重要检索工具的结构与功能;第二,要写出一部有一定体系结构(不是工具书举要之类)的教材。在做第一件事情中,我把许多国外检索工具的凡例说明材料用打字机打下来,既练习了打字技巧,又便于旁边的加注,进行翻译。在做第二件事的时候,我亲自做了1000多张卡片,将"文革"前的有关资料作为分类索引,每天都干到凌晨2点钟。武汉那时经常停电,就用煤油灯挑灯夜战。1974年初,《科技文献检索》教材编成了,这是校内油印本,想不到不久之后,国防科工委情报所就将它翻印成铅印本,在国内流传。从此,这门课程就正式列入图书情报学专业的教学计划,并得到各兄弟院校图书情报专业的响应,文化部也将这门课列为图书馆职称考核的课程之一。关于这一点,著名文献专家、天津大学研究馆员范铮先生指出:"本来查找文献的知识,最早是由理工院校讲授的。但作为一门正式课程来说,它是从图情院系引进的。1974 年 2 月,武汉大学图书馆学系陈光祚老师编出了国内第一本正式教材《科技文献检索》,同年,武汉大学将这门课列为图书馆学系的必修课。此后这门课在图情院系逐步发展起来。"(见范铮:全国大学机电系统文献课教学情况,《津图学刊》1991 年第 2 期)范铮先生在逝世前又特地给我来信,信中说:"兹寄上我写的'全国大学机电系统文献课教学情况'一文。这篇调查在《大学图书馆学报》刊载时,因版面字数限制,将前面部分删除了。后我又在《津图学刊》上重刊一次,该文 P76 有您于 1974 年 2 月编国内第一本正式教材的记载,可作为资料存查。"

这门课程后来的发展更是令人欣慰。80 年代初,在全国图工委的推动下,1984 年国家教委(前教育部)发文,将"文献检索与利用"列为全国理工农医文等各专业本科生的必修或选修课程。这门课程的开设,为图书情报知识的普及和大学生情报意识的培养作出了很大贡献。全国数百万大学生、研究生及中专生听了这门课程,全国 2/3 以上的图书馆设立了文献课教研组。图书馆工作人员走上大学讲台,丰富了图书馆的教育与情报职能。看到今天文献检索课大普及的局面,作为这门课程建设的早期战士,我确有一种"丛中笑"的欣慰感。

4 探索之四:研制电子出版物

70 年代末 80 年代初,我开始转向计算机检索的教学和研究。这是我治学道路上的又一次新起步。

对于一个文科出身的人来说,要做这次转向,实在有点"先天不足"。涉足这个领域,要学习计算机等现代技术,更重要的是,还必须在计算机上"摸爬滚打",要学会动手的能力。而且,从自己的年龄方面来说,能不能做到再一次的"从头越"? 因为从事计算机检索研究的,大多数是朝气蓬勃的年轻人。

但我在科技文献检索的教学与研究中,深深感到,仅仅会手工检索是不够的,从手工检索到计算机检索,是一个合乎逻辑的必然过程。我的导师刘国钧教授也给了我很大的启发。记得 70 年代后期,我去看望他。他躺在病床上,对我说:"要跟上时代前进。"事实上,在 70 年代中期,刘先生在国内第一个著文,介绍美国国会图书馆的 MARC 计划。他为我们做出了很好的榜样。

1978 年,我作为中国图书馆界代表团的成员,在刘季平团长的率领下,赴英国考察图书馆的自动化与网络化。1979 年,我有机会参加了联合国教科文组织、法国科技情报局、中国科技情报研究所在北京联合举办的"自动化情报与联机系统"学习班。1985 年又作为访问学者在英国拉夫巴勒大学情报科学系从事研究一年。这些都为我学习掌握图书情报现代技术提供了良好的条件。

学科发展的需要,老师的鼓励,国家给予的良好条件,使我下定决心:学习,从头开始学习! 我们请学校计算机系的老师来启蒙,从学习二进制开始;无条件独立搞科研,就找一机部情报所合作在国产机上编写 SDI 程序;同学校计算中心一起在进口机器上开发 INSPEC 数据库的检索程序,并向理科各系提供定题服务,以便在实用系统的建立与服务中学习;请到武汉出差的计算机情报检索专家来讲学,以扩大眼界;暂时编不出计算机检索教材,就翻译出版美国兰卡斯特的名著《情报检索系统:特性、试验与评价》作为参考教材;多方搜集计算机模拟系统作为教学手段。总之,一句话,就是不放过任何机会,千方百计地学习。这样,经过几年的积累,编出了自己的教材——《计算机情报检索系统导论》;承担了湖北省科委、国家教委文科博士点、国家教委科技司、中华社会科学基金、新闻出版署等多项科研课题。项目成果的鉴定结论,开始是"居国内先进行列",接着便都是"国内领先"。培养了 30 名硕士研究生,公开编写出版计算机情报检索方面的教材、译著、专著 4 部,发表有关论文 70 多篇。特别值得一提的是,1991 年与武汉大学出版社合作,以出版过程中的中间产品——书稿的计算机排版文本为原料,用全文数据库技术制作成功并公开出版《国共两党关系通史》电子出版物。这为出版界利用计算机排版文本开发电子出版物探索出一条新路,为文献资源的开发开辟了一个新的、潜力巨大的领域。这部电子版图书,被中央电视台和许多报刊作过报道,并在四次国际会议上作了报告。事实表明,这项研究,使我们进入了学科前沿。

5　几点体会

(1)学术上的创造,部分来自于学术上的敏感。治学道路就是创造的道路,是追求新知识、提出新观点、采用新方法、达到系统综合的新高度乃至开辟新的研究领域的道路。而要做到有所发现、有所创造,就需要有一定的"敏感"。也就是说,要看准苗头,不怕标新立异。在我的治学生涯中,确有几个国内有"首次"意义的事情:1959 年首次提出目录学对象研究的"矛盾说",揭开了新中国第一次目录学大讨论的序幕;1963 年编成的《中国文学书籍目录学》是解放后最早的专科目录著作之一;1974 年编成国内第一部正式的《科技文献检索》教材,为这门课程确立了内容体系;撰写了国内第一篇有关检索策略的文章(1982 年)和有关 CD - ROM 光盘的文章(1986 年);最早投入全文数据库研究(1987 年)并研制成功全文数据库型的电子版图书(1991 年),编写出版电子出版物制作方面国内第一本专著(1994 年)等。学术上的"敏感",应该是看准那些我们学科中具有重大意义并有广泛发展前途的问题,这样才能引起学术界的重视,同行的响应。

(2)敏感来自知识的广泛积累和综合。敏感不是凭空而来的,不是"灵感"。30 年来,我曾担任过目录学、中国文学书籍目录学、读者工作、图书馆学引论、手工检索及计算机检索等课程的教学;撰写过的文章,从梁启超的目录学观点研究,到全文数据库与单汉字全文检索系统的分析,可以说内容比较庞杂,分支学科的跨度较大。这种"杂",似乎有"见异思迁"、"浮光掠影"之嫌,但是也使我从目录学、图书馆学、情报学的知识融合中进行联想、对比、分析,能够从系统综合中发现与考虑问题。具体来说,可以从新技术的角度发现传统学科内容的变革方向,也可以从传统内容来分析计算机技术在图书情报范围内可能的新应用。从这个意义上来说,平时对知识的吸收面杂一点、宽一点,是有好处的。有时,在吸收某一知识时,并不能立竿见影地立即进行“联想”,得到启发,但是在日后可能有用。掌握外语,阅读国外图书情报学书刊,也属于广泛进行知识积累的范畴。借助于外文,确实可以使自己进入一个新大陆。对于计算机情报检索学科来说,由于国内外存在较大的差距,对外语与外语资料的掌握就显得尤为重要。我通过翻译兰卡斯特的《情报检索系统:特性、试验与评价》一书,确实深切体会到这一点。

(3)在知识的积累中要不惜干“粗”活、下“笨”功夫。建立卡片式的目录、建立书目数据库的工作,在某些人看来是“简单劳动”。在70年代和80年代,我写了几千张题录卡片。进入90年代,我又建立了2万多条记录的图书情报学书目数据库。我学习汉字编码,自己录入(有些是通过套录)。这确实花费了大量时间,但我觉得值得。因为亲手建库录入,就会对整个文献状况有一个总的印象。每当我新录入一批论文题录时,我总会有一种增加了财富的感觉。因为这些文献就会置于我的计算机扫描、检索范围之中,就可以随时加以调用。当然,我也做过一些确实劳而无功的笨事。例如,在70年代从事《科技文献检索》教学时,亲自写了2000多张英文缩写字卡片。后来,这方面的缩写字典出版了,我的功夫都付之东流。今天,社会上也出现了一些包括图书情报学文献在内的书目数据库,它们收录材料的数量更大。这也可能使我自建的数据库变得无用。但是我想,自建库的功能由我设计,新材料的录入可以随时进行,对原录入记录可以随时修改,而且不花钱,因此还是有一定价值的。当然,书目数据库建设的社会化、商品化是必然趋势,大可不必搞“自给自足”。日后可能我会发现,花在自建库上的劳动会变得没有意义。但是,在治学的道路上,谁能保证没有失误?在科学研究的道路上,要等到一切最优条件具备才开始干,也是不现实的。

(4)干粗活笨活,就会吃苦,付出代价。计算机情报检查是一个十分活跃、进展迅速的学科。这个学科的教学与科研,对物质条件——计算机、数据库、通信设施等条件的依赖性较大。经费不足、设备不足,是我们经常遇到的难题。例如,就计算机来说,必须先到院里登记申请机时,每周轮上两个单元时间就算不错了。然而武汉经常停电,有时经常出现这种情况:早上高高兴兴爬上六楼到机房,结果停电,就坐在机房一分钟一分钟地等待。有时来电了,就干,但往往是等到下班也没有来电,只得扫兴而归,但又对下一次上机满怀希望。后来,随着争得了科研课题,条件逐步地改善,先是在我们研究所买了一台微机,接着在家里也配上了微机。上机时间是多了,就没日没夜地在计算机上“泡”,结果使我体质下降,往往感到头昏,甚至走路也摇摇晃晃的。同时家里的电费开支也大幅度上升。有得有失,得失互换,确实是辩证法。

(5)用唯物辩证法作为治学的指针,就可以使自己变苦为乐、变难为易,获得朝气和信心。世界确实充满辩证法。不知与知,知之甚少与知之较多,都是可以转化的。在人们面前，尤其是年轻人面前，我从不掩盖自己的缺陷。承认现实，才能改变现实。我愿意向别人，包括比我年轻得多的人请教我所不懂的问题。在我的体会中，还不算丢面子，更不会使别人轻视自己，相反，人们是理解我、尊重我的。师生之间的关系，也是辩证的。老师不是一切方面都超过学生，学生也不是一切方面都不如老师。“闻道有先后，术业有专攻”。事实上，我在软件方面的知识很贫乏，科研成果中所包括的程序是由研究生编写的。但是，在系统分析与设计方面，我又能指导他们。这种教学相长的群体，正是我们力量之所在。将唯物辩证法应用到图书情报学的理论观点分析方面，也是十分重要的。目录学研究的“矛盾说”，是辩证法应用的一个例子，如何看准学科发展中的“苗头”，也需要辩证法帮助我们抓住主要矛盾，分清现象和本质，辨别主流和支流，把握事物各方面之间的彼此联系，对问题进行全面的分析。将出版过程中的电子排版文本加工成电子出版物，是将计算机情报处理技术与出版相结合的例子，也是文献资源开发利用的视野范围从图书情报工作范围内的对已出版文献的采集、协调、布局、流通、参考服务，扩展到文献产生的源头——出版业的例子。理论与实践的关系，根据唯物辩证法的原理，就是研究问题要从实际出发，而不光是从概念出发；实践出真知，要力图通过试验，用实践来检验理论与方法的正确性。另一方面理论又高于实践，指导实践。在计算机情报处理领域，有一种良好的学风，就是“你要讲榔头，先打一个榔头出来看”。我们关于全文数据库、电子出版物、单汉字检索系统等方面的文章，是在建立了相应的计算机系统之后才写成的。

(6)讲课与写作，是对已知知识系统化、条理化的重要环节。讲课不是简单地把自己已知的知识讲出来，写作也不是简单地把自己已知的知识写出来。自己懂了的东西，要讲得、写得别人也很快能懂，这两者之间不是一回事。只有通过讲课与写作，才能使自己已知的东西更加条理化，更加符合逻辑性。因此，这是对已知知识的一次“纯化”，一次“再精炼”。而且这种纯化精炼工作不只是进行一次。科学论文的写作，是难以做到“一挥而就”的。我有这样的切身体会，有时一口气写下的东西，当时觉得不错，放了一些日子再拿出来看，就会感到不满意了。因此，还是多提倡一点“慢工出细活”为好。我主编的《科技文献检索》，从初印本到正式出版，花了10年时间。《计算机情报检索系统导论》也花了5年时间，因为这中间曾修改了几次。对于翻译来说，弄懂的句子要很好地用汉语表达出来，有时很难。翻译，在很大程度上是一种再创造的过程。因此，不急于求成，也是必要的。

几十年的治学生活过去了，无用之功多于小小的一孔之见、一得之功。平心而言，我是一个不大成功的治学者。人到老年，小志未酬。要将几十年治学的酸甜苦辣在这篇小文章中说透，实不可能。而且至今我还认为，以后需要去做的事情太多，现在还不是经常回顾往事的时候，主要的精力应当是：再前进，再探索，跟上时代的步伐和学科的发展。

原文载于《图书馆论坛》1997年第4期

富有探索精神的图书情报学专家

——记陈光祚教授

陈光祚,1935 年生,浙江省衢县人。1957 年 8 月毕业于北京大学图书馆学专业。1978 年晋升副教授,1985 年晋升教授。1995 年担任博士生导师。同时还担任国家教委全国文献检索课程教学指导小组成员,中国图书馆学会情报技术专业组主任,中国科技情报学会刊物《情报学报》编委,中国索引学会副理事长。先后发表论文 90 多篇,出版著作(包括译著)6 部。

陈光祚教授在教学与科研中富有探索精神,在 1957 年发表的《目录学的对象和任务》中,首次用马克思主义观点,从浩如烟海的文献与读者对其特定的需求之间的矛盾,提出了目录学对象的新观点,引发了全国关于目录学基本理论的大讨论。目前,这种“矛盾说”的观点已为多数目录学家所接受。1973 年,主编出版《科技文摘检索》(获国家教委优秀教材二等奖),为这门新的课程做了奠基。这门课程不仅为全国高校图书馆情报专业普遍接受,而且文化部于 80 年代起将其作为图书馆工作者职称考核的科目之一。1984 年教育部发文,将“文献检索”课程列为高校理、工、农、医、文等各专业本科与专科生的必修课或选修课。至今,全国已有数百万大学生选学了文献检索课程,同时也使图书馆工作人员走上了大学的讲坛。陈光祚跟随时代的前进和学科的发展,从 70 年代末期起进行计算机情报检索领域的学习和探索,不畏困难,勤奋努力,翻译出版了美国获奖著作《情报检索系统:特性、试验与评价》,并于 1983 年主持科研组建立了武汉大学图书馆的计算机情报检索计算机系统,成为当时国内为数不多的实用计算机情报服务系统之一。此后连续编译出版《计算机联机情报检索》、《新一代的情报检索系统》等著作,并于 1993 年出版了自编的《计算机情报检索系统导论》。陈光祚于 80 年代被聘为国家科委全国计算机情报检索系统技术顾问,并被授予全国科技情报工作创建三十周年的先进个人称号。陈光祚从 80 年代末开始,将计算机情报存储与检索技术应用于电子出版物的制作,首次采用出版界广泛使用的电子排版所形成的电子排版文本作为“原料”制作电子出版物的技术路线,并于 1991 年 7 月与武汉大学出版社合作出版发行我国最早的电子出版物——《国共两党关系通史电子版》,为我国文献资源的开发,开拓了一个新的领域,也为出版事业的现代化作出了贡献。陈光祚于 1992 年在《中国出版》杂志上发表的连载文章《电子出版物及其制作技术》,受到出版界的高度重视。1994 年,陈光祚主编出版了国内第一部有关电子出版物的专著——《电子出版物及其制作技术》的专著，并于1995年获国家教委首届社会、人文科学科研成果二等奖。

陈光祚被英国拉夫巴勒大学聘为高级研究员。出席过在伦敦举行的“联机情报”国际学术会议等多次国际学术会议。

目前，陈光祚继续在情报检索和电子出版物等领域进行探索，力争有新的突破。

原文载于《湖北省社会科学界名人》1999年版

博导系列访谈——陈光祚教授

唐小兵　江翠平

中国有句古话叫"老骥伏枥,志在千里;烈士暮年,壮心不已"。用它来形容陈光祚教授实在再贴切不过了。陈教授一生求新图变,年近70仍孜孜不倦。在图书情报学的科研和教学领域勤耕不辍,为我国图书情报学科的发展创造了一次又一次的发展和改革机遇。瞻仰名山,我们才知道山的宏伟;瞻仰大海,我们才知道海的浩瀚。

目录学方面

本刊特约记者:陈先生早年的研究领域是图书馆学和目录学,并且在1959年发表了《目录学的对象和任务》一文,此文大胆提出了目录研究对象的"矛盾说",揭开了新中国目录学对象问题第一次大讨论的序幕。请问您当时是怎么形成目录学研究对象的"矛盾说"的?

陈光祚教授:其实这个想法也是长期科研和教学实践得出的基本结论。从1957年进入武汉大学教书时起,我就开始工作在图书馆学教学与科研的战线上。当时我开设的第一门课程就是目录学,这也就决定了我最初的治学领域是目录学。当我进入这一领域,一开始我就被我国丰富的目录学传统和遗产所折服。然而,我渐渐地发现,目录学的研究对象以及作为一门学科的目录学的定义,尚无一个确切的说法,而且越钻研越感到困惑。这样,我开始试图用马克思主义的观点来分析这个问题。马克思主义不是说矛盾是一切事物的源泉吗,而且我们用它来研究很多学科的问题,就发现也能够解释很多科学问题。于是我就通过对目录学文献的长期阅读和积累,提出了目录学的"矛盾说"。当时是这样表述的:目录学是"由于人类巨大的图书财富和读者对图书的一定的需要之间,存在着矛盾和解决这个矛盾的需要而产生发展起来的"(见《武汉大学人文科学学报》1959年第7期)。这一"矛盾说",在目录学领域是一种新的说法。文章发表后,也就像你所说的引发了新中国第一次有关目录学研究对象的大讨论。现在看来,"矛盾说"的主要特点在于引入了读者用户需求这个过去被忽视的重要方面,以前我们讲目录学,只谈图书馆的服务功能,讲它的计划和分配,从来不会想到服务的水准。现在把这个观点一提出,服务就成了目录学研究的中心问题,先了解读者的需求,再来提供优质的服务,这也正是图书馆工作的主要职能。只不过当时语句的表达还过于拗口,现在表达为"读者的需求和图书馆的书目服务之间的矛盾”或许更确切些。

顺便插一句，以“矛盾说”来确立一门科学的研究对象的方法，对于很多社会科学学科来说还是可行的。事实上，情报学的发展逐步走向“U 规范”（以用户的需求为中心）也是借助了矛盾分析方法的。今天，社会的书目情报需求研究，以及书目情报服务的研究，已扩展和丰富了传统的目录学研究领域。这些进展也可能与“矛盾说”有一定的联系。

本刊特约记者：在提出了目录学研究的基本问题之后，上个世纪 60 年代初，您开始从事专科目录学的编纂和研究工作，当时还编印了《中国文学目录学》的教材，请问您当时是怎么转入到对文学目录学的编纂当中去的？

陈光祚教授：在连续发表了几篇对于目录学基本理论探讨的文章之后，我发现只对目录学的基本理论进行探讨并不是目录学的本质。目录学的基本问题研究的就是“读者需求与书目服务之间的矛盾”的问题，那我们应该怎么样来解决这一问题呢？所以，这就引起了我编印基本目录来体验并解决目录学矛盾的想法。而当时系里的几位老师也极力赞成通过对文学目录的编纂来探索这一实际中的问题，这可能也是由于武大是百年名校，文学传统和文学典籍比较丰富的缘故。60 年代初，我从事专科目录学——中国文学书籍目录学的教学，并于 1963 年编印了作为校内教材的同名教材，约 10 万字。这是解放后我国专科目录学建设较早的项目之一。现在想来，编印这样一部教材，不仅使我们认识到了在目录学服务过程中存在着的种种艰辛，越发感觉到了目录学编纂和服务的艰巨性；另外，我们还得到了一些规律性的认识，比如说中国文学目录的定义，即“中国文学目录学是一门专科目录学，它以中国文学书籍为对象，用目录学的方法研究各个时代文学书籍的存在状况及其目录资料”，这些基本的结论都属于在实践中总结出的目录学的基本理论问题，也对我们研究其他专科目录学提供了理论支持。

另外，在编纂实际目录的过程中，我获得了一个很深的体会，这就是在浩如烟海的文学典籍当中编纂出一部目录是十分不易的。很难想象在图书和报刊的产量日益丰富的情况下，我们编纂越来越大型的书目遇到的困难和耗费的人力和财力将会多到什么程度。而且，在编纂的过程中采用怎么样的编纂体例对于工作量来说也是一种考验。到了 70 年代初的时候，我觉得要使我们的教学乃至图书情报工作跟上时代要求，就要紧跟图书馆情报化的过程，情报检索，是整个情报工作的基础与中心环节。科技文献数量大、增长快，它是与社会主义建设最直接相关的情报源。因此，我便开始了对科技文献检索的探索过程。

文献检索方面

本刊特约记者：看来是由于对书目实际工作的尝试促进了您从文学书籍目录学转向科技文献检索，那么在转变之后，您认为二者之间有何区别和联系呢？

陈光祚教授:二者在原理方面是彼此有沟通之处,都是通过各种检索工具(书目、索引、文摘等)以查找文献,将分散无序的文献编成检索工具,使之成为随时可被激活的情报,这两个方面正源于目录学原理。但是,对于一个人的治学来说,二者之间也有很大的区别。这主要是所要求的基础知识的不同。前者的对象是中国文献,后者则在很大程度上是国外文献;前者基本上不涉及外文,后者则要求一定的外语,特别是科技知识和科技词汇。在检索技术上,由于国外科技文献检索工具早在60年代就进入计算机排版及计算机编制索引的时代,各种机编索引的原理与检索技术是新型的。而在我国,是大量的人力劳动来承担这一艰巨的学术研究的重任,由此也决定了研究的过程是相当缓慢的,出成果也就特别不容易。

本刊特约记者:科技文献检索在当时来说是个新名词,由于从"文化大革命"开始,图书情报学的刊物停刊,专业论著也基本上没有出版,找不到参考资料。因此,先生一定碰到了不少困难。请问先生是如何克服当时的困难的?

陈光祚教授:当时条件的确很恶劣,我当时下决心做两件事。第一,弄清楚像《化学文摘》等各种重要检索工具的结构与功能;第二,要写出一部有一定体系结构(不是工具书举要之类)的教材。在做第一件事情中,我把许多国外检索工具的凡例说明材料用打字机打下来,既练习了打字技巧,又便于旁边的加注,进行翻译。在做第二件事的时候,我亲自做了1000多张卡片,将"文革"前的有关资料做成分类索引,每天都干到凌晨2点钟。武汉那时经常停电,就用煤油灯挑灯夜战。1974年初,《科技文献检索》教材编成了,这是校内油印本,想不到不久之后,国防科工委情报所就将它翻印成铅印本,在国内流传。从此,这门课程就正式列入图书情报学专业的教学计划,并得到各兄弟院校图书情报专业的响应,文化部也将这门课列为图书馆职称考核的课程之一。关于这一点,著名文献专家、天津大学研究馆员范铮先生指出:"本来查找文献的知识,最早是由理工院校讲授的,但作为一门正式课程来说,它是从图情院系引进的。1974年2月,武汉大学图书馆学系陈光祚老师编出了国内第一本正式教材《科技文献检索》。同年,武汉大学将这门课列为图书馆学系的必修课。此后这门课在图情院系逐步发展起来。"这门课程后来的发展更是令人欣慰。80年代初,在全国图工委的推动下,1984年国家教委(前教育部)发文,将"文献检索与利用"列为全国理工农医文等各专业本科生的必修或选修课程。这门课程的开设,为图书馆情报知识的普及和大学生情报意识的培养作出了很大贡献,全国数百万大学生、研究生及中专业听了这门课程,全国2/3以上的图书馆设立了文献课教研组。图书馆工作人员走上大学讲台,丰富了图书馆的教育与情报职能。看到今天文献检索课大普及的局面,作为这门课程建设的早期战士,我确有一种"丛中笑"的欣慰感。

电子出版物方面

本刊特约记者:在进行科技检索的过程中,您逐步采用了计算机这个工具,并且利用计算机排版技术对书稿排版文本进行了加工,生产出国内第一部电子出版物,请问您当时是出于什么需要来生产这个产品的？您当时有没有意识到电子出版物有今天的市场前景和价值？

陈光祚教授:在上个世纪七八十年代的时候,我就开始了对计算机检索的研究和教学,原因也是很明显的:手工编目耗费了大量的人力和财力。等到了对计算机有了相当的研究之后,我发现计算机编排书目的文本本来就是一本书,就是相当于一个词典,一个信息库,只不过图书是用纸张来承载的,不需要其他特别的工具就可以阅读,而计算机排版文本本身也是一本书,结构和图书的页面没有什么差别,只不过它是要借助电脑才可以阅读的。那我就想有电脑的同志难道还需要非买一本书才可以阅读么？显然不需要,直接把这些书目存储在一个载体上,不就可以当成是一本书了么？当时就想到了不经过油墨印刷,直接出成电子产品。于是,1991年,我们就与武汉大学出版社合作,以出版过程中的中间产品——书稿的计算机排版文本为原料,用全文数据库技术制作成功并公开出版了《国共两党关系通史》电子出版物。后来有人也就评价说这为出版界利用计算机排版文本开发电子出版物探索出了一条新路,为文献资源的开发开辟了一个崭新的、潜力巨大的领域,这也算是对我们工作的一个认可吧。至于它的市场前景和价值,也没有意识到多少,因为当时出版这样的产品成本很高,完全没有想到现在电子出版物推广到了如此普遍的地步。

个人数字图书馆方面

本刊特约记者:陈先生在治学上重视创新,在您的治学生涯中,一直处在科研创新的前沿。1959年首次提出目录学对象研究的“矛盾说”,揭开了新中国第一次目录学大讨论的序幕;1963年编成的《中国文学书籍目录学》是解放后最早的专科目录学著作之一;1974年编成国内第一部正式的《科技文献检索》教材,为这门课程确立了内容体系;撰写了国内第一篇有关检索策略的文章(1982年)和有关CD-ROM光盘的文章(1986年);最早投入全文数据库研究(1987年)并研制成功全文数据库型的电子版图书(1991年),编写出版电子出版物制作方面国内第一本专著(1994年)等。这种学术上的敏感,和您的广博的知识体系结构分不开,同时也和您在学术上的勤勉肯干密切相关的。那么您最后是如何进入到个人数字图书馆这一崭新的研究领域中的呢？

陈光祚教授:所谓个人数字图书馆,是指个人为了读书治学的目的,在自己的计算机上采用免费或基本免费的全文数据库软件,将有关的网上信息和自创的数字化信息资源进行采集、存储,使之成为有组织的信息集合,以供自己个人有效利用的数字图书馆。个人数字图书馆是数字图书馆的一种类型。它是最贴近用户个性需求的数字图书馆,可以说,个人数字图书馆就是“e”时代的私人藏书楼。建立个人数字图书馆是广大网络用户的要求,而图书馆普及个人数字图书馆建设的理论与方法,将是继普及文献检索知识之后的另一个用户教育的热点。首先,个人数字图书馆的存在有其必然性:① 从历史来说,公共图书馆的发展与普及,在任何时候都不可能完全取代和消除个人藏书的存在。在我国漫长的封建社会中,为数不少的私人藏书楼在保存文化典籍、传播文化、辅助培养人才等方面起了不可磨灭的作用。在图书出版的总数中,大部分是个人购买的,而非图书馆所购买的。私人藏书在图书文献的收藏方面更具治学的针对性、使用的方便性、引用的频繁性。当然,个人藏书在规模、费用等方面有局限性,是不能满足人们的全面信息需求的,而必须依靠面向公众(面向全社会或一定范围的公众)的信息源。在传统模式中,这种面向公众的信息源和信息服务主要就是各种类型的图书馆,它们的营运成本也由社会机构(包括政府、团体、学校等)所承担。在当今的"e"时代,传统印刷型信息资源纷纷进行数字化上网,再加上众多的期刊、报纸、杂志、图书都在网上出版发行,甚至传统的信件也通过 E - mail 收寄,因特网成了储存、传播人类有史以来最大的信息资源库的工具。人们从网上免费和交费下载与自己工作、生活、研究相关的各种信息,日积月累,下载的信息多了,就需要管理,个人数字图书馆就是实现个人数字化信息收藏和对个人收藏的数字化信息进行管理的工具。② 从提供个性化服务来看,目前网上提供的各种个性化服务其原理上讲仍是基于机械性的匹配,难以满足个人的真正需求。个人数字图书馆的建立才是真正提供个性化服务的有效途径。③ 个人数字图书馆除网上下载文献外,可收录个人文章与著作的电子文本、自己的 E - mail 文件等。在一个库内,所收录的文件类型和格式可以是多种多样的,如文本文件、HTML 文件、DOC(WORD)文件、WPS 文件、图形乃至动态图像、音乐等文件。这在正规的数字图书馆某一特定数据库中是很难做到的。并且,它的信息有固定性,不会因网络资源的更新而改变。同时,它具有简易性,不像其他高校图书馆、公众图书馆等需要商业机构的支持,它可由用户一个人完成。

其次,个人数字图书馆存在有其可能性。① 从可采集的信息资源来看,供个人数字图书馆采集的信息资源已具相当规模,并呈指数增长趋势。个人数字图书馆的信息来源除主人的数字化稿件、家庭相册、导入的外部文件外,大量的是对网页的抓取和拖放。据估计,目前因特网上的网页数量已达数十亿页,并呈快速增长的趋势。这为个人数字图书馆提供了可采集信息的保障。② 从建设成本和运行费用来看,建立和运行个人数字图书馆的费用是很低廉的。在已具备微机和上网条件的情况下,支撑个人数字图书馆的软件大都是免费的,可在网上直接下载。个人数字图书馆的运行费包括抓取和拖放网页的上网费。③ 从软件技术上讲,能够胜任个人数字图书馆主要功能的软件(免费或基本免费的全文数据库软件)已基本成熟,建立个人数字图书馆的时代已经到来。它们的大量出现将是对面向公众服务的数字图书馆的补充,后者应支持扶植前者的成长。

本刊特约记者:陈先生一向强调动手能力的重要性,您曾说过:"要学会教榔头,自己一定要先会做榔头。”您刚才也给我们演示了您自己建立的个人数字图书馆，其中包括的内容有历史、地理、文化、文物等各个方面，您称它为自己的百科全书。您现在正在为个人数字图书馆在中国的普及做什么样的工作呢？

陈光祚教授：刚才谈了建立个人数字图书馆的必要性和可能性，在现实中，我们也正在为这个设想而努力，我们首先引进了联合国的一个软件 CDS/ISIS，把它汉化后，准备逐步在各个行业中进行推广。其次，我自己也建立了自己的个人数字图书馆。平时就搜集一些自己喜欢的资料，根据这个软件分门编类，建立一个巨大的“个人藏书楼”，这样，在实践中碰到了什么难题，在理论的阐述过程中，就可以对其提出解决的办法。

我们学理工科的，和文科的研究模式有点不同，有一个基本思想就是先做出东西，然后再用文章来解释、说明、推广。我们想要做的东西，先要用计算机来实现，实现了，才有其价值，我们也才可以更深入地来理解它。就像“数字图书馆”，就是用新的科学技术与传统科学结合，这就意味着一种新的研究视角，或许由此可以造就一个新的研究领域，这也是你所说的创新的一种方式吧。我们现在从理论和实践两个方面结合起来对图书馆和情报学的应用问题进行探讨，也希望能为个人数字图书馆在中国的普及贡献自己的绵薄之力。

采访结束了，陈教授兢兢业业的治学精神和态度深深地感染了我们，与此同时，他所提倡的“先构想——再实现——后解释”的理工科治学方法也印在了我们心中。这些宝贵的经验和财富，伴随着陈教授古香古色的书房、香案、画卷，也散发出一种经久不衰的魅力和气息。

原文载于《高校图书馆工作》2004 年第 3 期

他在丛中笑

——书海引渡人陈光祚

鲁承禹　李哲士

在图书情报学界，有一个四十多年来一直力争跟上时代步伐、刻意追求开拓创新的学者，他就是武汉大学图书情报学院教授、博士生导师陈光祚。他的治学领域经历了两次重大转折：从中国传统的目录学转到了科技情报学，特别是文献检索；从传统的图书情报专业转到了计算机情报检索和电子出版物研究。这两种转变，正好反映了几十年来图书情报学变化发展的历程。他以丰富的学术论著表明，他一直站在科学发展的前沿，并获得我国这个领域的创新性的成果。这种跨度较大的研究领域的改变，需要有相当大的勇气和再学习的努力，而他做到了。秘诀只有一个，就是不怕困难，艰苦拼搏，实现转变中的突破。

陈光祚，男，1935 年 10 月 5 日出生于衢州市柯城区一户小商人家庭中，父母靠以手工的方式制作妇女擦脸的用品——鹅蛋粉为生。当他 6 岁时，日寇的飞机用燃烧弹炸毁了他的家，什么东西都烧光了，只剩下一只鸡跑出来。从此，他家沦为赤贫。父亲就摆地摊，母亲就给人洗衣服，姐姐挎篮子卖油条为生。清寒的家境促进了少年陈光祚的发奋，当小学毕业无力上初中时，他却以优异的成绩同时考上了县里仅有的两所中学设立的公费生。由于家贫买不起煤油，整个中学时代就靠一盏清油灯上晚自习。1954 年考入北京大学图书馆学系，学习与生活条件已大大改善，但即使是这样，连一个书包也买不起。每天去教室和图书馆总是用一张牛皮纸包着书挟着走。生活上的艰苦却铸就了他治学上不怕困难、不讲条件、不怕起点低的苦干精神。他认为有这样的苦干精神，就能从不知到知之，化知之甚少到知之较多，通过点点滴滴的积累而达到矛盾的转化。

陈光祚 1957 年从北京大学图书馆学系毕业后，即赴武汉大学图书馆学系（即今信息管理学院）任教至今。1961 年升为讲师，1978 年升为副教授，1985 年升为教授。1985—1986 年赴英国拉夫巴勒大学图书情报系做访问学者一年，被校方授予“高级研究员”称号。1995 年升任情报学博士生导师。40 多年来，他先后担任了“目录学”、“中国文艺书籍专科目录学”、“图书馆读者服务”、“科技文献检索”、“计算机情报检索系统”、“电子出版物研究”、“情报检索进展”等课程的教学，并在这些领域进行了研究,共编著(或主编)著作4部,译著5部,发表论文近百篇,完成国家教委文科博士点基金、中华社科基金、新闻出版署科研基金、湖北省科委等多项科研项目,获得国家教委优秀教材二等奖、国家教委首届人文社科成果二等奖、电力部科技成果二等奖、湖北省科技三等奖,并获得国家科委授予的"科技情报工作三十周年先进个人"称号。已培养硕士生30多名,已毕业和在读博士生8名。陈光祚虽年过花甲,但仍活跃在科研的第一线。

陈光祚与《文献检索课》是怎样结缘的?因为1957年他从北大毕业来到武汉大学任教,担任的就是"目录学"——被认为是"学中第一紧要"的学科。但目录学的对象问题,尚缺乏一个公认的科学定义,往往将其同"目录"、"目录的作用"混淆。陈光祚问津于这个课题,到文化大革命停课(中断),共进行了9年。在长达9年的教学中,深感目录是以书为本,将天下之书编为目录,通过目录掌握天下之书的学问。它与校雠学、版本学有密切的联系。历史上从事目录学研究的学者,都是博览群书的大学者。我国目录学的主要成就,主要体现在中国目录学史部分。他在《武汉大学人文科学学报》1959年第7期发表的《目录学的对象和任务》一文中,对目录学的研究对象提出了"新颖的矛盾说"。指出庞大的图书财富与人们对图书的特定需要之间是存在矛盾的,正是为着解决这个矛盾,才导致目录学的产生,并且是推动目录学发展的内在力量。因而他将目录学定义为"研究用书目索引的方式解决庞大的图书财富与人们的特定需求之间矛盾的科学"。这一新的提法突破了目录学对象传统的"图书说"与"目录说",引进了"读者需求"这一过去被忽略的方面,为系统地研究社会的书目奠定了基础。这篇文章发表后,揭开了新中国建立后有关目录学对象问题的大讨论。这一讨论为"文化大革命"所中断。

80年代初,陈光祚觉得,要有助于实现我国的"四化"目标,自己的治学方向应该转向现实需要的轨道上来。而"工具书使用法"课程,则是一一罗列介绍各种类型工具书及其使用查检的方法,缺乏学术深度。因此,陈光祚从1972年起着手创立"科技文献检索"课程,经过一年左右时间,1974年初编印出这门教材。这门新课的特点是将检索的理论、检索工具、各种类型文献的检索方法、检索策略及检索服务结合在一起,在系统性和学术体系上形成了此后同类教材和专著的雏形,起了一点发凡起例的作用。这门新课很快被兄弟院校的图书馆学专业所采用。大约在1974左右,北京大学图书馆学系当时主管教学的郑如斯老师亲口对陈光祚说:"北大也要开此课,就暂时采用武大的教材。"以后全国几乎所有兄弟系都开设了这门课程,直至现在。这门课程丰富了图书馆学专业的教学体系。文化部也将此课程列入图书馆系列职称考核课程,由他编写了此课的"学习问答"。在科技情报界,这门教材也被引起了重视。1977年国防科委系统的一个情报所(59180部队)将武大的油印本教材翻印成铅印本,并在部队科技情报会上散发。其后,煤炭部情报所等单位也进行了翻印。当然,这不仅仅是因为这门教材的内容,更重要的是在粉碎"四人帮"之后,科技文献检索知识是实现四化的社会需要。

1974年2月编印的《科技文献检索》是国内出现的第一部此类教材，著名文献学家、天津大学的范铮先生在其《全国大学机电系统文献课教学情况》（津图学刊）中说："本来查找文献的知识，最早是由理工院校讲授的，但作为一门正式课程来说，它是从图情院系引进的。1974年2月武汉大学图书馆学系陈光祚老师编出了国内第一本正式教材《科技文献检索》。同年，武汉大学将这门课列入图书馆学系的必修课。此后这门课在图情院系逐步发展起来。"他在逝世前还曾给陈光祚来信说"该文P76有您于1974年2月编国内第一本正式教材的记载，可作为资料存查"。这第一部科技文献检索教材，其影响虽仅限于图书情报部门的范围，但图书馆界的有识之士在八十年代初就提出了在大学各专业中开设检索课的建议。在全国高等学校图书情报工作委员会肖自力等人的推动下，教育部于1984年发文正式将文献检索课列入高校的教学计划。它是这门课走向社会的关键一步。这是培养和提高大学生信息意识和信息技能的英明决策。美国、印度等国图书馆界人士来华访问时都说，他们也想说服政府教育管理部门这样做，但都未成功。他们很羡慕中国的做法。因此，20年前中国教育部的这一决策的确是一个伟大的创举。

1984年后，陈光祚被全国图工委聘请到"文献检索系列教材编委会"作为一名成员。编委会每年举行两次会议。在这个委员会中，肖自力、吴观国、来新夏、朱天俊、江乃武、葛冠雄、谢天吉、潘树广和陈光祚常常在一起讨论。在短短的几年内，组织编写了20多种文献检索课的教材，在武汉大学出版社和大连理工大学出版社出版，并培训了不少师资。于是检索课之花在全国各地开放，使教育部的文件得到落实。1993年，在系列教材编委会的基础上教育部又正式下文成立了"文献检索课教学指导小组"，陈光祚自然也成为其中一员。在系列教材编委会和教学指导小组的成员中，吴观国、潘树广先生已于近年去世。

陈光祚在文献检索领域的探索在80年代初转向了计算机情报检索领域。先是翻译美国F. W. 兰卡斯特《情报检索系统——特性、试验与评价》这一获奖著作，作为学生用的教材。1983年吸收王知津、王津生一起合作，此译书1985年在书目文献出版社正式出版。1993年又主编了《计算机情报检索系统导论》（书目文献出版社）。由手工检索扩展至计算机检索，是符合时代发展的必然趋势，同时也是使文献检索课与时俱进、具备新的生命力的必需。

2000年，陈光祚退休了，但是在检索学术领域内并未停步。目前他除指导博士生外，还进行个人数字图书馆的研究。近两年来，将联合国教科文组织的Winisis软件进行了汉化，并以这个软件为基础，建立了个人数字图书馆，即个人文库。这个文库中收集了他本人所有著作的目录和全文，各个时期的照片、证件（包括获奖证书），以及从网上下载的文章、图片、音乐，因而是一个多媒体系统。目前这个库的记录已达到两万两千多条。它存储了陈光祚一生的"足迹"和爱好，具备个人化的特色。他相信,个人数字图书馆的建立与利用,应该是文献检索课未来发展的重要组成部分。因为在网络检索普及的今天,检索者往往将自己所需要信息下载到文件夹内,以备日后查找使用。但是,文件夹资料不具备结构化和检索功能。当下载文献量较多时,使用很不方便。而 Winisis 软件不仅提供了海量的存储(一个库最多达三千万条记录),而且检索功能十分强大。每条文献可设立数十个检索点,例如一张合影的照片,可以把其中每个人的姓名、单位、职务、合影时间、地点等项目作为标引项。一篇论文也可以设立数十个标引项。每个标引项都可作为检索点。检索时,可通过单项检索,多项的布尔逻辑检索、未索引字段的全项顺序扫描检索等手段进行检索。一个库中尽管有数百万项检索点,却可以在瞬间检索到,并可显示(打显)文献全文、图像、展播音乐,可谓是多而不乱,一索即得。Winisis 是一种免费软件,在已具备上网条件的情况下,不需要增加用户的经济负担。教育部倡导的"文献检索与利用",其"利用"部分一直显示得比较薄弱。而将检索所获信息用 Winisis 加以组织,建成个人数字图书馆(或个人文库),是"利用"在当前条件下的一种体现。我们认为,今天将个人数字图书馆的知识增加到检索课中来,肯定会得到用户的欢迎,并能进一步增加文献检索课的生命力。陈光祚建议,在高等学校的课程体系中,文献检索课也需要不断创新,与时俱进,实现可持续发展,使之能立于不败之地。

今天,文献检索课在高等学校普遍开设,这方面的教材涌现了数百种之多,文献检索的研究成为图书馆学、信息管理学科的热点之一,可以说是山花烂漫!陈光祚作为这个领域的一名老兵,也感到在"丛中笑"的欣慰了。

40 多年来,陈光祚出版著作 8 部,发表论文 100 多篇,获奖多次,他坚信并实践的名言是:与时俱进,开拓创新。

目录学研究

目录学的对象和任务

一、什么是目录学

目录学是研究用书目索引的方式向读者通报图书和宣传图书的规律的科学。它是由人类巨大图书财富和读者对图书的一定的需要之间,存在着矛盾和解决这个矛盾的需要而产生发展起来的。

人类在改造自然和社会的过程中,创造了并且正在不断创造着丰富的文化,同时也创造了并且正在不断创造着巨大的图书财富——千百万种的书籍、杂志、报纸、小册子和论文资料。这些图书财富记载着人类的各种经验、知识和思想。

图书在人类社会历史的发展中,有着巨大的作用。它不仅是传播经验、知识和科学的工具,而且也是阶级斗争的武器。在人类历史上,一代代的人通过生产斗争和阶级斗争的实践,不断地推动科学知识向前发展。但是人们如果不去接受前人已经取得的知识和已经达到的科学成就,那么人类的科学和知识的进步也会停滞不前。要接受前人已经取得的知识和已经达到的科学成就,要使自己的知识不仅限于个人经验所及的小范围内,人们就必须读书,必须充分地利用巨大的图书财富。

但是,对于具体的人来说,他对图书财富的利用是从一定的目的和一定的水平出发的。人们根据自己的一定需要读书。每一个人由于读书目的、工作需要、文化水平以及兴趣爱好等方面的差别,他们对图书财富的需要是各不相同的。工人和农民,科学家和学生之间对图书的需要显然不同,从事不同学科和不同题目研究的人,或是同一个人在不同的时期和做着不同的工作时,他们对图书的需要也是千差万别的。

人类巨大的图书财富和读者对于图书的一定的需要两者之间,是存在着矛盾的。人们如何从数量极其庞大、内容极其复杂的图书财富中间,找到自己所真正需要的图书,这是摆在每一个读者面前的矛盾和问题。苏联前科学院院长瓦维洛夫同志曾经很生动地描述过这个矛盾。他说:“当然,没有也不可能有这样的读者,对那些还未经世界上的图书馆收集在一起的几千万册图书都认为是需要的。但是如何能知道,在这几千万册出版物中,什么地方隐藏着为这个读者所真正需要的书籍呢?如何从许多书籍中挑选最好的呢?如何得到真正需要的图书呢?现代人在喜马拉雅山似的图书馆面前,就像淘金者在大量的沙中采金的情况一样。”

由于这个矛盾的存在,人们就要求解决这个矛盾。人们需要一种能够帮助了解、掌握巨大的图书财富并在这个基础上根据自己的需要进行选择的工具和方法,也就是说,人们需要通报图书和宣传图书、揭示人类图书财富的工具和方法。

当然,通报图书和宣传图书、揭示人类图书财富的方式方法是很多的。而目录学只是研究其中最主要的一种——用书目索引的方式通报图书和宣传图书的规律。

书目索引是用特有的方式揭示人类图书财富的工具。所谓书目索引的方式,就是通过查明、记载、揭示和组织出版物从而向读者通报图书和宣传图书的方式。

"书目"是图书目录的简称。"目录"这一名词,在我国出现于汉代。它的含义是关于一批相关书籍的记录及其内容的揭示。各种目录由于编制体例的不同和历史发展的原因,在我国有许多不同的名称。例如有"略"(刘歆的《七略》)、《书录》(毋煚的《古今书录》)、"考"(朱彝尊的《经义考》)、"解题"(陈振孙的《直斋书录解题》)、"录"(阮孝绪的《七录》)、"提要"(纪昀等编的《四库全书总目提要》)、"簿"(荀勖的《晋中经簿》)、"志"(晁公武的《郡斋读书志》)、"记"(钱遵王的《读书敏求记》)以及"书目"(钱曾的《也是园书目》)等。这些不同的名称,实际上都是指的图书目录。

索引这个名词来自日本,也称引得(index)。中国古时称为"通检"。它是揭示和查考报刊资料和图书内容的工具。不过,"书目"和"索引"可统称为书目资料。

书目资料的基本职能是通报图书和宣传图书。通过各种书目资料,能够向读者通报:关于某一问题、关于某一学科、某一时期、某一地方、某一作者和某种语言有哪些图书。但是,书目资料的更重要的职能是宣传图书。从千百万种不同思想观点、科学价值和实际意义的图书中,根据一定的目的,选择合适的图书向读者推荐和宣传。在我们社会主义国家里,书目资料积极地向读者宣传优良的图书,促进着共产主义思想和先进的科学技术的传播。书目工作不仅具有科学文化的意义,而且成为一种向劳动人民进行共产主义教育的文化事业。由于书目资料具有通报图书和宣传图书的职能,所以,从书目资料产生以来,人们就一直把它称为"一切科学的金钥匙"、"引出知识迷宫的线索"以及"作战中的指南针"等。

任何一种图书资料都包含有3个基本的要素:第一,它必须著录图书资料;第二,它是供给读者使用的;第三,它是用书目索引的方式编成的。这3个基本要素构成了这样的一种关系:即各种书目是通过书目索引的方式解决人类巨大图书财富和读者对图书的一定的需要之间矛盾的工具。每一种书目资料,在透过它们的书目索引这种形式的后面,都隐藏着人类巨大图书财富和读者对图书的一定需要之间的矛盾关系。

我们只有认识图书、读者和书目索引的方式三者之间的这种关系,只有认识书目索引的方式是作为解决图书财富和人们需要之间矛盾的一种手段,我们才能揭示书目索引通报图书和宣传图书这种方式方法的规律,也就是目录学所要研究的规律。这个规律就是:随着书目索引所要解决的这个矛盾的两个方面——图书财富方面和人们对图书的需要方面，以及这两方面之间的关系的发展变化，书目索引的方式、书目索引的种类、形式、编制方法和使用方法，也随着变化发展。目录学史告诉我们：人类图书财富的内容、形式和数量的变化发展，读者对图书的需要（也可广泛地理解为社会对图书财富的需要）的变化发展，就引起了书目的分类方式、著录方法和组织方法的变化发展，引起了许多新型书目的产生发展，也引起了整个书目事业组织的变化发展。

目录学就是研究用书目索引的方式通报图书和宣传图书的规律的科学。作为一门科学的目录学的任务，就在于用马克思列宁主义的理论为指导，总结我们和国外书目工作的丰富的实践经验与成就，探讨和掌握用书目索引的方式通报图书和宣传图书的规律，从而反过来指导书目工作，使我国的书目工作更好地为社会主义革命和社会主义建设服务。

目前，目录学这门科学由下列4个基本部分组成：1. 目录学基本理论。这一部分主要是对目录学的对象、任务、作用、原则以及书目种类的划分等基本理论问题的探讨。2. 书目史料学。这一部分主要研究历史上（包括现状）的主要书目资料，阐明这些书目历史发展中的作用以及对目前的现实意义。因此，这一部分实际上就是目录学史以及对目录学史（包括现状）上重要书目的研究。3. 书目编制法。它包括对编制书目的原则、步骤、方法、协调和书目工作机构组织等问题的研究。4. 书目查考法。它研究查考各种有关图书资料问题的目录学方法。这4个基本部分是互相紧紧联系在一起的。它们构成了一门完整的目录学。

二、关于目录学对象问题的争论

在上面我们就“什么是目录学”这一问题进行了讨论，但这仅仅是我们的看法和我们所赞成的看法。实际上，关于什么是目录学的问题，首先是关于目录学的对象问题，无论在我国还是在苏联以及其他国家里，都还在争论，没有得到解决。各种意见，十分分歧。归纳起来，有3种基本的意见。第一种意见，认为目录学的对象是研究图书，这里又有两个不同的观点。一是认为目录学研究图书的内容与形式的两个方面，而主要是研究图书的内容；一是认为目录学仅仅研究图书的形式。第二种意见，认为目录学的对象是书目。第三种意见，认为目录学的对象是研究读者需要。除了这三种意见外，还有些折中的看法，即认为图书和书目都是目录学研究的对象。也有的认为研究书目，这是目录学“粗”的方面，研究图书，这是目录学“精”的方面等。现在我们来谈谈对这些意见的看法。

（一）主张目录学的对象是研究图书，特别是研究图书内容的目录学家，在我国古代可以郑樵、章学诚为代表。他们认为目录学是一种“辨章学术、考镜源流”的学问，也就是考查“古今学术之隆替，作者之得失”的科学。他们说：“目录之学，其重在周知一代学术及一家一书之宗趣，事乃与史相纬。”解放以后，我国图书馆目录学界有不少人也认为目录学的对象是研究图书。例如刘国钧先生在《什么是图书馆学》一文中提到目录学的对象问题时说:“研究关于一门科学、一个问题、一种生活现象有些什么书,什么是重要的,值得读的,什么是过时的,甚至错误的,以及这种书跟同性质的另一种有什么不同等等,这一方面的研究构成了目录学。”在苏联,也有这种意见,1957 年出版的“普通目录学”教科书就把目录学的对象解释为“出版物的研究”。

在我们看来,这种把目录学的对象看做是研究图书内容的说法,是不确切的也是片面的。事实上,研究各种图书的内容,这是各门科学工作者接受前人在本门学科方面已经取得的知识和已经达到的科学成就的途径,它并不成为目录学研究的对象。所谓“辨章学术,考镜源流”和“周知一代学术及一家一书之宗趣”以及考查“古今学术之隆替”,其实这是学术史的工作,并不是目录学的任务。离开了书目索引通报图书和宣传图书的方式方法,而对人类图书财富进行研究,这显然是不妥当的。如果把目录学理解为研究各种各类的图书,那就等于把目录学的范围扩大到茫无边际、无所不包的地步,而这样,就会否定目录学存在的意义。因为这种无所不包的科学是没有的。从另一个角度来看,目录学方面的书籍、文章的内容,主要的不是在讨论如何研究图书的问题,而在研究书目的编制和利用问题,也就是书目工作的问题。总之,把目录学的对象规定为单纯的研究图书的内容,这是不恰当的。

另一些目录学家认为目录学的对象是研究图书的形式。例如,福开森在他的《目录学漫谈》中说:“目录学和书籍的内容无关,只叙述书籍的形式而已。即叙述版本与特点、出版地、出版者与出版期、字体与图解、大小与形式、装潢与所有者、分类与收藏等。”这种西方资产阶级目录学的理论,在我国解放以前有不少的影响。许多人认为,目录学的任务仅仅是向读者提供所谓“目录学的知识”,即帮助读者确认图书的一定的版本特征,把这种书和另一种书区别开来。这种观点,是资产阶级形式主义在目录学理论方面的反映。这种观点的逻辑结果,必然会导致目录学的超阶级超政治的资产阶级客观主义,导致否认目录学的党性原则。在他们看来,“天才著作和下流作品同样都是目录中的一个号码”。这种观点的根本错误是,否认图书是社会的产物,是阶级斗争的思想武器,否认目录学家的书目工作是从一定的立场和观点出发,并为一定的目的服务的。这种观点,是资产阶级虚伪的、骗人的理论。

(二)有些目录学家主张目录学的研究对象是书目。他们认为目录学的对象是研究书目的著录、分类、排检等技术,而不涉及图书的内容。目录仅仅是登记图书的工具,是书籍的清单和一览表。也就是所谓“故目录之学,乃为纲纪群籍,簿属甲乙,取便寻检而设,非有其他深微含义也”。

我们认为,这种意见有它对的一方面,这就是它认为目录学的对象是书目和书目索引的方式方法。但是,它的根本片面性的地方在于不懂得书目的本质。

不错,在解决人类巨大的图书财富和人们对图书的一定的需要之间矛盾的问题上,在解决通报图书和宣传图书的问题上,目录学和其他方式方法(例如举行图书展览会、图书评价会,以及用统计学的方法等)不同的地方,就在于它是研究用书目索引的方法而不是研究其他方法进行通报图书和宣传图书的科学。因此,用书目索引向读者通报图书宣传图书的方式方法应该是目录学的对象。但是,重要的问题是,书目索引仅仅是解决图书财富和人们需要之间矛盾的一种形式和方法,在每一个书目资料中,在透过它们的书目索引的形式后面,都隐藏着这个矛盾。书目索引的编制方式方法,仅仅是取决于解决这个矛盾的一种技术。如果我们看不到这些,仅仅孤立地研究书目索引的编制方式方法,那么,我们就会陷入没有头脑的纯技术观点和没有内容的形式主义。这种意见,不仅永远找不到书目索引编制的方式方法发展的规律性,而且在逻辑上也必然导致资产阶级形式主义与客观主义的立场。事实上,任何一种书目资料,在透过它们的枯燥的、十分刻板的著录,我们却能看到活生生的人和他们的思想、感情和内容。列宁所编的《马克思主义参考书目》,就正像许多目录学家所说的那样,"它表现了在1914年以前的一个历史时期内,在资本主义社会里,由于马克思主义的产生和发展而展开的一幅思想斗争的图画"。因此,目录学所要研究的书目索引的方式方法,是作为解决巨大的图书财富和人们对图书的一定的需要之间矛盾的方式方法。因此目录学不能不涉及图书的内容和读者的需要。我们应该把图书、读者和书目索引的方式三者构成一定的关系来进行研究。我们应该研究书目资料的本质。

(三)另有一些目录学家认为目录学的对象是读者和读者的需要。这种观点在目前还很少见。我们看来,这种提法是不确切的,也是错误的。当然,为了确定书目的目的性和有效地利用它对读者通报图书和宣传图书,需要了解和研究读者,这是无疑的。但是关于读者的专门研究,这已成为另一门科学,而目录学不是单纯研究读者的科学。

在我国目录学史上,也有些目录学家提出了比较全面的目录学的定义。如姚名达认为:"目录学者,将以群书部次甲乙,条别异同,推阐大义,疏通伦类,将以辨章学术,考镜源流,欲人即类求书,因书究学之专门学术也。"不过这个定义是把各种不同的观点拼凑在一起而成的,它作为一门科学的目录学的定义,似乎是不简要、不确切的。

此外,还有些折中的观点,在此不多谈了。

总之,目录学不仅仅是研究书目索引的各种方式的科学,更重要的是要把这种方式和图书财富的内容及读者对图书的需要联系起来。但是,这并不等于说,目录学就是单纯地研究图书或研究读者的科学。目录学所要研究的是:用书目索引的方式通报图书和宣传图书的规律。图书、读者和书目索引的方式是紧紧地联系着的,他们构成了一定的关系。如果把这三者中的任何一项抽出来孤立地作为目录学的研究对象,都是片面因而也是不妥当的。

但是,这仅仅是我们的以及我们所赞成的一些看法。前面说过,关于什么是目录学,特别是目录学的对象问题是一个至今还未得到解决的问题,应该很好地商榷讨论。

三、目录学和其他科学的关系

目录学和其他科学的关系问题,这也是一个有争执的问题。

首先是目录学和一般科学的关系问题。目录学工作是科学研究和掌握知识的必要的阶段。每一个科学工作者都应当了解一般的书目材料和有关本门科学的书目材料,并善于运用它们。同时还应具备必要的书目查考法的知识和懂得起码的书目编制的方法,也就是说,应该具备基本的目录学知识。从这个意义上来说,目录学是各门科学所需要的、属于辅助性质的科学。正如苏联目录学家托罗波夫斯基所说的:"它是任何一种科学和任何一种专门教学对象的一个组成部分。"但这并不等于说,没有一门独立的目录学科的存在。事实上目录学有它自己独特的对象、原则和一系列专门的独特的方法,它是一门独立的科学。

目录学和某些性质相近的科学的关系在过去也是比较模糊的。例如在我国,它和校勘学、版本学等有密切关系。这是因为从刘向开始,古代每一次大的书目工作都是和整理图书进行校勘考证分不开的。事实上,在过去,目录学是所谓"校雠学"的一部分。所以清代目录学家章学诚否认有什么目录学存在,而主张以校雠学包举之。直到现在,还有人用"校雠目录学"和"版本目录学"这些术语。我们认为,从近代开始,目录学和校勘学、版本学已经分别发展成独立的科学。校勘学的任务在于比较各种书本的文字与篇章的异同,以定原稿的真相或接近原稿的真相;版本学的任务在于确定图书的出版情况、书本来源;而目录学的任务却在于用书目索引的方式向读者通报图书和宣传图书。因而它们之间是有区别的。而过去之所以造成关系不明、界限不清的原因,一方面是由于科学历史发展的原因,另一方面是由于它们的对象,特别是目录学的对象在过去甚至一直到今天没有一个很一致的定论。

目录学和图书馆学的关系是从属关系还是平行关系,这个问题也是有争论的。有些人认为目录学是图书馆学的一部分;另有一派意见则认为目录学和图书馆学是两门关系很为密切同时又有区别的科学。它们之间,不是父子关系,而是兄弟关系。我们认为,后一种意见是正确的。事实上无论从这两门科学的研究对象、发展历史以及应用范围等方面来看,都不能说目录学是图书馆学的一部分。它们应该是两门平行的科学。

四、建立一门有完整理论体系的目录学,这是摆在我们面前的任务

除了"目录学"这一名词外,在解放前的著作里还有什么"书目学"、"书志学"、"簿录学"等名词,并且有人认为它们是有区别的。在我们看来,它们之间似乎没有

必要区分开来。

我国在汉代就有书目的产生，这就是公元前六年刘向、刘歆所编成的《别录》《七略》。从此以后，我国的书目工作一直在陆陆续续地进行，先后编成了许多书目资料。在这个基础上，产生了我国历史悠久的目录学。不过“目录学”这一名词的出现，是在清乾隆时期的王鸣盛的《十七史商榷》一书中。在西方，“bibliography”（目录学）这一名词起源于古希腊，最初的含义为“书的抄写”，（biblio—书，graphy—写），这是因为在15世纪印刷术发明以前，西方书籍都是用手抄写的。久而久之，“目录学”开始被理解为“图书的记录”，即图书的著录、图书目录的编制。可是无论在我国还是在国外，作为一门科学的目录学，还没有建立起一个很完整的理论体系，只有在社会主义的国家里，目录学以马克思列宁主义为自己的指导思想，在总结丰富的书目工作实践的基础上，正在迅速地建立和发展。近几年来，苏联目录学界和图书馆界，对于目录学的理论问题展开了深刻的探讨和广泛的争论。从这个争论中，我们看到了苏联目录学迅速前进的步伐。在我国，如何利用马克思列宁主义的立场观点方法，总结我国书目工作的实践，并学习苏联目录学的先进经验和理论，批判地继承我国古代目录学的优良部分，从而建立一门有严整体系的目录学，这是摆在我们面前的迫切任务。

原文载于《武汉大学人文科学学报》1959年第7期

谈科学情报书目

一

“科学情报书目”是近几年来苏联目录学界在讨论书目种类划分问题的争论中产生的新术语。“苏联目录学”刊物编辑部在1958年就苏联目录学理论的争论问题所写的总结性的文章“关于苏联目录学的几个理论问题”一文中，把书目资料分为3种基本的类型，即：统计登记性书目、推荐性书目和科学情报书目。在这里，科学情报书目在理论上被确定为书目的基本类型之一。

把科学情报书目确立为一种基本类型的书目，并对这种书目进行系统深入的研究，这是苏联目录学理论近几年来所取得的最新成就之一。事实上，科学情报书目的确立，无论对目录学和书目工作来说，都有着重要的理论意义和实践意义。

科学情报书目是指以辅助生产建设和科学研究工作为目的，以科学技术工作者为主要对象，通报和宣传科学文献（科学书籍、论文、专刊文献、档案资料等）的各种书目资料。它主要包括文摘、快报、文献目录和文献索引以及专题评述等形式。

科学情报书目是传播科学文献的主要工具。它是整个科学情报工作中的一个重要部分。科学情报工作包括科学文献的搜集、整理、传播等一系列的过程，包括文献的搜集、科学文献书目索引的编制、文献的翻译、复制等工作。这里，科学情报书目的编制和利用，是其中重要的一环。科学情报书目的作用在于，它通过书目索引的方式，也就是通过查明、记载、揭示和组织出版物向读者通报图书和宣传图书的方式，向科学技术工作者通报和宣传科学文献，便于他们用较少的时间，掌握有关的各种科学文献，为生产建设和科学研究的顺利进行服务。

在现代的科学事业和生产建设中，科学情报书目的作用显得日益重要。随着各门学科的突飞猛进的发展，科学文献的数量迅速增加。巨大的图书财富和科学技术工作者对图书财富的一定需要之间的矛盾，就越来越尖锐地摆在科学研究工作的面前。据统计，目前全世界每年要出版科学图书20万种，科学期刊10万种，其中所包括的论文达300万篇。单就化学一科而言，有人曾做过这样的一个统计：如果一个化学家，他能阅读30种文字，从年初开始阅读化学著作，每月读40小时，每小时阅读4篇，那么，他在年终时所读完的文献，还不到这一年所发表的全部化学文献的十分之一。苏联科学院前院长瓦维洛夫同志曾把读者的一定需要和巨大的图书财富之间的关系，形象地描述为人与喜马拉雅山或淘金者与大量沙粒的关系。在今天，随着科学的发展，日益使这种矛盾更为尖锐。因此，作为查明、记载、揭露、组织科学文献、帮助科学技术工作者了解、掌握和选择科学文献的科学情报书目，在现代科学工作和生产建设中的作用是不言而喻的。

可是长期以来，人们在研究书目资料的基本种类时，却否认科学情报书目能作为单独的一种基本类型的书目存在，甚至把它看作是个杜撰的名词。他们有时把科学情报书目看做统计登记性书目的变态，把它划为统计登记性书目范围；有时把科学情报书目看作推荐性书目的旁系，把它划为推荐性书目范围。虽然在捷尼西也夫编的“普通目录学”一书中，曾经提出了相类似的名词——通报性书目，但近几年来苏联目录学界在关于目录学基本理论问题的争论中，有不少人主张书目应仅仅分为两种（推荐性书目和登记性书目）或 3 种（登记性书目、推荐性书目、批评性书目），这里不仅没有科学情报书目的地位，而且连“通报性书目”这一名词也被否定了。

把科学情报书目和统计性书目混淆起来的人，认为科学情报书目的作用和统计登记性书目一样，主要是提供出版物的情报，属于登记性质；而把科学情报书目和推荐性书目混淆起来的人，则认为科学情报书目的著录范围和登记性书目不同，它有一定的读者对象和一定的收录材料的标准，这种书目也有推荐、宣传出版物的职能，因此应该属于推荐性书目的范畴。

要明确科学情报书目是否能作为单独的一种书目基本类型存在，明确它和登记性书目或推荐性书目之间正确的关系，首先应该明确划分书目基本类型的最根本的标准应该是什么。各种书目都有着一个共同的地方，就是任何书目都是用特有的方式揭示人类图书财富的工具，都有向读者通报和宣传出版物的职能，然而各种书目之间，却有决定着各种书目彼此不同的标准，这就是各种书目资料的目的性和读者用途的区别。书目资料的目的性和读者用途的区别，这就是划分书目基本类型的根本标准。

各种书目既有共同之点，而同时又有彼此本质的区别，这就是我们在讨论书目种类问题时必须看到的事实。在科学情报书目与登记性书目和推荐性书目之间也存在着这种关系。科学情报书目既有通报图书的职能，又有一定的宣传、推荐图书的职能，这就决定了它既与登记性书目相似，又与推荐性书目相似。但是不能根据这种书目之间的共同之点，就把科学情报书目看做是这种书目的变态，或那种书目的旁系。科学情报书目的编制目的和读者对象与统计登记性书目比较起来是有本质的不同的。

统计登记性书目是查明、统计和登记某个时期的全部出版物（如图书年鉴），或者登记各门知识的全部出版物（如苏联的舆图年鉴），或者登记各种类型的全部出版物（如报纸论文年鉴、杂志论文年鉴）的书目，一个国家出版物的全面情报。它是记录和通报本国出版活动的工具,也是进行其他各种书目工作的基础和准备条件。统计登记性书目没有什么固定的读者对象,它除了记载和通报国家的全部出版物的目的外,没有其他固定的目的。而科学情报书目却有明确的读者对象——主要是科学技术工作者,有明确的目的性——提供和传播科学情报,为生产建设和科学研究服务。由于这两个基本特点的不同,也由此产生了科学情报书目和统计登记性书目在其他方面的区别。例如收集材料的范围、著录方法和组织方法(系统化)的不同。科学情报书目和统计登记性书目的区别在于,它仅著录与生产建设和科学研究有关的科学文献,而不是著录国家全部出版物。它的著录和组织方法也根据自己的目的和读者对象的特点采用多种多样的方式,而不像统计登记性书目那样有一定的著录和组织方式。

把科学情报书目和推荐性书目混淆起来的错误是比较明显的。推荐性书目主要是为了帮助广大劳动人民提高思想、文化和技术水平,辅导自学的武器,它是党性、战斗性和群众性紧密结合的一种书目形式。推荐性书目的主要对象、目的性以及由此而产生的书目的著录范围、选择尺度、揭示图书内容的方法、书目组织方法乃至书目的形式,都和科学情报书目有所不同。当然,有些科学技术工作者,在需要了解与其本专业有关的但属于其他学科的材料时,往往不使用那些学科的科学情报书目,却有使用简明的专题推荐性书目的要求。在这种情况下,这种供科学工作者使用的推荐书目就有与科学情报书目互相接近的地方。但是,就总的来说,科学情报书目与推荐性书目两者的区别是比较明显的。

把科学情报书目作为单独的一种基本类型的书目是完全必要的。否认科学情报书目的存在,或者对这种书目的性质和作用估计不足,这不仅会在目录学理论上,而且更重要的是在实际书目工作中造成损失。

在我国,目前还很少看到"科学情报书目"(有时译为科学通报书目)这一术语,而往往把这一类型书目称为"参考性书目"。而北大图书馆学系1957年的目录学讲义在"书目的种类"一节中,主张除有参考性书目外,同时还有通报性书目。对于这些不同的名词,我们认为有统一的必要。苏联的同志们认为,"科学情报书目"这一名称,对于这一类型的书目来说,是比较确切和概括的。我们也是同意这种看法的。

科学情报书目有各种不同的形式,它可以分为下列几种:

1. 文摘

所谓文摘,就是论文的摘要。这种摘要需要指出论文的内容实质,即指出它的科学结论、研究方法并转录其重要数据。文摘的主要作用在于使科学工作者了解本专业发展状况和最新科学成就,帮助科学工作者系统地吸取世界上已经取得的科学知识和已经达到的科学成就,以便在这个基础上进一步从事新的探讨和创造。文摘有文摘卡片和文摘杂志两种形式。由于文摘的收集材料的丰富全面(如苏联十三种文摘杂志在1958年一年中共摘录世界上用50多种语言出版的50多万条文献)和揭示科学文献内容实质的优越方式，因此，文摘被公认为起主导作用的、最强大的科学情报书目。

但是文摘也有其严重的缺点，即通报材料的速度太慢。从科学文献的发表到读者利用已出版的文摘获得该文献的情报，一般需要 6—10 个月，甚至一年左右的时间。

有些人否认文摘属于书目资料的范畴，属于目录学研究的范畴。他们的理由是从事文摘工作的不是图书馆的书目工作者，而是各门学科的专家。或者认为文摘不像一般书目索引那样仅仅提供出版物的著录，它的摘要一般可以代替原文阅读。其实这种看法是没有充分理由的。什么是书目资料呢？书目资料的概念是通过查明、记载、揭示和组织出版物（当然也包括科学文献）的方式，向读者（当然也包括科学技术工作者）通报和宣传出版物的工具。文摘虽然在某种情况下可以代替原文阅读，然而一般说来，由于摘要的字数一般只占原文的 3% 左右，它是不能代替原文的。它的主要作用仍然是通过查明、记载、揭露和组织科学文献，以便向科学技术工作者通报和宣传科学文献。所以文摘应当属于书目资料的范围，当然也应当属于目录学研究的范围。

2. 快报

由于文摘杂志反映材料不够及时，因此就有了压缩收录资料的范围、加速出版时间的另一种科学情报书目——快报。快报的任务不在于充分地阐述世界全部的科学文献，而是报导各种最迫切问题的主要文献的特快情报。根据苏联的快报来看，它远比文摘杂志及时。一般不超过十天，快报对文献的摘要要比文摘更为详细，甚至有的进行原文节译。

3. 文献索引和文献目录

这种科学文献的目录索引一般都是和文摘、快报相辅而行的。它包括各种科学书刊的通报目录、论文索引和专利索引等。一般没有内容摘要和提要，即使有，也十分简略。它不能像文摘快报那样充分地揭示科学文献的内容实质。然而这种目录索引的编制远比文摘简易、灵活、及时。在科学情报书目中其数量也最大。轻视文献目录索引的重要性是错误的。

科学文献目录索引有各种不同的种类和形式。例如按著录对象分，有科学书籍目录、科学期刊目录、专利索引、论文索引等；按材料的时间分，有早期书目（Ретроспективная Бибпография，也译为回溯书目）；按内容分，有综合性书目索引、专题和专科书目索引；按资料的来源分，有非馆藏书目、馆藏书目及联合目录等；按形式分，有书本式和卡片式书目等。

从事科学文献目录索引编制工作的，主要是各种图书馆和资料室（如科学院系统图书馆、高等学校系统图书馆和资料室、公共图书馆系统比较大型的图书馆以及厂矿企业部门图书馆和资料室等）。此外，科学技术情报研究所、出版社、书店也进行着这一工作。

4. 文献评述

此外，还有一种在文摘和其他科学情报书目的基础上编制的"文献评述"。它也是一种科学情报书目，这在苏联就是名为"科学总结"的专题评述性刊物。它按科学技术专题，对一定时间（如一、二、三年）的科学文献进行评述，揭示这些文献的内容，说明该学科或专题的科学成就、发展道路和发展方向。

做这种工作，和做文摘、快报一样，一般是由科学技术情报研究所担负的。但图书馆、书店、出版社也有做这种工作的。

上列4种是科学情报书目的主要形式。

二

解放以来，随着生产建设和科学研究工作的发展，我国的科学情报书目取得了很大的成就。1956年，党和政府提出了向科学进军的伟大号召，周总理在1956年1月14日"关于知识分子问题"的报告中提出："为了实现向科学进军的计划，我们必须为发展科学研究准备一切必要条件。在这里，具有首要意义的是要使科学家得到必要的图书、档案资料和其他工作条件。"同年8月28日，人民日报以"向科学进军中的图书馆工作"为题发表讨论，指出"编制图书目录和索引，帮助读者了解藏书情况，使藏书得到充分利用，这也是图书馆为科学研究服务所必须进行的工作。书目是宣传图书，帮助读者查找图书的工具，是图书同读者联系的桥梁"。在党的号召下，科学情报书目工作受到各方面的重视，书目的数量有了显著的增长。1956年10月成立了中国科学情报研究所，着手翻译苏联的科学文摘，并出版了几种"科技快报"。各个系统图书馆、资料室也积极地响应党的号召，根据全国图书馆工作会议和全国高等学校图书馆工作会议关于"加强书目参考工作"的指示，编出了大量的配合科学研究与生产建设的各种科学文献书目索引，如馆藏科技书刊目录、联合目录和科技专题论文索引等。据统计，全国各个系统图书馆在1955年编出的各种配合科研的线装书、中外文期刊、历史、艺术、自然科学（一般）、数理科学和化学、地质地理科学、医药卫生、农业技术等方面的书目为67种，而1956年就猛增到236种，几乎翻了三番。特别是1958年大跃进和1959年继续大跃进以来，我国的科学情报书目工作和其他各项工作一样，出现了一个跃进的局面。中国科学技术研究所的工作进入一个新的阶段，大大地扩大了业务范围，开始编制文摘、索引、快报和科技文献评述等科学情报书目。1958年除了继续并扩大苏联10种文摘内重要部分的选择工作之外，还自编及和有关方面协作出版了18种快报，创刊了14种现期期刊论文索引，编辑出版了专题文献索引314种，资料目录10种。1959年，该所在1958年的基础上继续跃进，定期出版的期刊论文索引已增加到39种。为1959年"五一"献礼编辑了61种专题论文索引，索引的总发行量现已达二万多册。

中国科学院系统图书馆在大跃进以来，科学情报书目工作也有了很大的发展。在大跃进以前，科学院系统图书馆的书目工作是比较落后的。据统计，该院图书馆从1953年成立到1957年年底，总共仅编出书目索引40种。但大跃进以来，据59年10月以前的材料，科学院系统已有22个图书馆开展了科学情报书目工作，相继出版了6种文献通报，如上海分院图书馆编印的“肿瘤针灸资料快报”半月刊、武汉测量制图研究所图书馆情报组编印的“测绘情报简讯”不定期刊、化工冶金研究所图书馆编印的“图书馆通讯”月刊等。这些文献通报定期或不定期地向研究人员通报与本专业有关的中外文书刊论文资料，每期通报文献数量十分丰富。此外，科学院图书馆还编印了68种文献目录，其中有各院馆结合尖端、重大和基础理论研究于1959年上半年编印的4种专题基本书目（如原子能基本书目、半导体基本书目、计算机技术基本书目等），这些书目系统全面地搜集了这些专题范围的及与其相关学科的中外文书刊，具有很高的科学价值。其他如“外文人造卫星文献目录”、“塑料文献目录”、“苏联土壤学论文索引”等包括数年、数十年甚至数百年文献的累积性书目（早期书目），也都具有很高的科学水平。另一方面，科学院系统部分图书馆还累积了各种文献卡片，如石油研究所图书馆现已累积了带有文摘的燃料科学文献卡片150000张。院馆也累积了各种专题的文献卡片达1030000张之多。这些文献卡片也是科学院系统图书馆科学情报书目的一部分。

高等学校图书馆在解放以来，为了配合高等学校的教学和科学研究工作，也开展了科学情报书目工作。据统计，高等学校历年来所编的书目索引数量如下（当然这中间也包括推荐性书目，但可以肯定，科学情报书目的数量居多数）：1950年2种，1951年11种，1952年3种，1953年13种，1954年38种，1955年61种，1956年173种，1957年122种。而在大跃进以来，高等学校图书馆的科学情报书目工作和其他系统图书馆一样，也出现了跃进的局面，虽然目前尚无这方面的确切的统计数字可以援引，但从我们平时接触到的书目来看，其数量是很大的。更重要的是，高等学校图书馆在大跃进以来所编制的科学情报书目，就其现实性、思想性及完整性来看，质量有了很大的提高。像许多高等学校图书馆所编的“人民公社资料索引”、“批判修正主义参考资料索引”以及中国现代革命史联合目录（中国人民大学图书馆主编）、“石油、天然气联合目录”（四川各高等学校图书馆参加）、“四十七所高等学校外文期刊联合目录”等都具有很大的意义与价值。这里，特别需要提出的是中国人民大学图书馆在哲学、社会科学方面编出了不少的科学情报书目。特别是在大跃进以来所创办的“主要国家党报资料索引”刊物有很重要的意义。

公共系统图书馆在解放以来编出的书目索引数量一直是领先的，当然其中属于科学情报书目性质的各科书目资料的数量也是很可观的。单在1956年一年中，公共系统图书馆编出书目索引251种，其中大部分是属于科学情报书目。公共系统图书馆的科学情报书目有3个值得注意的特点：（1）编出的书目以馆藏科技书刊目录和反映馆藏书的联合目录为最多。这一类目录对于公共图书馆来说比较容易编。另一方面，这些揭示公共图书馆比较丰富的藏书的目录，比较有助于科研人员充分利用这些藏书，因此编制这种书目对公共系统图书馆来说是较为适宜的。(2)编出了不少各门科学史的史料目录，如各馆编的中医目录、古农书目录、古典文学目录等。这些提供丰富史料的科学情报书目，也是和公共图书馆的藏书基础有关的。(3)编出了有很高水平的地方文献书目。这一种科学情报书目，公共图书馆做起来是更为适宜的。单就广东省中山图书馆为例，十年来就编出了地方文献书目40种之多。其他像甘肃省图书馆编的“西北地方文献目录”、湖南省中山图书馆编的“湖南省地方文献目录”、广西僮族自治区第一图书馆编的“广西少数民族研究资料索引”、内蒙古图书馆编的“馆藏蒙古民族文献及地方资料目录”、四川省图书馆与重庆市图书馆合编的“十年来四川省建设成就资料索引”等，都有很重要的参考价值。

解放以来，特别是大跃进以来，其他系统图书馆，如政府机关图书馆、厂矿企业图书馆等和书店、出版社等机构也都从事了科学情报书目编制工作，并且取得了很大成就。

如上所述，几年来，特别是大跃进以来，我国的科学情报书目已经取得了很大的成就。它们在为我国生产建设和科学研究提供图书资料方面，是有成绩的，这些是必须肯定的。

但自从大跃进以来，特别是在党的八届八中全会公报和决议的鼓舞下，我国的各项事业，包括科学技术事业在内，都掀起了更大跃进的高潮。目前，广大科学技术人员和高等学校青年师生，正在热烈响应党的“立大志、下决心、鼓干劲、攀高峰”的伟大号召，进一步推动了群众性的科学研究工作向前发展。党号召我们在科学技术上，世界上有的我们都要掌握，世界上没有的，我们也要大胆地创造和发展。我们不但要通晓地球的外壳，而且也要向宇宙的空间进军。为了实现我们国家的这个雄心大志，为了高速度地发展我国的科学技术事业，就必须要求科学情报工作，包括科学情报书目工作在内，紧紧地跟上这个形势，更好地发挥充当生产建设和科学研究后勤与尖兵的作用。

去年11月在大连召开的“中国科学院第二次全院图书馆工作会议”确定把文献参考工作作为会议的中心议题和今后的工作重点，去年11月在北京召开的全国高等学校科学研究工作会议也强调了为了发展科研工作必须改善各种科研条件，其中包括图书资料的供应条件。这些决定和指示，都说明了形势对于科学情报书目的要求越来越高了，科学情报书目在今后将越来越显得重要。

前面说过目前我国科学情报书目所取得的成绩是巨大的，但是和形势对于科学情报书目的要求比较起来，还相差很远，还必须迅速克服目前存在的各种问题，改进我国的科学情报书目工作。

下面，我们准备谈一谈目前科学情报书目工作中的一些问题与改进意见。

三

首先是目前我国的科学情报书目工作发展很不平衡，突出地表现在哲学、社会科学方面的科学情报书目数量很少，种类不多，远远地落后于自然科学技术方面。其中特别是马克思列宁主义科学情报书目没有引起足够的重视，这是不能容忍的现象。科学技术情报研究所做的情报书目全属科技方面的，而中国科学院系统图书馆在1959年10月以前所编出的各种科学情报书目绝大部分也是属于科技方面的。据统计，在1959年10月以前，科学院图书馆共编印出版68种文献目录，而其中马克思列宁主义的只有3种，哲学社会科学的也只有4种，其他61种都是属于自然科学和技术的。而且值得注意的是，仅有的3种马克思列宁主义书目还是兰州分院图书馆一个馆编的。在高等学校图书馆与公共图书馆方面，情况要比科学院系统好些，但在哲学、社会科学，特别是马克思列宁主义的书目也是不够的。哲学社会科学方面到现在为止，仅有极少数的文摘杂志（如外国哲学社会科学文摘），也很少看到专题文献评述等形式的科学情报书目。目前科学院图书馆正在编制的反映新中国十年来科学研究面貌的“十年来中国科学论著目录”也不打算收录马克思列宁主义、哲学社会科学方面的著作。当然，我国目前科学研究以自然科学和技术为重点的方针，是必须遵循贯彻的，但这不等于忽视哲学社会科学，特别是马克思列宁主义方面的科学情报书目的编制工作。何况科学院系统内有哲学、社会科学的各个研究所。

科学情报书目工作发展的不平衡还表现在各系统的工作发展不平衡。就数量而言，高等学校图书馆和科学院图书馆的科学情报书目远远赶不上公共系统图书馆。前面说过，大跃进以来，截至1959年10月，科学院系统图书馆已编印的文献目录共68种，进行过科学情报书目工作的图书馆仅有22个，这个数字是和科学院系统现在拥有200个左右图书馆、6000000册以上藏书的情况不相称的，特别是与科学院所担负的主要的科学研究任务不相称的。科学研究对高等学校来说，不仅是培养干部的重要方法，而且也是必须承担的一项重要任务。高等学校拥有巨大的科学研究潜力，它是我国科学技术研究工作的一个方面军。而目前高等学校图书馆（包括各系资料室）的科学情报书目工作总的来看还很薄弱，很多图书馆没有专门的从事书目参考工作的机构。各高等学校之间，书目工作的发展也十分不平衡。少数学校如中国人民大学等做的较多较好，但有许多学校图书馆在这方面还几乎是空白点。当然，我们相信，通过去年召开的科学院第二次全院图书馆工作会议和全国高等学校科学研究工作会议，在明确了科学情报书目的重要意义和科学研究工作在高等学校的地位之后，不久的将来，这两个系统的图书馆，必然会迅速地克服目前的不平衡状态，一定会编出又多又好的科学情报书目。

科学情报书目发展的不平衡性，还表现在各门学科、各个专题的书目残缺不全。据统计，属于“水利工程”方面的科学情报书目，从解放到1957年底，没有编过一种。

大跃进以来,虽然有所改进,但某些学科或专题被遗漏的也还不少。另一方面,有的学科和专题则重复太多,例如“中国古农书目录”,全国共有20多个图书馆各自编出。“中国医书目录”,也有30多个图书馆独立编制。其他像电机、机械书目重复的也不在少数。

科学情报书目工作发展的不平衡性,还在于各种书目所发挥的社会作用大不相同。这里最明显的是各种书目的印数和发行面的问题,有许多优秀的书目印得很少、发行面不广,或根本未印,因而没有充分发挥书目的社会作用。而这又是造成了各方面选题重复的原因之一。

我们认为,对目前科学情报书目工作来说,最迫切的问题,是如何把科学技术情报研究所、科学院系统图书馆、高等学校系统图书馆、公共系统图书馆、政府机关部门图书馆以及书店和出版社等单位的科学情报书目工作加以协调,统一规划,以便建立一个比较完整合理的科学情报书目体系。

科学情报书目体系是指我国各种科学情报书目及其工作在一个统一的计划指导下所组成的整体。这个体系能够保证为我国生产建设和科学研究提供全世界的各种各样的科学文献和科学情报,帮助我国科学技术工作者掌握科学的最新成就和国际水平,推动我国的生产建设和科学研究,为伟大的社会主义建设事业服务。

当然,这个科学情报书目体系的建立,是必须与科学文献的收集整理工作相统一的,而且是在这一基础上进行的。但关于科学文献的收藏和分配、组织问题,不在本文讨论之列。

我们认为,要建立我国的科学情报书目体系,必须首先要规划下列方面的问题:

1)各种书目的选题的配合。如自然科学、技术与哲学社会科学,各专业各学科各专题,“土”与“洋”等之间的结合。

2)早期书目与现期书目的配合。即报导数年、数十年甚至数百年文献的累积性书目和报导新的文献书目通报的配合。

3)外文书目与中文书目的配合。即把提供我国的文献和提供国外的文献结合起来。统一安排。

4)非馆藏书目、馆藏书目和联合目录的配合。即把“世界上有哪些文献”和“这些文献藏在什么图书馆”等问题结合起来。

5)各种科学情报书目的形式,如文摘(包括文摘杂志与文摘卡片)、快报、文献目录索引及文献评述的配合。

6)各种书目编制时间步骤的配合。

7)各个系统,如图书馆、情报所、出版社和书店等科学情报书目工作的分工协作。

8)我国自编科学情报书目与利用外国现有科学情报书目的配合。这里包括国外科学情报书目的翻译、复制和利用等问题的计划安排。

当然，要建立这样一个科学情报书目体系，困难是很多的，主要是：

1）需要编制和利用科学情报书目的工作单位十分广泛。这里有科学技术情报研究所、科学院系统图书馆、高等学校系统图书馆、公共图书馆、政府机关图书馆、厂矿企业图书馆以及书店、出版社等。这些不同系统的单位，往往其所做的科学情报书目工作在性质上都是相近的，但在组织上却很少联系或没有联系。

2）现代的科学互相渗透的特点，使得各门学科与各个具体研究专题，对于科学文献需要的范围，有不同的选择角度和标准。

3）科学情报书目往往涉及许多内部资料和保密资料，不便全国公开，因而给协调带来困难。

4）科学情报书目编制技术的困难。

当然，困难还有很多。但是我们应该首先看到，我们有最优越的有利条件，这就是我国的社会主义制度。在党的领导下，我国各项事业都是社会主义事业的一部分。在党的全国一盘棋和共产主义大协作的方针指导下，我国的各个系统、各种工作都是统一的整体。科学情报书目体系的建立，只要加强党的领导，就一定能实现。

要建立十分合理的科学情报书目体系，是需要经过逐步努力才能达到的。在目前条件下，我们认为应该从大的方面加以协调，然后再过渡到建立一个统一计划的问题。

目前从大的方面协调科学情报书目工作，我们认为可以根据3种方法进行：

1）以组织系统为纲。即先按科学技术情报研究所、科学院图书馆、高等学校图书馆、公共图书馆、政府机关图书馆、厂矿企业图书馆、书店、出版社等系统，分别对本系统的科学情报书目按学科或书目形式加以协调。

2）以学科为纲。即先以学科分，在各种学科下，把各个组织系统和各种书目形式加以统一考虑组织。

3）以科学情报书目的各种形式，如文摘、快报、文献目录索引、评述等为纲，按照各个系统和藏书情报和业务水平加以统一组织。

这3种方法各有优缺点。第一种方法做起来比较容易进行，但缺点是各系统之间平行重复的现象仍然会很严重。第二种方法的优点是能够密切结合科学研究的需要，但做起来可能有较大的困难。第三种方法能够比较切合各单位的水平与力量来分配任务，但它仅能作为次要的协调标准。

事实上，这3种方法都不是彼此孤立的，可以互相结合起来进行，至于具体如何组织，希望大家讨论，我们只想提出几点具体意见：

1）关于科学情报书目中心问题，在苏联，各种书目，如统计登记性书目、推荐性书目等都具有全国的中心。书目中心的任务在于领导和协调全国的书目工作，编制统一的工作计划并监督其实现。我们认为，我国的科学情报书目中心可能由中国科学院技术科学研究所担当起来比较适宜。或者是由各系统共同组织一个在科委领导下的书目中心。或者划分为几个中心,如文摘与快报中心、地方文献书目中心、自然科学技术书目中心、哲学社会书目中心等,分别由各单位担当。这些都是需要研究讨论的。

2)在目前尚未建立起科学情报书目体系和中心的情况下,各个系统图书馆和情报所等单位,可以根据需要和可能,局部地展开协作。鞍山市图书馆与鞍钢技术图书馆,通过"共同选题,分别查找,集中审编,交替印刷"的办法,协作起来共同编制有关钢铁的书目联合通报,这个经验是值得注意的。有的地方(如上海、黑龙江)建立了和准备建立科技图书馆资料网,在这些地区的各个系统图书馆资料室和情报所等单位通过科技图书资料网进行科学情报书目编制方面的协作,可能也是一种适当的办法。

3)刊印"科学情报书目之书目"。在目前科学情报书目体系尚未建立之前,有必要彼此了解各种科学情报书目编制的情况,以便互通有无,避免不必要的重复,并且便于各单位开展参考工作。就是在体系建立后,这个书目之书目仍然是需要的。这个书目之书目最好登记已编成和计划编及正在编、编而未印的各种科学情报书目。希望有一个单位主持其事。

4)在目录学理论上,目前应加强对科学情报书目的系统研究。前面说过,"科学情报书目"的确定是苏联目录学的最新成就,我们应该很快地吸取这个成就,然而"科学情报书目"这一名词,迄今在我国还很少见,更谈不上有什么比较系统的研究。当然,某些单位提出了与此有关或相近的名词,如"书目情报"、"书目情报工作"等。我们认为,既然科学情报书目是客观存在的,同时它在我国越来越迫切地需要重视和发展,那么我们不仅要承认它的存在,而且要对它进行系统的理论研究。

原文载于《武汉大学人文科学学报》(图书馆学专号),1960年第2期

中国文学书籍目录学的意义

中国文学书籍目录学是一门专科目录学。它以中国文学书籍为对象,用目录学的方法,研究各个时代文学书籍的存在状况及其目录资料。

作为一种专科目录学,中国文学书籍目录学是中国文学研究(中国文学史和文学批评)的一门辅助科学。正如史料学之与历史科学一样。同时它也是一门研究如何宣传优秀文学书籍,指导读者正确阅读的科学。

文字研究的对象是文学作品和作家。而文学书籍则是文学作品的具体出版形式,文学书籍是一种出版物。从文学作品到文学书籍,要经过一系列有关出版的步骤,同时也产生许多有关版本、校勘、目录等方面的问题。文学作品与文学书籍两者是有密切联系的,因为文学书籍的内容是文学作品,而历来的文学作品也只有通过文学书籍得到流传和保存。但是,文学作品与文学书籍两者也是有一定的区别的,作为一定的出版物,文学书籍就有一定的版本问题,注释、批评及目录资料问题,书籍的流传、收藏、散佚的问题,文字篇章的错乱问题,书籍的辨伪考证问题,文学书籍的出版类型问题,书籍的优良轻重的评价问题以及阅读的先后缓急的问题等。这一些问题,无论是古代的文学书籍,还是现代的文学书籍,都有不同程度的存在。而这些问题的研究和解决,就需要许多以书籍为研究对象的科学——版本学、校勘学及目录学等。

那么,什么是中国文学书籍目录学呢?它与校勘学、版本学等相近的科学有何区别呢?

目录学之研究书籍,与校勘版本之学比较起来,其特点是通过目录索引的方法,作为它的主要研究途径,以系统地揭示中国文学书籍的财富,同时研究如何将浩繁的典籍加以系统化的组织而编成各种类型的目录的原则和方法。具体说来,中国文学书籍目录学的内容和任务是:

一、揭示与掌握各时代文学书籍的总的状况——文学书籍的出版情况,流传与散佚情况,主要文学书籍的内容梗概。

目录是群书的系统化的记载。通过目录,能够揭示出书籍的存在情况。例如:“全国总书目”就基本上反映了我国新书的出版面貌。“晚清小说书目”是考查晚清时期小说书籍状况的重要材料。“元代杂剧全目”提供了元代杂剧剧目的完整详细的资料情况。通过时代先后或不同撰者的有关目录的排比,可以掌握书籍的流传与散佚的情况，并且可以知道已经亡佚的图书的大致内容。鲁迅在《中国小说史略》一书中，就应用了这个方法来考查古代的小说书籍。例如，他将汉书艺文志与梁、隋时的目录加以排比，指出汉志所著录的小说家十五种，到“梁时已仅存青史子一卷至隋亦佚”，并且指出这些书的内容是“大抵或托古人，或记古事。托人者似子而浅薄，记事者近史而悠缪者也”。

但是，应该看到，由于封建统治阶级的偏见，一般封建正统的目录（官录及史志）对于文学书籍的搜集是很不完备的。特别是民间文学书籍，更被视为“不登大雅之堂”的东西，遭到排斥。例如宋代的平话，元明的演义，向来盛行民间，这方面的书籍数量一定不少，但是一般目录都不予著录。只有个别的私家藏书目录和其他目录偶尔收录。如明王圻作《续文献通考》，高儒作《百川杂志》，才收入《三国演义》及《水浒传》，清初钱会《也是园书目》，也收入《三国志演义》等3种、宋人词话《灯花婆婆》等16种。但是总的来说，这种书目是很少见的。而且它们之所以收录一些通俗的文学书籍，其出发点也并不是真正认识到这些书籍的重要性，而只是为了崇尚版本或为了自己的爱好而已，或者是认为《三国演义》是“官书”，才给以反映的。因此，要发掘各个时代广泛流行于民间的文学书籍，是一个艰巨的任务。光靠一些封建正统的目录是远远不够的，而必须借助于其他的有关目录资料。

对于近代、现代的文学书籍来说，虽然情况没有像古代那样严重的散亡，但是要考查书籍的状况，同样也并不是很容易的事情。例如在国民党反动统治区，许多进步作家遭到迫害，许多进步文学书籍遭到查禁，很多书籍甚至还没有和读者见面就被查禁、销毁，只留下一个书名，而不知其内容。同时为了与反动派作斗争，进步与革命的作家曾用了许多笔名出书，有些笔名到现在还没有完全弄清楚，因而有些著作就不能最后地确定其真正的著者。也有的书籍采用了伪装的办法，躲过了反动派的检查。这种伪装，也使文学书籍的状况变得比较复杂。因此，考查近代现代文学书籍的各方面情况，也是一个有待于解决的任务。

用目录学的方法，通过书目索引的途径，来揭示与掌握各时代文学书籍的状况，是中国文学书籍目录学的一项内容。

二、通过书目索引这种系统化地记载图书的工具，了解文学书籍的范围，各种出版类型，文学书籍的各种分类类别的发展变化。

上述的各个方面，也是随着时代的不同而不断地变化发展的。

首先就文学书籍的范围来说，在古代目录的四部分类法中，文学书籍主要是在集部，但是经、史、子等部中也收有不少文学书籍，而集部也并非完全是文学书。而且同一文学书，在各家目录里也有隶属于不同类别的情况，有许多类别的含义，也不是一成不变的，而是有相当大的变化的。例如“小说”的含义，在古代只是指“浅薄琐屑，无关大道”的言论，指的是别的门类里无可安置的书，显然这种理解与今天的理解是多么的不同。

文学书籍的出版类型也是比较复杂的。在古代，别集、总集、丛书相继出现，并且又有选本、批评本、绘图本等的发生发展，而至近代又出现了文艺报刊。在今天，文学书籍的出版类型更为复杂，以适应不同读者的各种需要。

文学书籍的分类历史也是很悠久的，内容十分丰富。在综合性目录中，汉志、七志、七录、隋志以及四库提要等目录中，文学书籍的分类彼此都有一定的差异，这是一个逐步发展的过程。而在今天的书目中，文学书籍的分类更为详细与科学。研究文学书籍类别的发展，可以帮助考查文学的发展，通过各个部类的比较，可以看出各个时代、各种文学书籍的盛衰情况，看到新的体裁的书籍的增加和某些旧的种类的文学书籍的减少，从而在一定程度上可以看出各时代文学的主要风格和倾向。

因此，研究文学书籍的范围、类型、类别的发展也是中国文学书籍目录学的一个内容与任务。

三、指出和确定最好、最正确的文学书籍和书籍的版本，用以宣传优秀文学书籍，指导读者阅读，并为文学研究者提供可靠有用的资料。

目录的主要作用之一，在于它是帮助读书治学的工具。要求它评价图书的好坏，鉴别图书的真伪，分别读书的轻重缓急与先后之序，以达到正确地指导阅读。从来学者就把目录学看做是“读书入门之学”。中国文学书籍目录学，也应该成为指导阅读中国文学书籍的工具。

中国文学书籍的数量浩如烟海。各种文学作品的思想性和艺术性，由于作家的阶级立场和艺术的修养不同，是有很大的差别的。文学书籍的好坏高低之分，是一种客观存在。中国文学书籍目录学必须根据目录学的党性原则来进行评价，向读者推荐宣传优良的文学书籍，与坏书作斗争。

在古代，文学书籍也有真伪之分，有若干伪书的存在。许多称之为汉代的小说，其实并非汉人所写，而是后人所托的，正如鲁迅在《中国小说史略》中所指出的那样。其次，还有些文学书籍，往往在再三翻刻之后，出现了错误，或者根据错误的本子刻印，以错传错，或者是书商为了牟利，有意地改头换面，东拼西凑，成一“新书”，或将一种普通的本子，稍改一二字，以“古本”为号召等。这些情况都说明文学书籍也须审真伪，别是非。当然，研究书籍的篇章文字的错误，以求得校正的，是校勘学的任务。鉴定版本的情况，是版本学的任务。但是目录学有必要在校勘学、版本学的基础上，吸取它们的成果，向读者系统地加以揭示，令读者勿惑。

宣传优秀的文学书籍，指导读者正确阅读，并为文学研究工作者提供可靠有用的资料，是中国文学书籍目录学的一项重要内容与任务。

四、探讨将各种分散的数量庞大的文学书籍，根据一定的目的，加以系统地组织——即编制各种类型文学书目索引的方法与特点。

编制文学书籍目录索引，是宣传图书、指导阅读，并为文学研究者提供资料的重要方式。文学书目索引的种类，由于读者用途和书籍性质的不同，是很多的。按其性质来说,有推荐性、参考性及登记性的。按照目录著录书刊的范围来说,有个人著述目录,某一时代的图书目录,有某一体裁的文学书目,或某一地区的文学书目等。书目索引的一般编制方法,已在普通目录学课程中讲述过,本课程只限于分析文学书目索引的编制特点。

以上4个方面,便是中国文学书籍目录学的内容和任务,中国文学书籍目录学对于图书馆工作和文学书籍的出版工作,都有很大的意义。

文学是阶级斗争的工具,文学书籍是有阶级性的,中国文学书籍目录学也有强烈的阶级性。用什么标准评价文学书籍;宣传什么文学书籍?反对与批判什么文学书籍,都涉及一定的阶级立场。我们必须遵照毛主席的指示:"政治标准放在第一位、艺术标准放在第二位。"以这个原则,站在无产阶级的立场,用马列主义的观点与方法,来进行中国文学书籍目录学的研究。同时必须批判资产阶级考据学的恶劣影响。资产阶级学者用繁琐的考证和玩弄版本的笔法来吓唬别人,他们为考证而考证,为版本而版本。

原文载于武汉大学教材《中国文艺书籍目录学》1963年版

梁启超的目录学理论观点和实践活动

一

梁启超(1873——1929)是我国著名的改良主义者,同时在我国近代目录学史上也是一个比较重要的目录学家。梁启超的目录学理论观点和实践活动,反映了这一时期所出现的资产阶级目录学的理论和实践,并且是它的具有典型意义的代表。梁启超的目录学活动,对于这一时期目录学新面貌的产生,起了发凡起例、开拓局面的作用。

在近代,随着社会性质的变化,出现了新的阶级和新的文化思想,即资产阶级和资产阶级的文化思想。封建统治阶级、资产阶级和帝国主义的各种政治力量及其文化思想之间的相互斗争,形成了错综复杂的局面。反映在文化上,当时不仅有“中学”,而且还有“西学”、“新学”。在图书方面,不仅存在“旧书”,而且出现“新书”。这就使得近代的目录学面临着新的政治使命和文化、图书状况,从而使目录学本身,也出现了新的变化。其主要表现之一,便是我国资产阶级目录学的产生和它的初步发展,以及它给目录学所带来的新面貌。这个新的面貌主要体现在3个方面:第一,书目的社会作用和战斗性提高了,许多书目直接为政治斗争和思想斗争服务,具有十分明显的政治倾向。在这种情况下,推荐书目有较大的发展。第二,书目的种类和类型有了很大的扩展。书目著录图书的对象范围,比封建社会的目录要广泛得多,出现了大量的译书目录、日文书目录、戏曲目录、小说目录,报刊目录和索引,专科目录开始发展起来,许多在封建社会被认为不登大雅之堂和琐碎不值一顾的图书,都编出了目录予以反映。不仅书目的品种增加,而且数量庞大。第三,目录学的方法有了新的探索和尝试。在图书分类方面,除原有的“经史子集”之外,出现了“声光化电”和“学政杂教”的新体系。图书排检的方便,被看做是目录编制的一个要求。上述三方面可以说是资产阶级目录学对于我国目录学的一些贡献。但是这种贡献是微小的。资产阶级目录学的发展是不充分的。在这一时期,没有出现质量很高的目录学著作和很有成就的目录学家。在辛亥革命以后,随着帝国主义的文化侵略的加紧,西方资本主义国家的目录学和图书馆学大量输入中国,许多学者生搬硬套,主张全盘西化,甚至提出“中国无目录学”的虚无主义的荒谬结论;而另一些人则走上了封建复古主义的道路。这便是帝国主义的奴化思想和封建主义的复古思想在目录学上的影响和反映。

作为近代目录学史上的一个目录学家，梁启超前期的目录学理论观点和实践活动，比较有积极意义，体现了资产阶级目录学的产生和初步发展，及其给目录学所带来的新的面貌。而梁启超后期的目录学活动，转而专门研究整理封建正统目录、佛经目录和编制"国学"书目。这种变化，是和梁启超的政治思想由进步到反动的发展道路相适应的，也在一定程度上反映了资产阶级目录学发展的道路。

二

梁启超的目录学实践活动，是从编撰十九世纪当时的译书目录开始的。在帝国主义侵略下灾难深重的中国，改良主义者企图从西方资本主义文化中寻找到救国的真理，因而重视介绍和宣传从西方翻译过来的图书，为它们编撰目录，作为提倡与宣传西方资产阶级社会政治学说、哲学观点和自然科学知识，以求富国强兵的工具。梁启超说："故国家欲自强，以多译西书为本，学子欲自立，以多读西书为功。"[①]从18世纪以来，即从明代以来，外国传教士就开始进行翻译图书的工作。所译之书以宗教、医学书为主。十九世纪中叶以来，洋务派创立了江南制造局翻译馆、广州的方言馆等机构，也进行译书。这些翻译过来的图书，在客观上，对开通中国人的思想和了解西方资本主义国家科学技术和哲学社会科学起了一定的作用。例如，1890年梁启超本人18岁时，读了《瀛环志略》，才开始知道有所谓世界。梁启超为了传播西方资产阶级文化，推进其维新改良运动，1896年左右就开始对译书作编目、评介和推荐的工作。《西书提要》便是他为西书编制解题目录的尝试。这一著作缺医学、兵政二门，没有全部完成(现于《饮冰室文集全编》中可见到其一部分——《西书提要·农学总序》)。与此同时，编撰了《西学书目表》四卷，札记一卷，首先刊登在1896年9月的时务报上。这个书目除宗教图书不收外，著录了近二十余年来译出的西书三百多种。另撰有《读西学书法》一卷，评介各书的长短，指导读者阅读的先后缓急的门径。此外还附有"中国人言西学之书"目录，按游记、非游记两类排列；"通商以前之西书"目录，以著书人排列，但不收宗教书。

梁启超编撰《西学书目表》的目的，是他很明显地感觉到在列强的侵略下，中国有灭亡的危险，要求人们学习西书，学习西学，"知彼知己，百战百胜"，以求国家之富强。奉劝封建统治阶级不要"枵然自大，偃然高卧……味于自知，坐见侵陵"。[②]号召向西方寻找救国真理。他告诉读者，《西学书目表》中所著录的"此三百种者，择其精要而读之，于世界蕃变之迹，国土迁异之原，可以粗有闻矣"。[③]这个书目系统地向中国广大知识分子介绍了西方的算学、重学、化学、声学、光学、汽学等科技图书和史志、官制、学制、法律、农政、矿政、工政、商政、兵政、船政等社会科学及各方面图书，以配合改良主义者所鼓吹的改官制，办学校，立议会，订宪法，筑路开矿，发展工农商业，以求富国强兵的主张。这个书目不收录一本宗教书,是一个进步的地方。在《西学书目表》以前,王韬曾在1889年以《圣教信证》为蓝本,编撰了把多数天主教宣传迷信的书籍包括在内的《泰西著述考》这一书目。可见《西学书目表》在目的上与《泰西著述考》是不完全相同的,同时更不同于洋务派的"中学为体,西学为用"的态度,即坚持封建统治秩序而仅仅崇拜西方"船坚炮利"物质文明的态度。梁启超主张全面地向西方学习。这在当时是具有进步意义和爱国主义性质的。但梁启超是一个改良主义者,在书目中处处流露出乞求封建统治阶级猛然觉悟的幻想,不得不从什么"圣祖仁皇帝"、"高宗纯皇帝"(即康熙、乾隆)的"先圣后圣"重视西书中去寻找根据。他在书目中说:

> "大哉,圣人之道,孔子适周,求得百二十国宝书。圣祖仁皇帝,御纂数理精蕴,润色西算弁诸卷首。高宗纯皇帝,钦定国库总目,凡译出西书,悉予著录。先圣后圣,其事不同,其揆若一。"[4]

梁启超在《读日本书目志后》(写于1897年)中说得更为清楚:

> "愿我公卿读政治宪法行政学之书,习三条氏之政议,掸究以返观,发愤以改政,以保我四万万神明之胄。愿我君后读明治之维新书,借观于寇雠,而悚厉其新政,以保我万万里之疆域。"[5]

《西学书目表》将译书作了系统的整理评价,并且以表下加识语,表上加圈识等方式,指出如何阅读的方法和书籍的内容及译本。书目对帮助中国知识界了解西方资产阶级文化,起了相当大的作用。当时学者甘云鹏评价该书目时说:"部次门类识别优劣,颇便初学。欲寻西学轨迹,固无逾是书者。"[6]在西学书目表的影响下,随后出现了许多专门介绍外国译书的目录。而译书目录的编纂也在一定程度上推动了外文书籍的翻译工作。

1902年,梁启超又编制了另一个书目《东籍月旦》,这是一个日文新书的推荐目录。未完,只写完第一篇普通学内的第一、二两章(伦理学和历史)。最初发表在1902年的《新民丛报》上。他之所以转而编撰日文书目录,向中国知识界介绍日文新书,是由于他看到,虽然学习英语的人很多,但"除严又陵外,曾无一人能以其学术思想输入中国者……直至通商数十年后之今日,而此事尚不得不有待于读东籍之人"。[7]同时当时直接从西方翻译过来的社会科学图书很少,梁启超在《西学书目表》中就已经发现"惟西政各籍,译者寥寥,官制学制农政诸门,竟无完帙"。[8]他认为,虽然东学不如西学,因为东学"无一不从西学来也",但是由于一般中国人学日文比较容易,因此通过日文书学习,是一个"急就之法"。事实上,康有为在此之前,已编撰过《日本书日志》。《东籍月旦》的编制计划很庞大,其中第一篇普通学中,就计划包括:伦理学、历史、地理、数学、博物、物理及化学、法制、经济等类目。但只完成全部书目的一小部分。书目中有详细精要的解题,并间插有读书法,以帮助读者解决"某科当先,某科当后。欲学某科,必不可不先治某科。一科之中,某书宜先,某书宜后,某书为良,某书为劣"[⑨]的抉择问题。同《西学书目表》比较起来,《东籍月旦》有一个显著的特点,就是侧重于社会政治书籍的介绍,而自然科学技术图书相应地退居次要地位。这一方面固然是因为在编《西学书目表》时,当时存在的译书以科技制造方面的为多数,但更重要的原因,是在此时,在戊戌政变的惨痛的教训下,梁启超认为一切改革,必须从社会教育着手,以为改革政治须先从"国民性格"上加以根本改革。因此积极鼓吹"新民之道"。他在《东籍月旦》中说:

"不知学问所以能救国,以其有精神也。苟无精神,则愈博学而心术愈以腐败……"[⑩]

因而《东籍月旦》把伦理学书籍摆在第一位,次历史、地理等书。很显然,这种观点,一方面说明改良主义者梁启超较前一时期有进一步的认识,另一方面,这种改良主义的"新民之道"也正是与资产阶级民主革命派的"社会革命论"相对抗的武器,在当时是反动的。

《东籍月旦》不仅收入日本人的著述,而且也收入西方图书的日译本。凡书目上著录之书有中译本的,也都一一指出。书目选书精少,比《西方书目表》更有推荐性,对读者的指导也更为具体。这个书目对于中国知识界也有很大的影响。据杨寿椿的《中国出版界简史》的统计,从1895年至1904年的十年中,我国从日本翻译过来的图书,要比译自西文的要多出一倍以上。同时这十年中,所谓"政"类图书,即主要是社会科学、哲学类的图书,翻译量猛增,而科技图书锐減。这种情况,在《东籍月旦》中是有所反映的。另一方面,反过来说,这种情况的造成,可能也是与梁启超等改良主义者利用书目这一工具,包括《东籍月旦》在内,积极宣传日文书籍有关。

与编纂《西学书目表》及《东籍月旦》的同时,梁启超在其所主编的《时务报》、《湘学报》及《新民丛报》中,都利用了目录学的方法,宣传介绍有利于改良主义思想的图书。他在《时务报》创刊号中,把这种工作定为报纸的四大任务之一。他写道:

"然则报之例当如何?曰广译五洲近事,详录各省行政……博搜交涉要案、旁载政治学艺要书,则阅者知一切实学源流门径,与其日新月异之迹,而不至抱八股八韵考据词章之学枵然自大矣。"[⑪]

《湘学报》例言也规定"每学后择录切要书目一二条,附以提要、价目、刻本,俾学者得识门径,便于访购”。

这些报刊上的目录学工作有下列几种形式:刊登书目、新书广告、发表重要图书的序跋及书评等。《湘学报》曾较系统地介绍了建议变法维新的论著,并编制了提要书目。《西学书目表》就是首先发表在《时务报》上的。《时务报》还经常随报附送各书局的书目。《新民丛报》有“介绍新书栏”,这些图书宣传工作,由于通过报刊进行,对读者的影响就更为直接迅速,受其影响的读者面更广。

在1905年同盟会成立以后,资产阶级民主革命运动逐步高涨,改良主义者康有为、梁启超堕落成为君主立宪派。他们的锋芒转向打击资产阶级民主革命派,维护封建统治。他们的“所谓新学,就偃旗息鼓,宣告退却,失去了灵魂,而只剩下它的躯壳了”(毛泽东选集第二卷668页)。特别是在五四运动以后,随着新文化运动蓬勃开展,马克思列宁主义在中国得到了广泛的传播,这时梁启超就跟着胡适一道,抬出了“国学”、“佛学”的招牌,利用目录学作为工具,为青年做“国学指导”,以阻挡新文化运动和马克思列宁主义的传播。他的目录学实践活动也失去了进步意义,转而为反动统治阶级服务。

1923年梁启超编撰了《国学入门书要目及其读法》及《最低限度之必读书目》,并附有一篇《治国学杂话》。1925年又撰成《要籍解题及其读法》。在这些书目里,梁启超摆出了许许多多的古书,说这一部青年必须“熟读成诵”,那一部“总须一读”;这一部要“全部精读一过”,那一部“终不可不读”。他引诱青年说:“倘能依法读之,则国学根底略立,可以为将来大成之基矣。”

鲁迅先生在当时出色地揭露了这种借“治国学”之名,要青年钻到古籍堆中去的实质。鲁迅先生写道:

> “只有几个糊涂透顶的笨牛,真会诚心诚意地来读经。而且这样的角色,也不消和他们辩论……至于现在的能以他的主张,引起若干辩论的,则大概是阔人。阔人决不是笨牛……其实他们的主张并非那些笨牛一班的真主张,是所谓别有用意;反对者们以为他真相信读经可以救国,真是‘谬以千里’了。我总相信现在的阔人都是聪明人……至于所挂的招牌是佛学,是孔道,那倒没有什么关系。”[12]

事实也是如此。在当时,引诱青年治所谓“国学”,其目的是要青年“沉静下去,与实人生离开”[13]抗拒新文化运动和马列主义的传播。

《国学入门书要目及其读法》,分修养应用及思想史关系书类、政治史及其他文献学书类、韵文书类、小学书类及文法书类、随意涉览书类等五项,几乎把主要的古书都搬了上来。《最低限度之必读书目》也包括四书、易经、书经等近三十部大部头古书。梁启超在书目中断言:这些书“皆须一读,若并此未读,真不能认为中国学人矣”。[14]当时胡适也编了《一个最低限度的国学书目》，梁启超曾为此作了一文，题为《评胡适之的〈一个最低限度的国学书目〉》进行抨击，说胡适“把应读书和应备书混为一谈”，但从这两个书目的根本目的看，只是五十步与一百步之差。

《要籍解题及其读法》仅对论语、史记等所收各书做了解题。往往一书之解题有数千言。在解题中对书籍的时代、作者、名称、著述旨意，主要内容，后人补续窜乱情况、读法、该书之校释之书等，都作了叙述，并间有考证。

梁启超在他生平的最后一段时期，较集中地研究中国旧目录学和佛经目录。据他的朋友余绍宋说：

“六年前（按：即 1927 年），予避乱居天津，与任公梁先生过从最密。时任公方撰诸家书目提要，陈数十百种簿录之书于案头，朝夕探讨。”[15]

在几年时间内，他完成了许多中国目录学史方面的研究著作和一些古书目录。计有：1923 年完成《戴东原著述纂校书目考》，1925 年完成《佛家经录在中国目录学之位置》一文，1926 年完成了《汉书艺文志诸子略考释》、《汉志诸子略各书存佚真伪表（附本志以外伪书）》、《考诸子略以外之现存子书》，为《中国图书大辞典》编撰了簿录之部，完成了其中一部分——图书大辞典簿录之部·官录及史志部分，并于他死后的第二年（1930 年）发表在《图书馆学季刊》第四卷三、四合期上。

《戴东原著述纂校书目考》是梁启超对戴东原研究成果的一部分。戴东原为清代哲学家和考证学家。梁启超对他做了很多研究。这个书目考，是将戴东原的著述纂校，按照年谱，以著作先后为次，无论已成未成，已刻未刻，或存或佚，或著或校，独著共著，皆编入书目。依照朱彝尊《经义考》的体例，辑录了原书中的序言。梁启超并加按语，对有些部分作了考证论列。这个书目考，体例严谨，材料丰富，对个人著述作了系统的整理，不失为一部较好的个人著述书目。

《佛家经录在中国目录学之位置》一文，最早发表在《图书馆学季刊》第一卷第一期。该文系统地考证叙述了从道安的《综理总经目录》起一直到清为止的重要佛经目录。叙述其时代、作者、体例、内容范围，与其他目录之关系，对后世的影响，并评论其得失。并总结了佛经目录在编制方法上的若干特点。他认为，要是拿历代封建正统的儒家目录和佛家经录相比较，“不能不叹刘略班志荀簿阮录之太简单太朴素，而痛惜于后此踵作者之无进步也”。[16]他还为像郑樵、章学诚这样的目录学家未重视佛经目录而惋惜。他说：“恨其于佛录未一涉览焉。否则其所发挥必更有进，可断言也。”[17]

《汉书艺文志诸子略考释》，是对汉志诸子略所作的注释和考据。对诸子略中的每一种书，首先注明其存佚，若篇卷有异同的加以注出，对已佚之书，若可以考见它佚于何时的，也加以说明。对伪书详加考证。无论是在刘向、班固以前之伪书或后人伪补,或伪中出伪,都一一加以论辩。对于某些书籍的分类、编次有失当的,梁启超也根据自己的见解加以纠正。此外,他还编著有《汉志诸子略各书存佚真伪表(附本志以外伪书)》及《考诸子略以外之现存子书》,作为《汉书艺文志诸子略考释》的补充。当然,梁启超在这些著作中的见解有的不一定正确,但这些目录学著作是他研究中国目录学史的重要成果。

他对中国目录学史最有系统的研究,是他临死前撰编的《中国图书大辞典簿录之部·官录及史志》。这一著作计划包括:一、官录及史志;二、跋释及鉴别;三、藏目及征访;四、部分别录;五、载籍掌故等五部分。但只完成了第一部分。

梁启超在这里所指的"官录"是指的历代中秘书之目录。官署及官立学府藏书目录也附于此。"史志"是指各正史艺文志经籍志。后世学者所作的补志及考证笺浅释补缀也附于此。

私人所编的目录,凡作为各正史艺文志的蓝本和先驱的,如阮孝绪《七录》,毋煚《古今书录》,黄虞稷《千顷堂书目》等,虽非官书,也附于各相应的史志之前。因此,这一著作研究的范围,包括了我国目录学史上正统目录的主要部分。梁启超在这一著述中,对于从汉刘向别录至清四库全书总目为止的各部目录,一一考证其存阙佚辑,叙述其内容体例,评论其长短得失,指出他们之间的互相关系,对目录学史上的重要皇家目录和艺文志经籍志作了细致的研究,并且总结出一些我国目录学的优良传统。因此这一著述,也包括了梁启超的许多目录学的观点和理论。同时,这一著述,就其研究方法和范围来说,也是近代目录学者对中国目录学史作系统化研究的开端。

上面就是梁启超一生的目录学实践活动情况的简述。

从上面我们看到,梁启超在目录学方面的活动,大致可以分为前后两个阶段。在前期,主要从事新书目录的编纂,宣传新学,为资产阶级改良主义服务。而在后期,主要从事古书目录的编纂和对封建正统日录与佛经目录的整理研究,宣传"国学",为反动的政治目的服务。这种前后期的变化,是与他的政治思想由进步到反动的发展道路有密切联系的。

三

梁启超在目录学的理论研究和书目编制的实践活动中,也提出了一些目录学的理论观点和目录编制的新的方法。比较突出的有下列4个方面:

(一)梁启超主张"著书足以备读者之顾问,实目录学家之最重要之职务也"。[18]在书目工作实践中,他创造性地发展了作为宣传图书、指导阅读的推荐书目的编制方式方法。

《西学书目表》、《东籍月旦》和《时务报》、《湘学报》等报刊上的"切要书目"以及后来的《国学入门书要目及其读法》和《最低限度之必读书目》等目录,都是为着一定的政治目的,在一定的思想指导下而编制的推荐性书目,具有强烈的思想性。在思想斗争极其尖锐复杂的民主革命时期，这种推荐书目才能很好地宣传自己的主张，把群众争取到自己方面来，使图书发挥更大的社会作用。梁启超的这些书目，特别是《西学书目表》和《东籍月旦》在社会上所起的影响，证明了这一点。一般说来，梁启超是不主张目录学变成只读宋元版刻的“骨董家”的，[19]而是主张目录学的价值，最重要的就在于指导读者阅读，向读者推荐好书，做读者的“顾问”和向导。他在《佛家经录在中国目录学之位置》一文中说：

“道宣录中最有价值之创作，尤在《众经举要转读录》一篇。盖佛典浩如烟海，读者本已穷年莫殚，加以同本异译，摘品别行，叠屋支林，益苦繁重。宣公本篇，于异译别行诸经，各择其最善之一本以为代表……其裨益于读者实不少。著书足以备读者之顾问，实目录学家最重要之职务也。”[20]

梁启超这种把推荐好书、指导阅读定作目录学家的最重要的任务的观点，在当时能明白地提出来，是很卓越的。在封建社会，一般目录学家多注意于著录一代之典籍，反映一代之文化，将目录作为辨章学术、考镜源流的工具，或者多注意于著录宋椠元刻将目录作为记载和标榜藏书精美的工具。而作为指导阅读的推荐性书目，其发展并不是很充分的。在《西学书目表》以前，虽然有《书目答问》、《经籍举要》等几种推荐性目录，但它们的推荐性主要表现在选书的标准方面。而梁启超的书目的推荐性，除了选书之外，主要体现在“解题”和“读书法”中。《西学书目表》后附的《读西学书法》，《国学入门书要目及其读法》、《要籍解题及其读法》，其读书法也是书目的一个不可缺少的部分。梁启超就用这些解题和读书法，详细地回答读者的“应读之书及其读法，先后之序”的问题。

在《西学书目表》里，他说，当时译出的西书虽然只有三百种左右，数量不多。“然苟不审门径，不知别择，骤涉其藩，亦颇繁难矣”。[21]他所作的《读西学书法》的内容就是“略言各书之长短”，指出“某书宜先读，某书宜缓读”，从而使“初学观之，亦可以略识门径”。[22]在编《东籍月旦》时，梁启超也看到当时我国知识界对于日文书籍“能有识择抉者盖寡矣”的情况，《东籍月旦》通过它的解题和间而插入的读书法，回答读者读东学书应该“某科当先，某科当后，欲学某科必不可不先治某科，一科之中，某书当先，某书当后，某书为良，某书为劣”[23]等问题。在《国学入门书要目及其读法》中，梁启超也通过其解题及后附的《治国学杂话》一文，不仅宣传了读国学书的必要、方法，而且也为读者指出了“精读”、“熟读”、“可读”、“浏览”、“可读可不读”的“读书门径”。真正起到编著书目作为读者顾问的作用。

梁启超所创造的在书目后附以读书法（如《西学书目表》），或书目中插入读书法（如《东籍月旦》）的形式，对于宣传图书，指导阅读，的确是一个无拘束又有效的形式。例如《读西学书法》不仅讲述了西学书翻译的源委，而且分门别类地论述了各个科学领域的图书之间的联系、得失和译笔的优劣及读者应有的态度。帮助读者指出要学习一种科学,必须先从何入手,或以什么为中心;指出什么书宜于初学,什么书不宜初学;指出一书中有何部分宜于初学,何部分不宜于初学,读者应如何处置;指出不同译本,以何译本为善;指出学习某门科学时,必须注意使用哪些工具书;指出某书和某书是互相配合的,某书已佚,后书就不可读,在使用时必须注意到等。像上面这种对读者的阅读指导,在梁启超的书目中可说是触目皆是。虽然在具体内容上有不正确的地方,但作为推荐书目的编制的一种体例和方法来说,是很可取的。读梁启超的书目,使人没有像看其他书目时经常有的枯燥感觉。梁启超不仅在理论上认为“著书足以备读者之顾问,实目录学家最重要之职务也”,而且在他的书目实践中,真正体现了这一主张。

(二)梁启超在他的《西学书目表》中提出了一个新的资产阶级图书分类体系,提出了一些图书分类的理论和方法,从而开始冲击中国封建社会被定为“永制”的四部分类法的体系,为近代新分类法的输入和产生,打开了局面。

不同的图书分类体系,反映着不同时代和不同阶级的思想意识,它具有历史阶级性。在我国封建社会时期,代表封建主义思想体系的四部分类法,自晋荀勖试创以来,在唐代确定,至清四库全书总目提要而总其大成。在其间一千多年的封建社会中,它一直占有几乎是唯一的主导地位,被封建统治者命定为“内阁以为永制”。可是自从鸦片战争以后,随着我国封建社会逐渐瓦解,变为半封建半殖民地社会,在思想和文化方面,西方资产阶级民主主义文化输入中国,出现了所谓“西学”、“新学”的资产阶级文化思想,翻译出版了“西书”、“东书”等新书。在这种情况下,我国开始出现了初步含有资产阶级思想体系的新的图书分类体系及其理论。梁启超的《西学书目表》中的新书分类体系及其理论,便是一个代表。

应该指出,第一个用新的分类体系来组织书目的,并不是梁启超的《西学书目表》。在《西学书目表》以前,至少有康有为的《日本书目志》。事实上,梁启超在《西学书目表》中所提出的分类体系,和康有为在《日本书目志》中的分类体系一样,有可能受到西方资本主义国家图书分类法的影响。梁启超接触过许多西书,其中不可能不接触到西方资本主义国家的图书目录,因而不可能不接触到其分类体系。事实上,在《西学书目表》以前,译书公会就曾经翻译过外国的书目。[24]因此,梁启超的新分类体系的提出,是在一定程度上接受外来影响的,但并不是抄袭翻版。从这个分类体系来看,总的说,梁启超是用中国人的眼光来看西学西书的,特别是用改良主义者的眼光来认识的。

新的图书分类体系,作为比较完善提出来的,并加以理论上的阐发,实际上是开始于梁启超。《西学书目表》的西书分类是:

- 学部：算学、重学、电学、化学、声学、光学、汽学、天学、地学、全体学、动植物学、医学、图学
- 政部：史志、官制、学制、法律、农政、矿政、工政、商政、兵政、船政
- 教部
- 杂类：游记、报章、格致总、西人议论之书、无类可归之书

梁启超还从理论上阐述了这个体系。他说：

“译出个书，都为三类。一曰学，二曰政，三曰教……下卷为杂类之书。”

“西学各书分类更难。凡一切政皆出于学，非合庶政不能举一政，则某学某政各门不能分。今取便读者，强为区分。”

“门类之先后，西学之蜀，先虚而后实。益有形有质之学者从无形无质习而生也。故算学重学为首，电化声光汽等次之，天地人（谓全体学）、物（谓动植物学）等次之。医学图学全蜀人事，故居末焉。西政之蜀，以通知四国为第一义，故史志居首，官制学校政所自出，故次之，法律所以治天下，故次之，能富而后能强，故农矿工商次之，而兵居末焉。农者，地面之产。矿者，地中之产。工以作之，作此二者也。商以行之，行此三者也。此四端之先后也。船政与海军相关，故附其后。”㉕

这个分类体系及其理喻，现在看来是很幼稚的。但在当时，它的确给我国目录学史打开新的一页。他和经、史、子、集的四部分类体系及其理论解释，是很不相同的。

梁启超的这个分类体系，除教部不算外，为学、政、杂三大类。这里我们可以看出自然科学、社会科学及综合性图书三大部类划分的雏形。当然这是很模糊的，甚至是有许多矛盾的。例如政类中的农、矿、工、船等政，其中除有经济管理方面以外，是属于技术科学的，不应列入政部。但是这里正反映出梁启超是用中国人的眼光，特别是用改良主义者的眼光来看待的。改良主义者感到要使中国富强，必须推行他们所宣传的“新政”，而“新政”的内容大致是：改官制、办学校、订宪会、立议会、筑路开矿，发展工、农、商业，以求富国强兵。而“西学书目表”中的政类内容是和这些“新政”的内容大致相同的。封建顽固派和洋务派，只主张向外国学习一点制造枪炮的知识，以求“船坚炮利”作为当务之急。而改良主义者梁启超却认为应该从政治、教育、经济的改革开始，“能富而后能强”㉖，把“兵政”居于分类的末位。这一点也说明梁启超是

以改良主义者的理论为基础而确定分类体系的,有别于封建统治者的观点。

此外,这个分类体系还有很明显的资产阶级唯心主义观点。认为“有形有质之学皆从无形无质而生也”,“一切政皆出于学”,从而决定各类之间的先后次序。这种解释反映了资产阶级的唯心主义世界观。

虽然这个分类体系是为“西书”而设的,没有用来分中国书,可是它却给后来人们抛弃四部分类法而改用新体系来组织中国书开拓了局面。例如,1904 年编成的《古越藏书楼书目》就是第一次用“学”“政”两大部类的新体系,来对中文图书进行分类的。此后, 目录学家和图书馆界将“中学”和“西学”,“旧书”和“新书”结合考虑斟酌, 产生了以资产阶级思想为基础,也结合了中国封建社会文化特点的许多图书分类法。梁启超的贡献就在于对旧分类的冲击作用和对新的分类的启蒙作用。

梁启超在《西学书目表》中,也很注意图书的归类问题。这也是他一个突出的地方。为了避免学者对类目的意义与范围有所误解,他常常给各个类目下定义、定范围,并且在《西学书目表》叙例中也提出了几点图书归类的基本原则。当然,当时梁启超对自然科学与技术的了解还不是十分精通的,因此他所下的定义范围,所举的例子,是有错误的。但他注意到图书归类的问题,这是有积极意义的。

(三) 梁启超提出目录学应具有详尽、准确、严谨的科学态度,主张目录学对于图书要“全收无遗”、“一一详载”、“辨其真伪”、“抱残守缺”、“搜采遗逸”、“设立存目”、“令读者毋惑”。同时反对“爱古薄今”, 主张目录学的重点, 应该放在新书和现存之书方面。

梁启超把目录看做是考查著作史、图书史、学术文化史和藏书史的材料, 主张目录, 特别是具有历史文献意义的国家目录和史书艺文志经籍志,对于图书应该有完备、正确的著录和解题,对于亡佚残缺图书应予以记载,对于真伪情况要加以考证,对于不同译笔和版本, 须一一详叙,对于抽译抽印别裁图书,要求注明出处。总之要达到“令学者毋惑”。

从他对佛经目录在中国目录学的地位的评价中,我们可以很明显地看出梁启超的上述观点。他认为佛经目录在目录学上的优点是:“凡一书之传译渊源,译人小传,译时,译地,靡不详述”;“辨别真伪极严,凡可疑之书皆详审考证,别存其目”;“比较甚严,凡一书而同时或先后异译者,轻详为叙列,勘其异同得失。在一丛书中抽译一二种或在一书中抽译一二篇而别题书名者,皆一一求异出处,分别详明,使学者毋惑”。“搜采遗逸甚勤,虽已佚之书, 亦必存其目”[27]等。这里梁启超所称许的优点,也正是他自己对于目录学的主张。

例如他很推崇姚振宗的《三国艺文志》及《后汉艺文志》。认为这个书目是“最精勘足称者”, 是由于它具有下列 5 个特点:

“一、著色事略,一一详载,令学者得考见其环境及学术渊源。二、著录各书皆注出处…… 三、其书有近人辑本者皆举列之。四、后人对于原书有批评者，皆录入。五、有疑问者，附按语考证之。……断代极谨严，极少滥收闲人之弊，至搜罗之博，则此两时代之著作，殆已全收无遗。”[28]

正因为梁启超主张“搜罗至博”，“全收无遗”，因此他极力主张目录学要搜采遗逸，著录亡佚图书，设立存目制度。他说：

“抱残守缺，确目录学家应有之态度。”[29]

他认为目录学要注意著录亡书。

“书籍孳乳日出，亦散亡代谢，赖有遗录，存彼蜕痕，虽器实已沦，可识其名数”，以作为“将来采访之资”。[30]

他主张目录对于不收录的图书（例如内容滥劣之书，疑惑伪妄之书等），应设存目，借以记录，“使后世勿为所惑”。认为这样做，才是谨慎、严肃的态度。他对《四库全书总目》在著录之外另设存目制度很赞许。他认为，虽然决定图书列入著录仰或存目，其标准不一定确当，但是这作为目录学中的一种体例，是一种很好的创造。他说：

“著录外别设存目，为向来簿录之所无。自有此例，以各书本身价值为标准（所估价值当否又当别论）既示别裁，不使滥劣之书与名著骈列，致读者淆视听而敝精神；亦不致第二流以下之书，并其名而湮没。可谓两全其道。”[31]

被梁启超称为“以目录体例论，最合理之作”的隋之“法经”，梁启超也指出其优点之一，在于：

“别生及疑伪者，虽屏不入藏。仍著其目，使后世勿为所惑。”[32]

梁启超的这种“抱残守缺”的观点，其出发点在于使目录真正丰富的资料价值具有科学文化史的意义。这种目录学的详尽、准确、严谨的科学态度，也可以说是我国目录学的优良传统。汉刘向、刘歆的《别录》、《七略》，和其后的许多目录，就编制体例而论是严谨的（当然从思想内容而论，都是以封建思想为指导的，这一点是毫无疑问的）。在目录学史上，我国不少目录学家也倡导过这种态度。特别是郑樵倡亡书之学，更是梁启超的“抱残守缺”的观点的先驱。清代许多目录学家和版本学家，更把"存其真面,以待来兹"的科学客观态度作为重要的原则。

梁启超主张目录学要抱残守缺,但他不主张把目录学仅仅变为专门去考查亡书残卷的考据学。相反,他却反对目录学中的"爱古薄今"的倾向,而主张目录学的重点,应该放在新书和现存之书方面。他说:

"尤有一事足致遗憾者,清人爱古薄今,上下同揆,四库于当代著述,收录已稀。私家藏目,亦少注意此点,以致递年新撰诸书,无总籍之可稽。吾侪欲草古今书录,时代愈近而愈感困难。可为太息也。"㉝

他在批评图书集成经籍典时也说:

"此书于清初书籍存亡状况,无足资考证者。因其大部分乃移录旧史或专书之全文。……所列之书,并非现存。现存之书,前人无述者,则并不搜集也。"㉞

这个观点,是很可贵的。也是梁启超在理论上对目录学的一个重要贡献。不注意搜集与反映现存之书与新书,所列书目,并非现存,这是我国目录学史上曾经出现过不少例子的一种不良倾向。例如《旧唐书经籍志》就是全抄毋煚的《古今书目》。因此旧唐志不载《古今书目》之后三百年间唐代后期的书籍。梁启超对此深为遗憾,他说:

"宋人修唐书之最大责任,谓宜将唐人著作全部网罗入志,庶使一代文献得所总汇。开元以后,唐祚尚三百年,为中国历史文化最盛时代,著述之富,足与自汉迄隋六百年间数量相埒。今史臣怠于搜访……将盛唐以降三百年学术成绩一概抹杀!吾辈今日读唐志……将以考唐籍耶?则所可考见者殆不及百之一二!"㉟

像这样的书目,的确是"无足资考证"的。事实上,当代的现存之书与新书,在后代就会成为古书和少见之书,就会可能有一部分亡佚残阙。可见,梁启超的"抱残守缺"与反对"爱古薄今",两者是统一的。总的目的,是要使目录"搜集至博","足备考证",具有史料价值。

(四)梁启超总结了我国目录学史上史家目录学、读书家目录学、藏书家目录学及目录家目录学的对目录学性质作用的基本观点,将它们进行综合和系统化,从而提出了较全面的见解。

梁启超认为,自汉代产生《别录》、《七略》以后,历代沿其例,陆续校书编目。特别是在宋明以来,由于版刻盛行,图书的流传收集日益容易。另一方面,书籍遭到散佚淘汰也更为迅速。公私藏书访书,多有目录。因而目录学便"以附庸蔚为大国"。据他估计,同时(指梁启超撰《中国国书大辞典簿录之部官录及史志》一文时)现存的各代书目录,合单行本与各专书中之别出本,约有两三百种。已经亡佚或存佚不详的,也有一百余种。他认为,总括起来,目录及目录学对于文化学术的作用有四条。就是:

1."载籍浩博,决非一人之力所能尽藏所能尽读。浏览诸录,可以周知古今著作之大凡,有解题者,读其解题,虽未睹其原书,亦可知梗概。"

2."书籍孳乳日出,亦散亡代谢,赖有遗录,存彼蜕痕。虽器实已沦,可识其名数。又某时代某类书实始创作或作者独多,某类书在某时代已寥落罕闻或散亡最剧,综而校之,学风见焉。"

3."稀见秘籍,识者知珍。弥微仅存,流传有绪。博稽诸家著录,可以称其辗转储藏之所在,按图索骥,或整理流通,或取裁述作。"

4."学术分化发展,著述种类随之而日趋繁赜,辨析流别,业成专门。门类区分,或累代递迁,或因人而异,博观互校得失斯见,循此以称学海之派分渊汇,察艺林之孚坼条数,知类通方,此其跬步。"[36]

从上面梁启超对目录与目录学作用的估计看来,他是把目录与目录学看做是帮助查考各时代的著述史、图书史、学术文化史、藏书史和进行读书治学的重要工具的。

梁启超所说的目录与目录学的第一点作用,是说目录与目录学是掌握历代图书状况和了解图书主要内容的工具,通过目录学可以考查古今所有一切图书。这一点,唐代目录学家毋煚就已说过。他说目录能够"使书千帙于掌眸,被万函于年祀。览录而知旨,观目而悉词……不见古人之面,而见古人之心"。[37]而梁启超加以继承和发挥。例如他把《汉书艺文志》看做是"欲考先秦学术渊源流别及古代书籍存佚真伪,必以此志为基本"。[38]《隋书经籍志》是"唐初所传中古书籍以为总汇"。[39]

梁启超所说的目录与目录学的第二点作用,是说目录与目录学可以辨章学术,考镜学派源流。这一观点,是史家目录学的重要内容。郑樵与章学诚大力倡导之。郑樵说:"类例既分,学术自明。以其先后本末具在。观图谱者,可以知图谱之所始,观名数者,可以知名数之相承。识纬之学,盛于东都,音歆之学,传于江左。传注起于汉魏,义疏成于隋唐。观其书可以知其学之源流。或旧无其书而有其学者,是为新出之学,非古道也。"[40]梁启超也继承和阐发了这种观点。

梁启超所说的目录与目录学的第三个作用,是说目录与目录学是为考见图书版本,帮助访书藏书校书的工具。这一点,正是所谓藏书家目录学的观点。钟会、颜千里、黄尧圃已倡于前。梁启超也承认和继承了这派意见,虽然他不太主张把目录学变成专门研究"百宋千元"版刻的"古董",但他也承认这是目录学的一个派别。例如梁启超在谈到《天禄琳琅书目》时说：

“自清两钱（谦益、曾）以宋板相矜尚，世渐趋之。及此书以鉴藏书画之体制编书目，书籍及成为‘古董化’或‘美术欣赏品’为簿录界别开一派。”[41]

梁启超所说的目录与目录学的第四点作用，显然是所谓读书家目录学的观点。在梁启超以前，清王鸣盛说：“目录之学，学中第一紧要，必从此问途，方能得其门而入。”[42]清江藩也说：“目录之学，读书入门之学也。”[43]梁启超继承并大力发挥了这种读书家目录学的观点。“著书足以备读者之顾问，实目录学家最重要之职务也”，这便是梁启超这种观点的最集中的体现。

此外，梁启超也提出：

“就目录学的立场言之，则取便检查，亦正是此学中一重要条件。”[44]

可见他也吸取了所谓目录家目录学的观点与内容。而这个观点，在近代资产阶级目录学中，是占有很重要的地位的。

上述史家目录学、读书家目录学、藏书家目录学及目录家目录学，是我国目录学史上的几个主要流派。他们各引一端，各自发展。事实上，他们可以说都说对了一部分，但又都不完全，具有片面性。目录的类型是多种多样的，目录的作用也是多方面的，目录学的价值与任务同样也不是单一的。梁启超将各派观点结合起来，提出了较为全面的观点，这是梁启超在目录学理论方面的一个发展。

梁启超对目录学的观点，可以说“主要的是读书家目录学与史家目录学相结合的观点。同时也具有藏书家目录学与目录家目录学的一些主要内容。但他并不是将它们机械地加在一起，而是做了综合和系统化的”。

梁启超认为，就目录与目录的性质而论，“实总函四部而莞其钥”[45]这个见解也是正确的。因而梁启超对于封建社会中历代书目，将目录一类列入史部，感到“名实未安”，而提出要“别建一部，用冠群籍”。[46]的确，自此以后有许多新分类法将目录与目录学作为独立一类，列于首位，或列入总类。这可能是与梁启超的见解有一定联系的。

梁启超认为，目录是“俾凡研治任何部类之遗典者，皆于此问津焉”。[47]这是对目录学于读书治学作用的中肯估计。

梁启超还指出，目录书由于“作者之地位及其性格识见等区别，所成之书其范围与体裁自不能从同”，因此，他认为目录可以分为5种，即：官录及史志、跋释及鉴别、藏目及征访、部分别录、载籍掌故。[48]大致说来，这种分法尚能基本概括古代目录的范围与类型。当然，他没有很好地概括当时已出现的许多书目种类，像《西学书目表》，

《东籍月旦》等书目。此外,专科目录的地位也不甚明确。这种目录种类的分法,他主要是针对封建社会时期的目录而言的。

四

要确定梁启超的目录学理论观点与实践活动在我国目录学史上的位置,对它们作出正确的估价,应该联系近代目录学的状况来加以考察。

前面已经说过,近代目录学史上,出现了资产阶级目录学,它给目录学带来了一些新的面貌。这个新的面貌的出现,是与梁启超的目录学实践活动和理论研究分不开的。

首先,梁启超编撰《西学书目表》、《东籍月旦》等书目,宣传新学,推进维新改良运动,起了较大的政治影响,把目录学与社会的政治思想斗争紧密地联系起来,提高了目录学为政治服务的作用,加强了目录的思想性和战斗性,从而提高了目录学的社会作用。在目录学理论上,梁启超提出的"著书足以备读者之顾问,实目录学家之最重要之职务也"的观点,也促进了推荐书目的发展,为书目的思想性、战斗性和社会作用的加强,提供了理论依据。目录的政治思想性的加强和社会影响的扩大,是与这一时期复杂紧张的政治斗争分不开的。

其实,梁启超扩大了目录学理论研究和目录工作的领域。把佛经目录作为中国目录学史的一个部分加以研究,是从梁启超开始的。他提出的在目录组织中"取便检查"是目录学的一个重要条件的观点,也反映了近代目录编制方法的进步,并且促进了这个进步。这个观点在以后的资产阶级目录学中,得到了较大的发展。梁启超编制西书目录、东书目录,不仅影响了其他同类目录的出现,而且也使目录反映图书的范围得到扩大,目录的种类增多。

第三,梁启超对目录学的新方法进行了一些尝试。例如《西学书目表》的分类表是我国资产阶级用新的知识体系类分图书的最早的创举。

以上三方面,正是我国近代目录学史上资产阶级目录学产生之后出现的新面貌。而梁启超在这些方面,具有发凡起例、开拓局面的作用。梁启超是近代资产阶级的启蒙思想家,他的这种地位,看来在目录学方面也有所表现。

但是,应该看到梁启超的这种作用,是没有得到充分发展的。主要表现在两个方面,其一是梁启超的目录学实践和理论研究,缺乏长时间的精深的努力。往往是草率求成,甚至是刚刚开始,便宣告终结。他的许多目录都不完全,只是编制了一个开头,就急于发表,后面的部分就不了了之,像《西书提要》和《东籍月旦》都是如此。他写的目录学理论著作,也有类似的情况,"中国图书大辞典薄录之属"便是一部没有完成的著作。其二,梁启超在目录学上的积极作用,主要表现在他的前期活动中,而他的后期,随着他的政治思想的堕落,在目录学上有创造意义的成就较少。

梁启超的一生,是从进步转为反动的一生。他的后期成为人民所唾弃的地主买办阶级的可耻代言人。加之他的“流质善变”、“哗众取宠”和“浮光掠影”的品质，使他后期名誉扫地。我们评述梁启超的目录学理论观点和实践活动，不能不看到他的根本的和主要的方面——改良主义思想，并且不能不看到他在后期对中国社会发展所起的反动作用。这些都在他的后期目录学实践活动中有明显的反映。他所编制的各种“国学”书目，就是出自于极其反动的目的的，并且给当时社会上，特别是对青年造成了恶劣的影响，这是应该彻底批判的。在目录学理论观点方面，特别是在中国目录学史的研究方面，对于解放前资产阶级目录学者的影响也是相当深远的。对于这种资产阶级目录学的观点，今天也同样需要进行彻底的批判。

总起来说，关于梁启超的政治态度和文化思想（包括目录学的观点）的阶级实质以及对当时社会的影响，我们可以用毛泽东同志在《新民主主义论》中的一段话作为概括和总结。毛泽东同志说：

“在‘五四’以前，中国文化战线上的斗争，是资产阶级的新文化和封建阶级的旧文化的斗争。在‘五四’以前，学校与科举之争，新学与旧学之争，西学与中学之争，都带有这种性质。那时的所谓学校、新学、西学，基本上都是资产阶级代表们所需要的自然科学和资产阶级的社会政治学说（说基本上，是说那中间还夹杂了许多中国的封建余毒在内）。在当时，这种所谓新学的思想，有同中国封建思想作斗争的革命作用，是替旧时期的中国资产阶级服务。可是，因为中国资产阶级民主革命的无力和世界已经进到帝国主义时代，这种资产阶级思想只能上阵打几个回合，就被外国帝国主义的奴化思想和中国封建主义的复古思想的反动同盟所打退了，被这种思想上的反动同盟军稍稍一反攻，所谓新学，就偃旗息鼓，宣告退却，失去了灵魂，而只剩下它的躯壳了。旧的资产阶级民主主义文化，在帝国主义时代，已经腐化，已经无力了，它的失败是必然的。”[49]

参考文献：

①②③④⑧㉑㉒㉕㉖《西学书目表·序例》。
⑤《读日本书目志后》。
⑥《质学丛书》。
⑦⑨㉓《东籍月旦·叙论》。
⑩《东籍月旦》第一章伦理学。
⑪《论报馆有益于国事》。
⑫《民国十六年的读经》。
⑬《华盖集·青年必读书》。
⑭《最低限度之必读书目》。
⑮⑲《饮冰室藏书目录序》（余绍宋）。
⑯⑰⑱⑳㉗㉙㉜㊹《佛家经录在中国目录学中之位置》。
㉔见译书公会章程，附录《现译各书目》，其中有从日文译来的庆长以来名人述书目（和学家），庆

长以来名人著述书目(汉学家)等两种。

㉘㉚㉛㉝㉞㉟㊱㊳㊴㊶㊺㊻㊼㊽《图书大辞典簿录之部·官录及史志》。

㊲《古今书录序》。

㊵《通志校雠略》。

㊷《十七史商榷》。

㊸《师郑堂集》。

㊾毛泽东选集.第二卷.人民出版社,1955:689-690

原文载于《武汉大学学报》1964 年第 4 期

漫话卡片目录

长期以来，图书馆一般都采用卡片式目录、编卡、印卡、排卡、查卡、对卡等，成为编目工作、采购工作、流通工作和典藏工作的主要内容或重要手段。

卡片式目录之所以在图书馆中如此流行，是和卡片这种形式的优点分不开的。卡片，是一种离散形式的目录载体。一张卡片，著录一种图书或一件资料，可以随做好、随排入，能够动态地反映馆藏，起逐步累积、随时增减、重新组合、不断更新的作用，卡片目录的灵活性和及时性，是书本式目录所望尘莫及的。

但是，在图书馆目录的发展史上，并不是一开始就存在卡片式目录的，在它问世以来，其本身也经历了数次重大的变化，在将来，卡片式目录也将退出图书馆，被送进博物馆。

一、卡片目录的诞生及其幼年时期

在卡片目录出现之前，藏书楼和图书馆普遍采用书本式目录。卡片目录的问世，首先应归功于18世纪的法国大革命。当时，许多寺院图书馆和私人图书馆被没收，属于国家所有，法国革命政府拥有大量的图书收藏。1791年5月，国民代表大会指示这些藏书的管理人开始编制目录，并且特别指示要编制卡片目录。

在19世纪末以前，图书馆员为那些有后续版本的图书，用小纸片加以记录与维持。这种原始的卡片目录只供馆员内部使用。在个别情况下，读者使用这种“卡片”，必须由馆员在场监督，之所以这样小心谨慎，是因为那时还没有发明目录盒和固定卡片的穿条。

第一个让读者公开使用的卡片目录，是1861年美国哈佛大学图书馆的目录，在19世纪末，许多图书馆建立了卡片目录，作为对书本式目录的补充，当20世纪开头的时候，卡片目录逐步取代书本目录，成为图书馆主要的目录卡片。1901年，美国国会图书馆决定发行印刷目录卡片，这一措施是对书本式目录的致命一击。

二、印刷目录卡片的发行——成长风行的时期

在国会图书馆发行印刷目录卡片之前，就尝试过若干办法以进行这种发行工作。远在1876年，国会图书馆考虑过这种可能性，但认为要向全国图书馆发行印刷卡片，

这一工作过于繁重,无力承担这个责任,于是图书馆员就请求出版社进行这一工作。1878年《Publisher Weekly》编制"出版物的每周记录",把图书的著录款目印在薄纸上,以便于贴在卡片上,这种单页式的印刷品分发给《图书馆杂志》的订户,如果单独订购,每年经费是一美元,这项服务1880年停止。

1901年,国会图书馆在开始行其印刷卡片发行服务之前,对印刷卡片的大小取得了一致意见,即卡片的印刷部分的大小应为12.5×5厘米,国会图书馆发行印刷卡片的服务,同过去那种不成功的尝试比较起来,有这样一些优点,在标准方面取得了一致意见:发行工作保证了稳定性和连续性,可以允许各图书馆按其采购到的实际图书进行订购,成本较低,每卡约一美分,因此,很快普及到全国,这种印刷卡片的发行还促进了全国图书联合目录的编制工作和目录著录的标准化,并且大大节约了全国图书馆编目的费用。

除国会图书馆外,许多图书馆,例如纽约公共图书馆、波士顿公共图书馆、哈佛大学图书馆等,接着也开始印行自己的目录卡片。

目录卡片的印行,便于图书馆员在目录中增加图书的附加款目,从而提高目录的质量。同时也便于图书馆在不同的地方设置多套目录,为读者提供了很多的方便。此外,还避免了卡片抄写中可能的错误,从而消除了目录中对同一图书著录的不一致性。目录卡片的印行,还便于图书之间目录资源的交换。

卡片目录被世界各国的图书馆所采用,许多集中编目计划的实行,使卡片目录几乎独占了图书馆目录的地盘。20世纪的上半叶,可以说是卡片目录大为盛行的时代。

三、计算机生产的目录卡片——跨入新时期

从60年代开始,随着马尔克(机读编目)计划的实现,图书馆的卡片目录的生产也进入了计算机化的时期。

1961年,在美国图书馆资源委员会的帮助下,国会图书馆请一个馆外的计算机专家小组研究国会图书馆工作实现自动化的可行性。这个小组经过详细的调查分析,于1963年发表报告,肯定了这种可行性。国会图书馆把自动化的目标首先放在编目工作上,开始了马尔克试验计划,经过反复试验和广泛征求图书馆员的意见,确定了机读编目的记录格式(MARC I),研制了适合图书馆目录用的标准字符集,并开始生产马尔克磁带。

所谓马尔克磁带,就是把编目的数据(即款目)以机器可以识别的代码记录在磁带上,为了便于计算机的处理,还加上了各著录事项的标识符、分隔符、指示符等。这种磁带只能由计算机来"读",因此它叫"机器可读目录"。它的用处,除了供计算机检索外,更主要的是可以由计算机打印出所需款目的目录卡片,在打印卡片时,可以删除或增加一些著录事项,以满足各个不同图书馆的要求,国会图书馆于1969年开始对外发行这种马尔克磁带。同当年发行印刷目录卡片一样,马尔克磁带的发行,对整个图书馆界产生了很大的影响。

它的影响之一,就是推行了以共享编目为主要目标的图书馆合作网络的发展,以美国俄亥俄学院图书馆中心为代表的许多网络,向国会图书馆订购马尔克磁带,并在这种磁带的基础上,为网络的成员馆提供编目服务。具体来说,就是根据各图书馆实际采集到的图书,从马尔克磁带上选出相应的目录记录,并按照各国图书馆对著录事项的不同要求,打印出各馆所需要的目录卡片来。这种由计算机生产的目录卡片,同以前发行的印刷目录卡片比较起来,生产的效率大大提高,款目的事项与格式更符合各个图书馆的具体要求。各馆的索书号也不必由图书馆自己添上,特别是这种计算机辅助的编目服务从脱机系统进化成联机系统之后,各成员馆可以在本馆的终端上同计算机系统随时取得联系。成员馆采集到的图书,即使在国会图书馆的马尔克磁带上找不到相应的记录,也可由成员馆将该书的编目资料联机输入,供其他馆使用。由于各成员馆的编目(即要求打印目录卡片)的情况保存在计算机系统中,因此,一个包括各成员馆馆藏图书的联合目录就自动形成了。这个联合目录不仅可供随时检索,而且也便于转换成书本式目录或卡片式目录。

这种共享编目的办法受到许多图书馆的欢迎。网络的成员馆很快增多,与此同时,目录卡片的发行,也逐步地由国会图书馆转到合作网络的手里,例如在1975年,仅俄亥俄学院图书馆中心这一个网络就向成员馆发行了五千二百万张目录卡片,超过了国会图书馆在这一年发行的目录卡片总量。

由此可见,自动化的目录卡片生产系统,给图书馆的卡片目录注入了新的生命力,使其步入了新时期。

四、卡片目录逐步走向消亡的时期

图书馆的卡片式目录,虽然有不少优点,但随着图书馆藏书的累积增加和读者要求的提高,其本身固有的缺点日益显得严重起来。

首先,它的体积庞大,需要占有大量的空间。有人计算过,按照当前国会图书馆藏书的增长速度,它的卡片目录在体积上每二十年增加一倍,现有卡片二千三百万张,到2078年时,将达到七亿五千万张。不仅大型图书馆感到卡片成灾的威胁,而且中小型图书馆也受到它的压力。维持和管理大量的目录卡片需要相当多的人力物力。国会图书馆发现,在它的卡片目录中,有12%的目录卡片五年至少改换一次;22%的目录卡片在十年内需要修改一次;42%的目录卡片在三十年内至少修改一次,而且在这些作业中,往往容易出错,造成卡片目录的混乱。

其次,要想在卡片目录中增加检索的存取点,即提供找到该款目的更多途径,是非常困难的。例如九个人合写的一篇文献,卡片目录不可能为每个合著者设一张附加款目,因而就不能达到充分的引得深度,不能满足读者或馆员自己从某个合著出发进行查找的要求。因为要做到这一点,卡片目录的体积会变得庞大惊人,但是,增加检索的存取点,是今天社会对图书馆发挥更大的情报职能的要求。

第三,卡片目录需要较高的成本。

最后,卡片目录不便于远地的读者或不愿到馆里来的读者利用,虽然卡片目录可以同时建立几套,分设在各个不同的地方,但其分布广度终究有限。

因此,卡片目录的发展,逐步地走向了反面。加之马尔克磁带得到了更加全面的利用,所以卡片目录目前正被3种新的目录所取代。

第一种是计算机生产的书本式目录,计算机利用马尔克磁带作“原料”,既可以打印出目录卡片,也可以生产书本式目录。计算机照排技术同计算机数据处理技术结合起来,能够以极高的速度,按照指定的格式与次序编辑书本式目录,并自动制版,大量印刷,书本式目录的更新问题也很简单,只要计算机重新加工一次就行。书本式目录体积小、成本低,可以增加引得深度和和广为流传,于是,在图书馆目录的发展史上,出现了戏剧性的变化,当年被卡片目录取代的书本式目录,借助于今天新的技术条件,又“重整旗鼓、卷土重来”了。

第二种是所谓COM目录,即计算机输出的缩微胶片(卷)目录。这是计算机技术同缩微技术相结合的成果。它是以马尔克磁带为“原料”,把计算机存储的编目资料,按照指定的格式和次序,直接变成缩微胶片(卷)目录。这种目录的生产,速度比书本式目录更快。成本也更低,更新也很容易,体积也小,但利用这种目录时必须有阅读器加以投影放大。

第三种是联机交互式目录。这种目录,事实上只是存储在计算机中的机读目录数据库。查找时,通过终端同计算机联系,由计算机根据查找的要求在大量的数据库中去选出合适的款目,并传输到终端加以显示或打印。这种联机交互式的目录有如下优点:①对使用的图书馆来说,它实际上不占有什么空间,而是招之即来,挥之即去。②查到所需款目,不必由查找者抄写,而是由终端打印,既快又准确。③能随时掌握最及时的编目资料。目录款目的增加、删除和修改,由计算机处理和维持,款目一旦有所改变,检索者就能利用,这要比书本式、卡片式或COM式目录的更新,要及时得多。④打破地理上的障碍。终端可以设在远离计算机的地方,但图书馆可以同计算机如同近在咫尺地“对话”。⑤能提供更多的检索存取点。几乎款目中所包含的各个著录事项,都可以成为查找的“入口”。

因此,卡片式目录在图书馆的地位被动摇了。美国国会图书馆已于1981年起关闭了它的卡片式目录,用新的书本式目录、COM目录和联机交互式目录来加以取代,其他图书馆也正在纷纷仿效。当然,卡片目录的“消亡”,取决于具体图书馆的技术条件、藏书规模和读者使用目录的情况,这是不能一概而论的。特别是在发展中国家,卡片式目录还将长期地发挥重要作用。但是从趋势上来说,它已走上了“消亡”的道路。这也是确实的。

五、一点启示

卡片式目录的产生,进化与走上消亡的道路,有其自己的“历史”,它说明,任何一种图书馆的工作手段都不是一成不变的。社会的需求和技术条件的发展,造成了图书馆工作手段变化的必要性和可能性。图书馆是历史的产物,图书馆本身的面貌也随着历史的发展而改变,尽管一般来说,图书馆是倾向于保守的,对于新技术的应用,是比较缓慢的,例如印刷术传到欧洲一百年之后,才出现第一个印刷的图书馆书本式目录(1595 年 Leyden 大学图书馆的目录),又经过一个多世纪,才出现印刷卡片目录(1723 年哈佛大学图书馆的目录)。但是在当代,新技术引进图书馆的速度,已经大大地加快了。例如电子计算机 1945 年问世,1959 年被用来进行情报检索的试验,其间只经历了十四年,第一个联机情报检索试验 1964 年在麻省理工学院出现后,70 年代初就出现了图书馆的联机编目。这中间的时差只是十年左右。新技术从研制到采用的周期,看来今后还要缩短。

图书馆对新技术的采用,是比较慎重的。只有当新技术在技术上和经济上的合理性得到证明时,才会被图书馆员所接受,新旧技术的兼容和保证旧的工作手段稳步可靠地向新的工作手段过渡,这都是基本的要求。这是因为图书馆工作是细水长流,日积月累的。任何改革都离不开原有的基础。美国国会图书馆的机读目录虽然从新书开始输入,但还得为过去的旧图书目录作回溯转换工作。同样,卡片目录的淘汰,国会图书馆也曾进行过长期的准备。对于今后图书馆目录形式的选择,图书馆界也正在进行讨论。

对我国来说,由于国情不同,我们现在还不必担心卡片目录的“消亡”,新型目录的使用还需要相当长的过程,但是我们了解卡片式目录的“来龙去脉”,也许能够使我们站在更高的高度,来看待当时的和未来的图书馆目录工作。

原文载于《河南图书馆学刊》1982 年第 1 期

目录学是研究文献流的整序、测度和导向的科学

——对目录学对象的再认识

1959年，笔者在《武汉大学人文科学学报》上发表了一篇题为《目录学的对象和任务》的文章。据评论者认为，这篇文章由此“揭开了一次关于目录学研究对象问题大讨论的序幕”。在这篇文章中，笔者提出了这样的见解：“目录学是研究用书目索引的方式向读者通报图书和宣传图书的规律的科学，它是由于人类巨大图书财富和读者对图书的一定的需要之间，存在着矛盾和解决这个矛盾的需要而产生发展起来的。”这场开始于50年代末60年代初的目录学基本问题的大讨论，虽然在“文革”十年中有所中断，但近十年来又在继续进行。

据彭斐章等编著的《目录学》一书中称：“尽管大家从不同的角度提出了关于目录学的定义和目录学研究对象问题的看法，随着讨论的不断深入，各派论点渐趋接近，正如吴裕宪在《试论‘目录学研究对象’之分歧》中写的：‘应当看到争论的分歧有着共同的基础，这就是从目录学的研究对象和内容是图书众多和人们对图书特定要求之间矛盾所产生的这一共同认识出发的……’总的看来，近年来的研究，已逐步趋向从目录学发展的规律性方面来探讨目录学的研究对象。”令人感到欣慰的是，大量存在的图书和人们对其特定需求之间“矛盾”的提法，在三十年来的讨论中，不仅成为人们的“共同认识”，而且成为争论各方的“共同的基础”。

当然，本文的目的不在于回顾历史，而是立足于反思的基础上，就目录学的对象问题进行再认识。这三十年来，笔者并未一贯坚持在目录学的教学与研究岗位上，而转而涉猎科技文献检索、计算机情报检索系统等领域。虽然在表面看来，以文史知识为深厚基础的传统目录学研究同科技文献检索与计算机情报检索之间存在很大的反差，但是对这些不同学术领域进行探索，却有助于从更宽广的角度进行比较研究和贯通思考。正是本着这种认识，笔者愿意在阔别目录学教学与科研20多年的今天，参加到这个领域的探讨中来。

今天，摆在我们面前的任务，就是要对目录学的对象问题给出一个较为正确的回答，它既要尊重我国目录学的优良传统，又要立足于当前文献目录工作的现实，同时又要吸收国外目录学的发展成果，它应该能从理论高度对文献处理、目录编纂等活动提出本质性的概括。

正是本着这个目的，笔者提出了自己对目录学对象的见解：目录学是一门研究文

献流的整序、测度和导向的科学。

一、文献流和目录学

所谓文献流,是指一个国家、一个民族、一个地区、一个时代出现与存在的各种出版物的总汇。文献流的存在是人类进入文明时代以来的一种社会现象。在我国,从使用甲骨、竹简记录知识和思想产生的甲骨文和简牍等最初形式的图书开始,其后随着纸的发明,出现了抄本时代,印刷术的发明又把社会推进到印本时代。随着照相、录音、电影、录像等技术的应用,视听资料已成为一种与印刷品并驾齐驱的文献形式。当前,计算机可读的数据库的出现与发展,使得知识与思想的记录形式和利用手段发生了革命性的变化。不管文献的形式与类型的演化如何迅速,它们作为记录、保存、传播人类文化的职能却是始终如一的。一篇篇文章,一部部图书等单个文献汇集起来,成为文献的海洋,正如涓涓细流汇成江河一样。这种文献的汇流不是静止的,它发源于人们认识、变革自然和社会的实践、发源于科学实验的实践,用文字记录下来,经过著述者、编辑者、审订者、注释者、批评者、译校者、出版者等的劳动,最后到达读者手中,成为人们继承文化和创造新文化的资源和工具,从而促使新的文献的产生。正是这种循环往复,使得一代代的人们不断把文化推向新的高度。其次,一部著作在不同的阶段,可以以不同的文献类型出现:手稿、研究报告、会议论文、杂志文章、教材、手册等。这种不同文献类型之间的转化,也是文献流本身运动中的常见的现象。从历史角度看,文献流的运动还表现在文献从古到今的保存与流传,其中包括历代的传抄、翻刻、散佚、辑佚、重新发现等,从而构成了与历史相平行的文献流运动的长河。文献流的运动是无止境的。文献流的规模,随着人类文明的进步呈现出日益扩大的增长规律,而人类文明的进步也日益依赖于从文献流中吸取已有的科学成果和有用信息,使其成为再创造的营养。

但是,文献流积聚的历史,并不等于科学文化的发展史。科学文化的发展是一个不断综合的过程,即新的发现、发明、观点、理论往往是补充、修正或取代原有的知识,使知识的体系更新完善。它不是知识的物理相加或机械堆积。而文献流的增长,却由于图书文献是一种具有载体的实物,因而是一个堆积式积累的过程。虽然文献的有用性有其新陈代谢和随时间而老化的规律,但旧的文献却能被长期保存下来,这是研究文献流和研究科学文化史的区别之所在。

研究单篇文献内容的立说之是非,评价其水平的高低,吸取其正确的观点或知识融合到人类知识体系中去,这是各门学科在发展中的手段与任务。然而,把文献流作为一个整体,探索其运动的规律、内部构成的变化,特别是研究文献流的整序、测度与导向,这就是目录学的对象与任务。用更简洁的话来说,目录学就是研究文献流宏观控制的科学。

首先是整序。文献的类型多样,问世的时间先后不一,加之数量庞大,如不进行整序，就会显得纷繁杂乱，读者无从认识文献流的全貌，更无从系统全面地查找自己所需要的文献，其结果，既造成有用文献的被埋没，又造成无关文献情报的充斥。因此，对文献流进行有序化是问津文献流的前提。这种整序，就是为文献编制目录。正如唐代魏征在《隋书·经籍志》中所说的那样："古者史官既司典籍，盖有目录以为纲纪，体例湮灭，不可复知。"这个以为有了图书，就会有目录为之"纲纪"的推测是合理的。堪称我国古典目录学光辉典范的汉代刘向、刘歆父子编制的《七略》、《别录》，是我国历史上第一次对图书进行整理和有序化的实践。西汉初年，汉室"大收篇籍、广开献书之路"，"使谒者陈农求遗书于天下"，从而使"书如山积"。汉成帝命刘向等人对那些"书缺简脱"的著作进行校书编目，"每一书已，向辄条其篇目，撮其指意，录而奏之"。这就是为图书进行著录并编写摘要。刘向死后，其子刘歆"总群书而奏其《七略》"，这就是编制了我国第一部分类目录（以上均引自汉代班固的《汉书艺文志》序）。这里，"总群书"三个字很重要，它不是对一两篇文献进行校勘考据，而是对大量的书籍进行综合的、宏观的处理，这里的"群书"，就是当时存在的文献流。

文献流是一个国家，一个时代，一个民族，一个地域所生产和存在的文献的汇总。它具有代表一个国家、时代、民族、地域的文化水平的意义。因此探索文献流控制规律的目录学，必然带有民族性。中国目录学家不能驾驭西方的文献流，同样，西方目录学家也不能胜任中国目录学的研究。目录学与民族文化相联系的这个特点，虽然在过去往往为研究者（特别是持"目录说"观点的学者）所忽略，但实际上是目录学的重要特性之一。

目录学对文献流的控制，是属于对群书宏观处理的范畴，一般不包括对单篇图书文献的微观处理，这是目录学区别于校勘学、版本学的依据。在古代，这种微观处理与宏观处理是紧密结合的，甚至古代学者用校勘版本学来包括目录学，这是当时的历史条件所决定的。在近代，校勘学、版本学被列为单独的学科，但这并不意味着目录学不存在。

其次是对文献流的测度。文献的增长、老化、文献之间的相互引用关系。文献量与著者数之间的比例，各次文献之间的比例，以及核心文献的分布等，都有其一定的规律，可以用统计的方法予以测度，给出定量的描述，有的甚至可以求出一定的数学模型。这种定量化的统计分析，能够揭示文献流内部结构的规律，并能指明文献流与外部的整个科学文化背景与经济发展水平的联系。对文献流的测度，已导致书目计量学或文献计量学这一新兴学科分支的诞生，无疑，它应该是目录学的一个分支学科。对文献流进行整序以后所编成的目录，可以说是文献流的一个闸门，它能使流量得以测度。

第三是对文献流的导向。作为文献流闸门的目录，也能使流向得以调整。如何向有关的读者和情报用户有的放矢地通报、推荐、宣传图书文献，使他们迅速准确地"即类求书，因书究学"，也是目录学的一个重要内容。图书文献在政治思想观点上有先进与反动之分，在质量上有优劣之别，在时效上有新颖与陈旧之异，对于读者和情报用户来说，他们并不乐于“兼收并蓄，详尽无遗”，这样将使他们感到不得要领，徒费精力，甚至误入歧途。无产阶级革命领袖列宁倡导的目录学的党性原则，正是目录学对文献流导向特性的最集中的体现。我国古代目录学主张指示读书治学的门径，是我们应该继承的优良传统与精华。目录编纂中的收书标准、提要的撰写、归类标引、排定次序等都能体现导向问题。目录既能突出、宣传某些文献，也能埋没、贬低某些文献。在历史上，各个阶级的目录学家都以目录的导向作为阶级斗争的武器，这是众所周知的。目录学作为一门社会科学，具有阶级性，其根据正在这里。

研究文献流的整序、测度和导向，是目录学独特的对象领域。依据这个对象，目录学并不与其他学科纠缠不清，对文献流的宏观控制的研究，正是系统论、控制论的体现。它从一个国家、民族、地域、时代文献总体的高度，就文献流的整体性、内部运动的规律性及其流量的测度、流向的调整进行探索，这就比笼统地说“目录学的研究对象是图书”的提法要确切得多。其次，文献流不等于一个图书馆的具体藏书范围（除了国家图书馆的藏书具有代表文献流意义的以外），因此目录学与图书馆学中的图书编目学就有区别，正如前人所说的，目录学所研究的不是一个具体图书馆的藏书，它不限一馆所藏，而是一个地域或时代的所有图书。在英文中，限于反映一馆所藏的目录用“catalog”，而不限一馆所藏的目录则使用“Bibliography”（书目），这种区分，虽然为历来的目录学家和图书编目学所接受，但仍然使不少人困惑不解，其关键就在于理论上的依据。如果目录学以整个文献流的研究为己任的观点进行解释，则问题可迎刃而解。国家书目、地方文献目录，收录较为详尽的专科书目、联合目录等，都是代表一定时空范围的文献流的，因而是目录学必须研究的。具有科学文化史意义的历代皇家与私家目录、寺院目录、禁书目录以及起过重大社会作用的推荐目录，以及书目之书目，也属于目录学的研讨范围。但是，一般的图书馆目录，则很少为目录学家所注意。目录学对于上述目录的研究，不仅仅是评价其编制体例与方法的得失，更重要的是将它们作为文献流的“地图”借以了解历代文献流的概貌。目录学家，在一定意义上就是地理学家，历史上有开创意义的地理学家，他们的足迹走遍名山大川、穷乡僻壤、繁华都市，然后从总体上对山川城乡作综合的描绘，勾画出山系、水系、都市的分布，交通的路线等，这就是地图。这样的地图，正是人们认识天下的向导。目录学家应该广泛浏览群书，熟悉文献的海洋，掌握文献流的“水文”，并将其绘成文献流的“水文图”，这就是各种目录。这里，重要的是，地理学家不仅应该知道地图的绘制方法与技术，更重要的是要了解地图所描绘的对象。同样，目录学不仅应该知道目录的编制原则和方法，更重要的是要了解目录所记述的图书文献的状况。从这个意义上来说，目录学和地理学一样，都是记述性的学科。中国地理学家、非洲地理学家、西欧地理学家，这里的区分主要不是指地理学家的国籍，而是指他们所掌握的地理知识的地域。同样，中国目录学家、西洋目录学家的区分也是如此。

目录学与情报学的区分，主要是：目录学是对文献一级的宏观控制，而情报学则是在更深一个层次上对包含在文献中的信息及其适用性、适时性的搜集、鉴别及提供，不是所有的文献都能构成情报，而且情报的来源也不完全只限于文献。情报过程包括对情报的判断、分析、综合、提纯、浓缩、收集反馈、再加工再提高。因此，这两门学科的着眼点不同，前者为文献，后者为知识；处理的深度不同，前者为文献单元，后者为知识单元；处理的方法不同，前者主要为分类排序，后者主要为分析综合。当然，这两门学科也有一定的交叉。

二、目录学的具体研究内容

本着上述对目录学对象的理解，笔者认为，目录学的研究内容是：

1. 揭示与掌握各时代文献的总的状况——文献的出版、流传与散佚的情况，主要文献的内容梗概，同时又从整个文献流的高度设计对文献有合理网罗度的书目体系。

目录是群书的系统化记载。通过目录，能够揭示文献的存在情况。例如，《全国总书目》、《中国国家书目》就基本上反映了我国新文献的出版全貌，《晚清小说书目》是考察晚清时期小说书籍状况的重要材料。美国《化学文摘》是世界范围的化学文献流的钥匙。通过时代先后或不同撰者的有关目录的排比，不仅可以掌握书籍的流传与散佚的情况，而且可以知道已经亡佚的图书的大致内容。鲁迅在《中国小说史略》一书中，就应用这种方法来考察古代的小说书籍。例如他将汉书艺文志与梁、隋时的加以对比，指出汉志所著录的小说家 15 种，到“梁时已仅存青史子一卷，至隋亦佚”，并指出这些书的内容是“大抵或托古人，或记古书，托人矣似予而浅薄，记事者近史而悠缪者也”。目录收罗图书文献的不全，一是限于目录编纂者的见闻范围，二是受一定思想观念的影响。封建正统的目录（官录及史志）对于民间文学书籍视为“不登大雅之堂”的东西而予以排斥，但却可以从个别出于个人爱好或崇尚版本的私家藏书目录中得到发现。当然，有时还得用目录以外的手段进行查考。即使是在现代，各有关书目检索工具之间，在收录文献方面，既有大量的重复，又有不少的空白，这里受到政府的情报政策，原始文献的可获得性、原始文献文种的可阅读性，文摘员配备以及检索工具的编辑宗旨等的限制。因此，为考察文献流的全貌，如何把有关的检索工具加以配合组织，使之成为书目的体系，不仅是目录学家能够施展才华的地方，也是熟悉文献流深度与广度的目录学家的用武之地。同样，一个国家的具有文献高网罗度的检索刊物体系的设计，首先也必须从文献流的调查掌握开始。

掌握主要的文献梗概。就是要掌握核心著者（个人著作或团体著作）、情报密度高的核心刊物、具有里程碑意义的重要著作的问世情况等。

2. 对文献流的各种统计测度，例如各类文献的增长模型和半衰期，各出版类型比例的消长，文献中包含的关键词与主题词的变化、同类文献在各种刊物上的分布密度、著者数与文献数的比例（著者的劳动生产率）、文献的被引用率、文献的被译率等。文献流是不断变化的,因而以上各种参数也是变化的。这些参数的变化,是揭示文献流运动规律的有用数据,这些测度是建立在大量统计基础之上的。在过去,仅仅依靠人力来做是难以胜任的,今天,在机读书目数据库中却易于做到这一点,因而开辟了古典目录学未曾有过或远非完善的新领域。目录学走向定量化的研究,是目录学日趋成熟与进步的表现。

3. 将文献流有针对性地引向读者和情报用户,形成"灌溉网络",以满足他们对图书文献的特定需要,使目录学成为读书治学的助手和思想教育的武器。简言之,就是把握好文献流的导向,这是目录学产生社会效益的关键。广大读者和情报用户对图书文献的需要千差万别,有的是要求连续不断地获得最新图书文献,以便了解本门学科的进展和水平;有的是要求对文献进行某一课题范围的历史普查,以便掌握全面系统的资料;有的是要求获得少量对口图书资料,以便解决研究设计中的具体问题;有的是要求用优秀的著作丰富自己的头脑。如果没有目录学理论与实践的帮助,所有这些需求都不可能得到圆满的解决,而只能是使广大读者和情报用户面对巨大的文献流而望"流"兴叹,茫然无措。文献流在汇集各种图书文献而实现其积累的过程中,自然是鱼龙混杂、泥沙俱下的,目录作为文献流的控制闸门,有过滤、提纯的功能。我国古代目录学一向重视分清图书的优良、轻重、缓急,在分类中有先后之别,在提要中有褒贬之分,在收录上有"正目"与"存目"之异,当然,其标准只能是以维护封建统治为转移的。但这些办法都是对文献流导向的处理。在近代,伴随着紧张的思想与政治斗争而出现的《书目答问》、《必读书目》之类的推荐书目,更是把文献流的导向作为争夺青年、服务于阶级斗争的手段。在现代,为了解决巨大的文献流和人们对它的特定需要之间的矛盾,目录的种类和通报服务的手段日趋多样化。例如为满足读者最新文献需要,出现了标准的 SDI(定题服务)和个人化和 SDI 书目;为满足特定课题普查式的文献需求,出现了面向学科、面向任务和面向问题的长时间文献跨度的专科目录、专题目录;为满足解决具体问题而检索文献的需要,出现了书目参考和跟踪服务;为满足优秀著作的推荐,出现了核心期刊目录、获奖著作目录、畅销书目录、精选目录以及大量的面向青少年的推荐书目。这些不同的目录类型和书目服务,都是把文献流有目的、按对象地引向各种读者用户群的不同渠道。在今天,注意文献流的导向显得尤为重要。资产阶级自由化思想的泛滥,在很大程度上是通过出版物的渠道进行的,青年人有的不能辨别图书的良莠,分不清思想阵线,致使文献流中的沉渣泛起,危害甚烈。事实上,文献流的导向是舆论导向的一部分,是思想政治战线中的一个重要阵地,目录既有情报职能,又有教育职能,如何发挥好这些职能,是目录学重要的研究内容。

4. 探讨目录编制的理论与方法。从簿录之书到机读书目数据库,目录的形式发生了极大的变化,计算机编制的各种新型索引,也极大地开拓了目录学方法的新领域。标引的加权、检索词的加权以及按权值大小排列的检索结果的输出,既提高了目录编制的质量,又提高了目录使用的针对性。检索策略作为书目检索工具读者使用的核心部分,其调整技术正在迅速发展。所有这些,都在促使目录学理论方法的现代化。目录学并未衰落,相反,它也和其他科学一样,正在出现新的概念,开拓新的领域,更新本身的知识体系。我们不仅为我国古典目录的光辉遗产而自豪,而且要为目录学的发展前景充满信心。

三、评“目录说”

主张目录学是“研究图书目录编制原则与方法的科学”的所谓“目录说”,其根本的问题是割裂了目录与其所记述的文献流的关系,似有舍本求末之嫌。如上面所说的,目录是文献流的控制闸门,是对文献流进行整序、测度、导向的工具,这就是目录的本质。闸门的设计与建造方法固然重要,但它只是服务于控制江河的工具,目录学家应该站在文献流的闸门之上,指点江河、问津江流,做文献流中的弄潮儿,并帮助人们在文献流的江河中取得自由,胜利地到达彼岸。

“目录说”的主张者表示担忧,例如徐召勋同志说:“把目录学的研究对象说成是图书,这就势必使目录学的研究对象和其他科学等同起来,从而丧失其研究对象的特定性。这样一来,目录学既无研究的对象,当然也就不能独立成‘学’了。”其结果,是“实际上却是取消了目录学”。我认为,这种说法是值得商榷的。首先,说其他各门科学的研究对象是“图书”。例如物理学研究对象是“物理图书”,马克思主义的研究对象是“马克思主义图书”,显然是不妥当的。图书,是人们研究自然、社会和人类思维运动所获得知识的记载,它不是知识的“源”,而是“流”。利用图书,继承前人的成果,获得有关的情报,以推动新知识的创造,这是各门科学共同的手段,而不是共同的“对象”。当然,徐召勋同志的本意,可能是:所谓“研究图书”是指深入到图书内容中去研究各门学科。但是研究图书与研究学科并不是能画等号的。各门学科的图书,是各个学科发展的记录与见证,历史上积累保存下来的大量图书,是各门学科的发展各阶段遗留下来的具有文献载体的“文物”。文献流的增聚过程与各门学科的知识体系发展过程是有密切联系的,前者是为后者服务的,但是毕竟二者不能混为一谈。前者是具有实体的文献的累加,而后者是知识体系的不断更新、丰富与完善,这一点在本文前面已经指出过。对历史文物的研究,是考古学,而不等于就是历史学,虽然考古学是为历史学服务的。各门专科目录学也是为各门学科服务的辅助性科学。当然,这里的“研究图书”是不够确切的,而应该改为研究“文献流”,它不是对单篇文献的内容的微观研究与处理,而是对群书(文献流)的宏观研究与处理。对文献流的研究,并没有取消目录学研究对象的特定性,因而也就不会“取消目录学”;研究文献流的整序、测度和导向,迄今为止,其他各门科学还没有把它划入自己的对象,而这正是目录学的“特定性”的研究领地。

“目录说”者主张,目录学的研究对象“确切的提法应当是目录、目录工作和目录事业”。就“目录说”的范围来说,这种说法显得比较全面,但是如果只提“目录”,事实上也隐含了“目录工作”和“目录事业”。因为目录的编制是社会的一种文化事业,需要对目录工作规定政策,加以组织协调,从而能使目录保证质量,发挥社会效益。当然,本文不讨论哪种提法全面或精练的问题,我们的着眼点在于舍去对文献流的研究,而只固守于“目录”这个圈子。这种提法起点不高,似乎对图书的著录,对篇卷的识别,对注释、解题、文摘、书评的编写,对类例、小序的讨论,对互著别裁法的应用等,就是目录学的精髓。我国古代目录学在这些方面早已达到相当高的水平。今天在计算机的帮助下,还可以达到由计算机自动编写文摘、自动分类、自动索引,在机读书目数据库中,能够提供众多的检索点,远远超过古代的对文献的“互著”。在计算机化的全文检索系统中,不仅能提供对一篇文献中章节的检索,而且能提供对段、句、词、字的检索,其功能也远胜于古代的“别裁”,这方面的进展是令人刮目的,它们应该是在目录学的研究范围之内的。但是,对文献流的研究,是研究目录及其编制方法的前提,人们要求目录学家的,不仅要通晓目录编制的方法,而且要了解文献的状况:它的增长、老化,文献的文种、类型的分布,核心文献与核心著者的测定,不同文种之间文献题名与刊名及著者名的字译互换规则,文献类型的识别,文献的出版发行渠道,文献的保密、解密的规定,文献的版权政策、文献资源的共享措施等,目录学应该有更宽广的舞台。国内外一些颇受读者欢迎的“文献指南”之类的著作,都是既讲文献流,又讲检索工具与检索方法的,这是当代目录学著作的模式。由于文献流是有国别、时代、学科范围的,因而目录学也都打上国别、民族、时代的烙印,并且有各专科目录学之分。舍弃文献流,必然导致否定目录学的民族性、时代性与学科性。目录学固然有贯通古今中外的一般规律,但决不能否认它与民族、时代、学科相联系的特殊规律。

四、评“矛盾说”和“关系说”

正如前文已说过的,笔者在《武汉大学人文科学学报》1959 年第 7 期上发表的《目录学的对象和任务》一文(也是当时武大《目录学》教材第一章)中,提出了“人类巨大的图书财富和读者对图书的一定需要之间存在着矛盾”,并且说“由于这个矛盾的存在,人们就要求解决这个矛盾,人们需要一种能够帮助了解、掌握巨大的图书财富,并在这个基础上根据自己的需要进行选择的工具和方法”,“也就是目录学需要研究的规律”。这是目录学对象和任务的研究中最早的“矛盾说”的提法。进入 80 年代以来,不少论者坚持目录学所要研究的,就是“图书众多和对其特定需要之间的矛盾”,虽然措词有所不同,但观点是一致的。

北大、武大合编的《目录学概论》(1981 年版)一书中提法是:“揭示和报导文献与人们对它的特定需要之间的矛盾,构成了目录学领域里诸矛盾现象中最基本的矛盾,也就是目录学研究的对象。”

彭斐章(也是上面提到的《目录学概论》的作者之一)等人于 1986 年出版的《目

录学》(中央电大图书馆学专业用书)一书中说:“揭示与报导文献的信息与人们对文献的特定需要之间的矛盾,构成了目录学领域诸矛盾现象中最基本最主要的矛盾。这个最基本最主要的矛盾,也就是目录学的研究对象。”显然,这个提法与前一书中的提法一致,只是在文字上更准确一些。

“矛盾说”的基本依据,就是毛泽东关于“科学研究的区分就是根据科学现象所特有的特殊矛盾性”的论断。“矛盾说”认为,把目录学的对象说成是图书或目录,提法过于简单化,就事论事,未能说明目录学的本质属性,没有提到规律的高度来认识,试图应用马克思主义的观点方法,求得目录学对象问题的科学解释。这在目录学基本问题的研究历史上,确实是一种新的角度和高度。

大量图书文献的存在,与人们对其特定的需要之间的矛盾,确实是目录学得以产生发展的社会环境和长期起作用的基本因素。求得这种矛盾的合理解决,是目录学的社会作用的表现。书与人这两个方面,都是处于不断变化之中的,二者之间矛盾的具体内容也是随时代而演化的,因而目录学也在不断地更新自己的知识体系。

但在学科对象的定义表述中,不一定非都写上“研究……矛盾”的字样,矛盾存在于一切事物之中,并存在于一切事物的变化过程始终,因而事物就包括矛盾。如数学的对象是“数量关系和空间形式”,在这个简洁的表述后面,正数与负数,微分与积分等都是数学中应该研究的矛盾。同样,昆虫学的对象是昆虫,但在这个定义表述的后面,存在着昆虫与环境,昆虫对人类的利害,昆虫的繁衍与控制,以及昆虫本身从生到死的生态过程,都是昆虫学应该研究的内容,即特殊的矛盾。

况且,“图书的众多与人们对其特定的需要之间的矛盾”并非目录学一门科学所占有的研究对象。从根本上来说,图书馆学也属于这个范围,图书馆是社会上的最经济最合适的共同使用图书的组织,它通过图书的收集、整理、提供等手段,为人找书,为书找人,用自己的丰富藏书为各种类型的读者服务,满足他们的特定需要。图书馆学是研究图书馆的各项活动过程及其事业组织的。因此,对目录学的定义表述来说,还必须指出什么特殊的手段,或从什么特殊的角度来研究图书众多与人们对其特定需要之间的矛盾的。笔者在三十年前的那篇文章中,说是“用书目索引的方式”,而“所谓书目索引的方式,就是通过查明、记载、揭露和组织出版物从而向读者通报图书和宣传图书的方式”。今天看来,这个提法的基本思想并没有多大错误,但是存在着缺点。第一是这里的“出版物”、“图书”的概念,没有提到文献流的高度;第二是“书目索引的方式”仍欠明确,不如用“整序、测度与导向”。因此,我对目录学对象定义的表述,修正为本题目的那种说法,以作为对目录学的再认识。

“关系说”,从根本上来说也是“矛盾说”。有人认为图书、目录与读者之间的关系是目录学的对象,显然,之所以有研究这三者之间关系的必要,是因为它们之间存在着不适应、不协调的问题,而要把它们之间的矛盾调整到最佳状态,处于合理的关系之中,矛盾的双方就存在对立统一的关系。“用书目索引的方式解决人类巨大的图书财富和人们对它的一定需要之间的矛盾”,就包括了这三者之间的矛盾,“关系说”的内核是正确的,但是也显得不够明确。究竟三者之间是什么关系?没有在提法本身中很好给以说明。一门科学的定义,应当有内容的概括性,对规律揭示的深刻性,以及文字表达的简洁性,重要的是抓住最本质的东西,而不是面面俱到。

原文载于《图书情报工作》1990 年第 1 期

电子出版物与索引编制自动化

一、电子出版物的特点

所谓电子出版物,是指其本身以电子文本形式出现,以磁盘或光盘为信息载体,具备相应的全文数据库检索软件,并可利用计算机对其进行高速准确地浏览与检索的出版物。

对于传统的印刷型出版物来说,电子出版物是一种体现现代信息技术的新型出版物。无论是外观或功能,电子出版物与印刷型出版物都有很大的区别。电子出版物除具有与印刷出版物相当的文献文本之外,还有如下显著功能:

1. 文献的全文检索功能。借助于全文数据库的结构与检索软件,文献中的任何人名、地名、年代、关键词均可被单项地或多项组合地检索出来,在数十万、数百万、乃至数千万字的巨著中,要查找某一事项或词句,可在很短的时间(数秒钟内)一索即得。

2. 信息计量功能。可对文献中的事件、名词、人物、地点等项目进行频率统计和排序,获得相应的统计排序表。可以借助于这种统计排序表,以了解文献内容的重点和所涉及的主题范围,判断所论述问题的焦点,了解有关人物、事件、地点的影响程度。

3. 知识项聚类的功能。文献中的各种知识项(如人物、事件、地点、名词、年代等),可以彼此组合,以获得有关信息的聚类。例如,在一部历史著作的电子出版物中,通过知识项的聚类,可以了解某一事件涉及哪些人物、哪些地点;或者某一人物曾经与哪些人发生过关系;某一地方曾出现过哪些事件等。

因此,电子出版物不仅具有自动检索的功能,还具有对文献内容进行分析的功能。它要比印刷型出版物具有更高的使用价值。

电子出版物的制作与发行,无疑是出版界的一次技术革命。它为出版产品增加一个新的类型;它由于省去了传统出版物生产过程中的制版、印刷、装订等工艺环节,从而缩短了出版周期;它便于文本的增、删、改,从而易于文献内容的更新和新版的出版;它由于可以作为全文数据库通过联机情报检索系统提供广大用户利用,从而开辟了一个新的发行渠道与形式;它的制作是利用当前出版过程中激光照排(电子排版)

的中间产品——电子文本为基础,依靠加工软件在计算机上自动或半自动进行的,不仅速度快,在费用上也是低廉的;由于磁盘和光盘的信息存储密度高,因而电子出版物的体积小,便于邮寄与携带;电子出版物可以随时进行拷贝,社会需要多少份就能拷贝多少份,因而不会造成出版物的积压或脱销;由于电子出版物的文本是计算机可以识别的数字编码,因而便于电讯线路的高速传输,从而能满足对出版物的某些紧迫需求。

在国外,一些发达国家的电子出版物已达到相当普及的程度。它与印刷型出版物的比例,正在不断上升。许多百科全书、手册、词典等著作,以光盘形式发行,或以联机情报检索方式向用户提供服务。而在我国,电子出版物的制作与发行则处于起步阶段。

我们武汉大学图书情报学院"全文数据库研究"课题从1986年以来开始从事全文数据库的研究开发工作。作为国家教委文科博士点基金项目,经4年多时间的研究,于1990年10月制作成功《湖北省地方志·大事记》、《中国人民解放军大事记》(解放战争时期)两部著作的全文数据库,探索和实现了全文数据库的结构、标引规则、建库和检索软件以及对检索结果的再次编辑与输出的技术。1991年7月,与武汉大学出版社合作,制作成《国共两党关系通史》(150余万字)的电子出版物,正式由出版社向社会公开发行。中央及地方的报刊和电视台对此曾作了报道,并给予了高度评价。该出版物已发行至北京及香港等地。我们经过技术上的改进,1993年又由该社发行了《中国名胜诗词词典》(70余万字)电子出版物。近来,国内出版界对电子出版物给予了高度重视。国家新闻出版署已将它列为正式的出版物类型,承认其版权,召开了电子出版研讨会,成立了全国电子出版研究会;一些专门制作发行电子出版物的公司与出版社也已出现。

二、电子出版物将是图书馆藏书的一个新品种

电子出版物的出版发行不仅是出版业的深刻变革,而且对图书馆与情报资料单位以及广大读者用户都会产生深刻的影响。

首先,电子出版物使图书馆与情报资料单位面临一个新的收藏品种。从古到今,图书馆收藏各种载体的知识记录:刻有文字的甲骨,写有文字的竹简木板或贝叶、泥版,都曾经作为古代图书形式而被古代图书馆所收藏;纸发明以后,各种写本更是图书馆的藏品;印刷术发明之后,印刷型出版物成为图书馆藏书的主体;缩微品的出现,又扩大了图书馆收藏的范围;录音带、录像带出现之后,音像出版物也开始进入了图书馆的藏书。今天,电子出版物成为图书馆藏书的一个新类型,应该是一种很自然的事情。这也应该是图书馆现代化的一个表现。电子出版物作为一种藏书,有其独特的优点,也提出了某些特殊的问题。优点是,以磁盘或光盘形式出现的电子出版物体积小,所占库容小;对于使用频繁的工具书或珍贵的图书来说,如果有相应的电子版

存在,就会避免图书的破损、污染,从而有利于保存文献原件或真迹。当然,并不需要对任何图书都购买其电子版,目前主要是应收藏下列类型的电子版图书:大部头的工具书(如大百科全书),具有经典性或历史意义的巨著(如二十五史)、珍本书等。一些儿童读物或外语学习等电子出版物,寓文字、图形、声音于一体,既给人以知识又给人以美的享受,因而十分吸引儿童读者。与此相似的是,一些能突出反映美术、舞蹈、服装、名胜景点风光等文献内容的电子出版物(如多媒体光盘),也宜于选择收藏。因为它们的独特功能是印刷版图书所不能取代的。

要将电子出版物作为图书馆的一个收藏品种,有一系列问题需要研究解决。例如费用问题,分类、编目、保管和流通方式的问题,相应的服务设备与环境要求问题等。

关于费用问题。电子出版物的价格目前比印刷书刊昂贵。这一事实,可能造成图书馆不堪承受的负担。此外,图书馆要向读者提供电子出版物的浏览与检索服务,还需配置微型计算机和光盘驱动器。这也是新增加的经费负担。因此,电子出版物要成为图书馆的收藏对象,目前有不少困难。

但是,也有不少因素推动电子出版物进入图书馆藏书的范围。

第一,电子出版物的功能是印刷版书刊所不能取代的。特别是处于信息时代的条件下,迅速准确地获得信息,将带来巨大的效益。信息本身就是一种潜在的财富,它能够转化成物质财富。从用户获取信息,并将其转化为生产力、转化为经济技术竞争的能力这一角度来看,他们支付检索电子出版物的投入费用,与他们可能从中获取的产出效果相比,有时是微不足道的。在我国条件下,从宏观来看,图书情报工作手段的现代化,需要支付比传统工作方式要多得多的费用,但是它们的效益比传统工作方式所能取得的效益更大更多,要比投入更大更多。否则现代化是不可思议的。图书馆以有偿服务的方式提供电子出版物的服务,用户是能够理解和接受的。而这种有偿服务可以使电子出版物收藏的负担由读者用户来分担。

第二,随着现代信息技术的迅速发展,电子出版物的成本将不断下降。这与印刷版出版物的连年涨价造成明显的对比。在发达国家,已经出现这种趋势:印刷版书刊品种与发行量日益萎缩,而电子版所占比重在不断上升。越来越多的书刊只出电子版而不出印刷版。这个现象不能不说有其经济上的原因。这是因为:信息技术的进步使信息的存储密度越来越高,单位存储费就相应下降;电子版制作软件越来越成熟,制作效率的提高也有利于降低电子出版物的成本;电子出版物将日益赢得更多的用户,它的发行量的增多也必将使其成本降低。

第三,电子出版物的邮寄费很低,占用书库的体积少,倒架方便等,这也是经费问题考虑的一个因素。

此外,图书馆除了收藏电子出版物外,还可以通过联机情报检索方式利用联机情报检索系统中所装载的电子出版物。这也是图书馆拥有电子出版物使用权的一种方式。在这种服务方式中,图书馆或用户不必为整个电子出版物付费,只为实际的检索量付费。对于使用频率较低的电子出版物,用这种方式进行利用是合算的。

电子出版物的整理、保存、流通等工作,也给图书馆提出了新的问题。这主要是电子出版物这种新型文献载体,以及其独特的使用方法所引起的。但是音像资料的整理、保存、流通问题,可作为借鉴。当然两者不完全相同。磁盘形式的电子出版物更需要注意数据的安全,不致被有意无意的操作所破坏,同时要注意防止计算机病毒的入侵。电子出版物的利用服务,还需配置相应的打印机,以便应读者用户的要求将其检索结果打印出来。从事这方面流通服务的馆员还需向使用者普及计算机数据库的初步知识和使用方法。

三、电子出版物是参考咨询的有力工具

对图书情报单位来说,电子出版物使它们获得强有力的参考咨询工具,即可以进行自动检索的全文数据库。一部著作,尽管作者是按照一定的逻辑次序、分章分节撰写的,比如按照由浅入深的次序,或历史发展的顺序,或由一般到具体,或由分析到综合,或从理论到应用等的顺序进行阐述的,从而使有关的知识得以有序地组织,但是这种有序化是单维的。读者可以按照作者的逻辑顺序来理解和查检该著作,而更多的情况是,读者可能从多种角度和顺序来探索该著作,寻找其中的有关的事实和知识片断,进行错综复杂的联系。也就是说,著作中的逻辑顺序不能完全满足读者检索的需要。这就是原著中的单维次序和读者的多维检索要求之间的矛盾。作为全文数据库的电子出版物却从根本上解决了这个矛盾。在全文数据库中,设立了多种索引项目,从而提供了著作中多种事项的检索点,便于读者随机检索,而不必顺序浏览。即使著作中的某些事项未作为索引项目,也可发挥计算机高速顺序扫描的能力进行检索。因此,作为全文数据库的电子出版物,它的全部文本都可由计算机进行控制与操作。一般供阅读的书也被赋予了多种检索的能力,从某种意义上来说,一般阅读书和工具书的界限正在消失。电子出版物的出现,使得有关的文献信息从出版这一发源环节就开始得到了计算机化的控制,提供了多维的、有序化的、可操作的功能。电子出版物的实质是全文数据库,可以借助于这种全文数据库对其中的数据进行多种多样的情报加工,除检索之外,还可进行有目的地抽取、排序、重新组合,从而产生新的情报产品。因此,电子出版物是进行其他情报工作的良好基础和手段。

即使是对工具书这类出版物来说,它的电子版与印刷版之间也存在功能上的差别。尽管像书目、索引、文摘、年鉴、手册、名录、辞书、百科全书之类的工具书在编撰时已将资料与数据进行条目化,各条目之间以便于查检的次序编排,并有多种索引附于书后,以提供不同于正编内容结构的检索途径。但是印刷版工具书所能提供的检索功能仍然是静态的,而不能提供动态的逻辑组配功能。举例来说,印刷版的书目索引,虽然按主题词(或分类号)排列,在每个主题词或分类号之下著录书目款目或文

献编号,用户如果仅仅只查一个主题词或分类号,则可很方便地获得该主题词或分类号之下的文献线索;但是如果用户所要检索的目标是包含多个主题或分类号在内的复合概念,或者甚至是多种系列标目(如主题词是一种系列标目,分类号是另一系列标目,同样,著者姓名、出版时间、著作文种、发表出处等都可以分别是系列标目)之间的组合,那么印刷版的工具书本身就难以提供这些复合的检索点了,而必须依靠用户人工地来进行组配,即对比多个标目之下的文献号码,取其在各标目下都存在的相同号码,以获得所需文献,从而实现了"逻辑乘"的组配功能。当然,有的印刷版工具书为了提高检索性能,采用多级主题的方法,或多个主题轮排以互相说明与限定其含义的方法,或增加文献条目说明语的方法等,其目的是在一个检索标目之下扩充其信息含量,提高检索的分辨能力,在一定程度上提供复合概念的表达与检索能力。但从根本来说,这仍然是静态的检索功能。与此相反,电子版工具书所能提供的多元检索标目的组配都是随意的、动态的,并且这种动态组配的能力,除了逻辑乘之外,还能实现逻辑或、逻辑非,或各种不同逻辑运算的组合组配。检索的角度、广度和深度可以随不同的用户、不同的检索目的而改变。这种动态组配是随用户的检索式而响应的、灵活的、真正多维的。确切地说,这种动态组配的能力是计算机情报检索软件所赋予的。显然,这是电子出版物之优势所在。

因此,电子出版物可以成为图书馆的文献参考咨询的强有力的工具。凡是著作中任何信息单元,如人名、地名、年代、关键词、片言只字,均可借助于作为电子出版物的全文数据库进行检索。上述信息单元,凡已被标引作为检索项的,可以通过数据库中的索引直接检索;没有被标引的,虽然索引中无此检索项,也可通过全文数据库的文中扫描办法进行检索。因此,文献中任何隐藏着的信息都被置于计算机的控制之下,随时可供查询。这样,原来无检索工具职能的文献,也都具有了检索能力。这是电子出版物的一个十分重要的特点。计算机全文数据库的强大检索功能,远远超过传统参考咨询人员的"博览群书"、"强闻博记"。在"记忆"方面,电脑是超过人脑的。可以设想,当许多经典性著作和资料价值极高的著作成为电子出版物时,就会使图书馆拥有丰富的参考咨询的信息资源。那时,传统的参考咨询工作就可以利用各类数据库(如书目数据库、事实与数值数据库,以及全文数据库)进行系统全面、高速准确的查找,从而使参考咨询工作的流程发生新的变化,步入数据库时代。当然,并不要求每个图书馆都拥有包括全文数据库在内的各种数据库,而可以是借助于联机情报检索系统的终端,调用检索系统中所装有的数据库。也正因为如此,使传统的参考咨询工作由各馆各自为战的方式变成社会化的情报服务。这种社会化的情报服务方式,确实改变了各个图书馆以馆为单位,依靠本馆收藏和本馆参考馆员的那种手工作坊式的服务,而可以借助通讯网络,依靠广泛得多的参考信息资源,利用包括全文检索手段在内的各种自动化的处理手段,使图书馆参考服务水平登上了新的台阶。与此相适应的是,对参考服务人员的素质要求也产生了新的变化,即不仅要求他们

“博览群书”,熟悉文献,掌握各种检索工具书及其手工检索方法,而且要求他们了解各类数据库,熟悉计算机检索的技能,并且善于把计算机检索和手工检索结合起来。这就要求他们学习新的知识和技能。

四、电子出版物使文献计量学获得新的应用领域

电子出版物使文献计量学的分析得以深化。文献内容的各个知识项,甚至字频统计的计量分析为文献计量学开拓了新的应用领域。

文献计量学以文献单元(如一篇文献,一部图书等)为对象,通过数量的统计分析,包括文献的绝对数量、相对数量等的分析,来揭示文献的增长、分布、老化等规律,从而获得文献领域的各个总体性概况,有助于核心著者和著作、核心期刊等的测定,并有助于通过文献现象,进而了解一个国家、一个地区、一个知识部门的知识生产、传布、吸收以及学术界整体素质等的更普遍性的情况。然而,文献计量学毕竟是以文献单元(包括其中的标引项)作为统计单位的,而不是以文献中的知识单元为单位的。因此,这种计量分析仍然显得较为粗泛。电子出版物作为一种全文数据库,它的文本中的任何知识单元甚至每个单字都是可以检索和统计的。这样,就有可能使文献计量学的计量单元从一篇篇文献而深化到文献中的各个知识单元,甚至单字一级。与此相适应的是,基于这种文献内容细节的计量分析,可以获得一般的文献计量分析所达不到的深度。

作为全文数据库的电子出版物的计量分析可以有如下一些角度:

1. 词频统计。具有全文检索功能的电子出版物,一般在对词进行标引时同时也指明词的属性(如关键词、人名、地名、年代等)。不同属性的词可以分别统计分析。例如全书的关键词频率统计,可以据此了解著作论述的中心论题与边缘论题;如果对连续出版物的电子版分时期进行这种统计,可以据此了解新出现的名词术语,从而了解学科的新发展,并了解一些有关概念的分化或组合。对于著作中的人名进行统计,则可以根据其出现频率,判断各个人物的影响和著名度。

词频统计可以在不同的字段中进行。在电子出版物中,一般来说,为了便于数据库的建立和检索,对文本是设立记录或字段的。例如,在我们研制的《中国名胜诗词词典》电子版(1993 年武汉大学出版社出版)中,每一首诗(或词)作为一个记录。而在一条记录中,分设诗(词)文、诗(词)名、作者姓名、作者介绍或写作背景、诗(词)文中难点的注释、所歌颂的景点、该诗(词)在印刷版图书中的相应页码等字段。词频统计(也包括字频统计)可以在不同的字段中进行。比如,如果确定诗(词)文这一字段作为统计的对象,则可以发现许多有用、有趣的事实。在这部《中国名胜诗词词典》中,收集了全国几百个景点有关的 3000 多首诗词。在诗(词)文这个字段中,若进行字频统计,可以发现:“红”、“橙”、“黄”、“绿”、“青”、“蓝”、“紫”等 7 个字,其中“青”字出现频率最高;“喜”、“怒”、“哀”、“乐”、“悲”5 个字,其中“悲”字出现频率

最高;“大”字的频率比“小”字高;“山”字的出现频率比“河”、“江”、“海”、“潭”、“湖”等字高;在“风”、“花”、“雪”、“月”、“人”等字中,“人”字的出现频率最高。从这些字频统计中,有助于从整体上了解中国名胜诗词中若干风格与情调。“大”字比“小”字多,主要是因为名胜诗词歌颂的是祖国的名山大川,诗意磅礴,意境辽阔;“山”字频率高,是由于祖国名山众多,高山奇峰特别能激发诗人的情感;“悲”字出现频率高,也显示了历代诗人面对景点而勾引起对历史上的战乱离异及时过境迁的伤感情绪,以及面对大自然而深感人生短暂的悲伤心情;“人”字的频率较“风”、“花”、“雪”、“月”都高,说明这些诗词并未脱离人生现实。

这种字频统计还可以做得更深入细致一些。例如,将这种字频统计限定在某一时期的作品或某一作家的作品的范围之内,并将不同时期和作家的作品字频统计结果进行比较,以分析其不同的风格和特色。

全书的字频统计也具有重要意义。这种字频统计可以表明各个汉字的存在生命力,可以了解哪些汉字是常用字,哪些汉字是一般字,哪些汉字是罕见字。这对于汉语教学、汉字编码等有直接的指导意义。电子出版物的篇幅越大,所得出的统计越有典型意义。当然,不同学科内容的电子出版物的字频统计会出现差异,这是可以理解的。正是这种差异,可以使汉字频率的统计按学科范畴进行,使统计做得更为深入,更有针对性。

与字频统计相似的是,利用电子出版物也容易进行对文句平均长度统计、段落平均长度的统计、各种标点符号使用频率的统计。这些统计对于某些特定的研究也是有帮助的。例如,句子平均长度的统计,有助于了解作家的写作风格是朴实无华还是华丽冗长的。因为后者使用各种形容词较多,而前者则相反。又例如书引号的多少,可以了解作者引用文献多寡。文中脚注符号使用频率的高低,也可借以了解其注释是否丰富,或引文的多少,从而有助于了解作者写作时掌握有关文献的广度和写作的严肃性。

2. 不同属性词的关联统计缔合分析。这是将两个或两个以上属性的词进行有目的的联系起来统计分析。比如,在《国共两党关系通史》电子版中,可以将“西安事变”和与其有关的人名进行这种缔合,以了解与该事变有关的人物名单。这种名单可以是按频率从高到低的次序排列,从而可以了解各个历史人物在这个事变中的关系密切程度。又例如要了解历史上的与“起义”有关的人物,也可进行这种关联分析,以了解起义的领袖及镇压起义的有关人员的名单。同样,如果把起义这种事件与地名进行关联分析,则可看出起义所发生或涉及的地方。即使在同一属性的词中,也可进行这种关联分析,例如分析某个人与其他人之间的联系情况,某一事件与其他事物的联系等。举一个例子,在《中国人民解放军六十年大事记》(解放战争部分)中,以彭德怀作为关联分析的出发点,可以与其他人的姓名相关联,从而了解与他有关系的人物名单,在这个名单中,包括他的战友、上下级,也包括他的敌人和对手,同时也包括与他有一定间接关系的人。同样,以陈毅作为关联分析起点,也可得到相应结果。而比较这两人的关联分析结果,可发现存在着相当大的差别,这表明这两个将领在不同的地区所面临的不同环境和不同的人物关系。

进行这种关联分析的原理很简单。就是在作为全文数据库的电子出版物中首先进行作为分析出发点的某个事项(如人名、地名或关键词等)的检索,得到一个检索结果的集合。然后对这个集合进行二次检索,以文中的扫描的办法,分别抽出人名、地名或关键词。再将这些抽出的事项按出现频率排序,进行输出。这些工作,对计算机系统来说是不难实现的。然而,这种关联分析对于读者用户来说却具有十分重要的意义。这就是:著作中原来是分散的、零星的记述,通过这种关联分析而得到集中化、有序化,从而从新的角度提供有关事实,对于研究工作来说,具有重要参考价值。这种关联分析结果,在手工检索或人们常规阅读条件下是难以完成的。因此,研究人员特别珍视这种关联分析。

关联分析不仅仅是人名——人名、或人物——地名、或事件——地名、或事件——人名、或人名——关键词或地名——人名等的两项关联,而且可以做到三项、四项乃至更高水平的关联,例如分析某个人在某个年代、某个地区曾经发生过直接关系或间接关系的人物名单,或某个地区在某一年代曾经有哪些人物活动过,或曾经发生过哪些事件等。电子出版物所能达到的这种事实或知识项的关联分析,是解剖一部著作的工具,是按照新的角度重新组织著作中事实或知识项的工具,是提供新的研究线索的工具。这种电子出版物的计算机关联分析本身是机助情报分析的工具,它使得文献计量学的分析得到了推广、深化,获得了新的应用领域。

但是,应当指出的是,基于电子出版物文本的文献计量学分析仍然是有局限性的。这就是著者写作时选材的全面性与丰富程度将决定这种分析结果的准确性。假如一部历史著作取材挂一漏万,那么计量分析所得结果也会难以准确。包括电子出版物在内的所有文献的计量学分析的准确性的基础是文献本身,是文献著者的写作。在不少情况下,著者写作往往受资料可获得性的影响。

五、电子出版物有助于实现图书内容索引编制的自动化

在印刷版的图书中,如果在书末附有图书内容索引,会提高图书的使用价值,便于读者检索。但是,由于这种图书内容索引的编制需要花费不少人力和时间,因而目前我国出版的图书往往没有附设这种索引。特别是一些篇幅巨大、资料丰富的著作,如果没有内容索引,确实给读者带来不便。改变这种状况,应当是我国出版事业的一项任务。

目前我国出版流程日益增多的是采用电子照排技术以代替铅排方式。在这种情况下,电子文本既可作为电子排版的材料,而后加以制版印刷,又可以以这种电子文本为基础加工成电子出版物,即著作的电子版。这一点,本文前面已经讲过。这里要

说的是，只要存在电子文本，就可以使用全文数据库技术实现图书内容索引编制的自动化。

用计算机来编制图书内容索引，基本原理是事先拟订有检索意义的索引词表，如人名、地名、关键词等的词表。这种词表的产生可以有两种方式。一是由索引编者在掌握图书内容的基础上，系统地加以制订，输入计算机，成为计算机系统中的一个文件；二是由索引编者在计算机上通过浏览文本，对需要作为索引项的词（人名、地名、关键词等）作出一定的标志。相同的词（如地名"北京"）只需作一次标志。当然，前面如果对该词已作过标志，后来由于记不清楚，再作一次也可。计算机对这种作了标志的词进行抽取、排序，并对重复标记的词进行合并，由此产生一个索引词表。当然，这两种方式可以结合起来，以求这种词表的编制既完善又迅速。

然后，计算机根据这种标引词表对著作的文本进行顺序扫描、抽取，并记明该词所出现的印刷版中的页码以及页码中的段落或行数（即所谓"地址"）。这里需要指出的是，这种供人们手工检索的图书内容索引的"地址"，与全文数据库的索引文件中的地址是不一样的。后者主要是记录号、字段号、字符位置，即逻辑地址；而前者是印刷版图书中的页码、段号或行数，即所谓物理地址。

然后，由计算机对各条索引款目（包括索引词，以及该词的物理地址）进行排序。在汉字属性词典及排序软件支持下，这种排序的方式，可以按拼音次序，或按笔画、部首、四角号码等次序进行排列，从而提供索引项目排列的有序化，便于读者查找。

再后，由计算机打印输出这种索引，加以印刷，附于印刷版图书的末尾，作为其附录，而与图书一起出版。这就是计算机编制的仅供人们手工检索的图书内容索引。

这种计算机辅助编制图书内容索引，与手工编制的图书内容索引相比，仍然有不完善的地方，甚至会出现错误，往往需要作二次处理。主要问题有两个：

第一，这种计算机辅助编制的内容索引，在索引词的选取上只能是文本中的关键词，而难以做到选用概括性的词或规范化的词。例如文本中分别用"武昌"、"汉口"、"汉阳"、"武汉"，而不能用概括性的词"武汉"作为统一索引词；又例如"孙逸仙"，不能纳入"孙中山"条目之下。其原因是计算机对文本进行顺序扫描匹配时，只"认"文本中的字，而不能转义。当然也不是绝对没有办法克服这个缺点。解决的办法是在计算机中存储一个自动转换的词表，如"武昌#用#武汉"，"孙逸仙#用#孙中山"等。但这增加了程序的复杂性，同时也增加了编制"转换词表"的负担。对于重要著作的电子出版物来说，承受这种负担是必要的，以求得到高质量的图书内容索引。而对于一般著作的电子出版物的图书内容索引编制来说，可以从简，不必进行这种转换。

第二，难以解决的问题是，按索引词表从文本中进行匹配抽词会发生错误。这主要是在中文文本中，关键词和非关键词都是连写的，除标点符号之外，无间隔可分。因此在抽取时可能会由于字面切分不清而"断意取义"。例如，在《国共两党关系通史》这一著作中，有两个历史人物：杨虎和杨虎城。当以"杨虎"这个人名作为索引词去和文本中的"杨虎城"匹配时,会误作为"杨虎"处理。类似现象不少。例如"范长江"会作为"长江"作索引。"黄河北岸"可能被索引进"河北"条目。这些问题的解决比较困难,需要人工干预,以更正一些可能出现的错误。

第三,计算机辅助编制的图书内容索引不应采用单级索引,而应为多级索引。如果仅为单级索引,那么在有些索引条目之下会有太多的地址。例如在《国共两党关系通史》中,"毛泽东"、"周恩来"、"蒋介石"、"广州"、"北京"、"武汉"等索引条目之下均有数百个地址。这使读者无所选择。单级索引的索引条目所能提供的概念专指度不高。因此有必要在一些条目之下进一步进行细分,设置二级索引词。这样既提高概念的专指度,同时又可把每个索引条目之下的地址减少。在多级索引里,一级索引词与二级索引词之间关系应是"逻辑与"的关系。例如:

武汉　　　　　　　　(一级索引词)

——北伐战争
——工人运动
——国民政府　　　　(二级索引词)
——周恩来
……

这里,"武汉——北伐战争"这个多级索引条目是指发生与武汉有关的北伐战争。其下的地址是指著作中同时出现"武汉"与"北伐战争"两个索引的文本段落的页码与段号。

这种形式的多级索引的编制,也便于为计算机所实现。

总之,图书内容索引编制的自动化,可以使编制效率大大提高。因为其中除一定程度的人工干预之外大部分工作是由计算机自动进行的。这种编制速度的提高,可以使图书内容索引连同著作本身一起出版,而不延误图书的出版时间。

原文载于葛永庆主编《索引工作自动化》,中国索引学会 1994 年 1 月版

我的目录学实践活动及对现代目录学理论的思考

1. 有感而发的前言

我原先是目录学课程的教师。从 1957 年北大毕业分配到武大执教起，就在徐家麟、吕绍虞先生的指导下，与王文杰先生（现已去世）一起担任目录学的教学任务。1972 年我转而担任“图书馆学引论”课的教学，为恢复招生后进校的首届工农兵学员开第一门课。从 1973 年起，我转向了科技文献检索，1980 年转向计算机情报检索系统，1990 年转向电子出版物研究。这就是我的教学任务和治学方向的大弯度的转向。

从 1957 年至 1972 年的专治目录学的 15 年中，系里目录学教研室经历的几件大事是：50 年代末编写了《目录学》新教材。这个教材一直沿用至 70 年代武大、北大合编新教材为止；彭斐章先生 1961 年从苏联回国也参加目录学教学工作；1962 年起开始建设专科目录学课程。我于 1963 年编印出《中国文学书籍目录学讲义》。但这种兴旺的局面随着“文化大革命”的爆发而中止。记得在 1966 年，我布置了一个小型的目录学教学陈列，摆放了历代的书志、目录学著述，并编写了有关的说明。本来计划将它作为目录学教学的常设场地。但没有过多久，造反派学生就勒令“征用”这个教室，因此不得不草草收摊。

尽管从上世纪 70 年代后我离开了目录学的教学岗位，但对目录学仍有感情。常常关心这个学科的动向与进展，也发表了一些文章。现在，一晃几十年过去了，岁月啊，渐渐远去，当时奋战在这个领域的年轻人也都进入了晚年，有的甚至离开人世。当年留下的“白纸黑字”的文献虽然“今犹在”，但是此后像沙尘一样涌现的新文献已将这些老文献逐渐淹没了。文献流的确像不断扩大、流动的沙漠一样，逐步“埋没”一切，使人们对过去淡忘、遗忘，使年青学者的文献“视野”变窄，使老文献的可获得性降低。但是，真正能为人们指点“迷津”的，正是目录学。于是，当我即将进入“古稀”之年的今天，更加怀念过去的目录学教学生涯，以及在这个领域的书目实践活动。这不是单纯的“怀旧”，这种回顾可能对今天“现代目录学”理论命题的思考有所帮助。

2. 我的目录学实践活动

这里所说的实践,不是指教学实践,而是编制书目索引、提供书目信息服务及建设书目数据库的实践。

第一次实践:编制"人民公社图书馆基本书目"。

1958 年秋天至 1959 年初,我们图书馆学系的师生下放到湖北省浠水县农村进行教学改革。劳动之余,在公社办起了图书馆。当时文化部副部长钱俊瑞正好到浠水考察农村文化工作,他就来看人民公社图书馆。他对我说,要帮助各地人民公社图书馆的建立与发展,需要编出一个"基本目录"来。也就是根据人民公社农民的需要和客观条件的可能 ,精选一批图书,将其编成公社图书馆的基本书目,以起到推荐和参考作用。基层图书馆的"基本书目",是一种具有特点的目录种类,也是目录学应探讨与实践的课题,因此我欣然响应这位副部长的建议。后来,在我系领导徐鸿和黄宗忠的组织下,专门成立了一个由教师和学生组成的小组来完成这个任务。由于手头没有大量的图书和书目供精选,就采取"访书"的办法,到县图书馆、新华书店去查阅。我们对"基本书目"的性质、对象、收书数量、选书标准、书目的著录和编排,以及书目编成后的不断补充等问题进行研究,最后选择了 500 种图书,它们都是符合"思想好、内容新、看得懂、用得上、买得到"的选书标准的。1959 年 4 月初,我就基本书目的编制专门写了一篇论文,题为《谈"人民公社图书馆基本书目"》,发表在"武汉大学人文科学学报"该年第 4 期上。这就是我的第一次目录学实践活动,也是我平生第一次在学报上发表论文。

今天,"人民公社"已经成为历史的名词。但是基层图书馆的建设却是一个长期的主题。当前,城市社区图书馆正在兴起,农村图书馆也有其生存的必要。这些基层图书馆的"基本书目",应该仍然是目录学研究的现实课题之一。目录学家们应该像"激情年代"那样,到生活的第一线,探讨现实的课题,这大概是"永恒的主题"吧!

第二次实践:编制 SDI 程序,提供书目的定题服务。

20 世纪 70 年代末 80 年代初,我国图书情报工作又得到了蓬勃发展的生机。与此同时,计算机情报检索在国内外也正兴起。当时最普遍的一种服务是 SDI(定题服务,英文是 Selected dissemination of information,如果直译,是情报的选择性传播),就是用计算机存储一批用户的情报检索需求(表达式方式),定期地、成批地对计算机中的新文献进行扫描匹配。这种服务,就是新型的书目情报服务,属目录学的范畴。由于计算机的出现,改变了书目服务的方式与面貌,把书目的内容视为"情报"。SDI 在美国 70 年代已经流行,因而书目服务也是情报服务,或者说是书目情报服务。目录学者面临新的挑战,是不闻不问,仍然研究"传统目录学",或是热衷于目录学理论的"抽象"与"升华"?还是直面这个主局面,学习计算机技术,做时代的"弄潮儿"?我选择了后者。不懂计算机,我从头学习。记得我请当年我校计算机系的主任黄俊杰老师来讲授计算机知识,从二进制开始,一直讲了40个小时,有所入门之后,我就争取到湖北省科技情报所和校计算中心的支持,联合成立了计算机SDI系统科研小组。我的第一个硕士生汪建平(计算机系的青年教师),王大可老师,计算中心的唐胜群主任、张玉峰老师(现已成为我院博导)成为我们科研组的骨干。当然,仅仅懂计算机是不够的,要研究书目的情报检索服务,还需要我们这些从事图书情报研究的学者。因此,这个科研组体现了这两方面的结合,并且通过取长补短,互相学习,终于逐步找到了共同点。研究的主要问题是了解掌握国外文献磁带的文献格式、著录标引及数据库的组织;二是要编制计算机实现标引词与提问词匹配的程序(SDI程序)。当然,在此之前,中国科技情报研究所已经使用国外进口的计算机和文献磁带实现了SDI服务。但是我们的目标是要在本校计算中心的计算机上,通过自编的SDI程序来实现这种服务。这个研究工作当时很艰苦,一是本校的计算机EC-1022b是从保加利亚进口的,性能很不稳定;二是武汉那时经常停电;三是湖北省科技情报所提供的经费不多,我就用自己的一点科研经费去北京拷贝一些文献磁带的数据。为了取得计算机检索的初步认识,在此之前,记得1979年我们(包括杨珍菊、毛玉姣老师等)同一机部情报所合作,在四川机械工业厅的计算机中心用机器代码这种原始的计算机语言实现了SDI检索,数据是我临时编制的几百条试验文献。当计算机打印输出检索结果时,我们就像迎接新生儿那样激动。在EC1022b计算机上的研究,就在这个基础上大大提高了一步,经过一年时间,武汉大学自己的SDI书目情报检索SDI服务实现了。我们编印了一个小册子,在校内散发,并亲自到数学系、物理系征求检索课题。1982年,科研组成员以联名的方式在《武汉大学学报》(自然科学版)1982年第4期发表了"SDI-EC1022b情报检索程序概述"一文,此项成果获得了湖北省科技三等奖。

现在,回过头来看,今天SDI服务已经在国内外被联机检索和网络检索淘汰了。当年我们研制的系统水平也不高。例如,国外的SDI服务,一次能进行数百个甚至2000个提问表达式的检索,而我们却只能进行60个提问式的处理。当然,这与计算机硬件、软件都有关。但是,最大的成果是"练兵",我正是从这里逐步进入计算机检索领域的;而非图书情报专业出身的张玉峰、王大可、毛玉姣等人也从此进入图书情报学领域。

计算机化的书目情报服务是目录学在新的技术环境与信息化时代的发展。依我看来,这是真正的"现代目录学"的开端之一。

第三次实践:与湖北省电力试验中心联合建立电力获奖成果数据库信息系统。

1993年,我走出了校门,与湖北省电力试验研究中心(湖北省电力系统信息中心)合作进行了连续近3年的计算机信息系统的建设。此事的起因有点突然。1993年我到该所给情报人员讲课时,省电力局的领导说,准备拨10万元建设信息系统。于是我参加了进去。他们给我买了一台微型计算机。这在当时是一份厚重的礼物。

因为当时,要获得使用微机的机会是不容易的,每周要到我们学院的计算机实验中心申请机时,每周也就是2—3个小时。我吃力地爬上六楼,感到椅子还未坐热,就不得不按时让给别人。遇上停电,这宝贵的机时也就泡了汤。电力局的这台微机,放在我家里(此机器现在还在使用),我就成为真正的主人了。此项科研的具体目标是,用CDS/ISIS软件为工具,建立湖北省牵头的全国电力系统获奖成果数据库系统。CDS/ISIS是联合国教科文组织推出的DOS环境下的信息存储与检索软件,我比较熟悉。在此合作项目中,我的任务是进行系统设计,解决软件使用中的各种问题,培训华中片区的电力系统情报人员。而数据的搜集、录入及校对则由湖北省电力试验研究中心负责。通过两年时间的努力,终于建成了"电力系统获奖成果数据库",并获得电力部的二等奖和国家进步二等奖。这次科研活动使我认识到社会上情报机构合作的必要性。他们有资金,有设备,有上级给的课题,有许多工作人员的配合。科研成果的评审、报奖也不必自己去办。这远比自己苦苦"单干"好多了。另一个收获是探索了事实数据库建立的办法。在电力系统获奖成果数据库中,不仅包括文献数据,而且包含有许多技术参数。这些技术数据对于库的使用者来说很重要,他们不仅要求查找某一数据,而且要求查找技术参数在一定范围内的获奖成果。例如,大于一定参数、小于一定参数的结果,这不能由用户自己一条条查看判断,而是由计算机自动判别检索。文献数据和技术参数并存的情况,改变了单纯"书目情报"的概念,这也是目录学面临的新局面。我们充分调用软件的功能,顺利地解决了这个问题。这次实践的另一个收获是对CDS/ISIS软件加深了了解,为2001年我对联合国教科文组织推出的CDS/ISIS软件的Windows版——WINISIS进行汉化打下了基础。

第四次实践:独力编制"中国图书情报书目数据库"。

几十年来,我家积累起不少的专业图书、刊物、学位论文等资料。虽然藏书不够丰富,但占据了不少空间,以至于床下、旧纸箱都用上,还是放不下,就放在储藏室里,储藏室里也堆满了,进门都困难。在科研时,需要查找某些资料,由于我的"收藏"是无序的,只能去翻,往往找不到或找不全,深感"书到用时方知少"、"书到用时方知乱"。于是,1996年起我就在自己的计算机上利用CDS/ISIS软件建立了专科书目数据库——"中国图书情报学书目数据库"。之所以"独立"建设,是因为没有申请到课题,没有经费,只得自己单干。这个库包括图书、期刊论文、学位论文、会议资料等文献,并非单一的"图书目录"或"期刊论文索引"。著录项目有题名、著者(包括多著者)、出处、年代、标引关键词及一部分条目的摘要。建库工作是艰苦的,我每天几乎3个单元都在录入。我的汉语拼音学得不好,不少字在机上找不到。我就学习"首尾码"。这种编码不是基于拼音,而是基于字形。这把我这个南方人拼不准某些字的困难给绕过去了。那时我已年过六旬。夏天流汗,冬天手指发僵。但是我坚持干,当我每录入一条记录,我就有一种"增加财富"的感觉,心想我能支配、能够自动检索的资料又多了一些。当我出差到广东与朋友谈起来时,他们都惊讶,说我还干这种基础工作划不来,用这时间来保养身体、多写点文章才是上策。也有人说,一些机构已出版图书情报学书目或建立了包含有图书情报学文献的数据库,其中有的以光盘形式发行,有的上网服务。但我觉得,这些书目或数据库收录的文献多是单类型的,即只是期刊论文,或只是图书,没有包含学位论文、会议资料以及其他“难得文献”。对于研究来说,各种文献类型都是必要的。再者,光盘及网上数据库收录的文献追溯期年限不长。经过三年多时间的硬干、傻干,积累了数以百计的书目款目。但我感到这种办法还是跟不上新文献的增长的速度。对老的资料,例如,1901 年起的文献,要回溯建库更是困难。于是我就在光盘或网上下载一些书目资料,编制了计算机格式转换程序,使其符合我的库结构。这样一来,就加速建库进度。到 1998 年时,全库已达六万四千条书目记录。在这次目录学实践的基础上,在《中国图书馆学报》1998 年第 4 期上发表了《论“中国图书情报学书目数据库”的设计与实现》一文,将建库思想、建库经验公诸社会。1999 年,深圳南山图书馆的程亚男馆长对此库有兴趣,我就将六万多条记录的库给了南山图书馆。他们答应将此库上网向全国提供检索服务,并与原光盘所有者协商解决下载数据的版权问题。由于南山图书馆使用的是“易宝”软件,我帮助他们将 CDS/ISIS 格式转换成 TRS(易宝)格式,并且很快就上网服务了。近年来,南山图书馆对这个库不断补充,今年(2004 年),此库已达到十二万多条记录。这是完全免费使用的图书情报学书目数据库,引起了国内同行的重视,北京大学图书馆编制的“图书馆学、情报学网上资源导航”,将其列为第一条,并加有说明。现在,我们武大信息管理学院的师生也越来越多地知道这一资源,并上网查找资料。这项实践,虽然使我付出了巨大的精力,也没有获得什么“奖”,但是看到这个专科书目数据库由南山图书馆不断更新,具有长期的生命力,并有越来越多的用户,我感到这是对我最大的奖励。

“中国图书情报学书目数据库”由于收录书目资料多,收录文献时间跨度长(1901 年起),因此不仅可作为书目检索的工具,而且也可作为文献计量分析的工具。我本人写了两篇文章:一篇是《基于图书情报学书目数据库主题计量分析选择核心课程》,发表于《北京大学学报》1997 年信息管理系专刊上,另一篇是《论数据库检索系统用于文献计量分析》,发表于《情报科学》杂志 1998 年第 2 期。如果说,建库仅仅是实际工作,这两篇文章却可以说是科研的成果吧?没有前者,也就没有后者。

我第五次实践:编制武汉市地方志索引。

武汉市地方志编纂委员会从 1980 年起陆续编纂出版了 28 卷地方志,篇幅巨大,因此需要编制索引,以便检索。这是“书后索引”,或称“书末索引”,是索引的一种类型,其研究也属目录学的范畴。该委员会的办公室于 1998 年找我给他们讲讲索引学。讲课后,他们就要我承担此索引的主编。由于工程太大,我想推辞不干。他们说,具体工作由他们自己做,要我承担的是总体设计,确定索引条目的选取与表达形式,以及有关的规则。在两年的时间里,我常常去汉口,与他们一起开会讨论,落实计划，解决疑难问题。索引的编纂工作是利用计算机完成的。索引条目输入计算机，人工校阅，最后由计算机排序。2000 年 12 月，两卷本的《武汉市志索引》（上、下册）终于出版了。全书共 1518 页，这不能不说是一次艰巨的目录学实践活动。

这部《索引》，不仅仅是 28 卷地方志的篇目索引。而是深入到地方志正文内容中去，抽出有检索价值的文本对象作为索引条目。在编制中，分析了《绍兴地方志索引》等同类索引，同时又应用了索引学的原理和方法进行改进。其编制中使用计算机为工具，这也是一条重要的经验。索引编制的计算机化，不仅节省人力，提高效率，而且易于修改，保证格式的一致性。

这两卷《索引》的出版，与以前出版的 28 卷地方志合成了一个体系，而成为一部完整的《武汉市志》。这索引成为查阅 28 卷市志不可缺少的工具。此书的出版之日，正是我 65 岁退休之时，这也是一种纪念吧！

综观我的目录学实践的轨迹，是从手工编制基层图书馆的基本书目开始的，继而在计算机这一信息技术应用于书目情报服务的时代，从事了计算机化的书目信息“定题服务”（SDI）的研究，并在武大投入实际运行。接着是走向社会，编制电力系统的数据库。继而建立“中国图书情报学书目数据库”，最后是编制“武汉市地方志索引”。这个实践轨迹显示，从手工走向计算机化，从学校走向社会，从小型书目走向大型书目，从书目编制到索引编制，从试验走向实用化。从而参与和见证了我国目录学的进步。

3. 对“现代目录学”的初步思考

近年来，目录学理论方面最引人注目的是“现代目录学”研究。这里的“现代目录学”不是指中国社会历史时期意义上的概念，即 1919 年“五四”运动至今的“现代”，而是指一种新的目录学理论体系，一种“学派”。最近拜读了彭斐章先生和他的门生们的一些文章，领悟到这种“现代目录学”的要点是：1980 年他正式提出了目录学对象的“矛盾说”，因而 1980 年是现代目录学开拓的里程碑；把苏联学者提出的“书目情报”作为目录学研究的基点，是“矛盾说”在新时代条件下的升华，体现了信息时代目录学的本质特征；强化目录学的整体化和科学化趋势，培育出目录学理论的新体系等。对于这个重大的目录学新命题，本文不作全面评价，如果我的精力允许，将另撰文章。这里，我仅以我几十年的目录学实践活动的心得为基础，提出一点思考。

（1）目录学内容的现代化必然导致目录学发展的新阶段。马克思主义认为，社会历史的划分，不是看社会生产什么，而是看用什么手段来生产。石器时代、青铜器时代、铁器时代的划分，正是这种划分标准的体现。蒸汽机的出现，导致了资本主义社会的产生。今天以计算机和网络为特征的信息技术，使文献的书目数据库和全文数据库得以产生和发展。基于这些文献数据库的自动标引、自动文摘、自动分类、数字图书馆等新事物正在逐步成熟起来。文献计量学、信息计量学、科学计量学等新的学科分支,正在改变原先目录学"大一统"的局面。如果今天要讨论"现代目录学"(作为一种新的目录学体系),就必须从这些事实出发。"现代目录学"的学者们要真正有所作为,必须涉猎这些新的领域。我在这个领域虽然有一些实践,但仍然深感深度不足。

(2)学科的融合,主要是现代信息技术向包括目录学在内的整个文献学、图书馆学、情报学的渗透,或者说这些学科逐步应用信息新技术而充实原先的内容,改变原有面貌,甚至导致新的学科分支的产生,并赋予原有的概念以新的内容。这种融合是信息技术与原有学科相结合的过程。单纯搞计算机或网络的人才是不能完成的。需要的是既懂得新技术的应用又懂得原有图书文献情报学的人作为两者的结合点。在这方面,我起了一点结合的作用。例如电子出版物是继印刷型出版物之后出现的新型出版物,我于1981年率领研究生们经过两年的努力,在"湖北省地方志全文系统"之全文数据库研究的基础上,制作了国内第一部电子出版物——《国共两党关系通史》,150万字。其后又制作了《中国名胜诗词大词典》、《市场经济大词典》,共三部电子出版物,皆由武汉大学出版社正式出版。其次,是e时代的私人藏书楼——个人数字图书馆。这是以计算机为手段,将自己的著作全文、本人各时期的照片、各种证书、重要的友人信件、历史名著、人物传记或介绍、中西名画、书法、好听的音乐戏曲等都纳入我个人的数字化藏书楼。2002年我撰写了《论个人数字图书馆》一文,发表于《中国图书馆学报》该年第3期。这个个人数字图书馆,此后经过两年的连续制作,现在已积累了二万六千条。它改变了我藏书的形态,实现了多媒体功能,并便于检索、显示和打印以展播声音。e时代个人数字图书馆使我国古代的私人藏书楼在今天重新复活。即使社会上存在大型数字图书馆的状况下,个人数字图书馆仍然有存在发展的必要。个人数字图书馆也为图书馆的研究提供了新的领域。现代引文索引的产生发展,使目录学的"辨章学术、考镜源流"的传统,获得了新的体现。引文索引通过文献之间引用与被引用的关系,揭示了有关主题研究是何人何时提出的。之后有些什么人加以引用而继续研究。是如何推进这一领域的研究的。第三代、第四代的研究者的姓名和著作通过引文索引都可加以跟踪掌握。这是学术"源流"的一种表现。学术领域的融合历代都有,只是在今天,这种融合的速度大大加快。目录学也不例外。

(3)学科的重组。学科的分野不是一成不变的。一些原先的学科分支而蔚然成为"大国",在历史上不乏其例。在目录学领域,也有类似情况。我的治学方向的大弯度的转向,正是这种学科重组的反映,虽然当时是不自觉的。关于目录学的界定,我曾在《武汉大学人文科学学报》1959年第7期上发表了一篇《目录学的对象和任务》一文(也是同年新编《目录学讲义》第一章),该文提出"目录学是研究用书目索引的方式向读者通报图书和宣传图书的规律的科学。它是由于人类巨大图书财富和读者对图书的一定需要之间,存在着矛盾和解决这个矛盾的需要而产生发展起来的”。这种“矛盾说”引发了1949年以来我国目录学对象的第一次大讨论。文章还指出了目录学与校雠学、版本学的联系和区别。然而,1973年初我编成的国内首部《科技文献检索》,虽然其根底是专科目录学的发展,其后得到了全国的推广,名称都使用了“检索”。今天信息检索已成为“大国”,全国多数高校都向大学生或研究生开设了“文献检索”课。涌现的新编教材至少达几百种之多,讨论“检索课”的文章数以千计。“检索”一词,也与国际上通行说法一致,因而获得了一致的肯定,而且由文献(书目)检索进而发展到数据检索,全文检索。如果硬将它们改成“目录学”,反而不会得到认同。同样,文献计量学早期的名称是“计量目录学”。但是这个学科分支在计算机信息处理技术的支持下,获得了迅速的发展,并演进成“信息计量学”、“科学计量学”,用来作全国高校实力的排名等。如果将它们拉进了目录学的范畴,既不恰当,也不可能。“计算机信息检索”、“电子出版物”等名词的出现,都是不同学科融合的证明。学科的重组是符合现实生活的,也是符合辩证法的。我们只能以社会的实践为检索真理的唯一标准。在这种认识的基础上,目录学应该是什么?我在发表于《图书情报工作》1990年第1期上的《目录学是研究文献流的整序、测度和导向的科学——对目录学对象的再认识》一文,对连续出现、数量众多、类型多样的文献整体概括为“文献流”,以取代“人类巨大的图书财富”的表述。“整序”是指书目索引的编制,“测度”是指基于文献的计量统计分析,“导向”是指有针对性的书目服务。这三者都属“书目控制”的范畴。想把目录学对象争论中的“图书说”、“目录说”统一在文献流之下,既包括传统目录学,又覆盖现代目录学。在这个目录学定义的表述中,没有再提“矛盾”。因为我认为,作为哲学的“矛盾论”为我们提供了科学思考的向导,而不是代替各门学科的具体研究结论。不管怎样,目录学也应随着时代前进而发展,使之具有常青的生命力。

4. 结语

坚持“实践出真知”的信念。目录学是一门实践性很强的科学。这一点,几乎没有异议。但是研究目录学的学者要投入实践,甚至几十年如一日,却不容易做到。因为这较为艰苦。我这一辈子,很大比例的时间投入实践,其苦,其累,不是一句两句说得清楚的。而且在许多“智者”看来,这是笨活、粗活,重复性劳动,非理论家之所为。我承认,我干了“笨人的笨活”,但是,我不后悔。战地摄影记者到枪林弹雨环境里抢拍镜头,火山科学家到正在喷火的火山口实地考察,其中有的人还为事业献身。他们的事例教育了我。正如伟人所说的,人的正确思想是从哪里来的?既不是从天上掉下来的,也不是娘胎里带来的,人的正确思想只能从社会的实践中来。我铭记并坚信这个论断。当然,一个人不能事事实践,但有了实践基础,就能对间接经验和别人的理论有更好的鉴别分析能力。“不尚空谈”是我的信条。

长期的实践,使我耗费了大量精力。而且透支了生命。去年(2003年)末,我脑溢血了。经抢救,总算保住了命,虽然现在行动有点不便,但所幸的是记忆和思维都未受到影响。现在是“劫后余生”,所以更珍惜时间,每天还在建立我的个人数字图书馆,以存储我一生的“足迹”和爱好;还想把自己经历、感想、心得等写出来,为身后多留一点文字性的东西。我不希望青年一代学我这样,我要赠给他们的是八个字:珍惜生命,走近实践。把实践同理论思维结合起来,为建设现代目录学贡献力量。

参考文献

1. 陈光祚. 现代信息技术对图书情报学科群的影响. 中国图书馆学报,1996(4)
2. 陈光祚. 论文献与情报学科群的集成化. 图书情报知识,1996(3)
3. 陈光祚,阮建海,藏国全. 论个人数字图书馆. 中国图书馆学报 2002(3)
4. 陈光祚. 电子出版物及其制作技术. 武汉:武汉大学出版社,1994
5. 彭斐章教授七秩寿庆论文集编辑小组. 当代图书馆学目录学研究论文集. 武汉:湖北人民出版社,2002
6. 司莉. 面向未来　重塑辉煌——与我国著名目录学家彭斐章教授访谈录. 文华 2003(武汉大学110周年校庆纪念特刊)

原文载于《图书馆论坛》2004年第6期

信息检索研究

国外情报存贮与检索的若干发展动向

前言

去年,本人到英国从事进修与研究一年。调查访问了英国一些图书情报机构和学校,出席了第九届国际联机情报会议(1985 年 12 月,在伦敦),参观了与会议一同举办的情报技术及产品展览会。现在将国外见闻综合起来,介绍给大家。

一、情报和情报处理技术发展的加速度

情报处理技术的发展,从历史的角度来看,是越来越快,呈现出一种加速度的现象。

人类处理情报或者说信息,应该从中国人在 6000 年前发明算盘说起。这是人类处理数值信息的开端。巴比伦人建立了据称世界上的第一个图书馆。这是人类处理文本信息的开端。从此,情报技术就逐步进化。我国发明了纸和印刷术,极大地推进了情报的记录与传布。图书被大量累积起来,图书馆较广泛地出现了,从而提供了人们对情报查找与获得的方便性与经济性。这个发展过程,大约花了几千年的时间。在近代,高度成熟的编目体系被确立起来。对情报进行有序化的管理,从而涌现了一批专业的情报管理队伍。电报、打字机、电话等的发明,提高了情报的传递速度与广度。这个进化过程大约花了几百年的时间。此后,情报技术的发展以更高速度向前推进。从打字机的发明到个人计算机的问世,只花了几十年的时间。计算机在情报的存储与检索中的应用,把原来处理数值信息和处理文本信息两种分道扬镳的处理技术,最终结合在一起。

现代,在发达的国家中,工业经济向以服务为基础的经济转变。人们预言,还将进一步向所谓"信息经济"转变。高技术已进入各个部门,极大地冲击着商业、政府和社会团体中的情报交流、分发和管理。近三十年来被累积、存储和编目的情报比有史以来全部被汇集起来的情报还要多。预计信息工业到 1989 年的产值将增至一千亿美元以上。这里包括对微机软件的非常高的需求在内。在美国,1984 年发表的文章,其中大约有三分之二是用电子文字处理手段进行编写的(1977 年为 30%)。1985 年,将近 70% 的科技文章是用电子排版的。在未来的十二年内,差不多所有的

文章手稿将用电子方法同出版社的系统进行通讯和输入。对于一般情报而言，情报提供的增长率是情报消费的十倍。近十年来，按人头计算的电子媒体的情报消费增长了，而印刷媒体的情报消费逐渐下降了。未来十二年中，纸印本的发行将下降到目前的一半的水平。将电视、电话和个人计算机结合起来，应用于情报服务，这种做法将在今后五至十年内被广泛接受。它将能存取、处理和交流知识情报和娱乐信息。通过这种应用技术，存储在各种专门数据库中的无所不包的情报，对用户而言，看起来好像是一个“大图书馆”，不需要在多个地点存储重复的情报。国外有文章指出，情报正在成为一种战略武器。因为情报将导致知识，而知识意味着力量、财富及控制。在谁拥有、控制、分发和确认情报的价值问题上，存在冲突。这种冲突正在逐步升级。到90年代，将变得更为明显。这种文化上的战斗将在企业与政府之间、国家与国家之间进行。

二、机读数据库（特别是非书目数据库）工业的蓬勃发展

从1980年以来，可供利用的数据库已增长六倍。1984年底已达2500个。现北美与欧洲，数据库市场交易已占情报服务营业额的四分之一。1980年，欧洲数据库的交易额是一亿二千多万美元，而1985年则估计为十四亿美元。在整个数据库中，非书目数据库（或称情报源数据库），即包括数值数据库、文本—数值数据库、属性数据库及全文数据库，其增长的速度超过了书目数据库。1982年的统计，非书目数据库已占52%。至1985年，统计表明，在200多个联机系统提供公众使用的2200多个数据库中，91%是非书目数据库。欧洲数据库市场收入，90%是来自商业数据库部分，主要是有关市场、财政、信用、工业与新闻信息。有人说：“关于金钱的情报已变得几乎同金钱本身一样重要。”因此，当前情报的发展趋势之一是，所有高价值的情报将以数字形式（机读形式）存储与提供。以印刷形式存在的情报没有以机读形式出现的情报具有那样多的价值。因为要把大量原始情报转化成知识，需要检索有关文献和事实，作出分析，并且需要把有关概念彼此联系起来。而机读形式的情报，则可以轻而易举地实现情报的加工与分析。当然，并不是说所有的情报都一概要同时机读化。国外有人把各种情报按其价值划分为3个梯级：最高的梯级是商业需要的情报，这包括财政与商业数据，以及法律、医学、科技等情报。这些情报将首先转换成机读形式。第二梯级包括那些有用的事实和具有娱乐价值的情报。这种情报将以多种形式存在，包括光盘等。第三梯级的情报是那些其存在形式不满足娱乐或感官需要的一般情报，如算术教科书等。它们将继续以硬拷贝的形式出版。

三、用户之友的接口和专家系统的应用

随着机读数据库的增长和检索系统的扩展，以及最终用户的迅速增加，这导致系统—用户交互接口的改进。用户接口的根本问题是易用性原则。人们喜欢使用容易使用的东西，这是人类较普遍的行为。情报检索和图书馆自动化的发展史证明，一条重要的原则要求是不能要用户舍弃自己的传统和习惯来迁就机器的特性，而是恰恰相反，要使自动化系统模拟人们对文献处理的过程，符合人们提出的要求和规格。当然，自动化也会在某种程度上影响人们行为的改变，例如布尔检索改变了人们查找资料时的思维方法和表达形式。但这种新的思维方法必须是浅显的，易于理解的。情报检索系统要使用户感到简单、易学易用，其本身的复杂性就大大增加了。也就是说，把原先要求用户付出的智力劳动，变成由系统本身来执行的功能，这就必然增加系统本身的复杂程度，从这个意义上来说，检索系统从难以操作到使用简便，是从低级向高级发展的结果，是本身趋向成熟的表现。用户之友(User-friendly)这一概念的出现，正是情报检索系统日趋进步的表现。

“用户之友”被定义为：“未经训练的用户能够容易地与之交互。”或者更简单地说：“它是面向用户的系统。”近年来，国外有关这一问题的研究，已提出了用户之友接口的若干准则：

① 系统主动敦促用户。② 检索命令应当是简明的、符合逻辑的、有助记忆的，并尽可能减少命令的数目。③ 系统应能随时告诉用户当前的处理情况。④ 系统给出的出错提示信息应当是意义明确的、有礼貌和可以理解的。⑤ 进入与退出系统的手续要简便、直接。⑥对于其服务覆盖面大的联机情报系统，应对来自不同地区的终端检索，给予相应地方特色的响应，例如：使用当地的语言，显示当地的时间等。

“用户之友”已有某些实践，如 DIALOG 系统为向拥有微机的用户推销其服务，建立了“知识索引”。允许这些用户在晚间和周末以低价存取 DIALOG 系统中的一些数据库，向用户提供一个简化了的 DIALOG 命令语言版本，只有十几条检索命令(其中基本命令只有五条)。此外，西德的德国商业情报公司专门研制了一套针对没有数据库知识和终端检索经验的用户的检索语言——称为 SUDOK 的所谓面向门外汉的语言。它把检索入口点减少到最基本的部分，并广泛采用菜单式的显示，提供启发性的选择，效果良好。

情报检索的用户之友接口，是情报系统设计的重要课题。这里值得注意的是，对不同水平的用户，应有不同的“友好”准则。因为检索专家会把针对检索新手的友好措施，看作是一种累赘。因而有必要要求系统存储不同级别的“友好”措施的版本。系统应通过交互，能自动考查与确定检索用户的水平，有的放矢地进行有区别的指导与帮助。

要减轻用户在情报检索中的智力负担，提高检索效率，人工智能(特别是专家系统)的应用也提上了日程。联机情报检索将面临许多缺乏检索知识的新用户。如何把检索专家的知识变成联机系统的知识库，变成广大最终用户的共同财富，是一个重要的问题。

情报检索所要求的专家系统，涉及许多基本要求：① 帮助检索者表达自己真正的情报要求。② 帮助选择恰当的对口数据库。③ 帮助选择能表达检索课题的恰当的检索词。④ 帮助掌握与利用检索命令。⑤ 帮助推敲检索策略。⑥ 帮助用户同主机的交互能力和对出错信息作出反应的能力。总之,专家系统应有推理判断,协助用户进行决策的能力。

需要指出的是,情报检索系统实现专家系统的技术,具有有利的条件。因为一个专家系统必须要求有一个包含一定学科领域的重要情报(信息)及各情报片断之间的彼此关联的知识库,而情报检索系统都含有书目数据库。这种库,包含了一系列文献记录,每个记录包含许多字段(即文献的著录事项)。在同一记录中,各个事项的排列是有序的,并且共同从属于一个文献控制号。各个记录之间也存在各种性质与水平的关联,如相同或相近的分类号、主题词等。分类表和主题词表是一个具有纵向关联和横向关联的整体。所有这些,书目数据库可以成为专家系统所要求的知识库的基础。专家系统的推理判断程序可以利用这些关联来决定行动的方向,帮助指导无经验的用户。目前,在国外,例如在英国,实际已开始情报检索专家系统的研究,如伦敦大学、设菲尔德大学等。设菲尔德大学已研制出了一个作为下一代情报检索雏形的模型。包括自然语言提问的处理、自动确定最佳的字干截断部分、自动的词加权等。尽管专家系统的研究尚处于初级阶段,但是是有前途的。

四、利用微机作联机检索终端

当前联机检索的发展特点之一,是人们越来越广泛地把微机作检索终端用。同普通终端比较,这种微机辅助的终端检索能完成下列功能:

(1)自动进入系统(logon)和自动退出系统(logoff)。即通过相应软件(一般称入口—Gateway—软件),将进入系统所需的信息,如终端用户识别号、终端类型、口令字等,以及退出系统所需的信息,如停止作业、脱离电讯网络等,事先存储在微型计算机内,由程序自动发送。这样可以节约大量的联机时间,从而节省费用。

(2)对检索策略在微机上进行脱机编制。在开始联机作业时能自动地将存储的检索策略传送给主机。当然检索策略可以编几套后备方案,根据检索中间结果进行判断选用。这样做,也能提高检索效率。这种工作,称为 uploading(预录)。对于打字慢,并往往出错的检索者来说,以及对于那些没有多大把握的检索课题来说,这种检索策略的脱机编制与自动选择发送的做法,很有好处。

(3)把联机检索的结果,直接记录在作为终端的微型机的存储器(磁带或磁盘上)中,供以后脱机编制之用。这就是所谓“套录”(downloading)。“套录”是从联机数据库中抽取有关数据,并消除重复引文,进行格式变换,以建立本机的微数据库的手段(这个问题在下面再详谈)。

(4)对不同情报检索服务系统的命令语言进行转换。也就是说,用户可以用自己熟悉的一种命令语言对不同情报检索系统进行交互,从而使检索作业更为方便。

(5)帮助选择数据库,即把有关数据库的学科主题及相应文献数存储在微机中。检索时,检索者输入检索词,微机能自动进行查对,将数据库名称按文献登录量的大小排列。

要实现微机作为联机检索终端,通讯软件包是必要的,其中重要的是一种所谓入门(Gateway)软件包,是为那些无经验和不熟检索系统命令结构的用户使用的。它能支持下列功能:脱机编制检索策略,自动拨号自动发送事先拟订的检索策略,将检索结果进行套录,以及自动结束检索作业。例如为 IBM PC 机和苹果机设计的 Sourcelink 等。又如 INSEARCH 是一个较流行的 DIALOG 用户提供的入门软件包(适用于 IBM PC 机)。另外,Dateease 公司研制的 IP 专家系统,是利用人工智能概念来支持那些完全不熟悉 DIALOG 数据库或命令结构的用户从事检索的软件包,它主要通过同用户的对话,促使用户澄清和收缩检索式,并显示有关数据库名单,将检索式翻译成 DIALOG 命令语言。

目前供微机作为联机检索终端之用的通讯软件包,国外市场上有数百种之多,价格一百至四百美元不等。

五、联机数据库的套录与微数据库的建立

所谓套录(downloading 或 offloading),就是从一个计算机中获得数据,并传送到另一个计算机中,将其存储在后者的磁盘或磁带上的一种过程和手段。对于计算机专家来说,它不是什么新东西,它只是通过电子手段进行数据的传输和记录。任何资料,一旦以电子形式存储在计算机中,都可以被套录。被套录的资料数据,可以利用计算机重新处理和反复使用。

然而在联机情报工业中,套录是一种比较近期的发明。套录一词,是指联机情报检索系统的用户通过联机检索,将检索结果以机读形式直接记录在磁盘或磁带上,而不是打印在纸上。这些数据随后可供本机处理,作为本机检索系统的“子库”或“微数据库”。从进入 80 年代以来,套录成为联机用户能够利用的一种选择。

从联机情报检索的用户来说,套录是情报的存储与检索的一种实用技术。在本机存储被套录下来的数据,意味着这些数据是可以随心所欲地由自己支配的,可以对它们进行合并,重新排序乃至改变格式,以生成一个单一的范围广泛的文件,有一部分用户,他们的目的不是为了建立供自己支配的子库,而是将套录作为快速存储较粗泛检索的结果,而后在本机进行细致的二次检索的手段。因此不论从经济性或从方便性来说,套录受到情报用户的欢迎,这种趋势一定会存在下去,并且是不可避免的。

不同的情报用户对联机数据库的套录,有不同的目的与用途。大致可分为下列 5 种类型:

① 利用微机作终端,进行数据的套录。数据被拷贝到磁盘上,仅仅是为了由本机打印输出,数据存储在磁盘上的时间很短。一旦打印输出完毕,就失去其存在的

必要。

② 套录数据只是供很短时间内使用，以便把来自不同数据库的检索结果，进行合并，清除重复引文，去掉不需要的字段或值，进行数据的分类，重新编排格式，或将数据传输到另一地点，然后，套录下来的数据被除去。

③ 把套录下来的数据同本机数据进行合并，利用本机软件对合并的数据进行进一步的处理。然后将得到的数据打印出来，供个别用户使用，也可以将打印件复制多份，供本单位使用或出售。

④ 套录数据供本单位在一个时期内重复使用。在本机配有检索与处理的软件，保留期超过一个月，但不是永久性的，等一个研究项目完成后，数据就被除去。

⑤ 套录数据供连续地重复使用(检索与处理)。使用本机的软件，被套录下来的数据作为本机数据库的一部分，数据永久保留或根据需要作更新。这样的数据库可以供本单位的用户存取，或者供地理上分散的有关单位通过网络系统进行存取。

对数据库生产者和联机情报系统经营者来说，他们都把套录看做是损害自己利益的现实危害。他们中的许多人禁止用户进行套录，不准用户以机读形式存储他们数据库中的任何数据，然而，麻烦就在于，事实上不可能从技术上来侦察和鉴别用户是否进行了套录。因为没有办法确定数据被送到用户终端，只是在屏幕上显示(联机显示)呢？还是联机打印？还是被拷贝到微机的磁盘上(套录)。他们只能进行这样的推测：一个检索式命中了大量的书目引文，但只花了很短的时间就完成了。这个现象可能表明用户使用了计算机作为终端，检索式是事先拟订好的，检索结果不是打印在纸上，而是以电子方式进行传输与记录，也就是说，用户进行了套录。但是这种推测并不能作为证明。

进行套录需要花费较多的联机时间和存储容量。这对小的计算机用户是一个主要的抑制因素。例如，在最常用的1200 波特的通讯速度下，要传输一条标准的书目记录需要8.8 秒的时间，也就是说，一分钟才套录7 条记录。在存储空间方面，如果用户套录1000 条记录(约占100 万字符空间)，包括使这些记录得以能供检索的开销在内，则要花150 万至300 万字符的存储空间。按此计算，一个10 兆字节的软盘存储系统，能够维持3300 至6600 条记录，如果用户花上8—16 个联机小时，则可建立一个有相当分量的小型数据库，供本单位使用。套录下来的记录可立即作为免费文本检索，这对于小规模的用户是可以接受的，但对于规模大的文档来说，需要一种更高级的软件包，以建立倒排档，从而有效地开发所存储数据的作用。

数据库生产者得出结论，用户要求套录，这正好给他们提供了一个改变定价政策的机会，他们认为套录是一种“批发”形，而这正是获利的一种手段。

若干重要数据库的生产者带头把套录纳入新的市场，确定新的定价政策。

与此同时，联机系统经营者也开始迎合情报用户的套录要求，为其创造方便的条件，例如ESA - IRS 系统把合法套录作为顾客合同的一个组成部分，它在1983 年宣布，该系统中的60多个数据库，其中33个库已得到允许套录的批准，它还专门设立了一个套录命令，在技术上同一般的打印命令有点不同，它提供一个用于识别每个字段的标头号码，这便于用户把套录下来的记录重新编排格式，成为用户需要的本机数据库的格式。ESA－IRS系统的便于套录的办法，可以使用户免去向各个数据库生产者分别申请许可证的麻烦，许多用户原先是在非法环境下进行套录的，而ESA－IRS系统的新措施，意味着用户可以不用再在非法环境下套录了。看来，别的联机情报系统有可能仿效ESA－IRS系统的做法。

总的来说，套录具有巨大的潜在重要性。未来几年内有许多因素对套录的发展给予新的推动力：较高的传输速度，改进了的存储设备，以及更高水平的“用户之友”软件。

联系到全文数据库的不断增长，套录对于电子文献提供、电子出版以及按需提供（on-demand）的出版物等的发展将具有重大意义，对于建立地方的电子图书馆也有重大意义。

目前，虽然在国外有关套录的争论没有结束，但已出现了一些较明确的趋向，认识套录问题矛盾的提出和趋势，对于我国情报界来说，也是有现实意义的。

六、CD－ROM技术将引起情报存储与检索的新变革

所谓CD－ROM，是高密度光盘只读存储器，（Compact Disk－Read Only Memory）的意思，在去年12月伦敦的展览会上，特别引人注目。CD－ROM是一种不同于磁性载体的光盘存储器，盘的直径为4.75寸（120mm）。利用激光沿着盘面的轨迹刻蚀信息。经过刻蚀的“坑”和没有被刻蚀的平面，构成了数字1和0的编码。一个单面盘可存储540MB的信息。而一片盘自身的重量仅有三分之一磅重。检索时，由于盘面不与任何机械头接触，因而不会磨损，盘上的信息不能抹去，从而也不能被破坏。CD－ROM系统的软件近年来有较大的突破。检索程序可以实现随机存取以及倒排档结构、截词检索、布尔运算等功能。目前的做法是，将软件同数据一起存储在同一个CD－ROM盘面上，使数据的出版与软件的发行结合起来。用户只需打开微机，插入CD－ROM盘即可检索。

CD－ROM在情报检索中的应用具有强大生命力。主要是它避免了远距离联机检索的消极方面：需要电讯网络，按连接时间计费，在使用高峰期内响应速度慢，以及检索结果脱机打印到达用户手里的在时间上的延迟，等等。

但是，在采用CD－ROM建立书目数据库时，必须考虑其本身的特点。首先，由于制作盘困难，加之当前CD－ROM中的信息不能抹去，因此，相对稳定并不需经常更新的资料用CD－ROM建库较为合适，如国家书目、按历史顺序彼此衔接的文摘索引刊物等。对那些生命力短且富有动态性的资料，如财经与新闻资料，是不适合的。其次，由于生产母盘代价高昂，只有大量发行拷贝盘才能在经济上变得合算，因此，用

户面广、发行量很大的数据用 CD - ROM 制盘才是适宜的。再次,由于印刷的文字资料必须首先转化成机读磁带才能记录到 CD - ROM 中去,因此,直接从已有的联机库中套录并转贮有关信息,是一种较为可取的建立 CD - ROM 数据库的途径。这种库将有很大的比例是作为联机数据库的子集形式出现,或者以同磁带版数据库相等价的 CD - ROM 版形式出现。目前,美国国会图书馆的 MARC、英国 MARC、荷兰"医学文摘"、英国"CAB 文摘"等已发行 CD - ROM 版。

在我国,由于通讯设施落后,要建立集中式的、大规模的、由众多远程终端进行存取的联机情报检索尚有许多困难,而 CD - ROM 技术的采用,对于建立分散、小型、以介质交换为条件的检索系统,将较为有利。这也是它对于我们具有特别吸引力的地方。

原文载于《现代图书情报技术》1980 年第 4 期

机读数据库及其发展

机读数据库对于计算机化的情报检索来说,是不可缺少的情报源。本文较详尽地介绍了机读数据库的类型、机读数据库的生产者和对它的选择与评价,最后论及了数据库工业目前存在的问题和未来的趋势。

一、机读数据库的增长

所谓机读数据库,根据美国著名的情报检索专家 Martha E. Williams 所下的定义,即"包含有关书目与文献数据的机读记录的有组织的集合"。具体来说,就是机读版的文摘、索引、目录、自由文本及科学数据汇编。对于计算机化的情报检索来说,它是必不可少的情报资源。计算机硬、软设备的配置,其目的在于高速准确地从这种情报资源中检出符合情报提问的资料。如果没有机读数据库,一切情报检索系统显然都将成为"无米之炊"。

从60年代中期以来,机读数据库的数量增长极其迅速。例如,供联机情报检索的书目数据库。1975年为100种,1978年为360种,1980年增至450种。仅1979年10月至1980年5月短短的半年内,就新增加了50种。另一种所谓非书目数据库,据估计现有10000种以上,这种大幅度增长的趋势,目前正方兴未艾。

机读数据库的应用,其发展也是十分迅速的。例如洛克希德和系统发展公司这两家美国大的情报检索服务组织,在1975年中期,它们所提供的联机数据库,加在一起还不到30种。1978年初,仅洛克希德就拥有70多种数据库,系统发展公司拥有35种数据库。1977年1月,还出现了提供数据库服务的第三家商业性的情报检索服务组织——书目检索服务公司。据最新报道,洛克希德已提供130多种数据库的检索服务;系统发展公司已提供70种左右数据库的检索服务;书目检索服务公司已提供近30种数据库的检索服务。

数据库的存取费用在不断大幅度下降,加之同联机情报检索有关的通讯设施的发展,越来越多的图书馆、情报中心和科技工作者,日益频繁地通过联机或脱机的方式存取数据库。例如,在1975年,美国只有几十个学术图书馆,向学术界提供联机服务。但到1978年时,这样的图书馆就增长到400个。数据库的用户正在不断扩大。

总之,机读数据库的出现与增长,加之使这种数据库得以广泛应用的计算机技术与通讯技术的发展，是情报传递手段方面的一个革命。它大大地改变了人们获取情报的方式与速度；同时对图书情报领域本身，也带来了巨大的影响：所谓“电子图书馆”、“没有纸的情报系统”等新的概念出现了；大范围、远距离的现代图书馆网络和情报网络诞生了，作为社会产业部门之一的所谓“数据库工业”或“情报工业”形成了。

机读数据库之所以增长如此迅速、影响如此之大，是有其一定的社会背景的。

在资本主义国家，通货膨胀使图书馆经费日感紧促。书刊的涨价十分惊人。据统计，1970 年至 1976 年，物理与化学杂志以及技术图书的价格上涨了 86%。此外，科技图书的出版数量也在增加，1960 年美国出版的科技图书是 3379 种，而到 1974 年时，则增至 14442 种。许多图书馆感到无力采购读者所需要的书刊，不得不加强馆际互借、照相复制等工作。此外，还致力于建立合作网络，实现资源共享。这方面采取的一个措施，是建立和利用机读数据库。美国国会图书馆从 1969 年起发行机读目录（MARC）磁带，这是一种记录该馆藏书的机读数据库。俄亥俄学院图书馆中心（OCLC）在国会图书馆 MARC 磁带的基础上进行共享编目，建立反映该网络各成员馆藏书的机读数据库。此外，许多图书馆对机读版文摘索引的检索要求也提高了，它们通过脱机批处理方式，以后发展到用联机方式为自己的读者提供检索服务。这导致像洛克希德、系统发展公司及书目检索服务公司等这些情报检索服务零售商的发展，从而为机读数据库的大幅度增长铺平了道路。当然，机读数据库首先出现于文摘、索引出版者，但是图书馆无疑是推动机读数据库大发展的一个重要因素。

另一个有利于机读数据库发展的倾向是，机读数据库同计算机化的照相排版技术结合起来，使得那些传统的印刷版文摘索引的出版者，同时也生产同印刷版检索工具相等同的机读版检索工具，即机读数据库，以磁带形式发行。他们形成了所谓机读数据库的生产者。

另外，计算机性能的不断提高和价格的不断下降，也有力地推动了机读数据库的发展和提高了它的利用率。

机读数据库的发展，还因为它本身有下列优点：

1. 同手工检索比较，利用计算机从机读数据库进行检索可以大大节省时间，而费用却比前者更低（如果把科技人员的时间用费用来衡量的话）。

2. 从机读数据库中进行检索，可以保证较高的查全率与查准率，使检索者在避免遗漏重要资料方面增强了信心。

3. 由于机读数据库在存储密度、便于处理等方面的优越性，因此使它可以达到更大的深度标引和得到更及时的更新，可以允许检索者将各种检索词复杂地组配起来，达到检索的高专指度。

4. 检索结果不必由检索者抄录，可由计算机打印或通过通讯网络进行远距离传输。

5. 机读数据库具有一次输入,多种输出的性质。它除可供情报检索之外,还可输出卡片式或书本式目录以及缩微胶片目录(COM 目录)。各种机读目录可以自动地合并,并便于复制和运输传递。

因此,机读数据库作为一种新的情报资源,已经在图书情报工作中牢牢地站稳了脚跟。

二、机读数据库的类型

从机读数据库的收录内容来说,有书目数据库、自然语言的文本数据库、数值数据库等。关于数据库的划分方法,情报界还未取得一定的意见。大体上可分为书目数据库和非书目数据库两大类。

书目数据库,就是机读形式的书目、索引、文摘等文献检索工具。一般来说,它不提供独立存在的情报,而是提供有关文献的主要特征即二次情报,指引用户进一步去寻找一次文献。像美国的 CHEMCON/CASIA(《化学文摘》)、COMPENDEX(《工程索引》),英国的 INSPEC(《科学文摘》)等就是这种书目数据库的代表。另外,还有一些是从属于书目检索的数据库,例如 BIOCODES 是供检索《生物学文摘》所用代码的数据库即与书目有关的数据库。

非书目数据库,可以说是机读版的辞典、名录、手册、年鉴等参考工具书。此外还包括机读形式的文献文本(部分文本或全文)。这种数据库提供的是独立存在的情报,为科学技术常数、统计资料、名录辞典条目等数值型数据和事实型数据以及文献的句、段、章、节乃至全文。它们可以被用户直接用于研究、设计和写作,而不必再求助于其他的情报源。

非书目数据库也称"情报源数据库"(Source database)。

为了区别上述两类数据库,国外有人用"database"一词指书目数据库或泛指整个的数据库,而用"databank"一词专指情报源数据库。

非书目数据库或情报源数据库,与书目数据库比较,有一些特点:第一,对这种数据库的检索,限制较多。许多情报源数据库是保密的或私人性质的,只限于一定范围用户存取。一个检索系统往往只提供少数几种情报源数据库的检索服务。第二,存取的费用比书目数据库高几倍甚至几十倍。第三,情报源数据库的检索,除静止式的(即输入什么数据,就输出什么数据)之外,有的还配上了相应软件。计算机可以对各种输入数据进行各种比较、分析,产生预测与报告,即运算式的检索处理。第四,对情报源数据库的检索,要求检索者具备合格的专业知识,懂得统计分析手续和掌握程序设计的能力(因它的检索语言类似于程序设计语言,而不是自然语言的接口)。因此,往往不是由图书馆或情报中心的工作人员来进行检索,而是由最终用户(即需求情报的科技人员)亲自检索。第五,情报源数据库的管理比较复杂。书目数据库中的记录格式比较单一,因而比较容易管理。而情报源数据库中的数值比较复杂:有定量的、半定量的或定性的数据；有数字的、字母的、字母—数字的、图形的、符号的等数据；有同时间相关的数据，也有同时间无关的数据；有同地点相关的数据，也有同地点无关的数据；有原始数据，也有推导出来的数据或推理得到的数据；有确定的数据，也有随机的数据等。因此，记录的结构是多样的和可变的，给非书目数据库的管理带来了困难。有时在科技与工业领域里发现新的测度方法和新的材料时，可能需要对数据库的结构进行大的修改。第六，非书目数据库的更新一般也比书目数据库频繁。第七，在评价的准则方面，非书目数据库同书目数据库也不完全相同。前者更强调数据的可靠性、完整性与有效性。

从机读数据库包括的主题范围来说，有面向学科的数据库、面向任务的数据库、面向问题的数据库和跨学科的数据库。属于科学技术方面的数据库占大部分。例如，据1977年的统计，当时书目数据库共有7100万条记录，其中2900万条是科学与工程方面的，另外2300万条是医学与生物学方面的（也属科技），这两者占全部数据库中记录总数的75%。剩下的25%记录中，有750万条混杂有科技内容，只有1100万条才是属于科技之外的方面，如法律、经济、人文及其他社会科学门类。但近年来，这方面的数据库发展相当迅速。

各个数据库的规模相差悬殊。如《化学文摘》等数据库的记录已达几百万条。而有的高度专门化的数据库（如原子间势能数据库、高层建筑数据库等），可能只有几千到几万条记录。

从机读数据库的取材来源与生产过程来说，大多数数据库是根据原始文献进行标引输入而成的。但也有的数据库是利用计算机从其他一个或多个数据库中抽选编辑而成的。这种数据库可称为“二次书目”的数据库。

三、机读数据库的生产者

机读数据库的生产者大致有政府机构、学术团体和以赢利为目标的商业性企业等3个方面。

许多规模最大的和使用最多的数据库是由政府机构生产的。例如MEDLAR（医学文献分析与检索系统）磁带，是由美国国家医学图书馆生产的；MARC（机读编目）磁带是由美国国会图书馆生产的；ERIC（教育资源情报中心）磁带是由美国国家教育研究所生产的；GRA（美国政府报告通报）磁带是由美国商业部技术情报服务处生产的等。这些机读数据库之所以规模大、使用多，是和政府给予经济上的补贴分不开的。

非赢利的学术团体也生产许多大型的面向科学的机读数据库。如美国化学会、美国金属学会、工程索引公司、纺织技术研究所、美国心理学会、美国电气工程师学会、美国地质学研究所等都是生产重要数据库的学术组织。例如SPIN（可检索的物理学情报评论）磁带是由美国物理学会生产的；INSPEC（科学文摘）磁带是由英国电气工程师学会生产的。METADEX(金属文摘索引)是由美国金属学会生产的。此外,化学文摘、生物学文摘、心理学文摘等磁带都是由相应的专业学术团体生产的。

一些以赢利为目的的商业组织,例如 Predicasts 公司、科学情报研究所、Data Courier 公司、Xerox 公司、纽约时报公司、Informatics 公司、Dow Jones 和 Nexus 公司等,也生产机读数据库。例如,SCISEARCH(科学引文索引)磁带是由美国科学情报研究所生产的,纽约时报情报库是由纽约时报公司生产的。这些机读数据库的制造商的产品,在数量与规模上比较小,但它的重要性是不可抹杀的。它的生产效率远远高于政府机构生产机读数据库的效率。

机读数据库的另一种生产者,是一些国际组织。这是近年来新出现的一种现象。例如,国际核情报系统数据库(INIS),是由国际原子能局经办的;国际农业科技情报系统数据库(AGRIS)是由联合国粮农组织经办的;国际专利情报中心数据库(INPADOC)是由国际专利文献中心经办的等。这些属于国际合作性质的机读数据库,由参加国际组织的成员国的图书情报机构,对本国的有关文献,按照标准的程序进行编目和标引,然后送交国际组织的协调中心,由中心负责进行质量控制并输入计算机加工而成。

一般来说,机读数据库的生产者将磁带通过订购、出租或许可证协议等方式供应给机读数据库的分发者。这种分发者也称为情报服务的零售商。它们把从数据库生产者那里取得的磁带在计算机上进行加工处理,向用户(如图书馆或科技人员)提供脱机或联机检索服务。这种数据库的生产者——分发者——用户之间的关系,构成了所谓数据库工业或情报工业的社会结构。

但是数据工业中激烈的竞争,已使得这种结构变得模糊起来。

四、机读数据库的选择与评价

在联机情报检索的条件下,检索者在一个终端上可以存取数以百计的数据库。如何根据自己检索的课题,选准最有希望达到良好检索结果的数据库,这就需要了解各个数据库的收录范围、更新周期及它对文献或数据的描述与标引的质量。如果数据库选择不当,即使在检索策略的构造上下很大工夫,即使在该数据库的检索中达到了高查全率与高查准率,也意义不大。为了帮助联机用户对数据库进行选择,许多联机检索系统具有数据库介绍的功能。即编制和维持有一个叫做“介绍性数据库”或“数据库的数据库”。这种数据库事实上是把各种可供检索的数据库中的主题词(或关键词)统一按字顺编排起来,在每个词后面标明包含该词的各数据库名单及其文献量。当联机用户询问有关某一课题应选择什么数据库的时候,系统就将检索者输入的提问词同介绍性数据库所包含的词进行对比,然后将相匹配的数据库名单及其各自的文献数,按文献量的多少为序,在终端上向检索者显示。这种数据库的介绍功能,依据各系统所采用的匹配算法,用户可以用布尔逻辑、非加权词、加权词或单纯是句子形式的情报提问语句进行询问。

在购买、租用、引进机读数据时，选择的依据，就是对数据库作科学的评价。

评价的准则包括质量准则和成本准则。

质量准则是衡量机读数据库的下列因素：

1. 收录范围因素：包括来源的数目（即该数据库扫描摘录的文献种数）；来源的类型（即是否收录各种类型的文献，或只限于收录某些类型的文献）、数据库中资料的数量；数据库跨越的时间范围（这对追溯检索很重要）；与用户需要相联系的完备性；与其他数据库相比较而言的独特性与交叉性。

2. 时间因素：包括数据库的时滞；更新的周期。

3. 标引与词表因素：包括词表控制的程度（即是控制词表还是自由文本，是严密控制还是稍加控制）；词表中的词的专指性；标引词（即主题词等）在语义与句法上的含糊性；标引的网罗度（存取点数目与种类）、确切性与一致性；所提供的检索辅助手段（如是否提供印刷版的词表及标引规则等）。

依据这些准则进行的衡量，就是数据库的效果评价。

这里需要说明的是，不能认为大型的机读数据库在它所包含的主题每一个特定方面都是收录很齐全的。例如关于"计算机在质谱学中的应用"，《化学文摘》只收录这方面文献的24%。正如文献计量学中的布拉福德定律所指明的那样，任何一个特定主题的文献分散在大量的一次来源之中。如果想要检索一个主题的全面广泛的资料，不得不同时和用几种不同的数据库。成本准则可考虑下列几种衡量办法：

1. 订购或租用数据库的费用。

2. 数据库中平均每条记录的费用。

3. 数据库中平均每个存取点的费用。

美国一些机读数据库的租用费用，每年每条记录约为5—10美分。看来，租用较大型的数据库，按每条记录的费用来计算，要比租用小型数据库更为便宜。另外还要考虑每条记录平均包括多少个存取点，即可检出项目的多少。数据库记录标引的网罗度越大就越有利。存取点的类型，如主题、著者、文种、日期等，也决定数据库的存取水平。将这种水平和取得这种水平所花费用联系起来，就是数据库的成本/效果评价。

在考虑数据库的成本时，应该联系开展数据库服务所可能有的查询量。检查服务的成本在很大程度上取决于服务量的大小。预计的使用水平并联系到获得数据库所花的费用以及以这种数据库为基础开展情报检索服务的成本，这就产生了对服务单位成本的估算，如平均每次追溯检索的成本，每年每个用户SDI提问档的成本等。

数据库的评价准则、评价步骤、指数的推导方法等，构成了数据库的评价技术。这种评价技术正在不断完善。

五、数据库工业目前存在的问题及未来的趋势

除了激烈与混乱的竞争之外,机读数据库工业还面临着一些问题:

1. 机读数据库日益侵占印刷版检索工具的市场。从发展的历史来看,后者是前后的基础。从经济上说,后者补贴前者。这种侵占给数据库的生产提出了新问题。

2. 核心期刊被不同的机读数据库过多地重复反映。另一方面,为了要获得某一课题的情报,不得不检索几种数据库。这就有必要更多地发展跨学科的数据库和较专门的“二次书目”性质的数据库。

3. 机读数据库的版权纠纷问题仍然存在。出现了所谓机读数据库的“窃贼”。联机用户只要自己装上小型计算机或者计算机盒式装置(Computer cassetteunit),可以把检索输出用数字形式(而不是终端的字母数字打印)直接送到小型计算机或盒式装置里,供以后维持、加工和再检索。这样有损于数据库生产者和联机服务零售商的利益。目前正从技术上试图解决这种行窃行为。

4. 非书目数据库将得到更大的发展。据分析,学术界几乎有四分之三的人往往只要求检索具体的数值数据和事实性数据或某段文本。因此,非书目数据库有广阔的前途。

5. 书目数据库的记录格式的标准化,是克服各数据库之间不兼容性的一种办法。国际标准 ISO2709—1973“磁带上文献目录信息互换格式”有助于标准化的进程。

6. 机读数据库生产方面的国际合作将会加强。

参考文献

1. Roger Christian. “The Electronic Library. Bibliographic Data Bases,1978 ~ 1979,1978
2. Directory of On-Line Information Resources:A Guide to Commercially Available Data Bases. Second Edition,1978
3. Blaise Cronin. Databanks. Aslib Proceedings,1981,33(6)
4. Ryanod Hoover. The Library and Information Manager's Guide to Online Services,1980

原文载于《情报科学》1982 年第 3 期

索引语言及其逻辑

一、索引语言是情报检索语言的一个组成部分

情报检索系统是存在于文献的作者和试图从文献中寻找情报的读者之间复杂通讯系统的一部分。索引等文献检索工具是根据文献的特征进行情报加工的成果，它不是重复作者在文献中所传达的思想观念，而是对包含这些思想观念的文献作进一步的传递。索引是沟通情报的产生者与使用者的桥梁，从这个意义上来说，它是一种科学通讯（或者说科学交流）的工具。

作为一种通讯工具，索引需要有一种用来描述文献特征，以此构成文献的检索标识，能将文献情报的产生者、加工者、检索者在文献特征的识别上彼此联系起来，以便取得共同理解，实现思想交流的语言，这种语言，就叫索引语言或标引语言。

索引语言是情报检索语言的一部分。情报检索语言是指建立与使用情报检索系统所需要的语言，它包括索引语言、检索提问语言和数据定义语言。索引语言是用于建立书目文档（或称书目数据库）的语言，是决定书目数据质量库的重要因素。检索提问语言是检索者用来表达自己情报需求以及确定如何查找的语言，具体来说，它用来确定同索引语言相对应的检索词，指出它们的逻辑关系及优先级别，并且在联机情报检索的条件下，还包括检索者同计算机检索系统进行交互的各种检索指令（询问语句）。检索提问语言是决定检索策略的构造质量与检索效果的重要因素。至于数据定义语言，是用来告诉计算机程序其他语言是怎样结构的，因此，数据定义语言是一种定义语言的语言，用来给计算机介绍数据描述语言的。

尽管索引语言只是检索语言的一部分，但它是检索语言中的核心部分。

二、索引语言的基本要求

索引语言是被人们有目的地创造出来的一种书面语言，它不是供人们普遍使用的，而是只用于非常专门形式的通讯，即索引的编者和检索者的互相通讯，在某种意义上也可以说是文献情报的使用者和文献资料之间的通讯。这种语言所起的特定作用，是随着文献集合的规模、性质及用户的不同水平的要求而有很大变化的。选择或设计一个索引语言，可能是设计情报检索系统最困难的步骤。这里主要的原因是，索

引语言的编制者必须探索和掌握情报用户在面对他们不熟悉的通讯系统时所持的思想方法与行为特点。

索引语言是供检索者查录文献用的,而检索者不可能都是经过这方面专门训练的。因此,索引语言应当接近于自然语言,应当包含便于检索者理解和掌握的词汇和句法。这是对索引语言的第一个要求。

索引越来越多地拥有机读版,也就是说,它们日益增多的是为计算机检索而编制的,因此索引语言应当便于计算机判断和处理。计算机的作用只局限于读出和比较各种代码,只能告诉检索者哪些代码是匹配的或接近的。一般来说,它不可能对索引语言中语义含混和逻辑错误负责。而这就要求索引语言应当比自然语言严格,今天甚至要比过去纯手工检索系统的语言更为严格,这是对索引语言的第二个要求。

索引语言必须考虑它对索引的检索速度与索引的编制成本的影响。如果一种索引语言以不惜降低检索速度和提高编制费用为代价而盲目地追求索引语言的表达性和专指性,那是片面的。检索速度实质上也是以检索者所花时间为代价的费用问题,因此索引语言应当联系经济性来确定它的适度,这是对索引语言的第三个要求。

在现代,某些索引是由计算机编制而供人们手工检索,或同时供手工与机器检索使用的。机编索引所用的语言,要受计算机索引编辑程序的分析能力的限制,目前计算机能够自动地从文献文本中选取富有表达性的词汇或句子,因此索引语言应当同计算机程序分析能力联系起来考虑。这是对索引语言(主要是机编索引)的另一个要求。

语言是变化的,索引语言也是这样。一个经适当设计而编成的索引语言,应当具备随着文献使用的语言和用户使用的语言的改变而随之修改的准备措施。也就是说,索引语言应该是动态的,对新概念是敏感的,更新是及时的。这是对索引语言的又一要求。

索引语言的词汇必须具备文献的保障和用户的保障,也就是说,索引语言的词汇,必须有相应的文献存在,是文献标引实际需要的;也必须是实际的用户据以表达自己的情报提问的。如果索引语言中词汇,既无文献可以归入,又无用户使用,那么,在原则上就不能成为索引语言的词汇,这正是索引语言词汇同各学科知识中的概念有所区别的地方,也正是索引语言不等于自然语言的特点之一。

三、索引语言的结构与种类

索引语言的两个主要组成部分是词汇和句法。词汇是语言中所使用的词的集合。索引语言的词汇是索引记录中用来表述文献内容的词的集合、分类号码的集合,就是分类法这种语言的词汇;主题标目的集合,是主题法语言的词汇,等等,句法是将词汇中的单元(即词)组成语言单元的一套规则。这种语言单元(也叫句法单元)的意义可能是基本词汇所不能表达的,因而它是扩展词汇表达能力的手段。例如,如果在基本词汇中已有“树”和“水”这两个名词,又有“绿”、“蓝”这两个形容词,我们可以借助句法组合成“绿树”和“蓝水”,这种组成的概念是基本词汇所不能表达的。

词汇和句法的典据性文本,称为“词典”,它规定了词的正式定义和句法规则,要求标引者与检索者严格遵守。

索引语言中的一个词,或者说作为典据性词汇的一个成员,称为一个“描述词”,它可以是一个单词、一个代码,也可以是一个较大的语言单元。

索引语言的种类,大致可分为句法语言与非句法语言两大范畴。

非句法语言包括:等级制分类法、主题标目、关键词系统等;

句法语言包括:加标识的叙词、组面词、短语、自然语言等。

在句法语言中,语言的基本元素(词或代码)在标引时可以组合成词或短语,各元素之间互相修饰或规定,组合的结果称为“上下文”,通过句法,能表述词汇中所没有的词的概念,即建立未作为描述词的语义概念。而非句法语则不能做到这一点,在非句法语言中,某些概念在词汇中可能没有其相应的词,因而不能表达出来。这是句法语言与非句法语言的基本区别。

例如,等级制分类法语言的词汇,是由一批固定数目的描述词(分类号)组成的。各描述词之间没有确定句法关系,只是在同一族系中,一个等级上的描述词包括了它所上属的描述词的标记。例如杜威分类法中的“人造地球卫星”的分类号为629.138.82,它隐含了在等级上更高等级的描述词,如629、13(航天)。在等级制分类法语言中,要扩充词汇是比较容易的,可以通过扩展描述词(分类号)右侧的数字而达到,但是要改变一个已经存在的描述词的含义是相当困难的。等级制分类法语言的难以改变,还表现在某等级上的复分,只能根据某个基准进行,以保证同级类目的相互排斥性,如果标引时人们企图按照别的基准进行概念的划分,那么就很难在这种语言中找到相应的描述词。也就是说,某些概念不能用单独的描述词表达,或者难以同别的概念区分开来,等级制分类法语言的这个带根本性的缺陷,是它作为非句法语言的性质所规定的。

同样,主题标目也是非句法语言,它规定使用一定数目的主题(词),这一点正如等级制分类法中使用一定数目的类目那样。主题标目语言的词汇是由自然语言的词或短语所组成的。这些短语中的组成词可能不是主题标目词汇的单元。例如,如果“数据处理”是一个主题标目的话,那么,“数据”和“处理”不一定分别也是合法的描述词。虽然主题标目是由自然语言中的词组成的,而单个的词不一定是索引语言中的描述词,也就是说,主题标目不是根据句法将索引语言中的有关描述词组合起来的,一个主题标目本身就是一个基本的描述词。但是与等级制分类法语言比较起来,主题标目代表了较松散的结构。

关键词语言允许在标引中使用事先未专门确定的概念,它可以选择相当多的词,以尽可能充分地表述文献内容的多个组面,但是,在一条关键词索引条目中,各个词不是互相修饰的,即使是索引的编者有意使它们如此。例如,在一条关键词索引条目中,“长江”和“泥沙”都是单独的词,但不一定意味着这篇文献内容是有关“长江泥沙”的,它可以是一篇讨论黄河泥沙和长江污染的文献。“长江”和“泥沙”被抽出来,列入同一条关键词索引条目。关键词语言中各个词之间没有句法关系,它无法告诉我们这两个描述词之间的联系,实际上我们只能猜测这种关系。正是由于这一点,当我们看到在一条关键词条目中含有“图书馆”、“学校”时,我们不能断定这篇文献是讨论“图书馆学校”的,还是讨论“学校图书馆”的。如果作为一个自然语言短语,它们是易于区别的,而作为一组关键词,它们是不能区分的。这是因为各词出现的先后次序是没有规定的(如果我们说词的次序对含义来说是重要的时候,我们就进入了句法范畴)。在关键词语言中,出现假组配是不可避免的。因此,关键词语言也是一种非句法语言。

现在再来简单提一下句法语言。其中最简单的一种是加标识的叙词。在这里,每个词都有一定的标识。这种标识可以说是一种附属的叙词,它的作用是用来说明或限定主要的叙词,指明主要叙词是作为一个专门名词,还是作为一种属性或作为一种活动。例如,作为人名的叙词和作为装置的叙词可以通过加标识而进行区分,例如,可以避免作为发明人狄塞尔(DIESEL)和作为产品柴油机(DIESEL)的混淆。

组面标引语言,如组面分类法等也是一种句法语言。在这种语言中,标引中出现的任何描述词,都有明确确定的句法作用。或者说每种句法作用都有其附属的词汇。句法规则规定各组面的先后次序。这样就可以避免人们理解时的含混。

在自然语言中,一个句子中的各个元素都可以看作为组面,各起着不同的作用。一个句子的主语、谓语和宾语都是组面。当前由于计算机的帮助,自然语言的短语也逐步成为一种索引语言,轮排索引(上下文关键词索引)的出现,使自然语言短语的表达易于检索。显然,在一条上下文中,各词之间是有句法的。

最后一种索引语言是文献全文,即完全的自然语言。如果没有计算机的帮助,这样的语言是不可能成为一种索引语言的。然而在机检的条件下,现在已实现了全文检索。检索者可以指定检索的提问应包含哪个或哪几个词,各词之间相隔多大距离的相邻度,并且可以指定这些词的先后次序能否倒置等。目前法律文本的检索系统就是一个实例。

四、索引语言的逻辑

关于各种索引语言的逻辑,可以用几何图形加以表示,假定一个平面上的每个点或小区段代表一个主题,因此由一个词所代表的一个主题组在这个平面上是一个域。整个的平面,即主题的全部集合,叫做主题空间,在这种概念的基础上,索引语言是一种划分主题空间的手段。

等级制分类法语言的逻辑可用图 1 表示为:

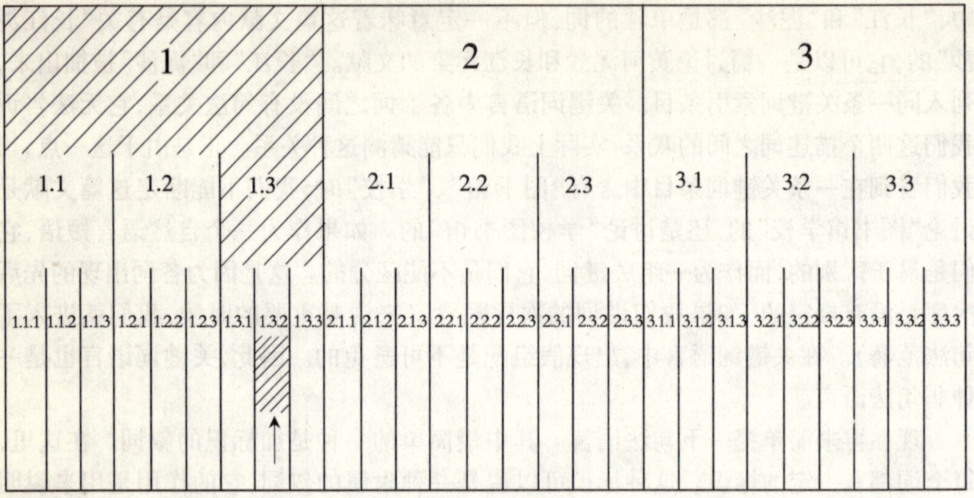

图 1

在等级制分类法语言中,选择箭头所指的像 1.3.2 这样的位于主题空间较下面界限的区的代码或叙词,那么就自动地选出了在此界限之上的空间的所有部分(阴影表示)。空间的横向各部分之间是互相排斥的。因此任何表述的主题将明确地落到一个区段,并且只有一个区段。这里方向是有意义的,但距离没有特别的意义。

主题标目语言较为简单,但不是这样整齐有序,可用图 2 的图形表示:

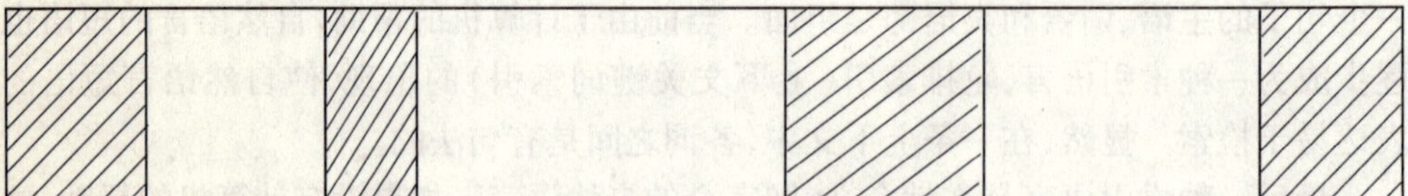

图 2

这里,主题空间也划分为互相排斥的区段,但与等级制语言的图形比较起来,有两点不同:第一,主题标目语言并不致力于包括所有的主题空间,并不为每一个可能的主题都设立描述词,在上图中,阴影部分代表未在语言中表示的可能的主题。第二，主题标目语言对空间的划分是可能的，但一般是在很浅的程度上进行划分的，并且也不以统一的深浅来划分。这里的方向是有意义的，但距离也没有什么意义。总之，一个主题标目语言不一定非要包括所有的整个主题空间，各区域位置仅反映字顺次序，并且也有一点级别。阴影部分代表未被这种语言包括的可能的主题，即是主题词空间中的空白。

关键词系统，可用图 3(a)、(b)的图形来表示：

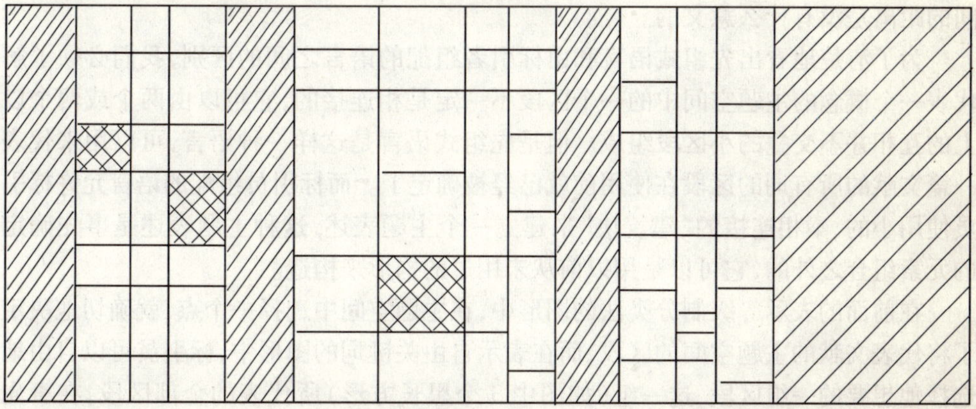

图 3(a)

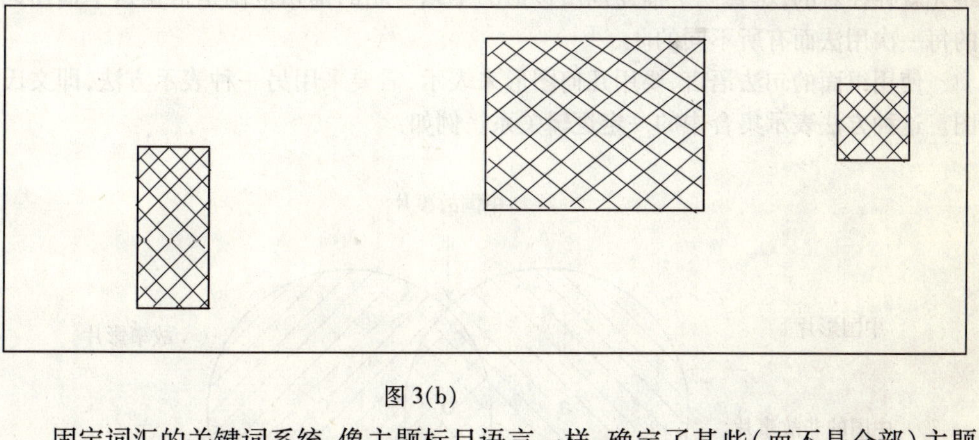

图 3(b)

固定词汇的关键词系统，像主题标目语言一样，确定了某些(而不是全部)主题空间的划分。非阴影部分的每一个长方形代表了一个关键词所描述的主题集合。自由关键词系统没有对主题空间的事先的划分，因为事先既没有使用词的集合(词汇)，也没有规定这些词的意义，标引者随着他所用的每个关键词而划出了每个关键词在主题空间中的区段，并且每个关键词所占的区段的大小范围是随着该词的每一次使用而有所不同的。而且这里还有标引者和检索者把不同的意义赋予同一个词的危险。有人说，词义不能在使用之前就事先完全决定下来，并且这些关键词在使用中不会有两次使用是完全一致的含义，在上面的图3(a)中，固定词汇关键词占据了主题空间的各个域，并不是所有空间都必须被经定义的关键词所包括，在图3(b)中，自由关键词语言在使用词之前并不划分主题空间。相反，由于这些词的意义是随着它的每次用法而可能有所改变的，标引者按其使用的字面勾画出主题空间的区段。在上述a与b的两个图形中，黑色的区表示一个可能的主题空间区段的集合，它们代表一篇文献，但是在这两个图形中，一个主题和另一个主题的位置摆法的方向或它们之间的距离是没有什么意义的。

为了清楚地看出先组式语言和由标引者组配的语言之间的区别，我们必须了解代表一个概念的主题空间中的一个区段不一定是相连接的，它可以由两个或两个以上的互相并不交叠的小区段组成。但是先组式语言是这样一种语言，可以用来代表一篇文献的所有词的区段在使用前就已经被确定了。而标引员组配的语言允许标引员使用小的、不相连接的"建筑块"来建立一个主题表述，这种主题表述是事先确定的元素组合之外的，它可以是用以前从未用过的构形来构造。

在前面的表示等级制分类法的图形中，在主题空间中选择一个点，就确切地决定了将代表文献的主题空间的区段，而在表示自由关键词的图形中，标引员可以自由地选择他想要的一组区段，这一组(如图中3个黑长方形)所代表的全部区段，在事先不需要作为一个区段来加以规定，但是它的组成元素(即个别的块)在某种程度上是事先就存在着的，尽管一个描述词所包括的主题空间的确切范围是依据这个描述词的每一次用法而有所不同的。

使用组面的句法语言，要用几何图形来表示，需要采用另一种表示方法，即文氏图。这种方法表示集合中的一定逻辑关系。例如：

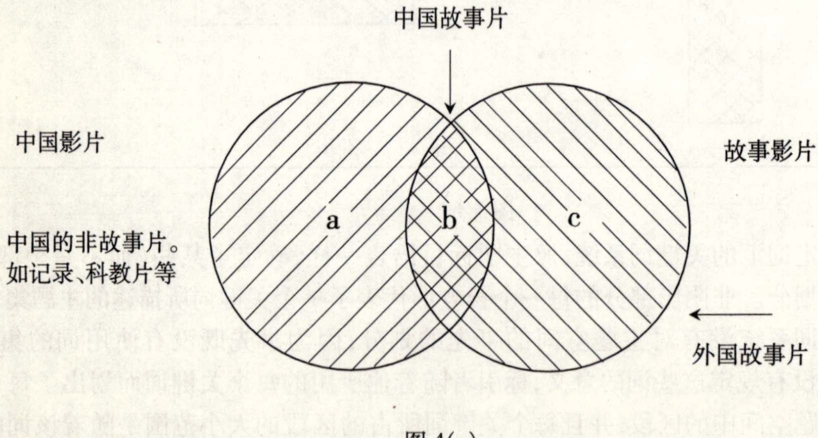

图4(a)

在图4(a)中，左边的圆代表所有的中国影片，右边的圆代表所有的故事影片(中

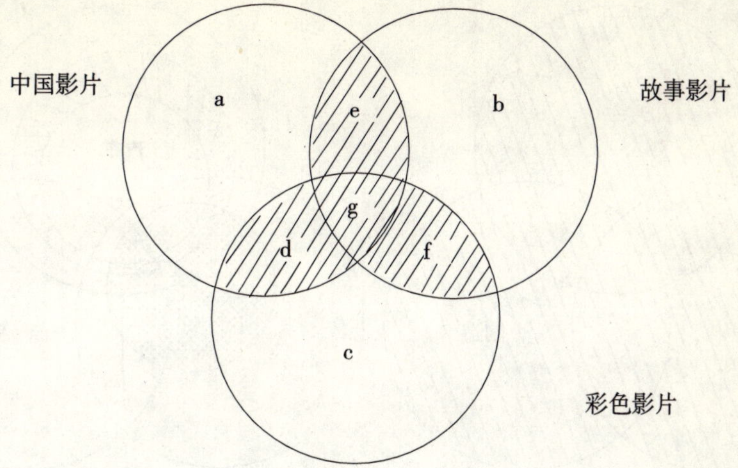

图 4(b)

国的和外国的)。相交部分(阴影区)代表中国故事影片。a 代表除故事片之外的中国影片(如纪录片、科教片等),c 代表非中国(即外国)的故事片。在图 4(b)中,如果我们增加第三个圆,代表彩色影片,我们就可得到下列几个区:a 是中国的黑白片,并且是非故事片;b 是外国的黑白故事片;c 是外国的彩色非故事片;d 是中国的彩色非故事片;e 是中国黑白故事片;f 是外国的彩色故事片;g 是中国的彩色故事片。而 a—b—c—d—e—f—g 的整个区代表了所有的中国影片、故事片和彩色影片的和(或称“并”)。

我们可以用两个圆代表“钢”和“制造”。这两个圆的相交部分不能就等于自然语言所表达的“钢的制造”,虽然它包含了这种表述,相交部分包括了所有这两个字之间的意义的普遍性,例如包括制造某些物品中钢的用途(如钢工具在制造木制品中的应用)。在没有句法的关键词语言中,“钢”、“汽车”及“制造”的相交部分包括“钢在汽车制造中的用途”、“汽车在钢制造中的用途”、“汽车用钢的制造”。

重要的是要说明,当标引员写下一组关键词时,他并不指明它们的主题领域的相关部分,他只是简单地说该文献是有关 A 的,也有关 B 的,也有关 C 的,等等。一篇文献可以是有关“汽车”的,有关“制造”的,这两个字都将成为关键词,如果该文献是有关“汽车制造”的,那么也将产生这样两个关键词,按照文氏图,即关键词索引表达所说明的词的“并”。在前面的图形中,中国影片、故事影片和彩色影片是指 abcdefg 各区域之和,它包括每一个中国影片、故事影片或彩色影片,“并”的符号是 U,或者是 +。

组面索引词是由组成描述词的“交”来表示的。例如在下列图形即 5b 中:

下面的图 5a 表示代表“钢”、“汽车”及“制造”这 3 个集合的“并”。这是表示关键索引含义的文氏图,如果同样的叙词构成一个句法单元“钢汽车的制造”,则以图 5

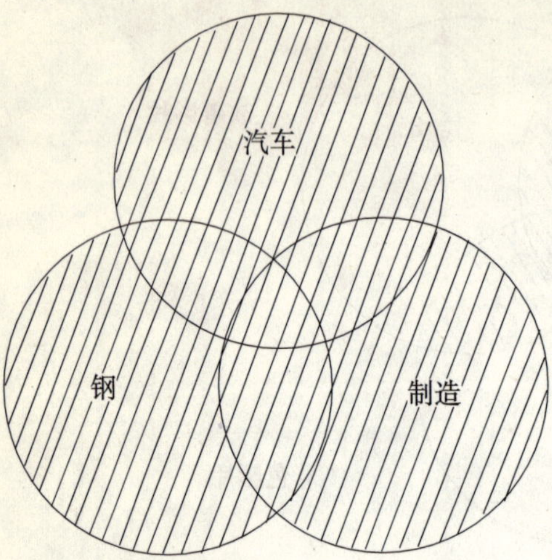

图 5(a)

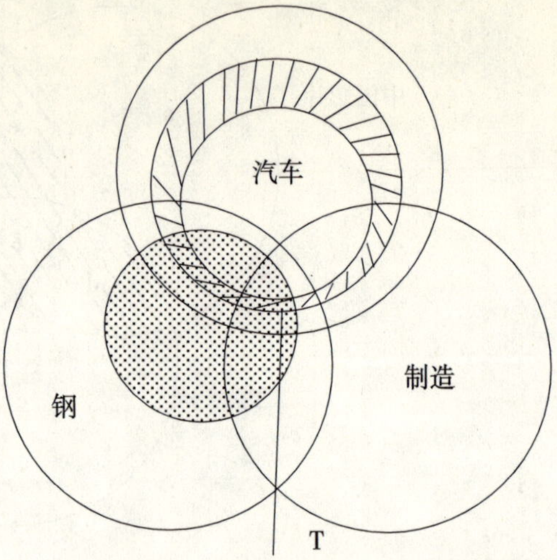

图 5(b)

(b)的文氏图加以表示,它是由 3 个词的“交”来表示的,只有 T 域才是文献的主题。词的句法意味着缩小钢的用途(作为一种产品),要比它用于关键词索引所含的意义要狭窄;同时也缩小了汽车的用途(作为一种制品)。词:“钢汽车的制造”是小的、双阴影的域(用 T 表示)。这个插图中的逻辑可应用于各种形式的组面语言或句法语言,从加标识的叙词直到自然语言。对于比较复杂的句子,尽管在图上不容易表示,但是道理是同样的,照样可以加以模拟和推论。

参考文献

1. Charles. T. Meadow. The Analysis of Information Systems (second Edition),1973
2. 张琪玉. 情报检索语言. 武大教材,1982

原文载于《图书情报知识》1982 年第 4 期

各种索引语言与标引系统的比较评价

——著名的“克兰菲尔德试验”概述

英国克兰菲尔德(Cranfield)航空学院图书馆长克里文敦(C. W. Cleverdon)指导下的研究小组,于1957年开始,对各种索引语言以及由这些索引语言建立起来的标引系统,就其对检索系统的性能影响问题,做了历时十年的比较试验。这就是有名的克兰菲尔德试验,这个试验分两个阶段进行:第一次克兰菲尔德试验(Cranfield I)于1957年至1962年进行,第二次克兰菲尔德试验(Cranfield II)于1963年至1966年进行。

在情报检索系统的试验与评价方面,这个试验是具有经典意义的。它明确地提出了一套进行试验的必要条件、环境与程序,为检索系统的试验奠定了方法学的基础,也使得过去纯理论的探讨与争辩转向了以实际试验数据为基础的科学分析;它把标引与检索的费用作为衡量索引语言性能的通用尺度,从而在情报技术的评价方面确立了经济概念,为评价情报检索系统的效果和效率找到了一个科学根据;它在试验中得出的单元词系统优于其他索引语言、查全率同查准率呈反变关系,以及网罗度决定查全率和专指度决定查准率等的发现与结论,对于检索理论的发展及其在系统设计方面的应用,也具有重要意义。正因为如此,这个试验引起了人们的广泛兴趣和反响,为此后的检索试验起了发凡起例的作用。

一、克兰菲尔德试验的先导

克兰菲尔德试验不是凭空产生的,而是有其一定的历史渊源的。20世纪初以来,欧美图书馆界就书本式目录和卡片式目录、字顺排列和分类排列的优缺点问题整整争论了五十年。但是在长期的争议中没有人致力于进行有控制的比较试验,以便根据试验结果而不是依靠口头的争辩来作出对问题的回答。1950年以来,西方图书馆界又积极开展了新的分类技术和新的标引检索方法的讨论,人们感到有必要进行实际的试验,以便比较各种索引语言和标引系统的效率,弄清和选出较优的索引语言与标引系统,从而提高情报检索系统的效率。

对各种索引语言的效率作比较试验,最早是由美国武装部队技术情报局(即后来的国防文献中心)于50年代初期进行的。这次试验是要弄清字顺主题法是否要比单元词系统更为有用。在15000篇已标引的文献基础上,根据98个用户提问进行比较试验,但是由于试验小组在文献对提问的相关性判断上意见不一,检出的文献也没有交给提问者去估计这种相关性,因而这次试验没有得出什么结论。试验的困难在于,对于试验中的提问来说,究竟什么样的文献才算是"命中"的文献,人们往往难以取得一致意见,文献同提问的"相关性"是一种包含主观性的判断。这次试验的结果虽然很难指出哪一种标引系统是最有效的,但它表明了进行较为客观的试验是必要的。

作为克兰菲尔德试验的直接先导的,是1953年也是在克兰菲尔德这个地方进行的一次利用单元词作为标引航空文献的试验。试验中用40个针对原始文献的提问来检索200篇文献,成功率达到82.5%。此后,又进行了国际十进分类法同单元词系统之间的比较试验、阿姆斯特丹航空研究所研制的航空专业索引语言同国际十进分类法之间的比较试验。这些试验是有缺点的,就是在试验中采用了不同的文献集合和使用了不同的提问组,因此比较结果难以说明问题,但是在这些试验中已明确提出,用于标引和检索的费用,应该而且可以作为衡量检索系统效率的尺度。克里文敦本人参加了这次试验,他认识到,要对不同的标引系统进行有效的比较,必须人为地控制试验条件与环境,并且用经济指标作为比较的基础。1955年,他在英国专门图书馆协会的会议上发表一篇论文,提出需要对各种互相竞争的系统和相持不下的主张进行独立的评价。这导致1957年美国国家科学基金会给克兰菲尔德试验计划提供资助。于是就开始了第一次克兰菲尔德试验。

二、第一次克兰菲尔德试验

第一次克兰菲尔德试验的宗旨是"进行各种标引系统的比较效率的研究"。重点是要确立一种试验方法,以便能够尽可能客观地比较下列4种索引语言的效率:a.国际十进分类法;b.字顺主题目录;c.分面分类表;d.供组配标引用的单元词系统。之所以选择这4种索引语言,是因为它们之间具有基本的区别,各代表检索系统的一个基本类型。

试验计划指出,要比较任何两种检索系统的效率,必须考虑下列各种影响因素:

(1)被标引文献本身的特点。

(2)标引系统。

(3)标引员对被标引文献的学科知识水平。

(4)标引员对标引系统的熟悉程度。

(5)索引的大小规模。

(6)查寻索引的提问的类型。

(7)用来记录和检索资料的设备状况(注:在这次试验中,这一条未加考虑,排除在外)。

因此,要进行比较客观的评价,必须在试验中人为地控制这些可变的因素。

至于检索系统的整体效率,试验计划规定应该包括下列方面:

(1)编制索引所花的时间代价。

(2)查找所需情报的时间代价。

(3)所用设备的费用。

(4)获得所需回答的概率。

(5)无关文献的存在有多少(误检)。

(6)所进行的检索量。

但是试验中主要是测定下列三方面的费用,作为对各种标引系统效率的衡量尺度:

(1)标引的费用。

(2)编制实际索引的费用。

(3)检索的费用。

在试验中,雇用了三名标引员,他们在标引经验与对航空专业知识的掌握方面都各不相同。其中一人既有标引经验,又懂得航空专业知识。第二人是有标引经验,但不熟悉航空专业。第三人是直接从图书馆学校毕业的,既无标引经验,又无航空专业知识,这种有意的安排,显然是为了测定不同的标引员对标引实践的影响。对每篇文献标引的平均时间定额,分别定为 2 分钟、4 分钟、8 分钟、12 分钟以及 16 分钟等 5 种。这种安排也是为了试验不同的劳动生产率对标引实践的影响。整个标引试验先后进行了三轮,以考察标引员在获得经验和增加专业知识之后是否改进了他们的操作水平。

供标引试验的文献是代表航空学科各个领域的 100 篇技术报告和期刊论文,这些文献被认为是有典型意义的。

实际的标引量是:3 个标引员、4 种标引系统、5 种不同的标引时间定额,先后进行了三轮,因此标引文献总量为 $100 \times 3 \times 4 \times 5 \times 3 = 18000$ 篇。

在实际的标引中,按分面分类法进行的标引,遇到的麻烦最多,因而感到有必要对类表和分类程序进行技术上的修改。标引中也发现字顺主题法原定的规则限制性太大、对其进行了一定的修改。按国际十进分类法进行的标引,提出的问题较少,而单元词标引是最少困难的。

在标引试验中得出了一些统计数字。在标引到 6000 篇文献时,产生了 2350 个国际十进分类法的标记单元,2684 个字顺主标目,1686 个分面标记单元,以及 3174 个单元词,对每篇文献而言,平均标引词的数量随着标引时间的延长而呈现出相对下降的趋势。例如,用国际十进分类法标引杂志论文,2 分钟标引 2.3 个类,而 16 分钟标引 7.6 个类。用字顺主题法标引,2 分钟平均可标引 2.2 个主题词,而 16 分钟标引 4.7 个主题词。用分面分类法标引,2 分钟平均可标引 1.2 个类,而 16 分钟可标引1.7个类。用单元词标引,2分钟平均能标引6个词,而16分钟标引11个词。这些现象,实际上是"报酬递减率"在标引实践上的表现。这次试验虽然未对其作理论上的阐述,但是试验数据已描述了这种带规律性的现象。另外,试验还发现,各标引员之间所作的标引,缺乏一致性,从而从反面论证了标引的一致性对检索性能的重要性。

试验中,对于检索的提问也作了细致的人为性的安排。请求不同单位的人根据标引的文献拟定了1400个检索提问,并指出什么样的文献可以回答什么样的提问。经三名航空情报专家筛选,最后选定了400个提问。在检索时,凡是查到已提示过的"来源文献",就算检索成功。

因此,在标引与检索两方面,都具有明显的人为性。标引时是没有反馈的,即不能根据以后的实践来修改原来的标引。提问也没有反馈。一个提问一经拟定,就算是永久性的,不能根据检索结果加以修改。检索的成功与否,是看某一特定文献是否被检索到,找到了,就算成功,否则就算失误,没有其他变通的可能。

试验的结果是令人感兴趣的。它的第一个重要发现是,4种标引系统的效率几乎是相等的,只是单元词索引效果较好,而分面分类法最差。实际的数据是,对按国际十进分类法标引的系统来说,检出所需文献的成功率为75.6%,对字顺主题法标引的系统来说,成功率为81.5%;对分面分类法标引的系统来说,成功率为73.8%;而对单元词系统来说,成功率为82%。此外,对各种失误也作了统计分析。其中属于提问方面的失误占整个失误的7.7%,标引方面失误占60%,检索方面的失误占17%,系统的失误占6%,对国际十进分类法系统来说,主要的失误在标引;字顺主题法和分面分类法系统的主要失误在检索;单元词系统的主要失误在提问。

在衡量检索效果时,人们对于文献同提问的一对一的"相关性"有所异议,认为这两者的联系不是那么"自然"的。因此另由检索者独立拟出41个提问,并把书目上的文献资料根据其相关性分成三组:有用的,有一些用处的,以及事实上无用的。这次试验表明,对于检出高度相关的文献资料来说,国际十进分类法的系统成功率为74%,字顺主题法的系统为75%,分面分类法的系统为60%,单元词的系统为75%。同前面所说的主要试验比较起来,这次试验的结果有所降低。这说明对检索来说,作业条件是重要的。特别是如果使检索策略较为严格的话,试验的成功率还会下降。这一点,正如在单元词系统试验中所表明的,查全率同相关率(查准率)呈反变关系。例如:当要求全部概念都满足时,查全率为65%,当比所要求的全部概念少一个概念而能认可时,查全率为85%,当只有一个单元词即可认可时,查全率为97%。

因此,试验报告指出:"当查全指数(即占文献集合中潜在相关文献的百分比)提高时,相关率(即相关文献占整个被检出文献的百分比)就必然下降。相反,当查全指数下降时,而相关率就会改善。"为此,报告书还指出,在设计和运行检索系统时,要尽可能经济地考虑满足用户的需求。有的用户是强调尽可能高的查全率水平,而对较低的查准率是可以接受的;在另一种情况下,用户对查全率的要求不是重要的,而是极大地强调查准率水平。因此要考虑检索系统开展服务的所在环境,特别是要考虑向系统提出的提问主要属于什么类型。

试验还发现,不同水平的标引员之间在标引效果上实际上没有重大差别,还发现前后进行的三轮标引的结果也没有重大差别。这些发现是出乎人们意料的。因为人们总是认为,标引员在获得专业知识与标引经验之后是会改进其工作效率的。试验发现,每篇文献的平均标引时间定额,2 分钟是不适当的,这会导致失误的增多,4 分钟是合适的,超过了 4 分钟,所增加的标引时间对标引质量并无多大改进。当然这一点也是有点出乎人们意料的。

这次试验,还分离出"网罗度"与"专指度"这两个概念。认为最大的查全率取决于标引的网罗度,最大的查准率取决于标引的专指度。从而指出了改变情报检索系统性能的一种道路。

总之,第一次克兰菲尔德试验的价值在于它推翻了人们原先有关索引语言和标引系统的一些成见,提出了一些值得考虑的数据,表明检索系统是可以进行评价的,并推动了对系统评价的讨论。

三、第二次克兰菲尔德试验

第一次试验虽然取得了积极的成果,但也招致许多批评。这些批评是来源于这样的事实;现实的情况是存在着太多没有被控制的因素,也存在着太多的不可能控制的因素。而这些因素都是影响标引系统效率的变量。因此决定进行更为细致的第二次克兰菲尔德试验。

第二次试验是所谓"实验室"条件下的"纯粹"试验。也就是说,要求在试验中保持各种因素不变,力图排除作业中可变因素的干扰,在这个前提下,有意地改变某些变量,以考查其变化的含义。这次试验的主要目标是弄清各种索引语言的结构,以及不同的结构规则对检索性能的影响,以此来探讨决定查全率与查准率的各种因素及其调整与控制的措施。

试验中,采用了情报检索专家的论点,认为各种索引语言是由若干不同种类的手段或部件构成的。这些手段或部件大致可分为两类:一类是有利于改善查全性能的,如同义词的合并,字形变化的词(即具有同一字根而写法上有所变化的词)的集中混合,体现词之间联系的等级上的关联等。另一类是有利于改善查准性能的,如组配、加权、连号与职号等。在第二次克兰菲尔德试验的过程中,将上述这些手段或部件按照各种组合的方式,分别构成了 29 种不同的索引语言。着重考察这些手段或部件中的每一种在单独使用时或以任何可能的方式组合使用时对查全率与查准率的影响。这 29 种索引语言品种繁多,范围很广,包括取自被标引文献中的单词,一直到带有揭示词之间关系的高度控制的词汇,其中某些索引语言,把词组合成等级制的组,也有的索引语言将字形变化的词混合在一起。

为了获得可靠的数据，对于试验文献的选择，提问的拟定，以及相关性判断等十分注意，决定选用1400篇航空方面的文献（这要比第一次试验的100篇要多得多）；要求这些文献的著者充当检索者，协助拟定了279个针对这些“基础文献”内容范围的提问，并且指明哪些文献对哪些提问来说是相关的。为了避免第一次试验中结果只取决于是否找到某一篇文献而引起的偏向，而决定扫描全部文献集合，事先为每个提问确定一组相关文献。这样，任何一个提问的检索结果都把整个的文献集合区分为两个组，即被检出的一组和未被检出的一组。其中每一个组又可进一步区分为相关的文献一组和不相关的文献一组，因而得出了一个小的矩阵。

	检出的	未检出的	总 计
相 关 的	a	c	a+c
不相关的	$\frac{b}{a+b}$	$\frac{c}{c+d}$	$\frac{b+d}{a+b+c+d}$

因而可以据此画出表示查全率和查准率关系的图形，作为对系统性能的测度。

为了避免第一次试验中曾使用的含有主观性的“相关性”一词，决定改用“查准性”一词来代替。

试验中还进行带有人为控制的有变化的检索。例如，有一个提问，它包括4个有实质意义的自然语言词，而想用自然语言的单词索引进行检索，首先可以将4个词组合在一起进行检索，这样会找到一定数量的文献，其中一部分将是属于原先被认为对这个提问是相关的文献。然后再进行只使用其中任何3个词的检索，同样也把检索结果记录下来，之后再进行只是两个词的检索，最后是进行只是一个词的检索。这样，进行了4种不同的“组配级”的检索。这种“组配级”取决于每次检索有多少个词组合在一起。这种试验的目的，是要找到一种既能比较不同标引系统之间的结果、也能比较同一系统中由于改变了一种变量（如组配级）而获得的结果，从不同组配级的检索结果中可以推导出所谓“规格化的查全率”这样一种衡量检索系统性能的尺度。

试验中，还研究了加权法及其影响，即对标引词进行加权，对相关性判断进行加权。例如，标引时，根据标引词相对于文献的重要性分别加权：

1. 主要概念。
2. 较不重要的概念。
3. 次要的概念。

对相关性判断也以类似的尺度进行加权：

1. 是对提问的完整回答。
2. 对提问来说有高度的相关性。
3. 作为背景材料来说是有用的，或者就某些方面来说是有用的。

4. 很小程度的关系,如历史。

这种加权的办法,看来更符合实际的情况,并且有利于衡量标引的网罗度对查全与查准的影响。

第二次克兰菲尔德试验的结果是有点让人吃惊的。结果表明,使用从文献上抽出的单词(自然语言)的系统,在消除其同义词和将字形有变化的词进行混合的情况下,所得结果是较其他索引语言更为优越的。但是,用自然语言来表达复杂概念(如“轴向流压缩机”这样先组式的复合词)的标引系统,效果最差,控制词汇系统比单词系统差,但一般要比用自然语言表达复杂概念的系统好。这一结论,正如试验报告书中指出的那样:“最令人惊讶和看来最出乎意料的结论是:单词索引比任何其他索引语言都优越。”而单词系统是很少被控制的系统。在索引语言的各种手段与部件中,消除同义词和将字形有变化的词加以混合,这是有助于检索性能的提高的,但是除此而外,其他任何用来控制词汇的措施手段,看来都可能降低检索系统的效率。克兰菲尔德试验之后进行的其他一些试验也证实了这个结论,尽管这个结论是同人们传统的看法格格不入的。今天,在计算机检索的条件下,很少控制的自然语言检索系统,甚至完全没有传统“标引”概念的自由文本检索系统,被认为是能达到极高的专指度的、最符合情报最终用户(科技人员)表达习惯的,因而也是最有希望的检索系统,这种趋势,日益为情报检索专家所论证,所接受。而这个趋势的发现,是起源于克兰菲尔德试验的。

关于标引系统的网罗度与专指度,试验也取得了一定的数据。结果表明,在索引语言中,中等规模的词汇量是比较好的。试验中,只包含单词并合并字形变化词的一种语言(它使用2541个词),所得的规格化查全率为65.82%,这是最高的纪录。另一种只有306个词(代表等级分组的第三级)的语言,所得结果为61.17%,而使用自然语言表达复合概念的一种语言(包含10000个词),所得结果为64%。

关于网罗度的试验是这样进行的:在一种特定的语言中,首先是只标引带加权数为1的词(即主要概念),其次是标引带加权数为1与2的词(即除主要概念外,还增加了较不重要的概念);最后是标引带加权数为1、2、3的全部词(即把次要的概念也包括进来)。这样3种不同方式的处理,使标引的网罗度逐步增大。另一种试验办法是:首先根据文献的题目(它平均为7个词)进行选词标引。其次是根据索引语言的词汇选词标引,最后是根据文献的摘要(它平均包含约60个词)进行选词标引。这三种处理方法的结果,所产生的网罗度也是不同的。试验发现,每篇文献平均标引33个词的一种网罗度所得结果最好。

这次试验还进一步证实了前一次试验的发现:查全率同查准率之间呈反变关系。试验报告书中指出:“每一组数据都支持了原先这样的假设:即查全率同查准率之间存在着反变关系。就这点来说,改变一个新系统的可变因素是不重要的,无论是组配级别的变化,标引网罗度的变化,所采用的查全措施的变化,检索程序的变化,或者相关性判断的变化，等等，都不可能找到例外的情况，而这种反变的关系，我们宣布为基本的法则。”

尽管克兰菲尔德试验在方法上有不足之处，但是它的影响是很深远的。对于这次试验的直接反应大致有两方面：一是应用它的原理与实践经验来从事其他类似试验，或者是在它的基础上作某些修改、选择而应用于其他试验，例如英国《科学文摘》(INSPEC)的试验，以及 Keen 的 ISILT 试验项目都是例子。二是有的试验直接利用第二次克兰菲尔德试验的文献集合（机读形式）及资料，英美的 Rijsbergen 和 Crot、Svenonius、Sparok Jones 及 Bates 等人进行的试验都是如此。当然，在克兰菲尔德试验之后，情报检索系统试验的技术大大发展了，各种试验性的情报系统、模型式的情报系统以及全面运行中的情报系统的评价试验都可以成功地进行，手工系统与计算机化的系统也能够成功地进行评价试验。然而，人们在面对情报检索系统试验的蓬勃发展的局面时，总是不能忘记克兰菲尔德试验的贡献的。

参考文献

1. Karon Sparck Jones. Information Retrieval Experiment. London: Butter worths, 1981

2. Foskett A. C. The subject Approach to Information. Second Ed. London: Cliye Bingleg, 1971

原文载于《图书情报知识》1983 年第 1 期

联机情报检索和图书馆

现在,世界上越来越多的图书馆依靠联机情报检索来迅速地为读者取得有关的情报资料,在参考服务的手段方面,已经出现了深刻的变化。据估计,目前世界每年使用联机情报检索达数百万次以上,而且这种作业量还在迅速上升。对于经济比较发达的国家来说,联机情报检索在图书馆已成为司空见惯的日常工作了,正在逐步地取代手工参考服务,同时也给图书馆本身提出了一些新的问题。

一、联机情报检索的出现与发展

所谓联机情报检索,就是可以允许在远离计算机的终端设备上同计算机进行一问一答的对话,就像是打电话的彼此借助通讯线路联系在一起那样,从事书目资料的检索或数值数据的查寻,电话线和数据通讯网把终端与计算机联结起来,这种提供检索服务的计算机,一般装有数以十计或百计的数据库,而每一种数据库可以包括几十万、几百万条各种类型文献的书目款目或科学数据。每检索一个课题,平均只需十分钟左右的时间。检索到的书目资料,可以立即在检索者的终端设备上打印出来,或者为了降低费用,可由计算机脱机打印,邮寄给检索者。因此,联机情报检索的实现,对于图书馆传统的收集、查找与提供资料的方式来说,是一次革命。

提供联机情报检索服务的,往往不是图书馆,而是称为联机情报服务零售商的私营企业或政府与学术机构附设的联机检索服务单位。图书馆一般是这种服务的用户。当然,最终用户是需求情报的科技人员、管理与决策人员。图书馆协助或代替这些人员进行联机检索工作。这是图书馆为读者服务的一种新的方式。那些以营利为目的的公司、非赢利的政府机构或学术组织被称为数据库生产者。联机检索服务零售商通过租用或取得许可证的办法从数据库生产者那里获得数据库,在自己的计算机上操作,在收费的基础上向联机用户提供个别服务。正是在这种意义上,把它们叫“零售商”。这种数据库生产者、联机服务零售商、图书馆和最终用户之间的关系,是图书情报传递过程中新的社会结构。强大的分时计算机、机读数据库、快速存取的磁盘存储装置、交互式的检索程序、快速与低成本的计算机终端以及通讯网络等,这些技术组合在一起,使得一个高速、有效、可靠、低成本的联机情报检索服务终于在近十多年来诞生和蓬勃发展起来。

联机情报检索的试验研制工作,开始于60年代中期,但是它向社会公众提供职务,并为自己赢得信誉,那是在70年代。当前世界上已投入运行的联机情报检索系统很多,其中最大、最有影响的联机情报检索服务公司有以下几家:

1. 美国洛克希德导弹与空间公司的“戴洛戈”(DIALOG)情报检索服务系统。该系统可供联机检索的书目记录达数千万条之多。它在世界各地设置了一万多个终端,这个系统是世界上最大的商业化的联机检索服务部门。

2. 美国系统发展公司(SDC)的“奥毕特”(ORBIT)情报检索服务系统。

3. 美国书目检索服务公司系统(BRS)。这个系统成立较晚,1976年夏才进入联机服务市场。

4. 美国国家医学图书馆的“医学文献分析与检索”联机系统(MEDLINE)。它的前身是脱机系统的MEDLARS,1971年转入联机检索服务,它是由政府机构举办的,并推进国际合作。

二、联机情报检索的步骤与优点

一般来说,在终端进行联机情报检索需要经过4个步骤:

1. 要求接通讯线路。即用户呼叫他想要对其进行检索的计算机系统,并证明自己是合法用户。

2. 检索对话。即用户选择或调换他需要检索的数据库,选择他需要的检索词,把检索课题形成以逻辑表达式出现的检索策略,并试验这种策略的成败,浏览检索的初步结果,直到得到认为满意的结果为止。这些过程都是通过检索者同计算机系统之间的“对话”而进行的。这种“对话”,就是检索者在终端的键盘上打入系统规定的各种作业指令,而计算机系统在接受这些指令并进行运算之后,把结果传输到检索者的终端,在屏幕上显示出来,或在打印机上打印起来。有时系统也可以向检索者询问,如检索是否完毕,是否还要继续显示等所谓程序信息。检索者通过在键盘上打入N(否)或Y(是)对其进行回答,这种双方有问有答的检索方式,称为交互式检索。检索者用来与计算机系统进行这种通讯的作业指令。各检索系统不尽相同,一般有几十条,图书馆员掌握这些指令,就可以命令计算机系统按照自己的意图进行工作,把计算机作为自己运用自如的工具。对图书馆员来说。他可以只管作业指令的输入,等待系统给出的结果,而把整个系统内部复杂结构看作是一个“黑箱”,不必加以过问,检索系统越是成熟,使用起来越是简单,越是能适应人们日常“会话”的习惯和措词。

3. 结果处理。在这一阶段,检索者指定系统用什么方式把自己认可的检索结果输送出来 ,如在终端屏幕上显示或在终端打印机上打印,或由计算机进行脱机打印,并且指定用什么格式输出结果,如是否要输出摘要?或者是否以卡形式输出?此外,还可指定输出多少条书目著录款目,或以什么顺序(如按年代、著者字顺、文献的切题程序等)进行输出。

4. 脱开步骤。检索者认为检索已经完成,就通过专门的指令同检索系统脱开,并同通讯网络脱开。在脱开时,系统统计检索用机时间,并估计检索者应付的费用,最后向检索者表示“再见”。

显然,这样的检索过程和步骤,给检索者带来极大的方便:

第一,它打破了地理上的障碍,检索者即使是在远离大型图书馆的穷乡僻壤,只要有终端设施,就可以进入检索系统,检索到如同他亲自跑到世界上最大的图书馆所能找到的那样丰富的书目资料和科学数据。在某种意义上来说,丰富的情报资料就在检索者的手指头上,只要他用手指头来操作终端的键盘,就可以同“远在天边”的检索系统进行“近如咫尺”的对话,从数以千万计的书目资料和科学数据中筛选出自己所需的东西。当前世界上最大的联机检索服务系统——“戴洛戈”系统,按照英文的原意,就是“对话”系统,从联机检索的特点来说,这样的命名是恰如其分的。

第二,它消除了时间上的延迟。在手工检索条件下,读者向图书馆提出的检索要求并不是“立等可取”的,而是等上几天,甚至几个星期才能拿到结果。至于读者用信函方式提出要求,则更费时间。即使是同脱机批处理方式进行的计算机检索(这是出现在50年代末先于联机检索的计算机检索方式)比较,联机检索在时间上的优越性也很明显。在脱机系统中,检索者的情报提问要事先拟订成检索策略,送到检索服务部门去。而检索服务部门不是随到就随处理的,而是出于经济成本的考虑,成批处理。就像电影院不是为每个观众放映电影,而是为数百、数千观众同时放映那样。因而在脱机批处理检索系统中进行检索,要等上几天才能取得结果,一些紧迫的情报需求更不能得到满足。而联机检索却是实时进行的。从呼叫通讯线路,到取得检索结果,片刻时间即可。计算机对检索者每条作业指令的“响应”,不超过一二秒钟的时间。似乎整个联机检索系统都是自己独占的,系统处于随时“待命”的状态,可以招之即来。当然,一个联机检索系统实际上同时要“侍候”许多终端的检索者,计算机要把机器处理时间在许多个终端之间进行分配,即所谓“分时”。但由于计算机运算的速度极快,以至使每一个检索者感觉不到自己排了队,而错以为计算机是唯一为自己工作的。

第三,能保证检索者获得最新、最及时的书目情报。目前编制检索工具是首先编成计算机可读的磁带(即机读数据库),然后利用这种磁带来生产印刷版检索工具,印刷版的检索工具还需经过发行程序才能到达订户手里,为读者所利用。特别是对远地读者来说,这之间的时间差距至少为几个月。但是,只要把机读版检索工具(即磁带)输入、存储在联机检索系统里,就立即可以为检索者所利用,而且地理上的远近对这种利用不存在差别。日本或澳大利亚的科学家可以如同美国的科学家那样,检索当天装入系统数据库中的书目情报。因此,联机情报检索所提供的情报是真正最新、最及时的,要比手工检索工具(印刷版检索工具)所提供的更能跟上科学技术的发展。

第四,联机检索具有“启发”和帮助检索者的功能。在脱机批处理条件下,检索者必须事先想好各种可能的检索途径，选好所用的检索词、并将这些检索词用逻辑关系联系起来，即构造检索策略，然后委托检索服务部门去处理。检索者不能去计算机旁插手操作，这种委托检索是所谓“一次机会”式的，即如果检索策略拟订得不好，那么检索的结果必然不理想，无法随时修改策略，无法挽回检索的失误。但联机情报检索就不同了，它是“对话”式的，允许检索者随时根据检索的实际情况（如有无有关文献或文献多少）而进行随机应变，修改检索策略，逐步使检索走向成功。此外，联机检索系统可以向检索者显示词表，通报数据库的更新情况，帮助检索者选择合适的数据库，解释检索者不熟悉的作业指令及其使用方法，为检索者回顾检索的“历史”，回答各种业务询问并让检索者浏览检索的初步结果。由于联机检索系统具有这些帮助检索者的功能。因此，检索者可以边检索、边询问、边思考，在得到系统启发和帮助的基础上逐步明确自己的检索策略，并通过联机浏览检索的初步结果而加以判断，以此作为“反馈”，来修改检索策略，从而取得良好的查全率与查准率。这种绕开“委托”而直接同检索系统打交道的方式，使检索者掌握了主动权与灵活性，也可以使那些最终用户——即需求情报的读者自己来进行检索作业，亲自掌握打开情报宝库的钥匙。

三、当前联机情报检索系统所拥有的功能

联机情报检索系统的功能，由于不断更新计算机设备和不断完善检索软件，已经日趋完善。目前联机情报检索系统的功能，一般来说有以下各方面：

1. 识别合法用户。联机情报检索是要收费的，为了防止冒名顶替、不负责任的人使用，检索系统给它的终端用户一个秘密代号，即所谓口令字，每次开始检索时，系统要求检索者输入这个口令字，以校验该检索者是否属于本系统的合法用户。当口令字对上后，系统才开始检索服务，否则，一切电讯联系均自动切断。口令字除识别合法用户外，也便于检索系统控制保密资料的检索者的范围与级别。

2. 帮助用户选择合适的数据库。由于系统拥有的数据库越来越多，检索者有时不了解自己的检索课题该查哪一种数据库。这时，检索者可输入自己的课题，检索系统就把包含有该课题文献的数据库名单，按照所包含文献数量多少的次序，向检索者显示，供检索者选择。

3. 词表显示。在选定数据库后，如果检索者不熟悉词表，不知道自己的检索概念应“翻译”成什么系统语言（即什么主题词、关键词、分类号）时，可要求系统显示自己所需要的那一部分词表，从而选择合适的检索词，或者扩展到相关的检索词。

4. 提供布尔逻辑检索、加权检索的能力。当用户的检索策略以布尔逻辑式输入系统后，系统能严格按照逻辑式所指定的条件，将有关文献检索出来。加权检索是不同于布尔逻辑检索的另一种检索策略，它由用户输入所要检索的几个检索词，并根据每个词的重要性赋予一定的权值，指定各个词的权值的和至少应该达到多少（临界值）才算命中。检索系统对于这样的检索策略，能一边检索，一边计算权值，最后把临界值以上的文献按照权值的大小为序输出，即最切题的文献排在首位。这具有推荐目录的意义。凡是用布尔逻辑检索策略能检索出来的文献，也可以用加权检索的策略检出。加权检索可以供检索者拥有更多的文献选择余地。但目前的联机情报检索系统多数采用布尔逻辑检索策略。

5. 提供自由文本的检索。联机情报检索系统一般允许检索者对数据库中的文献题目和内容摘要乃至文献全文这些“文本”中出现的字进行检索。这种检索可以指定某个字、两个或两个以上的字相隔多少字符位置（即相邻度）进行检索，甚至可以指定这些字的先后次序能否对调、是否必须在同一字段（如书名项、摘要项、自由词项）等，这意味着可以采用系统语言以外的词进行高专指度的检索。

6. 允许利用截词进行检索。所谓截词，就是只取字的字根。如 COMPUTERS（计算机），可把其右边截断，成为 COMPUT。这样，凡是前6个字母相同的字统统被包括进来。如 COMPUTER（计算机）COMPUTERS（计算机）、COMPUTATION（计算）、COMPUTERLIZE（计算机化）等，这称为右截词。此外，也可以有左截词或中间断词（如 SUL :UR，既可代表 SULFUR，又可代表 SULPHUR——硫）。利用截词来进行检索，可以检出许多相关或相近的资料，并避免一一输入各个字根相同的检索词的麻烦，提高检索速度。

7. 帮助检索者回顾历史，由于联机检索是对话式的，检索过程如果比较长，可能忘记检索已进行过一些什么阶段。这个功能就是应检索者的要求，把以往关联性的一些检索语句重新向检索者显示一遍，就像是某些电影在必要时又重新出现一些已经演过的镜头，帮助回顾历史，从而有利于检索者继续向下检索。

8. 保留检索语句或策略。有的检索者可能查完一个数据库以后又要继续查另一个数据库，然而检索策略可以不加改动；或者在同数据库中检索时，某些检索语句以后还需重复使用。在这些情况下，联机检索系统可以为检索者短期地保留检索语句或检索策略。当需要时只根据标识号即可召回，免去重新输入的麻烦。

9. 提供联机 SDI 服务。所谓 SDI 服务，就是定题最新资料的选报服务，或称定题服务。当订购这种服务的用户把自己的检索式输入系统后，系统将其纳入专门的用户提问档，予以长期保留。每当新资料归入系统的数据库时，就为检索者进行查找，将切合订户课题的新资料提供给订户。

10. 支持个人文档服务。即联机情报检索系统允许用户把自己的机读文档输入并保存在该系统里，以备自己检索之用。系统为这种个人文档保密，旁人无权存取。有的图书馆甚至把自己的编目资料作为这种文档存储在联机情报检索系统中，可随时查询、增加或删除。

此外，联机检索系统还有其他功能，如具备对检索结果的编辑打印能力、回答各种业务询问的能力、提供文献全文复印本的能力以及计算收费的会计记账能力等。

总之，由于联机情报检索系统的功能日益完善，它已经成为图书馆一种可以利用的、强有力的参考服务工具。借助这种工具,图书馆的参考工作可以做得又多又快,查到的资料又全又及时,工作起来又灵活又方便。

四、联机情报检索给图书馆提出的新问题

联机情报检索对于图书馆的影响是较为深刻的。首先,它迫使图书馆员必须学会使用联机终端、从事检索作业的技巧。对图书馆员来说,布尔逻辑、系统作业指令、检索策略的构造与调整、检索效率的评价等,都是应该掌握的。这就给图书馆员提出了再学习的任务。第二,它要求图书馆购置或租用终端等设备,为此需要一笔投资,又要安排适当的工作条件。第三,由于联机情报检索工作的开展,读者所获得的资料线索远远超过本馆所能提供文献原件的能力,这就给馆际借书造成新的压力,同时也更容易暴露本馆藏书建设上的弱点。第四,由于联机情报检索服务是要收费的(包括联机服务零售商收取的机器操作费、数据库生产者收取的专用费、电讯部门收取的通讯费以及终端的租用费等),因此,图书馆必须向要求检索的读者收费。这就打破了图书馆免费为读者服务的传统,在图书馆与读者的关系上带来新的因素。第五,由于联机情报检索优于手工检索并逐步取代手工检索,因此图书馆历来订购的印刷版检索工具的作用可能逐步减少。当然,它要完全取代手工检索是短期内不可能做到的,即使是在经济发达的国家也是如此。

国外在讨论联机情报检索对图书馆的影响时,出现了这样的观点:今后,大量的联机检索终端装在科学家的办公室里或家里,他们可以绕开图书馆而自己进行检索,同时联机情报检索服务部门可以向科学家提供文献原件的复印本,甚至用电子方式传输文献全文,这一切也都不必通过图书馆。因此,有些人认为,今后,联机情报检索系统将取代图书馆。图书馆将要消亡。这种观点目前已受到图书馆界不少人士的反对,认为新技术只能补充、完善图书馆的职能,图书馆将长期存在下去,正如电报不会完全取代信件的邮递、电话不会完全取代电报、无线电广播不会完全取代电报一样。图书馆在其自身的发展史上,已经经历了几次重大新技术的冲击,包括纸、印刷术、缩微复印技术、视听资料等的发明与应用,而每一次新的技术进步,其结果都推进了图书馆事业,赋予图书馆以新的面貌。今天,联机情报检索的出现与发展,其结果也不会例外。重要的是,图书馆应该勇敢地面对新的挑战,学习和应用新的知识和技能,使传统的图书馆工作方法纳入现代技术发展的轨道,随着时代不断前进。

参考文献

1. The Library and Information Mannger's Guide to Online Services. Edited by Hoover, Pyan E. 1980
2. The Professional Librarian's Reader in Library Automation and Technology, 1980

原文载于《图书馆研究与工作》1983 年第 1 期

联机数据库的套录问题

所谓套录(downloading 或 offloading),就是从一个计算机中获取数据,并传送到另一个计算机中,将其存储在后者的磁盘或磁带上的一种过程和手段。对于计算机专家来说,它不是什么新东西。它只是通过电子手段进行数据传输和记录。任何资料,一旦以电子形式存储在计算机中,都可以被套录。被套录的资料数据,可以利用计算机重新处理和反复使用。

然而,在情报界,对联机数据库的套录,却变成了有争执的问题,引起了轩然大波。这主要是涉及情报工业界的产权问题,涉及经济与法律方面,涉及数据库生产者、联机情报系统经营者和情报用户的利益。套录的做法提出了新的机会和挑战。

一、套录引起的争执和带来的挑战

在联机情报工业中,套录是一种比较近期的发明。套录一词,是指联机情报检索系统的用户通过联机检索,将检索结果以机读形式直接记录在磁盘或磁带上,而不是打印在纸上。这些数据随后可供本机处理,作为本机检索系统的“子库”。从进入 80 年代以来,套录成为联机用户能够利用的一种选择。

数据库工业是一个正在不断增长、加速发展的部门。从 1980 年以来,可供利用的数据库已增长六倍,1984 年底已达 2500 种。在北美与欧洲,数据库市场交易已占情报服务公司营业额的四分之一。1980 年,欧洲数据库的交易额是一亿二千多万美元,而 1985 年则估计为十四亿美元。这种日益增长的联机数据库为套录提供了丰富的资源。另一方面,通讯技术的进展和微型计算机在联机情报检索中的推广应用,也促进了套录的做法。在硬件方面,磁盘存储器的价格大大降低,而存储容量大幅度提高,现在(5—10MB)的磁盘可供微机使用。通讯网络的速度已经变得很快了,每秒 120 个字符(1200 比特)的传输速度已属普通,可望达到 9600 比特(每秒 960 个字符)。在软件方面,供自动进入系统(Log-on)的软件包有可能提供检索式的脱机编制。采用微型计算机作为检索的智能终端,能将检索结果套录下来,这是加强费用/效率的情报检索的手段。随着更快的传输速度的实现,套录在经济上具有更大的吸引力。现在联机检索的收费办法是以连接时间计算的,不考虑传输速度与检索速度。不管传输速度是 1200 比特或 300 比特,每个连接小时的费用是相同的。因此技术的进展日益有利于套录。联机用户发现,套录,除了提供查找、存储和处理数据的有力手段之外,也能节约联机检索的连接时间的费用。此外,供套录用的软件与设备不断更新地在市场上出现,自由出售,这也鼓励了套录的实践。

从数据库生产者和联机情报系统的经营者来说,他们却把套录看做是损害自己利益的现实危害。他们声称,套录是一种盗贼行为。他们中的许多人禁止检索用户进行套录,不准用户以机读形式存储他们数据库中的任何数据。然而事实上不可能从技术上来侦察和鉴别用户是否进行了套录。因此,一部分数据库生产者和联机系统经营者认为,套录是对他们的一种新的挑战,需要因势利导,重新考虑他们的市场策略和定价政策,期望从用户日益增多的需求中获益。他们施加压力要求重新拟订版权法,以澄清他们的权利,保卫他们的利益。

从联机情报检索的用户来说,套录是情报的存储与检索的一种实用技术。在本机存储被套录下来的数据,意味着这些数据是可以随心所欲地由自己支配的,可以对它们进行合并、重新排序及至改变格式,以生成一个单一的范围广泛的文献。有一部分用户,他们的目的不是为了建立供自己支配的子库,而是将套录作为快速存储较粗泛检索的结果,而后在本机进行细致的二次检索的手段。因此不论从经济性或从方便性来说,套录受到情报用户的欢迎。不少用户置数据库生产者和联机系统经营者的禁令于不顾,进行实际套录工作。微型机在情报检索中的应用是情报服务手段的合乎逻辑的发展,套录这种趋势一定会存在下去,并且是不可避免的。但许多用户不愿进行非法的套录,要求数据库生产者和联机系统经营者采取开明的政策,允许用户进行合法的套录。

二、从技术角度看套录

随着技术的进步,即使是微型机系统现在也有足够的硬件容量与速度来处理书目数据库。对于套录来说,最低的技术设备要求是:一台个人计算机或一般微型机或通讯文字处理机;一个用来接收数据的调制解调器;一个磁盘驱动器,用以记录所收到的数据;一个用来确定比特速率的通讯包;以及一个文字处理软件,当套录时用来重新安排信息的格式。在装上通讯包和调定数据传输的比特速率之后,用户进入检索系统的所需数据库,给出一个命令,要个人计算机或微机将出现在屏幕上的每一个信息都存储在一个空的文档中,以套录被检出的情报。然后,用户退出检索系统和通讯网络,换接到文字处理模块,重新把信息从磁盘召回,进行编辑,例如删去检索过程中出现的各种用户命令和系统给出的出错信息和提供选择的响应,删去重复的引文,改变记录格式,并合并到已有的文档中去等。文档更新是不复杂的,因而能保证被套录的子库可不断积累和保持新颖性与及时性。

当然,进行套录需要花费较多的联机时间和存储容量。这对小的计算机用户是一个主要的抑制因素。例如,在最常用的1200比特的通讯速度下要传输一千条完整的书目记录,需花2.5小时。每传输一条标准的书目记录,需要8.3秒的时间。也就是说,一分钟才套录7条记录。在存储空间方面,如果用户套录1000条记录(约占100万字符空间)包括使这些记录得以能供检索的开销在内,则要花150万至300万字符的存储空间。按此计算,一个10兆(Mb)的软盘存储系统,能够维持3300至6600条记录。如果用户花上8—16个联机小时,则可建立一个有相当分量的小型数据库,供本单位使用。套录下来的记录可立即作为自由文本检索。这对于小规模的用户是可以接受的。但对于规模较大的文档来说,需要一种更高级的软件包,以建立倒排档,从而有效地开发所存储的数据。

从技术上来说,套录软件的研制是一个重要的方面。在80年代初期,国外一些机构的图书馆开始研制供套录的软件。例如,英国卡迪夫大学(University College, Cardiff)利用它研制的LIB检索软件进行套录,斯车克兰大学(University of Strathelyde)用的是它的通讯辅助软件SWIFT,伦敦大学(University of London)研制了供微机自由文本情报检索系统用的FIRS软件,等等。虽然实践证明这些系统是有效和成功的,例如威尔士国立医学院声称,使用LIB软件作为套录之用,可节约74%的电话费和BLAISE系统的连接费用,但是由本单位研制供自己使用的套录软件是很费时费钱的。即使是具有人才与设备的大学,也是不划算的。因而在此之后,用商业途径出售的这方面软件就在市场上纷纷出现了。

这种商品化的套录软件,大致分以下几类:

(a)联机情报系统经营者开发的软件。联机服务的扩大,以及在80年代初期微机市场的巨大增大,刺激了各种应用软件(包括联机检索软件)的发展。某些联机经营者很快地从事套录软件的开发。例如ESA—IRS系统提供了一个Microtel系统,它包括一个检索辅助软件包。该软件包带有套录命令和格式的记录选择,提供了同ESA情报检索服务的用户之友的接口。法国的Questel系统向市场投放了一个叫做Micro Questel的软件包,供图书馆管理、数据库建立和情报检索之用。美国BRS情报检索系统设计了一个软件包。同IBM PC机一起使用。它包括自动拨号和允许用户套录数据的手段。另一个著名的软件包是美国系统发展公司提供的SDC ORBIT Search Maste System。这是一个“菜单”驱动式(menudrive)的微机软件包,其设计目标是专门为适应ORBRT、DLALOG、NLM(MED-LINE)及BRS这些主要的联机情报检索系统的作业的。1984年,美国的DIALOG系统推出了一个叫In-Search的软件包。它有许多功能,如脱机建立检索策略,自动地将检索结果存储在缓冲器中供以后的脱机审视,以及将检索策略在磁盘上存档和显示记录等。另一个重要的发展是培加蒙(Pergamon)的Video Patsearch,它与IBM PC机兼容,可将检索结果存储在用户的微机中。一个有趣的软件包是由IST(美国科学情报研究所)研制的,由Sci-Mate Universal Online Searcher和Personal Data Manager组成,在美国得到成功的推广。它作为一个结合型的软件包,易于检索和套录。它适应使用不用检索语言的DIALOG、

ORBIT、MEDLINE、SDC 和 ISI 等检索系统。使检索者能够检索他们所不熟悉的检索系统,同时还保留了原主机系统的全部检索能力。Sci-Mate 软件包括自动进入任何系统的设施,并且带有合适的调制解调器和自动拨号能力。Sci-Mate Searcher 能有效地将微机转变成联机终端。而 Personal Data Manager 能够建立和检索用户自己的数据库。Sci-Mata Manager 的软件包的用户必须同 ISI(美国科学情报研究所)签订一个最终用户协议。这个协议包括在满足数据库经营者与生产者的全部条件下进行套录的权利。

(b) 商业公司开发的软件。这方面的软件包如有:CONNECT、USERLINK、CROSSTALK、ASYNC、HEACLINE、COMMUNIQUE、CORTEX 等。

一般来说,只要加上适当的通讯软件,任何微型机都可以用来从事联机检索与套录。关于通讯软件,Janet Bruman 发表了一篇重要文章:《微机的通讯软件》(Communication Software for Microcomputers)。该文确切地说明了为了进行工作,必须具有什么样的通讯包的功能。某些进行套录的用户想把来自不同记录格式的数据库中的检索结果进行合并,特别需要能把一种应用的记录格式转化成另一种应用的记录格式,把联机数据记录转化并加到本机的数据库中去,或送到文字处理机中去的功能。HEADFORM 就是这样的一种可将数据重新确定格式的软件包。另一篇重要的文章是 Carol Tenopir 写的《以微机为基础的内部数据库的软件之鉴别与评价》(Identification and Evaluation of Software for Microcomputer-Based In-House Database),该文发表在《Information Technology and Libraries》杂志 1984 年 3 月的一期上。这篇文章是专门针对图书馆与情报工作的应用而写的。文后附有一个内容广泛全面的书目,指明有关的名录、指南及软件包。

三、不同目的与水平的套录

不同的情报用户对联机数据库的套录,有不同的目的与用途。大致可分为下列 5 种类型:

(1)利用微机作终端,进行数据的套录,将数据拷贝到磁盘上,仅仅是为了由本机打印输出。数据存储在磁盘上的时间很短,一旦打印输出完毕,就失去其存在的必要。

(2)套录数据只是供很短时间内使用,以便把来自不同数据库的检索结果进行合并,消除重复引文,去掉不需要的记录中的字段或值,进行数据的分类,重新编排格式,或将数据传输到另一地点。然后,套录下来的数据被除去。

(3)把套录下来的数据同本机数据进行合并,利用本机软件对合并的数据进行进一步的处理。然后将得到的数据打印出来,供个别用户使用,也可以将打印件复制多份,供本单位使用或出售。

(4)套录数据供本单位在一个时期内重复使用。在本机配有检索与处理的软件。保留期超过一个月,但不是永久性的。等一个研究项目完成后,数据就被除去。

(5)套录数据供连续地重复使用(检索与处理),使用本机的软件,被套录下来的数据作为本机数据库的一部分。套录下来的数据永久保留,根据需要作更新。这样的数据库可以供本单位的用户存取,或者供地理上分散的有关单位通过网络系统进行存取。

显然,上述各种不同目的与水平的套录,对数据库生产者和联机系统经营者的"威胁"程度是不同的。数据库生产者和联机系统经营者尤其关心的,不是套录本身这一事实,而是一旦数据被套录下来之后会发生什么事。这里关键性的区别在于对数据是暂时保留还是永久保留,是供本单位使用还是向本单位以外的众多用户提供商业性的服务。同样显然的是,数据库生产者与联机系统经营者对上述不同目的与水平的套录所持的反应态度也是不同的,并且直接影响他们对有关政策的制定。

四、套录对不同类型数据库的影响

联机提供服务的数据库分两大类:一是书目数据库;二是情报源数据库(数值数据库、事实数据库及全文数据库)。

书目数据库看来特别容易受到套录的伤害。因为在 DIALOG、BRS、ESA－IRS 等联机检索系统中,书目数据库的检索服务占有主要的地位。图书馆和情报单位的工作人员频繁地使用这类数据库。存取这类数据库的服务收费,传统的办法是以连接时间为基础的。这种收费制度是以这样的假设为前提的:检索者使用的是不能进行套录的普通终端,并且用户将会一次又一次地回到数据库中进行检索。然而套录却提供检索者以巨大的经济性与方便性。套录下来的子库可以重复使用而无须联机费用。对某些检索者来说,与其花较多联机时间来精练检索策略以取得高查准率的检查结果,倒不如花较少联机时间进行粗泛的检索,将结果套录下来,然后在本机进行二次检索、编辑和打印。数据库生产者与联机系统经营者目前仍然不可能发现用户是否进行了套录,因为没有办法判定数据被送到用户终端只是在屏幕上显示(联机显示)呢,还是联机打印,还是被拷贝到微机的磁盘上(套录)。他们只能进行这样的推测:一个检索式命中了大量的书目引文,但只花了很短的时间就完成了整个检索作业,这个现象可能表明用户使用了计算机作为终端,检索式是事先拟定好的,检索结果不是打印在纸上,而是以电子方式进行传输与记录,也就是说,用户进行了套录。但是这种推测并不能作为法律上可以信赖的证据。

书目数据库记录的拷贝是对版权的侵犯。对数据库生产者来说,是潜在的收入的丧失。因此,他们对由此而引起的问题保持高度敏感。有人试图用人为的方法降低情报检索的速度,从而保持收入的水平。但这种做法是同技术的进展背道而驰的,也是同联机系统经营者的利益背道而驰的。后者正在努力向检索用户提供更快、更方便、更经济的存取数据库手段来争取用户、扩大市场。

与书目数据库比较,情报源数据库所受到的套录的影响要小得多。因为情报源数据库主要不是针对图书馆市场的,而是针对技术、规划、研究及商业等部门的。因为这些部门的用户愿意支付市场价格(即检索收费)而获取对他们来说是极为有用的、及时的、不断更新的情报。数据库的生产者甚至允许用户采用微机作终端,进行数据的处理,并向用户出售制图和其他功能的软件,鼓励用户套录所需的情报。这里,一个重要的原因在于,情报源数据库的检索收费办法不是以连接时间为基础的,而是根据数据的处理情况,包括核心计算机(Core Computer)作业、用户处理水平、给出信息的数量及绘图与否等,而确定收费标准的。另外,当新用户开始订用这类数据库服务时,须交纳一笔较高的费用。

五、对套录的对策

"我们被套录所吓倒",这是80年代初数据库生产者开始面临套录问题时的反应。随着时间的推移,他们从无准备状态逐步转向制定各种对策。

开初,数据库生产者和联机系统经营者一概禁止以机读形式存储联机检索的结果,除非有书面的准许书才能这样做。他们处理用户的套录事件,是一件一件地单独处理的,没有全面的政策来对付日益增多的、并且可能是大规模的套录。他们也不太了解与套录有关的各种问题;对套录,他们能控制吗?能预防吗?他们能利用这种新的发展为自己谋利吗?

情报界对套录问题展开了热烈的争论。套录成为各种会议与讲习班上频繁讨论的课题。在出版物中,许多文章与评论既从情报提供者的角度,又从联机用户的角度提出了许多对立的观点与各种预测,这些研究的目标是对套录所涉及的技术、法律、财务及手续方面的含义提供更多的理解,以帮助数据库生产者与联机服务部门来制定兼顾他们和情报用户利益的政策。但是,在资本主义国家,彼此竞争的数据库生产者和经营者们很难在一起制定共同的政策,或共同的价目表,但是尽管如此,政策的改变趋势开始明朗了。

一些数据库生产者与经营者开始改变僵硬的政策,而敏锐地看到,套录不仅提出了挑战,也给他们提供了谋利的机会。1983年,若干重要数据库的生产者带头把套录纳入新的市场,确定新的定价政策。例如美国化学文摘社(CAS)建立了一个新的允许套录的政策:大型机构的用户可以在本单位内拷贝多至50万条的记录,以供任何目的之用,但要支付一个年度的费用。小的用户偶尔套录少量情报,将不支付这种费用。因为考虑他们只是将套录作为一种更新的手段,把数据打印出来排入卡片文档。1984年,CAS对那些要求每年套录60万条以下的较小的用户,允许其付较低的年度费(如果用户是《化学文摘》的订户的话,减半),可获得一个许可证,每年套录1000条,或10000条,或50000条的记录。CAS还明确了所谓"记录"的定义,即书目数据库中从属于一个特定文摘号的情报,或者化学物质文档中的从属于一个专门的化学物质的情报。CAS 还允许用户从任何联机检索系统进行套录。对于被套录下来的机读数据的利用，只限于在一个地点内，但允许用户的附属单位和分支机构远距离地存取这些情报。当情报被传布到顾客组织之外时，CAS 要收取额外的费用。CAS 承认，暂时地捕获、拷贝机读数据，送往文字处理系统供编辑和重新编排格式之用，或者用来建立检索用户需求文档（Search Profile）供日后使用，是合法的用户行为，不需有套录协议。此外，CAS 还以竞争性的价格提供自己的 CAS 联机检索服务，包括对某些出于学术研究目的的检索，给予价格上的优惠。

世界上最大的有关生命科学研究的文摘索引服务社——BIOSIS 也采取了类似的态度。它建立了 BIOSIS 情报传播系统（BITS），该系统向用户提供的情报，不是打印件，而是被套录的磁盘形式。BIOSIS 在 1984 年更进一步地发展了它的系统，提供一种用户之友的微机程序，名叫 Bio-Superfile，供和 BITS 系统一起使用。该软件旨在提供 BITS 的基本情报检索能力，能将非 BITS 记录处理成 Bio-Superfile 格式。该文摘索引服务社 1984 年还宣布，送给 BITS 用户的机读记录，用户可以用美国研究所（ISI）的 Sci-Mate Personal Data Manager 软件进行检索。这样，BITS/Sci-Mate 两者结合在一起，可对来自 BIOSIS Previews 联机数据库记录的用户个人文档（即被套录的子库）进行检套、更新、编辑、打印。

美国国家医学图书馆提供它的 MEDLINE 书目数据库的一些子集（磁带及磁盘形式）供个人或单位的计算机使用。已采用了子集（其范围也可由用户确定）许可证的政策。这种服务的收费水平，依据子集的规模、发行媒体、是否要求不断更新，以及子集是否供本单位一个以上的人使用等条件而定。因此，美国国家医学图书馆正在向要求者提供个人化的套录服务。

INSPEC 数据库生者产在 1984 年宣布，要重视的是被套录数据的用途，而不是套录行为本身。不同的政策是：

(a)暂时存贮——不另外收费。

(b)在套录地点长期存贮与再利用——按套录收费。

(c)其他用途，如数据被拷贝多份、用户再出售等——这需要专门的书面协议，收费办法通过协商订之。

INSPEC 的套录政策，像 CAS 一样，允许任何用户从任何联机系统那里套录 INSPEC 数据库。它声称：相信大多数用户宁愿要一个套录协议，因为想要较大规模存贮与再利用被套录下来的数据的，一般是大型组织。它们有自己的主机。这些组织不会为免付一点钱而甘冒偷录情报的风险，可能有一些小的组织进行不经允许的套录，但其规模小，这在财政上不是太大的问题。

从以上这些著名数据库生产者的政策改变中，可以看出数据库生产者对于套录所持态度的趋势。

与此同时，联机系统经营者也开始迎合情报用户的套录要求，为其创造方便条件。例如ESA—IRS系统把合法套录作为顾客合同的一个组成部分。它在1983年宣布,该系统中的60多个数据库,其中33个库已得到数据生产者允许套录的批准。它还专门设立了一个套录命令(Formatx),在技术上同一般的打印命令有点不同。它提供一个用于识别每个字段的标头号码,这便于用户把套录下来的记录重新编排格式,使之成为用户需要的本机数据库的格式。ESA—IRS系统便于套录的办法,可以使用户免去向各个数据库生产者分别申请许可证的麻烦。许多用户原先是在非法环境下进行套录的。而ESA—IRS系统的新措施,意味着用户可以在合法环境下套录了。看来,别的联机情报系统有可能仿效ESA—IRS系统的做法。

六、套录对当前情报检索价格的影响

书目数据库生产者起初采用的定价政策是以一揽子定价和以300比特的速度进行检索为基础的,随着技术的进步,检索过程加快了,同时通过套录能建立本单位的数据库,这样就使数据库生产者的数据库受到"剥夺"。检索用户节约了费用,其结果可能是自己发难,迫使数据库生产者极大地提价,或者甚至不再经营。

数据库生产者得出结论,用户要求套录,这正好给他们提供了一个改变定价政策的机会。他们认为套录是一种"批发"形式,而这正是获利的一种手段。例如PSYCINPO数据库1983年大大提高了完整引文的联机显示的价格,因为他们假定,用户要求显示完整引文,正是为了套录。数据库生产者想改变收费政策中对连接时间的依赖程度,因为这种收费办法同检出的情报价值没有直接关系。BRS系统宣布1983年中期开始改变套录的收费标准。他们也认为以连接时间为基础的收费办法不那么公平。对于含有较大信息量的项目(如摘要等)和具有再利用潜力的情报,决定增加收费。Disclosure公司允许用户就他们检出的记录作任何他们想做的事,包括套录在内,但收费标准高达每条记录十美元。然而,高标准的收费办法对那些不进行套录的用户来说是沉重的负担。

MEDLINE数据库的生产者——美国国家医学图书馆宣布这样的政策:用户的付费,应根据他们存取的情报量和他们要求系统做的工作量而定,而不是仅仅取决于他们的调制解调器的速度、他们的击键技能或者系统的响应时间。该馆制订的新的收费办法有利于联机检索的交互性质的发挥,而不给那些具有高级设备的检索者以不公正的好处。

美国化学文摘社提供的CAS ONLINE服务于1984年宣布,在正常的收费制度之外,增加了一种专门的学术机构收费的选择。对于订购检索服务的高等学校,可以在使用低峰时间内无限制地存取化学文摘书目数据库和化学结构登记文档。这种办法鼓励用户实行联机浏览和试验各种检索策略,在这种情况下,套录不再被认为是一种有吸引力的选择了。

DIALOG主席在1984年谈到了DIALOG的未来检索定价问题。他认为按连接时间计费有许多优点,使用户容易理解,能使检索者在联机时就能估计出费用多少。他认为没有理由改变定价方法。他想要看到的是数据库存取价格保持在相当低的水平,以刺激用户的检索量。

但是数据库生产者想从他们联机数据库存取中多赚钱,但他们不能提价太高。这里有供求两方面的灵敏的平衡问题。最好的办法是增加用户及其检索量。DIALOG 正是考虑这一点而制定价格政策的。

总的来说,套录具有巨大的潜在重要性。未来几年内有许多因素看来会对套录的发展给予新的推动力:通讯方面较高的传输速度,改进了的存储设备,以及更高水平的"用户之友"软件,等等。

联系到全文数据库的不断增长,套录对于电子文献提供、电子出版,以及按需要提供(On-demand)的出版物等的发展具有重大意义,对于建立电子图书馆也有重大意义。

目前,虽然在国外有关套录的争论没有结束,但争论的热度已经下降,出现了一些较明确的趋向。对套录问题的提出、争论和发展趋势有所了解,对于我国情报界来说是有必要的。

参考文献

1. C. J. Armstrong, J. A. Large. Information retrieval on downloaded data proceeding of 9th International Online Information Meeting. Learned Information. Oxford, 1985:231—235
2. Margaret Hemmings. The downloading commercial online databases. British National Bibliography Research Report, 1985
3. Downloading Problems of Database. Pram Cet. 1985:311—321

原文载于《情报科学》1986 年第 4 期

数值数据库及其情报服务

在计算机情报检索服务中，一些新型的机读数据库，例如有关社会调查数据、统计数据、人口数据、公司财政信息、市场行情、科学技术常数、化学命名与结构、材料性能等的数据库，正以巨大的速度增长，越来越占有重要的地位。它们的基本特征，是向情报用户提供数值型的数据，即事物的绝对值或相对值的数字，并且能在计算机软件的帮助下，进行数值的各种运算推导，例如有外推、内插、填补空缺数据，甚至列出曲线图以及进行各种分析等功能。数值数据库是“源数据库”(Source database)的一部分，是情报用户借以取得经过抽取、核实、整理的数值信息的来源和借以进行定量分析的工具。因而可以说，较之书目数据库来说，数值数据库是在更高层次上经过情报加工的产物，尤其受到科技人员与管理决策人员的欢迎。鉴于它们在情报服务中所占比重和重要性的日益提高，情报科学对它们的研究兴趣也与日俱增。

一、数值数据库的基本特征

所谓数据库，是机读化的数据集合。它是任何情报检索系统的必不可少的资源，也是情报用户借助情报系统进行检索而期望获取的目标。

对于数据库，可以根据各种标准进行分类。例如可以根据数据库中信息记录的结构来分类；可以根据数据库得以利用的情报检索系统的类型来分类；也可以按其所含信息内容来分类，等等。目前，情报界倾向于主要是根据数据库所含信息内容作为基本的分类标准。根据这个标准，数据库可划分为：

(一)文献参考数据库

(Reference database)
- 书目数据库(Bibliographic database)
- 指示数据库(Referral database)

(二)源数据库

(Source database)
- 数值数据库(Numeric database)
- 文本—数值数据库(Textual numeric database)
- 属性数据库(Properties database)
- 全文数据库(Full-text database)

文献参考数据库主要是二次文献数据库，它包括各种机读版的文摘、索引、目录等。它的价值在于向情报用户指引一次文献。这种书目数据库类似于治病的药方。要解决问题,还必须按照药方找到药物,进行熬煎服用,消化吸收药物中的有效成分,从而有补于身体。同样,情报用户也必须设法找到二次文献中所指引的一次文献,进行阅读,从中筛选出有用的知识或数据,从而满足自己的情报需求。至于文献参考数据中的指示数据库,其内容包括可作为情报取得来源的机构、计划、活动,乃至有特长的个人的介绍。其价值在于指引情报用户找到合适的情报源。它本身并不直接提供用户所需情报,而是起着一种指示、介绍、牵线、搭桥的作用。而这也正是整个文献参考数据库的共同特征。

源数据库的特点在于它本身含有一次情报——即用户作为检索目的而要求获取的数值、事实或文本。人们往往把这些信息称为“纯情报”、“浓缩情报”。它们类似于经过加工的成药,是直接可以服用和解决问题的东西。为了与文献参考数据库有所区别,在英文中常用“data bank”(译为数据银行或数据库)来特指源数据库,而用“database”(译为数据库)来指文献参考数据库或泛指整个的数据库。

源数据库中,全文数据库是指机读化的文献全文。例如法律条文、文学作品作为数据库全部加以存储,并能用来检索全文中任何一个字、段、节、章等。属性数据库是指词典式或手册式的化学、物理数据以及其他数据。文本—数值数据库是指其记录同时包含文本信息字段和数值信息字段的数据库。许多名录型的数据库就属于这种数据库。数值数据库包含来自原始文献或调查统计的并经过处理的各种数值或数据表格。在国外,有人给数值数据库下了这样的定义:“它主要是计算机可读的数值性质数据的集合。”

但是推敲起来,这个定义不是十分清晰的。因为符合这个定义的范围的,不仅有严格意义上的“数值数据库”(即原始调查数据和其他统计数据)本身,而且还应包括文本—数值数据库(其记录既包含文本字段又包含数值字段)和属性数据库(词典型与手册型数据)。正因为如此,有人认为,除了全文数据库外,所有的源数据库均可列入数值数据库之下。另一方面,即使是“严格的”数值数据库,例如美国预测公司的 PTS 数据库,其记录也包含书目引文。即它的数值部分,实际上也是原始文献的更全面的内容摘要。该数据库本身以前的名称就叫做《PTS U. S. Statistical Abstracts》(PTS U. S. 统计文摘)。由此看来,需要对数值数据库的含义作更明确的规定。

要更确切地规定数值数据库的范围,应该从数据库所包含的数值信息内容、数值内容的便于存取性以及库中各有关数值的可运算性等方面来全面予以衡量。也就是说,要真正实现数值数据库的作用,必须同时兼顾数据库本身的内容以及这种数据库得以利用的计算机系统的能力。具体来说:

第一,数值数据库的基本内容应该是数值信息。提供这种数值信息是编制数值数据库的基本目的,检索这种数值信息是情报用户的主要目标,但不排斥库中含有表明数值属性的文本字段。

第二,数值数据库的结构要便于对数值信息进行分离,便于单项或多数的检索、显示或打印。

第三,数值数据库中的各项有关数值,应能在计算机程序的帮助下进行各种运算和分析,并能进行分类、排序和重新组合。虽然这主要是取决于检索系统的能力,但它可以说是数值数据检索的精髓之所在。事实上,许多数值数据库的发行总是同特定的软件相联系的。用户在使用大多数商业渠道提供的联机数值文档时,必须使用联机系统经营者提供的检索与分析软件包。

这里,还需指出的是,当前由于数据库品种的多样化,也引起了数据库分类概念的新变化。今天的一种新的划分方法是,数据库可分为:① 文字型数据库。其下又可细分为文献型、事实型、百科全书型、词库型、全文型数据库等;② 数值型数据库;③ 图像型数据库。这种新的分类概念的出现,一方面反映了图像型数据库的异军突起的局面(尽管目前所占比例很小),另一方面也更突出了数值数据库作为三足鼎立之一的地位。

二、数值数据库的迅速增长

数值数据库在整个科学进步的基础结构中占有重要地位。数值数据提供了科学研究中试验、测度、计算、记录与传播等活动链条中的基本联系。工程设计、经济分析、未来预测、规划决策等都离不开数值数据。发达国家的技术优势,部分地是建立在他们掌握的良好的数值数据库基础之上的。

正因为如此,数值数据库的增长要比书目数据库快得多。现在,无论在增长速度和绝对数量方面,它都正在超过书目数据库。1982 年出版的《电子出版指南》(Guide to Electronic Publishing)对 1982 年以前近 500 个联机数据库作了分析。现引述此材料如下:

数据库类型	所占百分比
文献参考根据库	48%
书目数据库	38%
指示数据库	10%
源数据库	52%
数值数据库	38%

1982 年 Guadra Associates 列举的一千多种商业提供的联机数据库中,将近一半(493 种)是数值或文本—数值数据库。

而到 1985 年,据统计,世界 200 多个联机情报检索系统提供公众使用的 2200 多个数据库中,91% 是源数据库。当然,源数据库中主要是数值数据库。

面对这种迅猛增长的势头,国外情报科学界普遍认为,源数据库及其服务是未来的潮流。

推动数值数据库迅速增长的技术方面的原因，是微型计算机和数据库管理软件的飞速发展。利用这种软件在微型计算机上建立的数据库，大部分是文本—数据数据库。

目前，据估计，数值数据库的90%以上是属于商情方面的数据库，如经济、财政、公司及工业方面的专门数据。在科学技术领域的联机数据库中，大约10%以上是数值与属性数据库。至于在其他社会科学部门如人口调查、民意测验等方面，数值数据库更是占有压倒的优势。

商业与经济方面的数值数据库的发展之所以如此迅速、独占鳌头，是由于这方面的信息是属于“高价值”的信息。目前在西方流行的一句话是：“关于金钱的情报已变得几乎同金钱本身一样重要。”他们认为最高梯级的情报就是商业需要的情报。它们最迫切需要转化为机读数据库，以便能进行及时的检索和准确的分析。

三、数值数据库的结构与编制特点

在自然科学和社会科学领域内，有各种类型的数值数据。它们在准确性、可靠性、可重复测定性、对客观条件的不依赖性等方面存在大量的差别。例如，物理与化学领域的数据，一般是在实验室中，用充分定义的结构和在细致控制的条件下完成测定的。这种测定是可以重复的，可以在不同的时间、地点进行重复测定，也可以由完全独立的研究者进行重复测定。而在工程与材料科学领域中的数据，尽管类似于物理与化学数据，但也有所区别。虽然它也是可以重复测定的，但要大大依赖于测定的条件准备与确切的技术细节，并且要依赖于工程材料的市场产品的可靠性。在生命科学领域中，更多的是观察数据，少量的是可以作定量测定的，而大部分还需用语言文字来描述，即所谓“事实数据”。在地球科学、空间科学、环境科学、气象科学等领域，通常是观察数据，即涉及单个事件（如火山喷发、飓风、大气中CO_2的分布）的数据，往往是不能确切地进行重复测定的。在社会科学领域中的数据，例如物价、人口、失业等数据，对于时间地点的依附性，它的随机性和不可重复测定性是比较明显的，它所受到制约的条件也更为复杂。

另一方面，情报用户对于不同类型数值数据的利用方式与目的也是不同的。有的只是简单的查找和引用，以应用于科学计算和工程设计；而有的则须对查到的数据进一步地进行解释与分析，找出适当的数学模型，并在历史和现有数据的基础上进行预测。

上述两个方面，即数值数据的不同类型和用户的不同使用方式，决定了数值数据库在结构与编制方面有自己的、有别于书目数据库的若干特点。

数值数据库内的数据结构，要比书目数据库复杂和多样。一般来说，机读的数值数据既可以以单元形式存储，也可以以表册形式存储。后者是统计表格的机读模拟，而前者是原始性材料或未经加工的数据的模拟。此外,数据可以是纵向的或时列性质的,也可以是横断式的。一旦数值数据库被建立之后,所有这些文档都可被检索,其中的所有数据都可进行运算。民意测验数据、化学属性数据等一般以单元形式存储,即每个民意测验的回答者、每种化学物质作为一条记录。这种数据可称为"微数据"(microdata);而表册式的数据或聚集式的数据,则以N维的表格形式或矩阵形式存储,每个记录包含一个行或列的所有信息。大多数经济数据、健康数据等都是以这种形式存储的。这种数据可称为"大数据"(macrodata)、横断式的数据,例如有十年的人口调查数据等,它提供了一个时间的片断。时列数据是历史性的,即以一定的测度单位来表明一定的变量在一定时期内的连续的值,如月度生产或失业指数等。

数值数据库的编制,一个非常重要之点是核实数据的有效性和可靠性,并需说明在什么条件下、用什么仪器、以什么计量单位、用什么标准、什么数学计算方法与统计方法获得的。这些在建库中都是必要的步骤,以便在原则上使这些数据能够重复测定,即使有的在实际上不能作重复试验。

数值数据库往往是高度专门化的,它的编制工作依附于从事相应领域科学研究工作的机构。也就是说,建库中的对数据进行的评价和数据的保证工作必须由科学家来做,并且要依靠实验室的良好设备。

数值数据库的编制,还须找出包含数据的一次文献或二次文献,对其进行标引与再标引(如果文献是来自已标引的书目的话),以便为数据的评价作好检索的准备。这意味着,编制数值数据库工作的第一批产品是一定学科主题的细致标引了的书目。换句话说,数值数据库的编制需要文献数据库的支持与配合。

数值数据库的编制,应了解用户群及其使用数值数据的模式,如单个的值、数据序列、图表表示、分析形式、使用的单位和数学表达式及参数等。

数值数据库的编制,应该使数据评价员(技术专家)和图书馆与情报科学家做到密切配合。由于技术专家不一定了解情报处理与数据传播的计算机信息方面的问题,因此这两部分人之间取得共同语言是十分必要的。也只有这样,才能使数据的获得、核实与传播构成一个有机的整体,并建立起数据中心同它所服务的用户界之间的联系。

数值数据库的编制需要特别考虑保护数据的完整性与安全。数值数据库包含的数值量很大,数值数据库的用户面也很广泛,因此,数据库的设计应体现保护措施的严密性。例如,美国地质调查局的"水数据存储与检索系统"从3个级别上采取对数据库的保护办法:① 在计算机主机上;② 在进入数据库的入口点上;③ 在数据内的记录一级上,采取层层设防,防止对数据库的未经允许的使用,限制对数据的检索,预防对库内数值的修改。

数值数据库的编制,尤其需要国家情报政策的指导、全国范围的协调和国际合作。正如前面已经指出的,数值数据库的编制是一个国家科学基础结构中的一个重要部分，加之数值数据的获得与鉴定核实需要花费大量的人力物力，数值数据库的编制与利用需要涉及科学界、信息处理与计算机界及图书馆部门的通力合作。作为国家一级的协调机构是完全必要的。某些数值数据，如地球物理、气候及环境科学等领域的数值数据，其收集编纂工作还需全球范围的合作。而另一方面，涉及国家利益与安全的一些敏感的数据却需要保密和控制。有关数值数据库编制与利用的国家情报政策是必不可少的。

四、数值数据库情报服务的发展道路

由于数值数据库是以最终用户（即本身提出情报需求的科技人员和规划管理人员）为服务对象与市场推销对象，而不是以图书馆为对象的，因此，数值数据库的生产与情报检索服务，在其历史传统上保持与书目数据库的平行发展道路。这种数据库的情报服务，多数是由所谓“分时公司”（timesharing firms）经营的。这些公司一贯从事数据处理，为顾客提供计算服务。近二十年来，它们开发了各种应用软件，开展咨询服务，包括数值数据库的检索服务。在这些公司看来，这种检索服务只是为顾客设立的一种附属性质的服务，而不是一个独立的部分。

数值数据库与书目数据库的服务在发展过程中的上述区别，造成了互相脱节的情况。图书馆与情报服务部门对数值数据库及其服务比较陌生。尽管图书情报人员经常使用数据手册与统计年鉴之类的出版物作为参考咨询的工具，但对于计算机化的数值数据库却没有表现出他们对书目数据库那样的接受与热情。这里的原因可能是，数值数据库的使用更依赖于各学科的专业知识，图书情报人员在对这类数据的解说与分析方面显得不那么得心应手。这类数据库的检索语言也往往采用有别于书目数据库所采用的“常规”检索语言的特殊检索语言。

另一方面，数值数据库的经营者也处于图书馆与情报服务的主流之外。他们自己组织协会，自成系统。

但是，对情报用户来说，其目标往往是既想获得二次情报（书目情报），又想获得一次情报（包括原始数据）。无论是书目数据还是数值数据库，对他们来说都是取得所需情报的来源。对这两种数据库的利用渠道没有必要进行严格的区别。这两种数据库及其服务在互相独立的轨道上并行发展，对用户来说无疑造成了人为的障碍，用户要求打破人为障碍。也正因为如此，近年来若干经营书目数据库联机服务的系统，如美国 DIALOG、BRS，日本科技情报中心联机系统，法国 Telesystem Questel 等已把包括数值数据库在内的“非书目”数据库（此外还有全文数据库）纳入自己的服务范围。例如，DIALOG 在 1982 年新增加的 43 种数据库中，至少有 12 种被认为是数值数据库。目前，仅商业与经济方面，DIALOG 提供了诸如“美国市场情报索引”、“美国统计索引”、“国际商业预测”、“国际商情报道”、“世界经济与人口报告”等数值数据库的检索服务。因此，书目数据库服务与数值数据库服务正在逐步结合，形成一体化的

情报检索服务。看来这种发展趋向是合乎逻辑的。

与此相适应,在情报科学领域内,对包括数值数据库在内的非书目数据库及其服务的承认,也是一个逐步演化的过程。1975年,美国情报科学学会成立了数值数据库组。《情报科学年度评论》(Annual Review of Information Science and Technology)1977年卷发表了“数值数据库及其系统”的文章,成为情报科学对数值数据库研究的发展过程中的一个里程碑。

事实上,为最终用户提供数值数据库的服务,正在纳入图书馆和情报单位的参考工作范围之内。这是对传统的参考服务的一种延伸。虽然某些数值数据库是相应印刷版数据手册之类出版物的重复,但是更多的是扩展了甚至取代了印刷版的数据手册。数值数据库即使是重复印刷版的出版物,但它要比后者更加灵活,使用起来更为快速和准确。看来,作为联机检索中间人的图书情报人员,为最终用户既进行文献检索,又进行数值数据检索,使两者相结合而成为完整意义上的情报检索服务,将是确定无疑的趋势。

五、数值数据库检索系统的功能

为了满足情报用户对于数值数据库检索与利用的要求,计算机检索系统除了提供一般的联机检索功能外,还应该具有下列基本的功能:

1. 准确的数值数据处理能力。如运算、查找、限定范围的检索、输入编辑等。例如,可以要求系统只查找一定年代范围的经济时列;可以要求系统根据历史增长率的模型为基础来预测某些数值;可以要求系统以某年作为基础年,重新确定时列的指数;可以要求系统进行不同计量单位的换算;可以要求系统在计算时精确到小数之后多少位,等等。

2. 交互能力。如学习、敦促用户、允许用户转储以利用私人文档和软件包。

3. 图形处理能力。例如可以要求系统提供分子结构或晶体结构图形,要求系统能处理非线性坐标,等等。

4. 分析能力,包括进行模型化的能力。

数值数据库的研制往往带有特定的应用目的与用户对象。对于不同类型的数据,采用不同的处理标准是最为有效的。因此当一些不同的专门化数据库出现时,它们一般是不能彼此兼容的。这些不同类型数据库的检索服务,往往采用不同的计算机,使用为专门处理某种单独数据而研制的软件包。因此这种情况给用户带来接口和存取方面的问题。它阻碍了数据利用的进步,也阻碍了整个科学的进步。如果有人想利用20种数据库,就必须学会用20种不同的方法来对付这些数据库,否则就不能有效地进行检索与利用。

因此,数值数据库情报服务的一个发展趋势是,从过去的单数据库的、单机处理的、少量专业用户存取的系统,正在发展成把一批数值数据库集合在一起,用一个软件包，把几个程序连接起来，向用户提供单一接口语言的所谓“数据系统”（Data system）。数据系统可以使用户通过一个计算机系统存取两个或更多个的数值数据库，以满足那些想同时获得多种类型数据的用户需求。例如，分析化学家可能希望得到某种化学物质的熔点、颜色、晶体结构及 C^{12} 核磁共振谱等的数据。这些本来可能分属于多个数据库的信息，现在却能够在数据系统中集合在一起。数据系统的建立，正在克服数据库中对物质命名的不一致性和数据格式的不一致性所造成的困难。要求同一事物在不同数据库中命名的统一性；制定统一的标准格式，使各种不同数据库转换成数据系统所要求的统一格式。国际原子能局和各国核数据中心使用的EXFOR系统就是用这种办法来成功解决数值数据格式统一性的一个例子。然而，许多科学数值数据在格式上的变化是如此之大，很难想象有一种普遍的格式能适应各种不同的情况。因此解决数据格式问题的第二种办法，就是编制不同的软件以适应不同数据的格式，并实现综合处理。例如美国 NIH/EPA 化学情报系统的做法便是一个例子。

这种数据系统已取得令人鼓舞的进展。例如美国化学情报系统（CIS），可以允许用户利用一个远程终端，同系统连接一次就能存取一批独立的数值数据库。由于研制出相应的软件系统，用户可用单一的方式询问系统，以存取下列各种数据库：NBS 质谱、NBS 单晶文档、粉末衍射联合委员会的粉末衍射模型、美国国立职业安全与卫生研究所的化学物质毒性效应登记，以及美国化学文摘社登记号等文档（或数据库）。这个系统可提供一定的数据分析程序和数学模型化方法。尽管数据系统的软件系统的研制是十分复杂的，但证明是可行的。数据系统又称为“超级市场系统”。它的出现与发展，无疑大大提高了数值数据库的计算机系统的功能。

六、国内外主要的数值数据库及其服务

目前在国外，许多学科专业领域出现了数值数据库。在社会科学领域，有财政统计、人口调查、选举结果、劳动、民意测验、国内暴力行为等数据库。在自然科学领域，有化学结构、谱、结晶、环境、资源、材料、实验室动物、死亡记录等数值数据库。究竟目前有多少数值数据库，无从统计，但其数量至少是以万计的，绝大部分是“内部”性质的。

以商业渠道提供服务的联机数值数据库，极大部分是商业与经济方面的。这是由于这类数值数据库有较广泛的使用面。其他的数据库往往是由实验室或工业部门研制的，服务于较小的用户界。在整个数值数据库中，大部分是以批处理方式进行存取的，以联机方式提供服务的只占小部分。在 Cuadra Associates 公司编的《联机数据库指南》（Directory of Online Database）中列有商业渠道提供服务的联机数值数据库的目录。《联机评论》（Online Review）杂志也定期公布新增加的非书目数据库的目录。

国外有许多提供数值数据检索服务的系统。例如美国地质局“地球科学情报系统”(ESIS)、美国 Baffelelle 的数值数据情报分析中心的有关工程技术的数值数据库系统。此外还有下列系统:如 ADP(美国,财政、人口统计,外汇汇率,经济学,化学品),Business International 公司(美国,70 多个国家的经济与市场活动),Data Resources公司(DRI)(美国,经济、财政、能源、天气),IP Sharp(加拿大,71 个国家的经济与人口统计、飞机意外事故),GEISCO(美国,美国及其他 90 多个国家的矿物资源),SIA(英国,欧洲共同体国家的旅行和运输、核电站的建设、139 个国家的财政信息),Chemical Information System(美国,化学化工),GIDSFT(西德,自然科学),F*A*C*T(加拿大,自然科学),Thermodata(法国、自然科学),等等。

我国在 80 年代也开始了数值数据库的研制工作,如石油开发、石油地质勘探、化学、生物资源、稀土材料、土壤信息、市场技术动态等方面数值数据库都已经和正在进行。我国已参加了国际科技数据委员会(CODATA),成立了该委员会之下的中国委员会。中国科学院成立了数据库办公室。我们相信在不久的将来,我国也会出现数值数据库及其情报服务的繁荣。

参考文献

1. Ching chih Chen, Peter Hernon. Nummeric Databases. Abliex Publishing Corporation,1984
2. Judith Wanger,Ruth N Landna. Nonbibliographic Online database services. Journal of the American Society for Information Science,1980,31(3):171—180
3. 龚国伟. 联机检索策略. 湖北科技出版社出版,1986
4. 陈光祚. 国外情报存贮与检索的若干发展动向. 现代图书情报技术,1986(4)

原文载于《武汉大学学报》1987 年第 4 期

关于全文数据库的结构、检索功能及其文本标引之探讨

全文数据库是一种相对新颖的数据库。在全文数据库的条件下,文献的文本内容可以从各种角度进行检索、选取、组合、排序,从而使文献中的知识和情报得以激活。作者以4年多的科研实践为基础,探讨了全文数据库建设中的若干关键问题:库的结构化、系统功能设计及以自然语言为基础的文本标引等问题。

全文数据库及其检索系统的建立是知识工程的重要领域

近年来,全文数据库得到迅速的发展,成为人们处理文献中所包含的知识与信息的有力工具。全文数据库及其检索系统的迅速增长,是当前计算机化的情报存贮与检索的前沿课题。

所谓全文数据库,是将一部图书、一篇文章或一种杂志、一份报纸的全部文本都输入计算机,使之成为计算机可以阅读和处理的文本。这种文本数据库可以在全文检索软件的支持下,对文本中的各种大小知识单元——关键词、人名、地名,乃至文本中的每一个字进行检索,并可按用户的需要,将检索的结果按章节、段落、句子等形式输出(显示或打印),也可对有关的关键词或人名、地名进行聚类输出。因此,全文数据库及其检索系统既可以满足用户查询文献全文中某一知识项的全面信息,又能满足用户查找文献中某一片言只字的要求。在全文数据库的条件下,文献的文本内容是一种可以从各种角度进行检索、选取、组合、排序的,即能在一定层次上进行知识加工的"活"体。全文数据库及其检索系统的实现应该是广义的知识工程的一个重要领域。

从1986年接受国家教委文科博士点科研项目"湖北省地方志全文检索系统"以来,我们经过了4年多的研究,现已完成研究目标:建成了《湖北省地方志大事记》、《中国人民解放军大事记》两个全文数据库,用软件工程的方法研制出全文检索软件,并对全文数据库的特性、结构、功能设计、文本标引等进行了调查分析,对全文数据库检索系统的用户接口、输出模式及后控词表进行了有一定创造性的探索。

地方志全文数据库检索系统开发的意义

我国历代都有"盛世修志"的传统,省有省志,县有县志。地方志的内容包括地

理分野、山川水文、自然灾异、物产矿藏、水陆交通以及政治、经济、文化、人文、历史等的记载。一部地方志就是一部地方的百科全书。历代积累起来的地方志卷帙浩繁，所包含的信息极其丰富，其中有的信息对今天的"四化"建设仍然有重要作用。

然而，至今人们对地方志中有关资料的查找、摘录依然靠手翻笔记，不仅效率低，而且容易造成有用信息的漏检。因此，有必要应用现代信息处理的技术，即计算机化的情报存贮与检索技术深度开发地方志这一传统的文化遗产，使之为当前社会主义建设服务。

另一方面，从情报检索技术的发展来看，全文数据库是继书目数据库、事实数据库之后产生的较为新型的数据库，随着计算机存储容量的增加和处理速度的提高，已经有可能把整篇文章、整部图书，乃至整个期刊的全部文本转化成计算机可以阅读的数据库。依靠计算机信息处理的能力，编制相应的建库与检索软件，可以对全部文本中的每一章节、段落、句子、关键词乃至任何一个汉字进行检索，因此检索点的设置达到了彻底性。检索的结果可根据检索者的需要，按事件、段落、句子，以及人名、地名进行输出（在屏幕上显示或在打印机上打印）。全文数据库由于存贮的是原始文献本身，因此检索输出的结果也是原始文献中的片断。这种检索结果具有直接可引用性。

用全文数据库检索的手段深度开发地方志，既可以彻底发掘这类文献中的有用信息，又可使全文数据库检索技术得到一个广泛应用的领域。

全文数据库的结构化问题

全文数据库与书目数据库在性质与形式上有很大不同。书目数据库的一条记录由若干字段组成，每个字段有其一个唯一性的标识符，各字段的排列也有一定的次序，因而是一种结构化的数据库，便于机器识别和处理。书目数据库中每条记录对文献的描述有标准的著录规则作依据，它所采用的检索语言也有一定的分类法和主题词表作依据，因而是一种规范化程度较高的控制词汇标引的数据库，易于保证检索的查全性和查准性。而全文数据库的内容是文献的自由文本，它既无书目数据库那种较定型的结构，又无词汇控制。因此，全文数据库的设计应考虑其特点，确定其独特的系统功能。

为了便于计算机对全文文本进行处理和检索，目前国内外全文数据库都对全文文本进行结构化处理。如按章、节进行文本的划分，或者按研究的对象、方法、结论等逻辑部分进行文本的划分。这种划分可避免对全部文本的扫描，而把检索对象集中在一个具体有限的文本结构部分。《湖北省地方志大事记》和《中国人民解放军大事记》虽无章节的安排，但都以年代为纲，以"事件"为单位。如《湖北省地方志大事记》中，第一个事件是"在湖北严禁鸦片有功的林则徐调任两广总督"，第二个事件是"湖北营兵增援抗英前线"，第三个事件是"崇阳钟人杰起义"等。在《中国人民解放军六十年大事记》中,第一个事件是“南昌起义,中国共产党开始独立领导武装斗争”,第二个事件是“中共中央制定《关于湘鄂粤赣四省农民秋收暴动大纲”,第三个事件是“中共中央八七会议,确定实行土地革命和武装起义的方针”等。在每个事件中,有一个标题,其下有一个或多个自然段,这是大事记这一类型的全文文本的特点。我们根据这一情况,确定一个自然段为一条记录,对于属于同一事件的两个或两个以上的自然段也注明其联系关系。这样,对大事记的文本作了结构化的划分处理,从而使数据库结构化,便于计算机的处理。

全文数据库的检索功能设计

本检索系统除具备布尔检索(即逻辑乘、逻辑或及逻辑非)或截词检索之外,还设计并实现了针对全文检索系统特点的若干功能。它们是:

1. 法定数检索　所谓“法定数”,是检索用户对检索结果的期望值,即指定他希望的被检出记录的数目。例如,检索“农民起义”的文本时,指定只要10条段落,而事实上数据库内存储有50个段落,这时,检索系统要求检索者再输入一个检索词(如“1854年”),以缩小检索范围。这就是要查找1854年农民起义。检索系统按此检索命题查找,得到7条记录(段落),不足10条。这时,系统又要求检索者再输入一个检索词(如“1855年”),以放宽检索范围,即查找1854年和1855年两年中的农民起义,这样检索的结果就会增多。通过这种不断的调整,逐步接近检索者指定的期望值。法定数检索的功能,使用户不必考虑词间的逻辑关系,使检索结果既不等于0,也不致太大,启发检索者优化检索策略。

2. 文中检索(二次检索)　即在第一次按人名、地名、关键词进行检索所得结果的基础上,指定段落中必须出现某词(或某字)、某两个词及其相对位置的条件。例如在检索农民起义领袖钟人杰所得到的9条记录中,要查找“历史教训”这几个字所在的段落,即可使用文中查找的功能。又例如要查找“程中和……发配孝感”的资料,也可使用文中查找以指定相邻度的功能,指定“程中和”与“发配孝感”之间不超过多少间隔距离。因为具备了这种“文中查找”的功能,所以使全文数据库中的每一个字都是可供检索的。

3. 检索结果输出的多种选择　本系统可分别按事件、段落、句子、人名、地名、关键词等多种形式输出检索结果(显示和打印),这样,检索用户可根据自己的需要,既可获得整个事件的记载、段落或句子的文字,又可获得人名、地名、关键词的按出现频率排序的事实性数据。人名、地名、关键词的这种聚类,对于研究工作者特别有用。人名聚类可帮助确定最有影响的历史人物的名单,地名聚类可帮助弄清与某事件有关的地点分布,关键词聚类可帮助某一检索对象中涉及的主要问题。

4. 后控词表的机制　由于全文数据库的标引是以自然语言为基础,一般无词表进行控制;另一方面,用户的检索用词也是自然语言的词汇,缺乏族性检索的功能。

为了提高查全率,本系统设置了后控词表的机制。所谓后控词表,是指用户在检索时,用或逻辑连接的前后词被视为等价的词。系统将其纳入一个词组,形成一个词表的片断。当以后的用户使用该词组的某一或几个成员作为检索词时,系统能自动地将该词组中的所有词纳入用户的检索式,彼此用或逻辑连接起来,以自动进行扩检,保证全文检索系统的查全性。例如在《湖北省地方志大事记》中,"鸦片"有许多不同的叫法,如"烟土"、"烟毒"、"洋烟"等,用户只用"鸦片"一词进行检索,就会遗漏那些使用"烟土"、"烟毒"、"洋烟"等的段落,从而造成漏检;而后控制词表的设置,就可以由系统自动地改善检索策略,保证检索的查全率。后控词表是仅供辅助检索的词表,而不供标引之用。后控词表机制的建立,能够使全文检索系统克服由于无词表控制而带来的检索查全性能较差的弱点,也可以节省检索者在构造检索策略时的智力负担。因此,对全文检索系统来说,后控词表的设立是十分必要的。

全文数据库的标引

全文文本中的词是由未经规范化的关键词组成的,这给标引带来许多困难。首先同义词很多,例如:① 同一概念有许多叫法,如"鸦片"、"烟土"、"洋烟"、"烟毒"、"毒品"等;② 官职与人名之间也有实质等价的同义词,如某人有时以其姓名出现,(包括他的名、号、字等),有时以官职或姓加籍贯的称谓出现;③ 实名与代词也有等价的关系,如"他"、"该年"、"该地"、"次年"等等。代词是全文数据库特有的现象,要依赖上下文的语境才能明白其实质内容,如果把代词作为检索词用,便无意义。但也不能把文本中的代词改写成实词,把"次年"改为"1864 年","他"改为"林则徐",这样就会破坏文献文本的原貌。其次,文本中经常出现缩合词,如"日伪军"、"陈谢集团"等。第三,简称与全称,如"湘"与"湖南","鄂"与"湖北"。第四,地名的今昔不同称呼,如"北平"与"北京","蕲水"与"浠水"等。这类同义词在书目数据库中也有,但在全文数据库中较为突出,这是因为全文文本中的文字很长,段与段之间、句与句之间往往前后关联。过多地重复同一概念的唯一性的词,常常显得冗闷;而经常变换同一概念的用词,既可减少文中的重复,又增加文采。这种做法对于读者顺序阅读全文来说,是问题不大的;然而对于检索来说,输出的只是有关的段落、句子,失去了上下文的语言环境,就会给阅读与理解带来问题。因此,研究组对这些问题作了如下的处理:

1. 全文数据库的标引原则是以文献原文为依据,采用自然语言,进行关键词标引,而不加以规范化。因此,对于人名的各种正式名称、尊号、别名等均取文献中所题字样,对于地名的新旧名称,对于同一概念的各种同义词,也都以取文献中所提的词汇为准。

2. 全文数据库的标引仅供计算机系统内部处理用,在显示和打印检索结果时被删除,以恢复文献的原来面貌。唯一例外的是对年代的加注标引不加删除,例如

1854 年 8 月 13 日(AT18540813)中的“AT18540813”部分是增加的加注标引。之所以这样处理,是当按段落输出检索结果时,段落中的原文往往不全记年月,如“8 月 13 日”,甚至“13 日”。在输出结果时保留对年代的加注标引有助于检索者的识别。对于用户来说,标引是透明的,也就是说,用户可以不了解文献的标引情况,也难以觉察标引的失误。

3. 全文数据库在检索功能上应该做到文中的每一个字都是可供检索的。但这一目标的实现,既依靠标引的深度,又依靠检索软件的功能(如二次检索,即文中查找)。因此,全文数据库的标引政策是深度较大的标引,但不是完全彻底的标引。同一人名、地名或名词(概念性的关键词)在同一句子中出现两处以上的,只标引一次即可;专指性不很强的关键词(如描述时间方面的“春”、“夏”、“秋”、“冬”,描述职务方面的“书记”、“长官”、“仆人”,描述过程方面的“进攻”、“退却”等)可不标引。

4. 文本中的人名、地名、文献名、关键词及年代,均冠以下列不同的标识符,以便让计算机识别、抽取和聚类:

(1)人名冠以 N,并用尖括号括起,如 <N 林则徐>、<N 刘伯承>等。一人在文中不同地方虽以名、字、号等出现时,均按原文所题标引,不必规范处理。本系统另设有后控词表来解决这类问题,保证查全率。

(2)地名冠以 P,并用尖括号括起,如 <P 武昌>、<P 太原>等。文中同一地名有新旧名之别时,均以原文所题为准。例如 <P 北平>、<P 蕲水>等。

(3)文献名冠以 D,并用尖括号括起,如 <D《筹议严禁鸦片章程折》>、<D《抗日战争胜利后的时局和我们的方针》>等。

(4)关键词冠以 K,并用尖括号括起,如 <K 起义>、<K 机动兵团>等。关键词是指有实质意义并有检索价值的词汇。

(5)年代冠以 AT,并将年月日改注××××××××8 位阿拉伯数字,再用尖括号括起,如 1854 年 8 月 13 日,标引成:1854 年 8 月 13 日 <AT18540813>。这样便于计算机对年、月、日进行大于等于或小于等于的运算,以检索一定年限范围的资料。

5. 文本中有时在前面已提到某一人名、地名、文献名、年代等,在其后的行文中往往出现“他”、“该地”、“同年”、“次年”等代词。在这种情况下,需进行加注标引。例如:

他 <AN 林则徐>

其 <AN 钟人杰>

该地 <AP 黄冈>

同年 <AT18540000>

次年 <AT18550000>

加注标引的目的是使不定代词明确化,增加检索入口。

6. 标引词的选取。简称缩合性关键词,如“日伪军”(即“日军”与“伪军”)、“两江”（即“浙江”和“江西”）、“一、四纵队”（即第一纵队和第四纵队）等。为了提高检索功能，除按“K 日伪军”、“K 两江”等进行标引外，还可标引成“AK 日军”、“AK 伪军”、“AP 浙江”、“AP 江西”、“AK 第一纵队”、“AK 第四纵队”等，凡有“A”开头的标识符，如 AK、AN、AP、AT 等，皆为加注性标识符。

人名、地名、年号同其他词汇构成的复合关键词，如“陈得才部”、“刘邓大军”、“孟良崮役”、“咸丰帝”等，对这类复合关键词，原则上按关键词处理，标识符是“K”。但对“将领姓名＋部队”的关键词，如“陈得才部”，可标引成“N 陈得才”，之所以如此处理，主要是为了适应检索者的习惯。

对于“官衔＋姓名”（如湖广总督官文）的称呼，则分别标引。例如标引成“K 湖广总督”和“N 官文”。这种做法是把复合概念拆成单元词，既可增加检索点，又可便于灵活组配。这种后组式的标引更适合计算机检索的特点。同样，“短程航线”标引成“K 短程”和“K 航线”，而不标引成“K 短程航线”。

作者注：湖北省地方志全文检索系统科研组，除本人主持外，成员还有陈睿、部先永、沈吟东、吴晓岚、刘宁、汪红秋等研究生，以及詹德优、韩星寿两位副教授。讲师张进、孙凌也参加了部分讨论。

参考文献

陈光祚．论全文检索系统．武汉大学学报社会科学版，1989(6)

原文载于《知识工程》1991 年第 2 期

发挥我国高校图书馆用户教育的优势 增强文献课的生命力

一、优势

与世界其他国家比较起来，我国高校图书馆的用户教育存在着明显优势，这就是教育行政部门的重视和文献课纳入教学计划的保证。国家教委批准成立的文献课系列教材编审委员会组织出版的系列教材，以及各单位自行编写出版的几百种教材，为课程教学打下了良好的基础；许多馆配备了专门的教师，成立教研室；全国和地方的图工委多次组织召开了课程教学研讨会，促进了教学经验的交流和教学质量的提高；有关单位推出的辅助课程教学的视听资料和计算机检索模拟系统，也促进了教学手段的现代化。目前，全国有半数以上的高校开设了文献课或讲座，听课学生累计超过百万。高校图书馆的用户教育今天能达到如此大的规模，不仅在我国高校图书馆是空前的，在我国高等教育的历史上是一场重大的变革，而且在世界范围也是情报用户教育的伟大创举。

在过去，我国一部分大学的化学、生物及医学专业比较重视文献的查找与利用，往往在高年级学生从事毕业论文或毕业设计时讲授文献及其查找的知识。但是这种文献教育一般是比较熟悉文献的专业教师兼任的，个别的是由图书馆员进行的。这种教学，与其说是图书馆推广其资源的利用而进行的用户教育，倒不如说是专业教师为加强学生自己与科研能力而进行的辅助性训练。它仅仅被看做是一种技能的培养，而没有上升到文献情报学的高度来认识。因而系统性与理论性的起点很低，而且存在很大的不稳定性：即只是把这种教学视为附属于毕业论文或设计的一个环节，而不是当作一门独立的课程；教师队伍不稳定，往往谁带毕业论文或设计就由谁承担；在教师的心目中没有把它视为一门学科，因而无意追求这种教学的专深化和专职化；教材和教学资料也不稳定，多数情况无教材，少数编印了教材，也属临时性质，缺乏积累与修改，更无心追求教材的相对定型化。正式出版的这方面教材可说是凤毛麟角。总之，在过去，文献知识的教学被视为不登大雅之堂之物，不能与专业课并驾齐驱。

国家教委1984年下达关于在高等学校开设文献课的文件之后，情况有了根本性的变化。首先，这门课程吸收了图书馆情报学的丰富内容，将用户情报需求的分析、文献流的规律、检索工具的剖析、检索语言的基本知识、检索策略的调整技术以及计算机情报检索的基本原理与方法等知识有机地结合在一起,使之成为有一定理论深度与知识广度的课程,成为一门有自身价值并能跻身于学术之林的课程。其次,这门课程的开设,使图书馆在高校取得了教学的阵地,情报教育登上了大学的讲坛,这就进一步提高了图书馆在高校的学术地位,而图书馆的丰富藏书,又为这门课程的教学提供了良好的环境,有助于理论与实践的结合,检索二次文献与获取一次文献的结合,学与用的结合。因此,今天由图书馆承担的文献检索与利用课的教学,一改过去由专业教师进行时的分散、孤立的状况,赢得了广大学生的信任和领导的重视。这是图书馆用户教育的根本性的改观。

文献课的开设,也给我国高等教育的教学体系带来了改革。实践表明,一个人通过学习而掌握的知识是重要的,但是掌握如何独立地获得新知识的途径与方法则更为重要。在知识更新速度加快的今天,自学和研究的基本功显得更为重要。在当前的信息时代里,能把握获取有用情报的主动权,就等于控制了获得新知识的钥匙。文献课的开设,有助于学生独立学习与研究能力的培养,改善他们的知识结构,培养新型人才。文献课给我国高等教育人才培养的影响,将随着时间的推移而日益显而易见,这是没有疑问的。

在世界其他国家中,还很少有像我国这样,由国家教育行政部门颁布文件,把情报用户教育正式纳入高等学校教学计划的。例如,在幅员、人口方面与我国相当的印度,1986 年由 Lucknow 大学发起组织了首次全国性的高校图书馆用户教育讨论会,呼吁采取措施有效地促进这方面的教育,建议印度大学资助委员会指定一个较有基础的大学图书馆作为全国发展用户教育的中心,为其他图书馆提供帮助。通过这个会议,建立了一个以 Lucknow 大学图书情报学系 N. R. SATYNARAYANA 教授为首的 6 人委员会来草拟全国中心的计划。这些活动从组织上来说仍停留在“民间”的水平,从内容上来说仍停留在造舆论的阶段。他们要在用户教育方面达到大规模与法定化的程度,还有很长的一段路要走。即使在像美国这样的发达国家中,一般也是由各大学图书馆通过设立咨询台、编印小册子、提供有声幻灯和模拟系统来宣传图书馆的使用方法。据印度学者 1986 年调查,在美国高校中,把书目检索方法训练作为学分课程纳入教学计划的,只有迈阿密大学、宾州大学等 4 所高校。当然,他们的用户教育形式多样,不能以是否开课或开课多少作为唯一的尺度来衡量其用户教育的整体水平。但是他们没有政府的情报用户教育政策作保障,而只是由图书馆学会和各个高校图书馆进行倡导和实行,他们组织了各种水平的用户研讨会,交流用户培训的经验,拟定推进用户教育的策略,但这方面的意见和建议,对各个图书馆并无多大的约束力。

我国高校图书馆的用户培训之所以能够拥有这样的优势,并不是偶然的。这里有如下一些原因:(1)我国情报用户的情报意识低,情报检索知识与能力薄弱,加之对英语的掌握较其他国家的同类知识分子为差,因而在科研生产中由于遗漏情报而造成研究工作重复浪费的现象比较严重。这种状况使我国的情报用户教育变得更为必要和迫切。(2)我国拥有的情报资源(包括高校图书馆的藏书)较少,原始文献情报的可获得性差,这就迫使人们有必要熟悉文献检索工具等二次文献,掌握一次文献之间相互转换(包括文献的不同类型、载体或文字的转换)和替代的关系,扩大原始文献取得的可能途径,从而弥补情报资源的不足。(3)改革开放方针的实施,企业竞争机制的确立,导致我国情报需求的增长。这是我国情报用户教育能够迅速发展的大气候。(4)图书情报界的同志(特别是全国高校图工委)做了大量的调查和宣传工作,造了广泛的舆论,引起了国家政府部门的重视。而国家教委关于在高校开设文献课的决策是推动我国情报用户教育发展的关键性一步。

二、增强文献课的内在生命力是当务之急

在一定意义上,弱点是和优势相联系的。具体来说,由于有教委的文件,因而在高校中文献课迅速铺开,各校这方面的师资队伍、教材、教学方面之参差不齐是不可避免的,不少学校仓促上阵,不像其他专业课那样有长期积累的过程,因此,文献课要真正取得生命力,赢得领导和学生的承认,还有一个艰苦的过程。这类问题是显而易见的,也是可以理解的。本文不拟讨论这类问题。我们想指出的是:由于文献课纳入学校教学计划的优势,可能带来的其他一些问题。这就是:(1)用户教育的单一倾向;(2)过多地追求面向文献的知识内容而忽略图书馆的整体宣传;(3)追求课程的学术性而忽略情报实践技能的训练。

(1)用户教育的单一化问题。文献课的开设,可能带来用户教育在内容上、对象上、方式上的单一化。

情报爆炸导致文献的急增,日益增多的跨学科的研究导致情报需求的复杂化,这两个事实是使图书馆用户教育变得尖锐起来的因素。包括计算机在内的现代情报技术在图书馆的应用,使图书馆增添了新的服务方式,也是使用户教育引起人们更加重视的原因。用户教育的目标是帮助用户克服取得有用文献情报知识技能方面的障碍,提高图书馆文献资源的利用率。

图书馆的用户教育内容,大致分几个方面:

① 面向图书馆的知识。如图书馆的藏书特点、服务项目、目录体系、借阅手续、开放时间等。这种教育是以用户所在的特定图书馆为范围的。

② 面向文献情报资源的知识。如文献流的结构及增长、分散、老化等规律,以及用户所关心的各自学科领域的重要情报源。

③ 面向情报检索的知识。如书目检索,事实与数值检索,全文检索的手工检索与计算机检索的工具(数据库)与方法,检索策略及其调整技术等。

④ 面向情报加工与科学交流的知识。如文摘的编写、文献的主题分析、引用文

献的著录、参考书目的编制、文献概述的撰写等。

在上述4个方面中,面向情报检索的知识是最主要的,但它并不是用户教育的全部内容。文献课的内容并不能完全包括图书馆利用的内容。此外,面向文献情报源的知识、面向情报加工与科学交流的知识,也应在课程中有所加强。即使是情报检索的知识,目前的教材都以书目检索为主,看来也应增加事实检索与全文检索知识的比重。对用户来说,书目情报、事实(包括数值数据)情报,以及全文性文本的情报,都是需要的,特别是后两项,是用户可以直接引用的"纯情报"。当然,事实与全文的检索,有计算机化的,也有手工方式的。前者是事实与全文数据库的检索,后者是词典、大全、手册等工具书以及图书内容索引的检索。

在目前的一些教材中,对检索工具书的罗列多于分析,单项的检索方法介绍多于整体的联系。看来,应注重加强检索策略的知识。检索策略的知识是将检索工具、检索途径(各种索引及其使用法)、检索步骤等知识融为一体的黏合剂,是变枯燥的罗列为有机结合的关键,是搞"活"课程的核心所在。

就整个教育体系而言,图书馆的用户教育是一种继续教育。图书馆是人们从事学习与研究的第二课堂。人们在学校的学习阶段是有限的,而在图书馆中获取有用知识和信息却几乎是终生的事情。图书馆对广大现实用户的情报教育是一种继续教育,上课讲授并不是主要的方式,采用咨询解答、现场辅导、编印材料、制作有关视听资料供用户选用等有针对性的方式可能是更经常、更有效的方式。

而对于大学生开设文献课只是图书馆用户教育的一个比较特殊的部分。其特点是,教育的对象是潜在用户,教育的性质是基础性系统教育,教育的目标是将他们转化为具有情报意识和技能的现实用户。总之,这种开发性的用户教育并不是图书馆用户教育的全部内容。也就是说,不能仅仅用开课的方式来对待一切用户。根据国外图书馆的经验,对现实用户的教育,馆员要切忌"好为人师"的态度,而要把教育寓于服务之中。

(2)忽略图书馆的整体宣传问题。在国外有关图书馆用户教育的著作中,把用户教育的出发点主要归结为提高图书馆文献资源的充分利用,即图书馆的推广工作问题。印度的图书馆学者把阮冈纳赞的图书馆学五项基本原则(即图书是供使用的;使每个读者有其书;每本书有其读者;节省读者的时间;图书馆是一个不断增长的组织)视为用户教育的理论依据。当然,这种观点与我们所指的加强用户情报意识与情报技能的出发点并无矛盾,两者是相辅相成的。但仔细推敲起来,我们的立足点是更多地倾向于把文献课归纳到学习与研究的方法学。这种情况在国外也有类似的反映。例如印度的 Giria Kumar 和 P. K. Jayaswal 在"书目训练的正式(学分)课程设计的综合法"一文中,就是把文献检索纳入学习技能范畴之中的,把它们作为一种方法学的学科来对待。他认为图书馆技能、知识技能和交流技能是概念上更大的普通方法学的组成部分。因此书目训练不应该被孤立地来看待,而应是科学方法学的一部分。这种观点是有启发意义的,可以使人们从更高的起点来考虑文献课的内容体系。并且这样的处理,更能赢得学术界的承认。关于文献课是归属于图书馆学还是归属于科学方法学,是有待我们进一步讨论的。

但是,我们必须从这样一种现实出发,在我国高校范围内,文献课是由图书馆来承担的。图书馆是这门课教学与实习的阵地与环境。没有图书馆的文献资源为支柱,是不可能很好进行这门课的教学的。学生之所以有兴趣学习这门课,其目的也在于能通过掌握打开文献宝库的钥匙而到达文献宝库。取得钥匙只是一种手段,而不是目的。他们尊重这门课程,实质上是尊重图书馆的丰富文献资源。因此,从事这门课程教学的馆员,一定不要丢失图书馆这个阵地作为支柱的优势,同时也不要忽略对图书馆的整体宣传,面向图书馆的知识应在课程教学内容中有所加强。把对用户的服务与对用户的教育结合起来,把这门课程的教学同推进图书馆文献资源的充分利用结合起来,能有助于图书馆服务工作与教学工作的相互促进,也是加强这门课程生命力的一个重要方面。

(3)忽略情报技能的实践训练问题。文献课是一门实践性很强的课程。这门课程内容的发展与提高,主要不是靠概念的演绎、逻辑推理和计算,而是靠对文献海洋的"水文"的全面了解,和对"游泳术"的熟练掌握。国外把这门课程称之为"图书馆技能"或"情报技能"的训练,广泛引用我国"授人以渔"的谚语,强调"技能"方面,是不无道理的。可是我们中国的某些同志却认为提技能的训练可能会降低这门课程在高校教学体系中的学术地位,不成其"学",甚至导致这门课程无立足之地。因此主张从情报学中搬出更多的重型炮弹,武装这门课,使非图书情报学专业的学生能一睹情报学的丰富内容和广泛知识领域。其实,这种主张虽能有助于课程理论体系的完善,但是却可能导致课程内容的复杂,学时的增加,实习环节的减少,特别是把学生引向情报学理论中一些悬而未决的争论问题的探讨,因而不能达到课程的主要目标的实现。非图书情报学专业的学生,他们学习这门课,完全是为了"学以致用",以便能在文献的海洋中"游泳",变必然为自由,获得使用文献情报的支配权和主动权。因此文献检索(包括书目、事实、全文的检索)的实际技能训练是十分重要的。在高校的教学体系中,有许多实践性的课程,但并不影响其重要地位。文献课的生命力,主要表现在它在培养学生的合理知识结构中是有用的,是不可缺的,是其他课程不能取代的,而不是人为地赋予其"学"的名称或没有针对性的提高其理论探讨。

与此相联系的问题是,这门课程应增加实习、演示、自学的环节。除了辅助这门课教学的视听资料之外,计算机情报检索模拟系统和计算机辅助教学系统的采用,应大力提倡。前者能模拟重现联机情报检索的环境与过程,使学习者能如身临其境,取得百闻不如一见的效果。后者能把检索知识分解成许多单元,存储在计算机内,按照提问而有选择地显示,是用户自学的不知疲劳的教师。目前我国已引进 DIALOG、ESA—IRS、STN 等模拟系统,东南大学图书馆也推出了专供文献课使用的模拟系统

(包括对国外产品的汉化改造)和辅助教学系统,同时,我国高校图书馆的微型计算机的拥有率正逐渐提高。因此,现代化教学手段的使用不仅必要,也有可能。它们的采用,既可减轻系统讲授的负担,也可丰富教学环节,取得事半功倍的教学效果。那种认为“讲课少了便不成其为课程”的担心是没有必要的。学生在学习中遇到的问题会比听课中发现的问题更多,深度更大,因而求助于教师的指导更为迫切,教师更能实现自身的价值。这些应该都是不言而喻的。在高校,教学主管部门考核课程的合格与否,其标准不仅包括教材、教师的配备,而且也包括实习手段的完善、题库的建立、参考资料的选定等。

总之,国家教委把文献课纳入教学计划的决策,是我们的一大优势。高校图书馆的用户培训进入了大学的讲坛,是我国的伟大创举。但是这些都是我们搞好这门课程教学的条件。要使这门课程具有真正的生命力,要使它在各门学科迅速发展,新课程不断增加,内容不断深化的环境中生根开花结果,主要还是靠我们经过艰苦的努力而完善充实它。这是内因,是事物发展的主要方面,是发展的依据。我们拥有的优势只能是鞭策我们把文献课搞得更好,使之真正具有充沛生命力的动力。对于当前这门课程教学中的一些弱点,应认真探讨与改进。

参考文献

N. R. Satyanarayana User Education in Academic Libraries//Ess Ess Publications. New Delhi, 1988

原文载于《大学图书馆学报》1999 年第 1—2 期

如何选择联机检索系统

80年代以来,数据库和联机情报检索系统都有了长足的增长,根据Cuadra/Elsevie《联机数据库名录》的统计,联机数据库从1980年655个增长至1990年的4465个;联机情报检索系统从1980年的107个增长至1990年的644个,近年来的增长势头仍维持迅猛的势头。

联机情报检索系统及其提供的联机数据库的迅速增长,给图书馆和情报服务部门如何选择联机检索系统,以作为获得有关情报的渠道带来纷繁的局面,合理地选择这种渠道,是当前应研究的一个课题。

对联机检索系统的选择,人们往往根据检索系统的知名度而定,认为越是知名的就越是可靠;或者从检索服务人员自己对检索系统的熟悉程度出发,偏爱自己已经有所经验的系统;或者把节约检索费用放在优先考虑的位置,在比较各系统的收费标准基础上,选择较为廉价的系统。

但事实上,合理选择联机情报检索系统,并不是一个简单的问题。例如,同一种数据库可能同时有几个联机情报检索系统提供。但是它们对数据库的组织方式各不相同,收费标准也各有区别,对于数据库的更新周期会长短不一,所提供的检索功能也不全一样。此外,各个联机检索系统所能提供的有关服务项目,例如原始文献提供、电子邮政、培训服务、书目辅助材料也是各有差异的。至于各个检索系统的整体数据库资源水平、响应速度、可靠性、可供使用的通讯设施的方便性等,也应成为合理选择联机情报检索系统时所要考虑的重要因素。

归纳起来,选择联机情报检索系统的依据主要是:数据库因素、系统检索功能因素、系统所能提供的其他有关服务的因素、费用因素、检索者对检索系统熟悉程度与经验水平的因素,等等。

1　数据库因素

1.1　数据库追溯范围

一些数据库跨度达十多年或数十年时间,从检索者的角度看,能供联机检索的数据库包括了多少年代的收录范围,并不是说包括年代范围越长的就越好,这要与检索的目标联系起来考虑,如果检索课题是情报普查式的,即想要掌握与课题有关的所有历史发展和当前动态的资料,以便对某种事物研究的提出、进展、当前水平与存在问题作整体性的分析,那么,选择追溯年代范围较长、较完整的比较有利,但是检索课题的要求主要是了解最新发展动态,则不应追求数据库的完整性。因为追溯的年代越长。那么检索时计算机所要扫描的范围越大,检索命中的文献越多,因而检索所需时间越长,检索费用也随之增加。

1.2 大型数据库的文档划分

这个问题是同前一个问题相联系的。例如像 CA Search、MEDLINE、BIOSIS 等大型数据库,在检索系统中是装成一个单独的库,还是按年代划分为若干文档?如果装成一个单独的大库,自然对普查式的检索课题有利,而按年代断开,划分为几个文档,这对只想检索最新文献的用户有利。但无论是装成一个单独的大库,或装成几个子文档,对检索者来说都有不方便的地方。在 Datastar 联机情报系统中,CA Search 数据库既作为一个单独的完整数据库存在,而又有按《化学文摘》累积期划分的若干个小文档,这样大小文档并列的设立方式,既便于普查式的检索,因为不必进行跨文档检索,又方便最新情报的检索,因为可以选择近期的小文档。

1.3 数据库的现实性

所谓现实性,就是指数据库中最新的资料是什么时候(如一周、一月前)纳入的,从检索者的立场来说,他们所能检索到的最新资料,其"时差"有多大?显然,数据库的现实性是与系统对数据库的更新周期的长短有关,对于某些对时间很敏感的检索课题(如经济与商业信息、时事新闻信息等)来说,数据库的现实性是一个重要要求。目前,有的系统对市场价格、股票行情、重大新闻等数据库的更新周期,已达到按小时甚至按分钟来计算,即使是科学技术数据库,更新周期的缩短,也是保证使检索者获得及时信息的前提条件。因此比较各检索系统对数据库的更新周期,也是选择检索系统的一个因素。

1.4 数据库中记录内容的完整性

对同一种数据库来说,各个检索系统对装入的字段的选择也会有所不同。例如,CA Search 数据库,虽然很多检索系统都装有并提供检索服务,但只有 SIN 联机系统才能提供文摘字段。其他检索系统却无文摘这一字段,因而不能向用户提供文摘,而只能提供题录。

1.5 系统对数据库的独占性

有的数据库是由某一检索系统独家提供的。这种垄断性是各检索系统彼此进行竞争的一种方式,有一些检索系统本身又是数据库生产者,他们就可以利用对数据库检索的独占性达到最大的商业目的。在这种情况下,由于"别无分店",检索者也就失去了选择的余地。

1.6 系统的数据库群的存在情况

就某一学科主题范围来说,例如生物医学或经济商情或环境保护等,不仅是一个数据库,而且是有一批相关的数据库,在一个情报检索系统中,这种数据库群体的是否存在及其完整程度,是衡量情报检索系统数据库资源整体水平的依据之一。对检索者来说,某一领域数据库群的存在,扩大了对数据库选择的余地,也便于进行跨文档检索。当前有些规模较小的情报检索系统注意发挥与加强某些学科主题领域数据库群的完整性,以扬长避短,用自己的特色来吸引一定的用户群。因此,对于检索者来说,根据检索课题选择有相应领域完整数据库群存在的联机情报检索系统是有利的。这样,不仅在检索开始时通过数据库索引比较各有关库的引文量,选择情报密度大的数据库作为优先检索的对象,而且在深入检索阶段,可以在数据库群中由此及彼,相互补充,从而使检索结果趋向完备。

2　检索系统的软件功能因素

检索系统的软件功能,是供检索者充分开发数据库资源的手段。如果系统的软件所提供的检索功能不很完备有力,即使有丰富的数据库资源,也可能使检索者达不到检索的高度查全率与查准率,从而"望库兴叹"。在这方面,需要考虑的问题有:

2.1　系统的用户界面

用户界面由系统的屏幕显示和向用户提供的键盘命令所组成,用户界面具体包括检索模式、后处理的选择、说明提示等,有的联机情报检索系统针对无经验的检索新生和有丰富检索经验的检索专家,分别提供菜单驱动和命令驱动两种方式。这种根据用户水平级别而设立的多种检索方式,要比只有一种方式要好,其适应面更宽,但这两种方式各有利弊。菜单方式使用容易,但根据菜单作步步选择,会延长检索时间;而命令方式则需要经过事先培训和具备一定检索经验,但却可以使检索者迅速、准确地获得检索结果。系统提供的各种命令,可以使检索者运用自如地精确描述自己的情报提问式,灵活地进行各种检索方案的试探和比较,这等于向检索者提供了一个施展才华的广阔舞台,不同检索方式的选择,检索者的经验水平是主要的依据。其次,检索系统的命令语言是否有助记性?是否更接近自然语言?用户界面的"友好"程度如何?例如提示说明是否有启发性?是否作积极主动的引导?对用户操作上的失误,系统所给出的出错信息是否有礼貌?对错误的 SDI 功能,等等。检索系统的软件功能的齐全与否,将直接决定系统的检索功能,它与检索处理的深度和灵活性有密切的联系。

3　系统所能提供的其他有关服务因素

3.1　系统提供原始文献的服务

对检索命中的文献,检索系统能否提供原始文献的复印件?一般来说,联机检索系统与若干收藏丰富的图书馆和其他文献服务单位有协议,在检索时由检索系统接受用户订购原始文献的要求,然后转给文献提供单位以提供原始文献的复印本。这种文献提供是联机检索系统的重要支持系统,如果检索系统缺乏原始文献的提供能力,即使获得有关的文献线索,也等于画饼充饥。特别是针对一些我国缺藏的文献资料,尤其需要这种原始文献提供的说明是否直接明白。

3.2 检索系统的软件功能

除了一般布尔逻辑检索之外,是否能在一个检索语句中进行嵌套逻辑检索?因为这对于精确描述复杂的检索课题是必要的。截词检索除了右截断外,能否实行左截断?左截断对于检索某些学科(如化学)的资料是重要的,截断的方式,除了无限位截断外,是否能进行有限位(指被截去的字符必须不超过所指长度)截断?因为有限位截断能有助于提高查准率。此外,检索系统能提供哪几种位置检索的功能?这种位置检索对于在二次检索中查找非叙词型的关键词是很有用处的。还需要考虑的功能有:字段检索,文献外部特征的限定检索,加权检索,连号与职能符号检索,跨文档检索,数据库词典,回顾检索史,对检索结果的后处理(如排序,输出格式选择,套录)能力,联机服务。

3.3 联机检索系统的服务台

有些系统设有这种服务,以解答用户的问题,这种服务一般称为 Service desk for immediate assistance(即时提供帮助的服务台)。当检索者在检索过程中有较重要的问题,可通过这种服务进行询问。

3.4 联机检索系统的说明文献的提供

例如有关系统由数据库的目录及说明材料,检索参考手册、新闻公报、服务办法与收费标准等材料,这些材料是否齐全?更新是否及时?

3.5 用户反馈

联机检索系统是否注意吸取用户的反馈?是否重视用户协会的活动及其意见和愿望?

3.6 其他

是否提供电子邮政服务?检索系统的培训服务如何?是否设有培训文档?是否提供模拟系统?

4 费用因素

使用联机情报检索系统的费用是一个敏感的问题,也是一个比较复杂的问题。

4.1 与联机检索系统签订合同的问题

一些大的联机系统,如 DIALOG 和 SDC 对检索用户的收费,只是以计算机的连接时间计费,当然,不同的数据库有不同的收费标准,这些系统不收任何初始(Start-up)费或订购费。BRS 检索系统在进入市场的时候,它要求用户付一笔订购费,这种费用是按估计的可望使用的小时数来计算的,而作为回报,用户可按低得多的价格检索该系统的数据库。当前,大多数联机系统提供上述各种方式的合同的选择。一般来说，最简单方便的每月按使用过数据库的量付费，这种办法既无约定金，又无需保证的检索量，是最经济的。当用户预先付款，订购一定的联机时间，或者进行大量的检索，在这些情况下，检索系统的收费可以降低。

关于合同的选择，首先要了解不同收费办法的合同。

(1)用多少收多少的合同，检索系统不收预订费，也没有要求最低的检索量，但是要按照每连接时间最大的价格收费。这种非定金制的合同可能包括收取口令字的一次性费用和少量的年度服务费，虽然这种合同收费较贵，但对于检索量不大的用户来说是比较好的选择。

(2)约定连接时间量的合同。这种合同约定每月或每年应有一定的连接时间量即检索量。它不要求预先付款，但不管使用了联机时间没有，都得按约定的时间量收费，如果用户的实际检索量符合所规定的最低时间量，这种合同是比较节约的。如果用户估计有更多的检索量，则数据库检索的价格还会进一步降低。例如，DIALOG 系统规定用户选择这种合同，须每年 5000 美元的连接时间费用才行。如果使用量更多，则价格更为优惠。

(3)预付订购费的合同，事先付费。用户可得到最好的折扣，预付钱越多，数据库费越低。例如 BRS 检索系统，如果用户订购 120 个小时的连接时间而付款 2400 美元，那么数据库费可从每小时 35 美元降低到 20 美元。这种合同安排，适用于这样的用户：每年年初可付一笔支付联机检索费用的预算，并且根据经验有可能达到所规定检索量的单位。如果没有用完合同规定的检索量，是一种浪费，而检索量如果超过合同规定的连接时间，则超过的部分要按较高的价格付费。

一批图书馆和情报资料单位组织起来，整体地同检索系统打交道，要比各个单位分别同检索系统签订合同，会取得更优惠的价格。

4.2　对不同检索系统的收费标准进行比较

除了考虑合同的选择之外，还可对各检索系统关于某一特定数据库的收费标准进行比较。数据库费包括检索系统的连接时间费、通讯网络费，以及数据库生产者收取的专用费。这些费用经常有很大的变化。数据库专用费是根据连接时间和被检出的引文量来计算的。在科学数据库和商业数据库方面，联机显示或脱机打印引文的费用正在变得更昂贵，这反映了这样一种趋向：主要是按被检出的情报付费，不是按所花的连接时间付费，利用微型计算机预先编制检索式，可加速得到检索结果，以供以后进行处理，这种做法可削减联机连接费，从而使整个的检索费更取决于被检出的情报量。

国外有人比较了各检索系统的收费情况，认为 BRS 系统的平均联机费最低，而其他主要联机系统之间的收费标准则无太大的差别。检索系统另外还要收的费用是邮寄打印件的费用，以及一些专门服务（如打印邮寄标签或打印数据表格等）的费用。另外，有一些数据库如“科学引文索引”或“社会科学引文索引”库，如果图书馆订购了印刷版的索引，则检索费用可以降低。

一些简化的检索系统，如 DIALOG 的“知识索引”（Knowledge Index）或 BRS 的“晚间服务”（After Dark），它们的数据库检索费较低，但是这种较低的收费标准也有一些局限，例如命令语言的速度较慢，检索的时间限于周末或晚间（当然，对我们中国用户来说不会有多大不方便），文档较少，检索过程缺乏灵活性等。

5 检索者对联机检索系统熟悉程度与经验水平的因素

检索者的素质和经验是保证检索质量的重要条件，他们往往对一个或几个联机检索系统比较熟悉，例如对系统的检索语言、数据库、软件功能、服务项目等有深切的了解和丰富的经验，这本身就是一种财富。检索者在越是自己熟悉的系统中进行检索作业，就越能取得良好的结果。而这本身就是一种经费的节省。因此，在选择检索系统时，考虑检索人员的经验是一个重要因素。

但是经验是可以培养的。对任何一个检索系统，都可以经过学习与实践，从不熟悉转化为熟悉，即使是自己熟悉的系统，其数据库品种也常有增加，软件功能时有改进，要跟上系统的发展，也必须学习。

因此，检索者对系统的经验与熟悉程度不能作为选择联机检索系统的唯一或首要的依据。

解决这个问题，一是开展培训；二是配备不同检索系统的检索员，以便让他们各有所长。

参考文献

1. Sicburth J. F. Online Search Services in the Academic Library Planning Management and Operation. American Library Association, 1988
2. Vigit P. J. Online Retrieval Analysis and Strategy. John Wiley & Sons, 1988

原文载于《情报理论与实践》1991 年第 5 期

论单汉字检索系统

所谓单汉字检索系统,是指中文数据库中的文本信息,以单个汉字作为标引和检索的基本单元而建立起来的检索系统。采用单汉字模式建立起来的检索系统,不同于以词为单位进行标引和检索的"常规"检索系统,在系统的性能、检索方法上均有其自己的特点,是体现汉字及汉语构词方式特色的情报检索系统,也是符合我国国情的一种检索方式的选择。

1 单汉字检索模式的历史发展

单汉字检索模式早在手工检索工具中已有萌芽。例如,在我国,30 年代就出现了若干历史经典著作的词语索引。叶绍钧编的《十三经索引》(以文句为单元,按每句的首字笔画顺序排列,每句下注明篇目简称)及其在开明书店版《十三经文》中的节数,提供了按文句的首字进行检索的手段。其后,哈佛燕京学社引得编纂处编印的《毛诗引得》、《周易引得》等古籍索引,以句为主,逐字为标目,句后注明原文的页次、篇次、章次,提供古籍中的任何字、句的检索功能。这可以说是我国单汉字检索模式的起源。这类词语索引是用手工方式编制的,工程极其浩大。因而只有那些具有经典意义的书籍才有资格编制这类检索工具。

随着计算机应用于情报的存储与检索,单汉字检索才被赋予真正的生命力。计算机的存储容量和处理速度,使单汉字的标引和检索成为高速、准确和自动化的过程。据笔者所知,我国最早用计算机建立单汉字检索功能工具的是武汉大学计算机科学系与中文系联合的语言自动处理研究组。他们从 1978 年开始利用计算机对汉语书面语言进行自动加工处理,为《骆驼祥子》等文学作品自动建立"逐字索引"。其功能是自动统计不同汉字的出现频率,提供各单汉字在文本中出现的页号、行号,并可检索含有任意汉字的句子。不过,这项研究主要属于语言研究的范畴,在情报界鲜为人知[1]。

80 年代中期,广州市科技情报研究所对小型的书目数据库中的题名字段实行了单汉字检索,并发表了论文[2]。

1990 年,经济日报社与北方交通大学研制成功"经济日报新闻资料检索系统",并通过了鉴定。这是针对大型全文数据库实现的单汉字检索模式。这个系统已投入使用,从而从实践上证明了单汉字检索模式的可行性。

2 基于词汇控制的检索模式向基于自然语言单词的检索模式的转化

国内外一般的情报检索系统，对于文本信息，例如书目数据库中的题名、著者、来源出处以及摘要等字段，或全文数据库的文献文本，都用词作为标引和检索的基本单元。这种基本词（包括单词和词组）的检索系统，其标引与检索的着眼点是体现相对独立完整概念的词，比较符合人们的思维和表达习惯。并且借助于词表，可实现对同义词、多义词、近义词、反义词、相关词等的规范和控制，从而保证检索系统的标引和检索在一定的检索语言基础上进行，显然有利于查全率和查准率的提高。但是这种模式的检索系统并非没有问题。其主要问题有：① 词表的维护是一件需要付出相当代价的事，并且是永无尽头的。各门学科和社会生活的发展，使新的概念和新的词汇层出不穷，而词表的更新总有一定的“时滞”。在这种“时滞”阶段，许多检索系统不得不采用“自由词”以作为权宜之计。而“自由词”并非一种固定的词汇类型，许多“自由词”日后往往成为主题词。② 词汇是人类知识的产物，知识体系的不断丰富往往导致原有的一些词汇的合并、分离，更改含义范围，使词与词之间出现新的关系。而文献却是具有一定物理载体的知识记载。随着历史的发展，表现为一种积累的过程，即不管出版多少体现新的知识体系的新书，而“历史”文献却依然存在，并且仍然有读者问津。文献标引工作的艰巨性不容许对过去已标引的文献经常以新的词表重新进行标引。因此，作为文献工作手段的词表毕竟不能等同于学科的术语表，它必须承认在各个历史阶段出现的文献的存在，承认过去文献标引的成果。也就是说，文献工作使用的词表一方面要反映新的知识体系，另一方面又要照顾“历史”性的词汇。这是进行追溯检索的需要。例如，著名的 INSPEC 词表，不仅每两年更新一次，记载新的词汇纳入词表的年代，而且也要记载在某年某月之前曾使用过的词汇，以作为检索早期文献的依据。这种对于词汇新旧并蓄的做法，显然给检索带来了复杂性。③ 词表中所收的词，是不可能达到彻底的专指性的。因为词表必须控制自己的规模。但是，情报检索用户的出发点往往是十分专指的概念及其词汇，这就是作为词表的人工语言和作为用户表达手段的自然语言的矛盾。为了在词表控制的检索系统中进行检索，用户不得不迁就人工语言。而这有可能成为降低查准率的因素，成为情报用户获得所需情报的语言障碍之一。④ 正是基于这种控制语言（即词表）的不足，目前一些检索系统在主题词之外，增设了自由词、专有词等字段，以增加作为检索的存取点，并且提供了二次检索（在第一次检索结果的基础上进行文中扫描以查找任何关键词及其位置关系）的手段。某些较先进的检索系统还设有从入口词（非正式主题词）向主题词自动转换的功能。这些补偿措施都是为了在一定程度上弥补词表的不足而采取的。而维护这些措施，并不比维护词表本身容易，所花的代价也是相当巨大的。

因此，国外情报检索系统的一个发展趋势是逐步增加采用关键字这种自然语言的基本单位作为标引和检索的依据。在英文等西方文字中，关键词和非关键词是构成文本信息的基本单位。标引以关键词为单位，而检索时则把这些关键词作为模块进行组配以表达各种复合概念。这种做法，是自然语言逐步渗入情报检索系统，并将逐步取代人工语言（以词表为基础）的表现。当然，这种基于关键字的检索系统，其最大的问题是失去对词汇进行控制的手段。但是，可以通过“后控词表”来改善检索的查全性能。所谓“后控词表”是系统建立的，将同义、近义的关键词用“或”逻辑进行连接的只供检索不供标引之用的词表。此外，截词、通配符的手段等也是改善系统查全性能的手段。也就是说，可以充分设计和发挥计算机的软件功能来弥补词汇失去控制而带来的问题。

综上所述，以控制词汇（词表）为基础的模式向以自然语言的字（关键字）为基础的模式转变，是当今检索系统的发展趋向之一。

3 单汉字检索模式的可行性

3.1 单汉字是便于计算机自动抽取和处理的天然单元

在中文文本中，单个汉字是构成词、句，段、节、章的基本单位。它是不可再分解的最小单位，但却具有无穷的组配能力，能够构成二字词、三字词以及包含更多字的词汇。由于中文文本的书写形式，在词与词之间，词与虚字（仅起语法作用的连词、代词、语气词等）之间都无空格或其他分隔符号，而是彼此连续排列，因而从汉字文本中抽词一直是一个难题。近几年来，尽管不少研究者提出了自动分词的方案，但都不能令人满意。借助于词典法的切分，显然受学科专业的限制；部件词的切分方法，也往往很难照顾全面。一些看来可以作为分词标志的虚字，有时可同某一个或某几个汉字组合在一起而成为有实质意义的词。例如“但书”（法律）、“书目之书目”（目录学）、“受控核反应”（物理）、“以太网”（计算机）、“寻的系统”（兵器）、“期刊记到”（图书馆学）等。中文数据库的标引与检索，如果把“词”一级降到“字”一级，就能绕过词的切分难题。每个汉字占 2 个字节，有固定的长度，成为机器处理的“天然”单位。而目前情报检索软件中已具有相当成熟的相邻度检索、通配符检索的功能，完全适用于在检索时将有关的汉字组合成词。这相当于西文文本的单元词检索。

3.2 单汉字标引的有效性和实用性

与西方文字比较，汉字的信息含量大。一个汉字占 2 个字节，其所传达的概念信息，平均要比西方文字 2 个字节所能传达的概念信息要多。因此，就同一内容的文本来说，中文文本比西方文本要简洁得多。

在中文文本中，据统计，由 2 个汉字构成的词（即二字词）占多数。这就是说，多数中文词是由 4 个字节构成的。二字词只需组配（逻辑乘）一次即可。一个汉字本身即可构成一个词（一字词），也占有一定的比例，它不需要组配。至于三字词，其组配的次数为两次。四字或四字以上组成的词所占比例不大。这就是说，采用单汉字作为标引的单元，不会导致处理单元的过于细小化，使得组配次数的大量增加和计算机处理时间的延长。而且,这种组配所用的逻辑乘,完全可以采用隐含形式,即不必写出其逻辑乘的符号。这点,对用户来说,既会感到习惯,也在心理上可以接受。

在一个以词为基础的系统中,用户按词进行检索。在检索时用户必须输入检索词。在这一点上,用户所花的时间与其在单汉字检索系统中输入若干个检索字(即该检索词所包含的若干字)是同样的。在将逻辑乘符号进行隐含处理的单汉字系统中,用户甚至不会觉察到二者有什么区别。

在机器内部处理时间方面,也可对这两种系统进行比较。单汉字系统类似于彻底的后组式索引。因为二字词的检索需进行逻辑乘运算一次,三字词的检索需进行逻辑乘运算两次,如此等等。而以词为基础的检索系统中,在这一点上,具有"先组式"索引的特征。因为它是以若干个字所组成的词作为处理单位的,对于一字词、二字词、三字词以及由更多的字所组成的词,进行检索处理都是相同的,即一个词为一次处理单位。因此以词为基础的系统的处理速度比单汉字系统要快。但是,在以词为基础的系统中,索引款目要比单汉字系统的索引款目多。要在索引款目多的索引中找到一定的检索词,其扫描时间也相应较长。而单汉字系统的索引款目少,所需时间则较短。

从索引维护方面来说,单汉字系统对于汉字,直接可用它的内码(区位码)作为地址。它不需要考虑字与字之间的排序。而在以词为基础的系统中,索引的维护必然面临插入、删除、排序等一系列工作。这方面也需花费较多的机器处理时间。

汉字的个数,对于建立数据库的索引来说也是适中的。常用汉字在几千至一万个以内。这个数目,既可以使单汉字有一定的分辨能力(即登录在每个汉字之下的命中数不至于太多或太少);又可以控制索引的规模使索引的标目不至于太多。也就是说,尽管词的个数难以控制,但汉字的个数却几乎是恒定的。对于一个相当规模的数据库(如几万,十几万条记录)来说,索引款目的数量就是大体等于常用汉字的个数。在单汉字检索模式中,记录数和索引款目数的关系是,当记录数很少时,索引款目数大大超过记录数。而当记录数增加时,索引款目数的增加速度就会逐步下降。当记录数增加到一定范围(如几千条记录)时,记录数与索引款目数将大体相等。以后,当记录数再增加时,索引款目数则很少增加。这种现象符合"报酬递减率"。用图形表示,如图1所示:

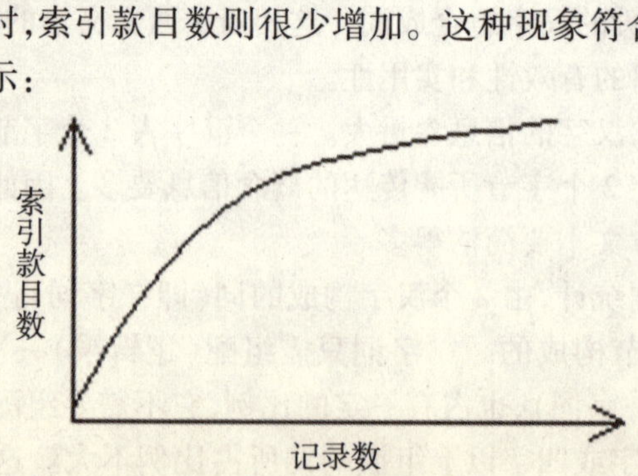

图1

3.3 单汉字检索模式可从检索策略上进行优化

在单汉字检索系统中,用户检索时,容易确定特征度大的字作为检索之用,这也是单汉字系统有效性的一个表现。

所谓特征度大的字,是指出现频率小,因而分辨力大的字。例如,“情报存贮与检索”这一检索主题中,组配“情”、“贮”、“索”这三个出现频率较小的字,甚至组配“贮”与“索”两个字即可。检索者可凭自己的知识,判断和找出特征度大的字作为检索入口,而不必把“情”、“报”、“存”、“贮”、“与”、“检”、“索”七个字全部进行组配。因此,事实上系统组配检索所花的时间和用户输入检索字的次数可以大大压缩,而不会像想象的那样琐碎。特别是当单汉字检索软件实现字的位置检索功能之后,由于压缩字的组配个数而可能引起的误检将会大大降低,从而保证单汉字检索的实用性。这是情报检索软件功能与检索者从检索策略方面进行优化相结合所产生的效果。单汉字检索系统可以设有联机字表显示的功能。在这种字表中,可以将欲查找的字作为输入键,让检索者查看每个字的出现频率,从而帮助检索者正确确定特征度大的字。这里需要说明的是,字的分辨力是和数据库的具体内容主题相联系的。它是相对的,而不是绝对的。例如“图”字,在图书馆学文献数据库中其分辨力很低,而在数学文献数据库中却很高。

4 单汉字检索的优异之处

4.1 单汉字检索模式含有实现检索词的左截断、右截断、中间截词(通配符)功能

在以词为基础的检索系统中,其重要功能之一是截词检索。它不仅能减少检索者输入检索词的工作量,而且有助于提高查全率。一般的系统都能进行右截词的匹配,但左截词的实现却很困难,因而只有极少数系统和数据库才能提供这种功能。然而单汉字检索却很“自然”地隐含了各种截词的功能,甚至没有截词的必要和概念。对于中文文本的检索来说,左截词有相对重要的意义。因为汉语的构词法具有“中心词后移”的现象,即把各种修饰性的成分放在前面,实质性的关键部分放在后面。例如“窗式空调机”、“柜式空调机”,最关键的部分是“空调机”。要全面检索“空调机”,就须使用左截词。因此,单汉字检索模式更能适应中文数据库检索的这种特殊要求。

4.2 单汉字检索模式组配灵活,可任意调整检索的专指度水平,有利于“字面成族”检索

在单汉字检索系统中,由于其文本中的最小单元是以单汉字作为处理的单位,是最彻底的后组配式索引模式,因此在检索时可以达到任意的专指度和泛指度。就专指度而言,任何细小专门的事物或概念,只要有其名称,都可以通过字的组配检索出来。它不受控制词汇系统主题词表规模的限制,又无靠词(即按较接近的主题词)标

引的勉强做法的束缚。就泛指度而言,单汉字系统具有字面成族的能力。例如检索一个“钢”字,则可以“带”出各种钢,以及钢的各种性能及处理的主题。总之,在单汉字系统中,也和后组式索引的组配性能一样,组配的成员越多,就越能达到专指的水平。相反,减少组配的组面(单汉字系统是“字”),则能降低专指水平而提高泛指度。这种后组配的原理是计算机情报检索的基础,能充分发挥计算机运算速度高和精确度高的优势。不过,“常规”的计算机情报检索的后组配只停留在词一级的水平上,而单汉字系统则进入“字”一级的水平上,因此,它能最彻底地发挥计算机的优势。

4.3 单汉字检索模式能节约人工标引的大量劳动,避免标引的主观性和标引的不一致性

单汉字系统对文本中每个汉字的标引是由计算机自动进行的。它不需要人工标引,因而可节省大量的标引劳动,并大大提高数据库的加工速度,降低成本。

人工标引要受标引政策的制约和标引员意识的支配。例如,标引政策规定,什么类型的文献平均可标引多少个主题词。这种标引深度的控制是数据库设计的一个重要内容。它不仅关系到数据库索引的规模,而且有利于揭示文献的中心内容,并提高查准性能。然而这种规定却有可能使并非占中心主题位置的概念被遗弃。另一方面,对一篇文献究竟应标引哪些主题词,要受标引员的认识水平支配,如什么是文献的中心主题,什么是非中心的主题,什么词有检索价值,什么词没有检索价值,这些判断难免带有主观因素。标引员对文献的理解不一定与情报用户的检索要求完全吻合。此外,标引员对一篇文献中所含情报价值的理解还受当时认识条件的限制。不同的标引员对同一篇文献也可能有不同的理解,因而导致彼此标引不一致。即使是同一标引员,他们掌握的标引标准,也可能昨天与今天,今天与明天不完全一致。在人工标引的情况下,检索者面对检索系统事实上是同标引员对文献所作的描述结果(标引词)打交道,而不是同文献本身打交道。

然而单汉字系统是针对文献本身的文本进行自动标引的。它保存了文献文本的原貌,而没有主观性的成分。由于文本中的每个汉字均可检索,因此标引深度是极大的,不受标引政策的限制。与人工标引的以词为基础的检索系统比较,原始性与客观性是单汉字系统的特点之一。

4.4 单汉字检索系统可用来对文献内容进行统计、分析、研究

单汉字检索系统可用来进行文本的字频统计,并且可以输出按出现频率降序排列的字表;可用来统计每个句子的平均长度(包含多少汉字);还可用来统计某些字(或词)是如何互相搭配使用的。这是语言文学研究所需要的。可借此了解汉字的规律以及不同作品和作家的风格。对于非文学著作来说,这种统计分析也具有一定的意义。单汉字检索系统可以对库文本中的任何概念进行检索统计。这个功能是很可贵的。例如,对《湖北省地方志》这一全文数据库,可以应用这个功能对其中所有出现的人名进行频率统计,并按频率排序。这样可以确定在湖北历史上影响较大的

人物的名单。这对于历史研究是具有辅助分析意义的。因此,单汉字检索系统可以成为情报计量学研究的工具。

5 单汉字检索模式的消极方面

单汉字检索并不是十全十美的。它的消极方面主要包括下述几部分。

5.1 加重了检索者构造检索策略的智力负担

在情报检索系统中,在输入与输出这两个部分之间,或者说存储与检索这两部分之间,存在着得失互换的规律。具体说来,用于建立数据库及其索引方面的劳动越多,则在检索时,用户就越易查全查准情报,用户在构造检索策略方面的智力负担可以减轻。相反,如果在系统输入方面所花的劳动不多,例如像单汉字检索模式这样,则在系统的输出部分就会使检索者花费较多的劳动,即把输入方面的节约转嫁成检索方面的负担。因为要达到一定的查全率,检索者必须设想所有有关的词(及其汉字),以及同一概念或事物的所有可能在文本中出现的同义词或近义词。举例来说,在《湖北省地方志大事记》的文本中,“鸦片”这一事物就有许多不同的叫法,如“烟土”、“洋烟”、“烟毒”等。要想检索得全面,检索者就必须凭借自己的知识和想像力,把有关的同义词与近义词列入检索策略,否则就会造成漏检。如果把单汉字检索模式应用于文献全文,这方面的困难要比检索书目数据库所遇的困难更大。对所检索的学科专业领域和文献内容不熟悉的人来说,单汉字检索的查全性能是较低的。

5.2 单汉字模式对于文本中的隐含概念主题难以处理

文本中隐含的概念主题,对于单汉字检索造成极大的问题。所谓隐含的概念主题,是文本字面上没有反映的,但却是检索者常用来检索的概念主题。例如一篇有关DIALOG系统的文献文本,不一定出现“联机工业”的字样。然而检索用户要查找“联机工业”,应该命中这篇文献,但却不能命中。在人工标引的控制词汇系统中,这个问题是不难解决的。单汉字系统只“忠实”于原文本的文字,这就导致了对隐含主题标引的无能为力,也导致了这种性质的漏检。

5.3 单汉字自动标引会使无检索价值的虚字或分辨力很差的常用字占据索引的很大比例

根据语言学家对汉字使用频率的统计,汉字在文本中出现的频率彼此相差极大。在现代文学作品中,“的”字约占3%,600—800个常用汉字占据文本的80%以上的篇幅。当然,在科技或其他社会科学文献中,汉字的出现频率会有所不同,但是虚字及常用字出现频率很大的情况是不会有很大改变的。这对于单汉字检索系统来说,索引中这些汉字款目后面的登录地址很多,要用它们进行逻辑组配检索,运算(即对比相同的地址)的时间会延长。并且,这些虚字和常用字由于特征性不大,分辨力低,检索用户也很少把它们作为检索字使用。

6 单汉字检索系统的优化

针对单汉字系统的消极方面,可以用下述措施对其进行优化。

6.1 建立停用字表,以便在建立索引时滤掉虚字和不必要的常用字,压缩索引的篇幅

在国外,由计算机自动抽取关键词、建立关键词索引的过程中,已广泛使用"停用词表"(Stop List)。其作用是排除连词、冠词、语气词、代词以及出现频率过高的常用词。在单汉字检索系统中也可使用停用字表,以压缩索引的篇幅。这种做法,特别是对在微型计算机上实施单汉字检索更有必要。但是,据笔者所知,截至目前,我国已实现单汉字检索的系统还没有采用停用字表。这是因为:有的系统是在中、大型计算机上实行的(如《经济日报》全文数据库系统),有的是因为文献书目库的规模不大,存储容量方面的矛盾还不尖锐(如广州市科技情报所的系统)。但从发展的角度来看,采用停用字表是明智之举。

在国外,西文检索系统所用的停用词表约包括数百个词。对于中文的停用字表来说,不妨控制在100个字之内。这是因为西文停用词表不仅包括"字",而且也包括"词",而与单汉字系统配套使用的停用字表则纯为"字"。其次,有些汉字,当它单独存在时似乎是没有多大检索意义的,但当它和别的汉字组合时却成为有检索价值的词。

6.2 在单汉字系统中适当增加控制词汇的因素

这可以有几种不同的做法:

(1)对于隐含性的概念主题,在库文本中可适当作加注标引。例如一篇专门介绍DIALOG系统的文献,虽然在文中没有"联机工业"的字样,在标引时可加注这个词。加注的标引词用一定的符号括起来,可由计算机抽出单字纳入索引,但在检索结果输出时,由计算机删除这种加注标引,以使文本保持原来的面貌。在全文数据库的情况下,往往在前一段文字中交代了人名、地名、年代等之后,在后续段落中往往用代词称之,如"他"、"该地"、"次年"等。在这种文字中,也可使用加注标引。

(2)在单汉字检索的模式基础上可适当建立较粗泛的控制词汇结构。这里所说的粗泛的控制词汇是指收录数量有限的主题词,或粗略的分类法供标引之用。它们的主要功能是增补单汉字系统的族性检索功能。而整个检索系统的基础仍是单汉字检索模式。这是一种附加有控制词汇的检索系统,是值得试验的。

(3)在书目数据库中,仅对题名、摘要字段实行单汉字检索的模式,而对于著者、主题词、自由词等字段仍按常规的方法处理,这是一种混合型的检索模式。

(4)只对主题词、自由词等字段实行单汉字检索模式。单汉字检索只命中主题词和自由词中的文字,进而命中有关记录。显然,这种检索系统的基础是控制词汇的系统,而单汉字检索只是增强了主题词与自由词检索的功能。

6.3 在单汉字检索系统中增设后控词表,以辅助与加强检索功能

国外情报检索的研究表明,在一个没有词汇控制的系统中,建立后控词表是一种有效的措施。所谓后控词表,是将同义词与相关词搜集起来而编成的词表。这种词表不供标引之用,而只供检索之用。当检索用户为了查全某一主题的资料,而不了解相应的同义词和相关词时,只要输入一个自己已知的检索词,系统就能通过后控词表自动地将有关的同义词与相关词纳入检索式中,并用"或"逻辑彼此连接在一起,从而提高查全率。根据这个原理,在单汉字系统中,也可建立后控词表,以帮助检索者获知有关的同义词和相关词,并从中选择汉字作为检索的新入口。这种后控词表是建立在词一级水平上的,是单汉字检索系统的一种辅助部分。它可以是相对独立存在的。

6.4 建立与单汉字检索系统并行的完整控制词表文档,作为检索用户的辅助手段

所谓完整的控制词表,包括属、分、参、代、用等参照系统的主题词表。将它们以机读形式存储在计算机中,作为联机主题词表。检索者可用它查阅有关概念名词的词间关系,从而丰富自己的检索用词。这种联机词表既可用于以词为基础的检索系统,也可用于以单汉字为基础的检索系统。它与单汉字检索没有必然的联系。由于联机词表的体积大,一般在中大型计算机上才能实行。

参考文献

1. 武汉大学语言自动处理研究组. WD - XYZC 语言自动处理文字处理系统论文集(鉴定会材料),1982

2. 黎小林,吴骏盛. 单汉字机助标引和检索. 情报学报,1988,7(1):29—32

原文载于《情报学报》1992 年第 2 期

论计算机情报检索工业

一、计算机情报检索工业已形成相当规模

计算机情报检索是在手工检索的基础上，采用计算机等现代化信息存储与检索手段，使情报检索变成高速、准确与自动的过程，各种情报信息一旦成为计算机中的数据库，在软件的支持下，就能被检索、排序、组合和得到控制，真正实现了可操纵性。

作为一门学科的计算机情报检索，开始出现于50年代后期和60年代初期。它是计算机科学技术、电讯科学技术在文献情报领域中应用而导致产生的学科，大致来说，60年代是脱机批处理检索的技术时代，70年代是联机检索的技术时代，80年代则是步入网络化检索技术的时代。

作为一门学科的计算机情报检索的发展，直接导致图书馆和情报资料单位的情报服务新项目——计算机情报检索服务的建立。这种新型服务，改变了图书情报部门那种各自为战的手工式的传统情报服务，极大地提高了检索的效率，为情报用户开拓更为广泛有效的情报获取模式，并改变了他们的情报搜集行为，激发他们表现出更高的情报意识与情报需求。图书情报部门的这种新型检索服务项目，使计算机情报检索成为社会化的一项科学交流活动。

随着计算机情报检索服务的扩大与深化，情报用户对这种服务需求的增长，导致社会经济领域产生一种新的工业部门——计算机情报检索工业，或称联机情报检索工业。它包括，情报数据库的生产业、联机情报检索系统经营业，为联机情报检索提供必需的电讯服务的电讯业、协助情报用户从计算机情报检索系统进行检索的情报经纪人和中间人的代检服务业，以及计算机情报检索工业的顾客——情报最终用户群。在以上几个部分中，存在着情报信息市场的各种商品关系。这个工业也像社会经济领域的其他部门一样，充满投资、竞争、兼并和对利润的追求。同时也对社会的经济活动和科学研究起着信息保证的巨大作用。这种学科——服务——工业之间的关系，体现了高新技术迅速转化为社会生产力的过程。反过来，作为一种工业部门的计算机情报工业的发展，不仅为学科的发展提供实践的环境，而且从经济上有力地支持了计算机情报检索学科研究的发展，从而促进了学科——服务——工业三者之间的良性循环。

当前，计算机情报检索工业已形成相当规模。据 Cuadra 的《联机数据库名录》的

统计：

年份 种类	1979/80	1980/81	1981/82	1982/83	1983/84	1984/85	1986	1987	1988	1989	
数据库生产者	221	340	512	718	927	1189	1379	1568	1685		
联机情报数据库	400	600	955	1350	1879	2453	2901	3369	3599	4465	
联机检索系统	50	93	170	213	272	362	454	528	555	644	
联机网关							35		59		

（注）单位：个

计算机联机检索用户及其检索量逐年在增长，据英国 Aalib（英国情报学家协会）1988 年的统计，工商业界在 1982 年有 39.7% 使用联机系统，而至 1987 年，这个数字已上升到 78%；大学等，1982 年为 25.2%，1987 年为 60%；政府部门，1982 年为 19.7%，1987 年为 80%；公共图书馆，1982 年为 8.6%，1987 年为 63%；专业协会与学会，1982 年为 6.8%，1987 年为 55%。

联机情报服务的总营业额，英国约为 70 亿美元，欧洲为 10 亿—15 亿美元，日本为 5 亿美元，其他国家为 5 千万美元，营业额的主要部分来自对财政金融和经济数据库的服务。

数据库的生产，美国占 56%，欧洲占 26%，日本占 15.6%，其他国家占 1.4%。联机情报工业每年的增长率为 25%。

二、情报数据库生产业

情报数据库是整个计算机情报检索系统的基础。情报数据库生产业溯源于 60 年代，美国化学会下属《化学文摘》社在 60 年代初为改造印刷版《化学文摘》生产程序，而实行计算机辅助排版和关键词索引的自动编制，先将文摘输入计算机，成为《化学文摘》的电子文本，即机读化书目数据库的雏形。美国国会图书馆研制开发了机读目录（MARC），解决了书目数据库的结构模式。从此，书目数据库成为情报数据库中首先出现的一种数据库类型，而学术团体和政府图书情报服务部门成为数据库的第一批生产者。学术团体成为数据库的首批生产者并不是偶然的，一是他们有长期的二次文献工作的经验和基础；二是他们身处学术环境，对科学的进展和新技术的应用比较敏感；三是具备相应的人才。学术团体所生产的数据库，其特点是：数据库的选题范围以面向学科为主，即根据学科体系的分类作为数据库收录材料的依据，数据库的类型以书目数据库为主，在服务对象上以学术研究界为主，在经营目标上是非赢利性的。

政府机构以自己的职能范围为目标，借助于政府的力量和政策的保护，以及自身掌握大量的信息等优势，在数据生产中占有举足轻重的地位。像美国的商业部、农业部、运输部、能源部、环保局、地质局、宇航局等，都是活跃的数据库生产者，他们所生产的数据库特点在于:数据库的主题范围以面向任务为主,数据库类型趋向多样化,即除书目数据库之外,还生产全文型、名录型等数据库,服务对象也从学术界扩大到管理部门和社会公众。

私营的数据库生产商异军突起,他们针对迅速扩大的情报市场,对数据库生产业进行投资,以赢利为目标而进行经营。与学术团体和政府部门比较,其劳动生产率较高。他们生产的数据库,特点在于:在数据库的主题范围上以面向市场为主,在数据库的类型上以源情报数据库(数据数据库、事实数据库、全文数据库)为主,在服务对象上以从事财经商业活动人员及一般公众为主。像 Data Cornier 公司、Predicasts 公司、Harfax 公司等都是极为活跃的数据库生产商,这种私营数据库生产商的出现,虽较学术团体和政府部门为晚,但后来居上,他们的生产能力,目前在数据库产品的比例上已占多数,他们的出现与发展,加速了数据库商品化的过程,改变了早期数据库编制依赖政府资助的状况,使其具备了自立的能力,使得作为信息产业一部分的数据库工业形成了规模,促使数据库市场、数据库贸易的发展。

近年来,数据库生产者阵营的一个显著变化是新闻出版机构的涉足,他们的重要性正与日俱增。例如 Griller 电子出版公司、Elsevier 科学出版社、牛津大学出版社、ORYX 出版社、NILS 出版公司、Wiley 电子出版公司、R. R. Bowler 公司、Thomas 出版公司、华盛顿邮报公司以及法国通讯社、国际联合通讯社等都是活跃的数据库生产者。他们生产的数据库,尤其以新闻全文数据库、电讯簿全文数据库、杂志全文数据库以及工具书全文数据库等令人瞩目,新闻出版机构近年来致力于把它们的印刷出版物转化成电子出版物。

数据库生产的发展动向,越来越受信息市场力量的支配。那些需求量大,最能获得利润的数据库被置于优先发展的地位,在数据库的主题范围上,财经商业数据库的发展速度遥遥领先于科技数据库,经济新闻、公司名录、产品信息、金融信息、经营管理信息等数据库日趋繁荣,在数据库的类型上,源数据库的数量已超过书目数据库,这是因为源数据库提供的是“纯情报”,它所提供情报的深度要比书目数据库大得多,在生活节奏加快的时代,源情报的直接可用性更适合情报用户的需求,在服务对象上,源数据库既能为学术研究工作者服务,又能为广大公众所接受,因而有更宽的用户面。从商业竞争的角度来看,在书目数据库领域长期以来已形成像 CA-SEARCH(化学文摘)、BIOSIS(生物学文摘)、INSPEC(科学文摘)等权威性高和累积期长的数据库,很难使新的数据库生产者与之抗衡,然而源数据库领域则是一个广阔天地,可生产的数据库主题与类型繁多,正是商业投资的良好场所,所有上述各点都导致源数据库的迅速增长。

三、联机情报检索系统经营业

数据库生产者生产的数据库,一般以磁带形式发行或出租,不能直接被情报的最终用户所利用。这就产生了计算机情报检索工业中的第二个环节——联机情报检索系统的经营者,这种经营者拥有强大的计算机设备和情报检索软件,但一般自己并不生产数据库,而是向数据库生产者租用数据库,在自己的大型计算机上装上这些数据库,并与电讯公司订立协议,以取得电讯设施的使用权,从而向世界各地的终端用户提供有偿的检索服务,如果说数据库生产业是计算机情报检索工业中的基础部分,则联机情报检索系统是这种工业中的核心部分。

联机情报检索系统的经营,与数据库的生产比较起来,需要更多的资金与设备的投入。因此,联机情报检索系统的经营者必须有雄厚资金的公司或国家机构甚至国际机构来支持。

1966 年,洛克希德导弹与空间公司创立了它的 DIALOG 系统;1972 年,它以少数几个数据库开始商业性经营,向社会提供联机检索服务;至 90 年代初,它已装有近 400 个数据库,拥有 8 万多个口令字(即用户数)。DIALOG 的资产,1972 年约 50 万美元,1981 年增至 7000 万美元,1988 年即增至 3.5 亿多万美元。同年 DIALOG 系统出售给 Knight-Ridder 公司,其后又售给 Maxwell 公司,但仍保留 DIALOG 的名称,DIALOG 虽装有许多重要的书目数据库,但现在它的一大半数据库是源数据库。它以商业和财经界作为主要的市场对象,例如,它建立了“DIALOG 商业连接”服务,这是一种为商业界用户服务的项目,并建立了通向证券交易所的计算机网络网关。近年来,DIALOG 的服务趋向多样化,如 1982 年起建立了“知识索引”服务,这是面向最终用户的晚间检索服务,收费低廉,检索指令简单易用,能提供数十个常用数据库的检索。此外,还建立联机订购(即文献提供)服务、电子邮件服务、DIALOG 医学连接服务,以及一批光盘数据库系统产品(称为 DIALOG OnDisc)。

系统发展公司(SDC)早在 1965 年就开始研制联机情报检索系统,并建成 ORBIT(联机分时书目情报检索系统)。该系统主要提供科学技术领域的数据库检索服务。美国国家医学图书馆经营的 MEDLIN 系统(联机医学分析与检索系统),既是首批联机数据库之一,同时也是世界上使用量最多的联机系统。BRS 联机情报检索系统于 1977 年以 10 个数据库开始投入营运,今天已提供 100 多个数据库,主要是书目数据库,但也有若干全文数据库。1988 年 12 月,它被 Maxwell 通讯公司所收购。

在欧洲,依靠国际机构或国家情报中心建立的联机检索系统也纷纷出现。例如,由 12 个国家组建的欧洲航天局的 ESA - IRS 系统,目前提供 100 多个数据库的检索服务。

Data-star 系统建于 1980 年,原先为瑞士政府所属,1988 年为 Radio-Suisse 公司所收购,该系统有 100 多个数据库,侧重于物理学、生命科学、社会科学,但也包括财经方面的数据库和全文数据库。1986 年,它收购了欧洲石油化学协会的“欧洲贸易统计”数据库,从而也成为数据库的生产者。

法国政府 1979 年建立 Telesystemes—Questel 系统,装有 70 多个数据库,主要是科技领域的,但也有一些是商业领域的。

值得注意的是,80 年代由美国化学文摘社、日本科技情报中心及德国 FIZ·卡尔斯鲁厄三家数据库生产者合作建立的 SIN 系统(国际科技情报检索系统),这个联机系统有 3 个中心,分别设在美国的哥伦布、日本的东京和德国的卡尔斯鲁厄,它们之间通过卫星进行通讯连接。这个系统提供的基本数据库,其中不少是这三家自身生产的。数据库生产者经营联机检索系统,有其"产销一条龙"的优势。

除上述联机情报检索系统之外,还有大量的系统存在,有的以提供源数据库检索服务为特色,有的以提供专门领域数据库检索服务为特色。

米德数据中心(Mead Data Centra)是重要的源数据库检索系统的经营者。目前提供两个系列的数据库及其检索服务,一是 LEXIS 系列(法律方面),于 1974 年开始提供商业性的检索服务。二是 NEXIS 系列(非法律方面,主要是新闻领域的),它于 1983 年开始营运。

一些专营财经数据库联机检索服务的公司及其系统应运而生。在这个领域内,原先从事计算服务的分时公司率先经营财经数据库的联机检索服务。他们的系统适合提供经济时列的数据格式及其运算的要求,有的软件能处理经济活动的数学模型,这是它们的软件优势。

新闻出版机构涉足联机情报检索系统的经营。其方式是收购现有的情报检索系统,对其进行改名和重组,从而成为联机情报检索系统经营者阵营中的重要方面军,这是 80 年代以来联机情报工业中的一个带趋向性的变化。

路透社(Reuters)是 19 世纪建立的著名新闻社,从 1984 年起也参与财政数据的计算机传输工作。它在 1987 年收购了 Finsbury 数据服务系统;1986 年以 4800 万英镑收购了 I. P. Sharp 公司的系统,主要提供商业信息服务。

培加蒙出版社(Pergamon Press)是著名的出版公司。它于 1980 年收购了欧洲的 Infoline 情报检索有限公司,将其改名为 Pergamon Infoline 公司。在 1986 年,培加蒙出版社又收购了系统发展公司的 ORBIT 检索服务系统,将其改名为 Pergamon Orbit infoline。

英国电讯公司(British Telecom)也参与联机情报检索工业,英国电讯公司还把它所属的几个信息服务——如"商业指导"、电子邮政服务(Telecom Gold)、电子图文系统(Prestel)结合起来,置于该公司的 Dialoom 系统的名下。

联机情报检索系统日益增多,它们之间的竞争也日趋激烈,竞争的方式是多样的,有的以所提供的数据库众多取胜,例为 Dialog 系列以信息的"超级市场"为标榜,吸引大量的情报用户,许多联机情报检索系统也在仿效,他们装载的数据库数目正在与日俱增,系统的信息资源的丰富程度确实是用户选择使用检索系统的出发点之一。

有的以提供独占性的数据库为号召,也就是说,这些系统提供的数据库是其他系统所没有的。这种"只此一家,别无分店"的做法,迫使用户非用本系统不可。另一种情况是,几个系统都装载同一数据库,但有的系统只能装载题录,而只有一家系统才既有题录又有摘要,因而以记录的信息含量丰富取得支配的地位。例如前面提到的《化学文摘》数据库,仅 SIN 系统才能提供包含摘要的全记录。在这里,那些本身既是数据库的生产者,又是联机检索系统的经营者占有有利的地位,也正因为如此,一些数据库生产者近年来纷纷自己经营起联机检索系统来。

有的系统将使用量密集的领域(如商业、医学等)的一批数据库组成数据库群,提供"一揽子检索"(one search)的功能,即允许用户对群中的数据库实行一次进入、自动转库,并自动清除被检索出的重复记录,从而使用户得到很大方便。

有的系统以用户界面的改进作为竞争的手段,致力于简化检索命令,使检索语句的表达更接近自然语言,从而以易用性争取那些对检索不具备很多经验的最终用户。

有的系统则以降低检索费用作为手段以发展用户量。例如 BRS 系统以检索的价廉取胜,不少系统开办了晚间和周末服务,以低价提供检索。

对用户进行培训,也是当今联机检索系统的竞争手段之一。系统设置培训文档,推出模拟教学系统,举办讲座,赞助用户协会,编印各种宣传材料,参加各种学术会议并在会议期间进行系统展示等,这些争取情报用户的措施是有效的。从用户培训入手,是目光长远的战略性措施。

有的系统延长作业时间,以适应世界各地用户,克服地理时差的影响,争取国外用户。

总之,联机情报检索系统之间的相互竞争是激烈的,这种竞争受信息市场规律支配,同时也促进检索系统性能的迅速提高,检索的单位费用的下降,系统的易用性提高。

近年来,各联机情报检索系统之间的竞争产生了新的格局。早期那种以装载几乎相同的一批数据库而互相竞争的情况减少了,而代之以强调形成各系统自己的数据库特色,使检索系统的学科领域与用户对象趋于专业化。其次,各检索系统之间设立网关,互相沟通,改变了早期各系统之间的以邻为壑的状况,这种网关的设立,是与各系统趋于专业化的变化分不开的。网关的设立,不仅不会产生系统间数据库的重复冲突,而且有利于用户延伸所能检到的数据库的范围,从而增加了系统的竞争力。

随着各国联机情报检索系统的增多,联机系统在地理分布上发生了变化。继美国之后,欧洲众多的联机系统也建立和发展起来,随着专业性检索系统的增多,打破了原先综合性联机系统的垄断局面,各联机系统的用户正趋向分散化和均匀化。目前,联机情报检索系统经营者正面临光盘检索系统(集光盘数据库与检索软件于一身)经营者的挑战,光盘检索系统经营者已推出数以千计的光盘数据库产品(1992 年报道有 2021 种),光盘检索软件的多窗口、多色彩的用户界面更为吸引人,检索功能更为灵活多样。尽管对光盘系统和联机系统的全面性能与费用的比较尚有争议,但一个事实是光盘系统已争得了大量的检索用户。这是联机情报检索系统面临的外部竞争。联机系统经营在这场方兴未艾的外部竞争面前,也已开始实行了变通策略,例如 DIALOG 系统已发行了数十种光盘系统,并且其数量还在迅速增加,其他系统也在仿效这种做法。

四、几点启示与思考

计算机联机情报工业虽然只有20多年的历史,但科学技术的迅速发展,不仅为其提供了不断更新的技术条件,使系统性能得到迅速的改善,也为联机情报工业开辟了广阔的情报用户市场。从总体上来说,正是科学技术造就了计算机情报检索工业,并且成为它的支柱。科学技术是第一生产力,在这个领域表现得很明显。但从根本上来说,计算机情报检索工业的繁荣,必须以社会的较高情报需求为前提。而这种需求又来自社会的较高的经济与文化科学发展水平。计算机情报检索工业首先在发达国家兴起,正是它根植于发达的经济与科学文化的条件。从整体上来说,经济发展的水平决定了这个工业的水平。

计算机情报检索工业的形成与发展,是情报检索从科学文化事业转变为成商业性经营的过程。事实表明,尽管在其发展初期,政府给予了扶植,使其启动,但是产业化的道路和企业经营机制却是它本身不断得到发展壮大的内在因素。只有这样,才能使它密切适应信息市场的需要,经历竞争,承受压力而迸发出活力。信息市场的动向正是社会情报需求变化的反映,以市场为引导,也就是以满足社会的情报需求作为经营的出发点。而经济效益成为经营的生命线,促进了这个工业部门的维持与发展,使其本身具有“造血”功能。

数据库的生产是计算机情报检索工业的先导和基础,从宏观来说,检索系统的建立是对数据库潜在价值的开发。一个国家要形成发展自己的计算机情报检索工业,必须首先发展数据库的产业。没有这个基础,就等于无米之炊。仅仅依靠从外国引进数据库,那么在很大程度上就会受制于人,使这种工业失去自立自强的基点。

商业与经济领域是计算机情报检索工业的主要服务对象和销售市场。在早期,计算机情报检索是以为科学技术研究服务为中心的,数据库的内容以揭示世界科学技术文献为主,数据库在类型上以书目数据库为主,在服务对象上以科学研究人员为主。但是,在70年代以后,特别是80年代以来,由于商业与经济部门信息需求的增长,而且这些部门把及时准确信息的获取作为企业运行与管理的一个必不可少的因素,信息的投入能够实现更多的产出,信息直接转化为利润。因而这些部门成为联机情报检索系统的主要用户。与此相适应,计算机情报检索工业也实现了数据库与用户对象的重点转移。这表现在:经济与商情数据库在发展速度甚至在绝对量上超过了科技文献数据库,服务对象从学者扩大到商人与一般公众,在检索方法的设计方面更多地面向最终用户,在数据库类型方面则源数据库增长迅速。这种变化看来是带有普遍性的。在美国是如此,在西欧也是如此。

计算机情报检索工业要形成规模,需要有图书情报部门、新闻出版公司、计算机分时公司及其他拥有雄厚资金的投资者的参与,这些部门构成了这方面工业的主体,除少数情况之外，一般图书馆仅仅是中间用户，作为最终用户与联机情报检索系统之间的桥梁，计算机情报检索工业也像其他工业部门一样，没有投资，就形成不了“气候”，没有充足财力的支持，就难以不断更新技术设备，扩大经营范围，顶住经营的风险，实现自身的发展。

从总体来看，我国计算机情报检索仍停留在由国家制订规划，靠政府拨款维持的事业性质阶段上，基本上未形成一种工业，虽然近年来，许多情报单位的计算机情报检索开始收费，实行有偿服务，但是从根本上来说，仍缺乏作为产业经营的经济运行机制，缺乏企业界的投资，缺乏出版界、新闻社等方面的参与，缺乏竞争，缺乏自身造血功能。这种状况，使我国计算机情报检索的发展步履艰难。我国作为一个发展中国家，情报用户的情报意识和需求水平较低，数据库编制与软件研制的基础较差，电讯设施不足且费用较高，原始文献提供的能力不足，等等，这些都决定我国短期内不可能形成如同发达国家那样水平的信息市场和计算机情报检索工业。

但是，我国在发展计算机情报检索工业方面也有优势。

首先是我国是个大国，尽管情报用户的人均检索需求水平很低微，但是全国的情报用户及其检索需求的绝对量是大的。改革开放的形势将进一步激发这种需求。特别是涉外经济活动的增多和科技查新制度的建立，社会的情报检索需求今后还会有较大的提高。

社会主义条件下的商品经济的发展，提高了人们把情报作为一种商品的意识，知识产权制度也已确立，有利于信息市场的形成。事实上，计算机情报检索工业在我国已有萌芽，国内情报检索服务已有相当数量从脱机系统转化为联机系统。社会化的信息咨询业也有发展。

我国文献资源相当丰富，这是别的国家所不能取代的。因此，我国数据库生产，经济成本低，而且内容有特色。发展我国的数据库生产业，既能建立我国自己的计算机情报检索工业的基础，又能体现我国“情报自立”的精神。

根据我国的国情，计算机情报检索工业将以国家情报机构为主，使其逐步走上企业化经营的轨道，同时也有必要鼓励新闻出版界和其他企业界在这个方面进行投资。

参考文献

1. John Conveg. Online Information Retrieval：An introductory manual to principles and practice. 3rd Edition，1989

2. Mastroddi. France：Electronic Publishing//The New Way to Communicate. Proceeding or the symposium held in Luxembourg，5 ~ 7 Nov. 1986

原文载于《武汉大学学报》（社会科学版）1993 年第 1 期

论“中国图书情报学书目数据库”的设计与实现

出于教学和科研的需要，近3年来，我一直在从事“中国图书情报学书目数据库”的建设。采用CDS/ISIS软件作为建库与检索的工具。通过数据套录、格式转换装库和原始建库录入书目数据，建立了相应的数据库检索系统。目前该库已有6万条记录，借助于软件的功能，可以提供120万个检索点。并具有数据的分析、重组、排序的能力。通过这次建库的实践体会，愿就中国图书情报学书目数据库的设计与实现问题，谈谈本人的一些思考，并就正于同行同志。

1 建立图书情报学书目数据库是一项必要的基础性建设

我国图书馆及其研究尽管有悠久的历史，但作为一门科学来从事系统探讨，却是本世纪初以来的事。20年代成立了文华图书馆学专科学校（当时称图书科），出现了专门的图书馆学刊物，沈祖荣、刘国钧等一批我国图书馆学的先驱开始发表论著。50年代后又出现了情报学研究论著。一个世纪以来，文献量逐渐增加，30年代和90年代是两个文献发表的高峰。据有关的书目索引的统计，1949—1980年的31年间，中国图书情报学（包括档案学）的文献达11000多条，1981—1985年的5年间文献量为16000多条，1989年的文献量为4196条，1990年为3584条，1991年为4336条，1992年为5070条，1993年为6175条，1994年为8055条，1995年为9966条，1996年为8122条（不完全统计）。这种迅速增长的文献量表明了图书情报学研究的繁荣。在文献类型方面也有很大的发展。作为图书（专著、论文集、教材等）出版的已达2000多种，专业刊物达数十种之多，发表图书情报学文章的大专院校学报达100多种，图书情报工作的标准文件也公布出版。此外，从80年代起出现了硕士学位论文，90年代起出现了博士学位论文。到目前为止，学位论文累计达数百篇。从90年代起出现了专门的研究与发展报告。有关图书馆自动化和计算机检索的专利文献也开始产生。图书情报学计算机数据库和电子出版物也在逐步发展。然而，对于量多、类型复杂的图书情报学文献，却没有建立统一的经常性的书目控制，缺乏相应的专科书目数据库。

因此，建立和维护一个收录文献类型齐全、时间跨度较长，信息含量充分、具有强大检索和计量功能的图书情报学书目数据库是一项必要的基础性工作，应该提上议事日程。这种数据库的作用不仅在于对研究文献进行目录学的总结，而且可作为文献检索的工具，作为文献计量分析的工具，作为刊物编辑部审稿查重的辅助工具，作为进一步生产专题书目、个人著述书目、各种期刊累积索引等多种书目产品的信息源。

作为文献检索工具的作用：图书情报学的科学研究也像其他科学研究一样，在选题和写作时需要占有系统的资料，以便在吸取已有成果的基础上进行更进一步的探索，这是不言而喻的。然而当前缺乏一个收录文献齐全、收录时间跨度较长、包含文献类型多样的图书情报学书目数据库，研究者在查阅资料时不得不去查询单文献类型的检索工具（如报刊资料索引或重庆与上海的光盘系统），甚至直接查阅近年来的书刊资料。这表现在许多文章的引文追溯年代仅为数年，一些重要有关文献被漏引。其结果，往往导致无视前人已有成果的倾向，甚至导致研究结论的偏差。有的引文仅限期刊论文，忽略了其他类型的有关文献；有的仅限于核心期刊的文献，即使是学报之类的重要文献也被排除在学术交流的主渠道之外。这些现象的产生，除作者的研究态度之外，一个重要的原因是文献的可获得性限制了作者的视野，而文献可获得性的高低，又主要取决于检索工具。因此，建立一个理想的图书情报学专科书目数据库是推动学术研究的必需。

作为文献计量工具的作用：文献计量学的理论已成为图书情报学的重要组成部分，图书情报学中各种专题和时间范围的文献计量分析研究不断涌现。例如核心期刊、核心作者、作者群落等的统计分析文章，就发表过数十篇之多。但是由于缺乏一个专科书目数据库，致使这种计量分析不得不依靠手工统计的方式来进行。限于人力，只统计数种期刊、只统计数年的文献量，以此得出的分析结论难免有以偏概全之嫌。有的人虽然利用计算机化的数据库（如《人民大学复印报刊资料数据库》）来作计量分析，手段较为先进，但是由于库中文献类型单一，且文献量少，所得出的结论也不能完全令人信服。文献计量分析的可信度主要取决于统计对象的完备性和典型性，因此，图书情报学专科书目数据库将是提高这种计量分析准确性的重要工具。同时，检索系统软件中的许多功能可用于计量分析。例如：建立子库法、分别统计第一作者和非第一作者法、各种排序法、关键词聚类法、某一作者或论题文献分布统计法等，都可作为计量手段而加以应用。因此，专科书目数据库既提供计量分析的信息源，又提供了自动化的计量分析手段。

作为期刊编辑部审稿查重辅助工具的作用：在图书情报学刊物上，一稿多投、一稿多登的现象时有发生。有的同一文章在两种甚至 3 种刊物上同时发表或时隔半年至一年相继发表。发表时，有的题名完全相同，有的稍改一二字。这给刊物和作者的声誉都带来不良影响。造成这种状况的原因是多方面的，其中的一个原因是当前没有一种有效的查重手段进行把关。编辑人员虽时常浏览其他刊物，但仅凭记忆来避免重登是不可靠的。此外，文章抄袭现象也不能说完全没有。要提高刊物的编辑质量,就需要图书情报学专科书目数据库。如果该库更新及时,编辑部可以有效地制止已发表的文章再次发表。即使当时没有发现,也可事后在库中进行检索,将重复发表的文章题名及作者进行曝光,从而也可以避免今后的一稿多投现象。在数据库中,借助检索软件功能,发现重复刊登的文章是很容易做到的。至于审查内容抄袭的文章,借助数据库也是可能的。在审查稿件时,可从库中检索同类文章,通过浏览进行比较。

作为编制专题书目、个人著述书目等书目产品的信息源的作用:一个较完备的专科书目数据库,可以对其进行二次开发,编制专题书目、个人著述书目等多种书目产品。这种二次开发主要是依靠检索编辑软件的功能来实现的。其步骤具体是:拟定合适的检索式(例如某一专题的有关分类号关键词等或某一作者的姓名、笔名等)进行检索,对命中文献进行套录(下载),指定排序方法(如按作者姓名排、按题名排、按出处名称排,按发表年代排或以上数种排序的分层实现等),实施计算机排序,人工审查修改。这种二次开发的效率很高,所开发的书目信息产品的成本很低。写作文献述评的作者,也可用此方法进行专题文献的普查与排序,以节省大量的时间。

总之,这种图书情报学专科书目数据库相当于 LISA 数据库。我们需要中国的 LISA。

2 建立图书情报学书目数据库已具备的初步条件

现在建立图书情报学专科书目数据库,有不少可资应用的已有条件。

我国图书情报界已编辑出版了一批图书情报学论著目录、资料索引。例如华东师大的《图书馆学情报学档案学论著目录》(1949—1980,1981—1985)上下两册,武汉大学图书情报学院的《图书馆学情报学档案学出版发行学论文索引(1949—1985)》,北京大学的《图书馆学情报学论文题录》(1989—1992 年分年排印)等。这些书目索引网罗资料相当完备。例如华东师大的论著目录收录文献 27000 余件,武汉大学的论文索引收录文献 20500 余件,北京大学的题录共收文献 19886 件。但以上 3 种由于是印刷型的检索工具(北京大学的数据录入在 dBASE 库中,输出打印而成,未形成数据库检索系统),所提供的检索途径仅为粗略分类和著者两种(华中师大的目录尚缺著者索引),不能多维地提供题名、关键词、分类号、出处与出版年月及其组配的检索。而且出版之后,未作增补更新或累积,因而缺乏数据库的多维检索、动态更新、库中记录的统计排序重组等功能。

90 年代以来,我国对图书情报学专科书目数据库也做过努力。例如中国国防科技信息中心于 1993 年编辑了《情报学核心期刊数据库》,山西省图书馆编辑并于 1997 年发行了《图书馆学论文文摘数据库》。但收录面偏窄(如前者仅限于 10 种核心期刊的文献),收录数量较少(前者为 10000 多篇,后者为 20000 多篇)。当前有一些综合性的书目数据库(光盘)包含了图书馆学情报学领域的文献。如中国科技信息研究所重庆分所编辑发行的《中文科技期刊篇名数据库》和上海图书馆文达光盘《中国社会科学文献数据库》等。作为图书情报学书目资源的检索来说,这两种光盘是很有价值的。它们所收录的期刊品种多,仅图书情报学的专业刊物就收录50多种。此外还收录了大量非专业期刊上的文章,尤其是高校学报。这较之华东师大、武大、北大的题录索引是一个突出优点。重庆分所的光盘数据库在著录事项方面,有的文献还包括有摘要。但是作为图书情报学专科书目索引来说,它们仍然不够理想。首先,它们仅收录期刊文献,文献类型不全面。其次,作为综合性数据库,它们对文献的标引不完全适用于专科目录索引的标引要求。例如,不少记录中标引有"图书馆"、"情报工作"之类的关键词。作为综合性数据库做这种标引是合适的,而作为专科书目数据库来说却专指度太低。第三,收录材料的时间跨度较短,重庆分所的光盘仅以1989年为上限,上海文达光盘则从1993年开始,因而对追溯检索存在局限。第四,检索项较少,仅提供分类、主题(关键词)、著者、人名(被论及的人名,仅上海文达光盘有此项著录)、文献出处及发表年代等检索入口。而且对于3个或3个以上的著者,仅著录前两名,因而著者信息不充分,导致某些作者被埋没。第五,著作方式往往不著录,至使原著和译文不易区分。重庆分所的数据库对于纯文科性质文献往往不收,例如书史、藏书史等方面文献不予收录,但又未作申明,这可能导致检索的失落。上海文达光盘数据库则对一些刊名有明显科技性质的期刊(如核科技情报工作、农业图书情报工作、医学图书情报工作方面的刊物)不予收录。这种收录政策是前者以"科技期刊"为库名,后者以"社科"为库名所决定的。但对于图书情报学文献的根本属性来说,没有必要进行如此严格区分。但是,这两种光盘数据库可以作为建立图书情报学专科书目数据库的信息源。当然,如要进行套录(下载),版权问题需要事先解决。同时要编制相应的数据格式转换等软件,并需改正其录入的文字错误和不适当的标引,进行增补标引,改正重庆分所光盘中不完整的年代表示法。这种套录建库是一种方便、迅速的建库方法。

3 图书情报学书目数据库文献收录政策

(1)在文献收录的学科范围方面,宜以面向文献情报的学科群为范围,即采取"大学科"的方案。图书馆学、情报学、档案学、文献学、目录学应作为核心部分收录,编辑出版发行学也应予以收录,与信息技术在图书情报方面应用有关的边缘性文献,例如汉字编码、信息载体、编程技术、计算机网络等文献也需要酌情收录。这种广泛的学科范围,正是图书情报学几十年来进展的反映。然而,这种"大学科"的方案对数据库的命名却产生困难,以"图书情报学"命名似有以偏概全之嫌。在学科集成化问题未取得共同认识之前,我们不得已用"图书情报学"这一名称。

(2)在收录出版物的地域范围方面,可以兼收大陆、台、港、澳地区的专业书刊和其他类型的资料。过去上述地区间的交流不够,但在图书情报学研究领域内,上述各地区的文献有彼此借鉴的意义，都是中华文化的组成部分。目前香港已回归，澳门也即将回归，海峡两岸的文化交流日趋频繁。顺应这种形势，通过这种“大地域”的专科书目数据库的建设，正是促进学术交流的一个举措。

(3)在收录文献的类型方面，应对期刊论文、图书、研究报告、会议文献、学位论文、报纸上的有关文章、专利文献、标准文献、电子出版物以及软件产品等都予以收录。这种“多类型”的收录政策，改变了过去图书情报学书目索引仅以书刊为限的狭窄性，可为用户开拓更多的信息资源，也有利于对文献作者的成果进行更全面的评价，使文献计量分析的结论更趋合理。此外，由于各类型文献是可以转化的，例如会议文献可以转化为期刊论文，期刊论文可以选入论文集，因此多种文献类型的兼收政策，也有利于读者获得多种原始文献的渠道，当某一类型的原始文献不易获得时，可用等价的其他类型文献作为代替。

(4)文献收录的时间范围应以20世纪以来发表、出版的文献为界。本文前面说过，虽然我国文献学、目录学、版本学、校勘学、藏书学有悠久的历史，并代有著述。然而，图书馆学的系统研究文献出版在20世纪初期，情报学文献的出现更是50年代以后的事，因此以20世纪为界是较为适宜的。当然20世纪编辑出版重印的历史著作，也符合收录范围。从本世纪初开始收录材料，更能完整地反映图书情报学研究的历史全程。这就是“长时间跨度”的收录政策。

(5)在具体文献的选择收录标准方面，宜采取尊重事实、尊重历史、尊重著者劳动的态度。这个书目数据库应从整体上展示我国图书情报学研究的各个阶段的进展。一般来说，收录文献应力求齐全，使每篇文献在库中有其存在的地位，使每个作者的劳动得到尊重。即使是一些从现在来看是“时过境迁”失去现实意义的文献，也应予以收录，因为它们在当时起过作用，成为图书情报学发展史上的特定阶梯，并且对现在和今后也具有学术发展史研究的价值。这种建库政策正是体现书目具有文化史意义的所在。不要以观点的分歧和作者的知名度高低作为选择的标准。当然，对于某些内容实在浅薄的文献可以不收，但这也要慎重。因为书目的编制既能揭示、宣扬文献，也能埋没、扼杀文献。目录学史上的“兼收并蓄、抱残守缺”的传统不无道理。

(6)对会议录、论文集、纪念集中的文章和百科全书中条目，宜作分析著录，以提高文献揭示的深度。

(7)对专业刊物上发表的英文文献也应予以收录，但需注明中文题名及中文作者姓名。

4 图书情报学书目数据库的著录与标引

除了遵循有关编目标引的准则外，拟提出下列几种看法。

(1)在文献款目中增设“著者所在单位”项(字段)。在一般的书目中缺乏这一著录项。其实这是一个重要的信息项目。著录此项的好处是:首先可以提供文献作者研究写作的环境,有助于判别文献内容的可靠性和先进性,当然这也不能绝对化。其次,可以根据这一著录项普查各单位的作者群状况、科研成果全貌,并借以判断其整体实力和研究特色。第三,鉴于当前作者中同名同姓者增多的现象,著录作者单位,有助于进行区分。当然,目前作者调动工作单位的现象增多,甚至单位本身改名的现象也增多,加之90年代以前的刊物上少有标明著者单位,也给著录增加难度。尽管如此,仍有必要增设此项。近年来重庆分所的光盘数据库已增加此项,这是一个很好的改进。

(2)标引是揭示文献内容的关键,标引项是构成数据库的检索点的重要组成部分。因此也需认真研究。

首先是分类法的研究。分类以《中图法》为准,这不仅因它是国内主导性的分类法,而且目前重庆和上海的光盘数据库也都采用此分类法,经过套录(下载)的记录,分类号可直接使用。当然,作为综合性分类法中的图书情报学部分的类目设置,对于图书情报学专科书目数据库来说会显得过于粗泛。但在计算机化的数据库中,可用标引关键词、题名中的关键词作为组配检索,以实现更大的检索专指度。因此类目粗泛是可以接受的。如另编专科类法,则工程太大。

其次,借助于检索软件,可以将题名作单汉字标引的处理,这将大大提高标引深度,并改善标引关键词(或主题词)的固定先组配的缺陷。例如题名为“联机数据库的套录问题”的文献,在单汉字检索中,可从“数据库”、“联机数据库”、“数据库套录”、“套录”、“联机套录”等入口均能检索出这一文献来。这就大大提高了检索词表达的自由性,适应不同读者的用词习惯。由于是计算机自动进行这种单汉字标引和组配检索的,因此并不增加标引的劳动。将这种题名单汉字检索和标引关键词检索结合使用,是提高查全性能的理想办法。这也是检索语言向自然语言靠拢的一种表现。

对于某些关键词采用通用的英文缩略字,如SDI、CD-ROM、UAP、UDC、IFLA等作为标引词。这样可以节省检索时输入检索词的时间。对于题名中夹杂有这些英文缩略字的文献,单汉字标引与检索也能直接加以利用。

5 软件的选用

作为数据库,必须有相应的软件作为建库、维护、检索的支持。软件是检索系统的重要组成部分。对于图书情报学书目数据库来说,对软件的选择,除一般要求外,还应是:记录采用可变长方式,以节省空间开销;可定义的字段与记录长度应较大,以容纳摘要;能处理重复字段和子字段,在录入中应能实现定义隐含值、字串剪粘、格式纠错等功能;能实现单汉字标引与检索;能进行后控词的检索;能自动产生全库的标引词词典,并加注文献登录数;能进行按用户指定的一键或多键进行检索结果的排序;能实现多种格式的输出,能实现与外部数据的交换,所采用的中间格式应是国际标准的交换格式(ISO2709);一个数据库中记录总数应能突破10万条以上甚至百万条,能为库的增长留有足够的余地;具有网络功能;软件的升级改版有持续的保证;软件的费用低廉;等等。

笔者比较了若干有关软件,认为CDS/ISIS系列包括(Quick Ims)软件较为适宜。

6 中国图书情报学书目数据库情况

根据上述建库考虑,作者初步建立了中国图书情报学书目数据库。当然这仅仅是初步尝试。现将该库有关情况,介绍如下:

(1)收录文献的类型

收录50多种图书情报学专业刊物上的论文。

收录高校学报、学位论文、非图书情报学专业刊物上的有关论文。

收录会议录及论文集中的单篇论文。

收录图书情报学专著、教材及标准和专利文献。

(2)收录文献的时间范围

1989年以来的有关文献基本收录。

1989年以前的文献有选择地收录,尤其被90年代论著引用的早期文献重点收录。

收录文献的年代以90年代为主,尽可能追溯早期文献,甚至本世纪初。

(3)数据项

本库每条款目除题名、著者姓名、出处、分类号、关键词摘要、发表年卷期外,增设了"著者所在单位"项。这有利于帮助鉴别文献写作背景,进行作者群落的分析。

(4)检索点

①关键词。②著者姓名。③著者单位。④分类号。⑤出处(刊名、出版社名称)。⑥发表年代。⑦题名中的单汉字的位置组合。以上各检索项可进行任意的逻辑组配(与、或、非)检索。

未建索引的字段,如摘要,可进行顺序扫描检索。

(5)建库方法

套录有关光盘中的数据,进行格式转换,改正其录入文字错误,改变其不合适标引词,增标关键词。

根据原始文献或论著的引用书目、参考书目进行录入建库。

(6)采用软件

采用CDS/ISIS系列软件包括Quick Ims软件,实现可变长记录,节省空间容量,并能提供多种检索手段,提供应用户要求而定的多种输出格式。检索结果既可编辑排序,也可打印套录。

此软件允许用户自行增加或修改数据，以增补本库未收录的资料。因而系统是开放性的。

(7)本库的用途

检索有关资料。

用计算机作为手段，进行各项文献计量学统计分析，并能自动排序，列出各种“学术榜”。从而有利于主题、核心刊物、人才、机构、地域等方面的文献计量分析研究。

供刊物编辑部进行文献查重。

可据此生产专题库、个人著述书目或打印成书本式目录。

(8)本库规模

目前有近6万条记录。

联系人：武汉大学图书情报学院研究所陈光祚。

参考文献

1. 华东师范大学图书馆学系、图书馆编，董秀芬主编. 图书馆学情报学档案学论著目录（1949—1980）. 上海：上海人民出版社，1984
2. 华东师范大学图书馆学系、图书馆编，董秀芬主编. 图书馆学情报学档案学论著目录（1981—1985）. 上海：上海人民出版社，1989
3. 武汉大学图书情报学院编. 图书馆学情报学档案学出版发行学论文索引. 北京：科学技术文献出版社，1991
4. 北京大学图书馆学系资料室编. 图书馆学情报学论文题录.（1989、1990、1991、1992 共 4 册）. 该系印刷
5. 情报学核心期刊数据库通过鉴定. 情报科学技术. 1993(3)
6. 周静华. 关于建立中文图书馆学情报学篇名文献数据库的设想. 江苏图书馆学报，1996(1)
7. 陈光祚. 基于图书馆学情报学书目数据库主题计量分析选择核心课程. 北京大学学报（信息管理系建系五十周年专辑），1997

原文载于《中国图书馆学报》（双月刊）1998 年第 4 期

从 中 笑

——我与《文献检索课》的缘

文献检索课纳入全国高等学校理、工、农、医、文各专业的教学计划并开课以来，已经走过了20年。这是值得图书馆界特别是高校图书馆纪念的日子。文献检索课20周年，其意义怎么估计也不会为过。我国政府教育领导部门将这门课程列入高校教学计划，是提高学生信息素质的有远见的决策，在各国教育事业中，这也是一个创举。从此高校图书馆成立了教研室(组)，图书馆员走上了大学的讲坛；图书馆的学术地位得到公认和提高；文献检索方面的教材和论著大量涌现；促使了图书馆学知识在社会上的大普及；并且也推进了本学科的建设。

在这纪念的日子里，我不由回想起我与文献检索课的一点缘。在30年前，即1974年2月，我在武汉大学图书馆学系编写并印出了《科技文献检索》教材，并同时向学生开设这门新课。之所以称为"新课"是因为在原图书馆学课程体系中，只有"目录学"与"工具书使用法"之类的课程。1957年，我从北大毕业到武汉大学任教，担任的就是"目录学"课程的教学工作。到文化大革命停课为止，共进行了9年。其间还从"普通目录学"进而转向"专科目录学"。在长达9年的教学中，深感目录是以书为本，将天下之书编为目录，通过目录掌握天下之书的学问。它与校雠学、版本学有密切的联系。历史上从事目录学研究的学者，都是博览群书的大学者。我国目录学的主要成就，主要体现在中国目录学史部分。我觉得，要有助于实现我国的四个现代化目标，自己的治学方向应该转到现实需要的轨道上来。而"工具书使用法"课程，则一一罗列介绍各种类型工具书及其使用查检的方法，缺乏学术的深度。因此，我从1972年起着手创立"科技文献检索"课程，经过一年左右时间，1974年初编印出这门教材。这门新课的特点是将检索的理论、检索工具、各种类型文献的检索方法、检索策略及检索服务结合在一起，在系统性和学术体系上形成了此后同类教材和专著的雏形，起了一点发凡起例的作用。这门新课很快被兄弟院校的图书馆学专业所采用。大约在1974年左右，北京大学图书馆学系当时主管教学的郑如斯老师亲口对我说，北大也要开此课，就暂时采用武大的教材。以后全国几乎所有兄弟系都开设了这门课程，直至现在。这门课程丰富了图书馆学专业的教学体系。

文化部也将此课程列入图书馆系列职称考核课程。由我编写了此课的"学习问答"。在科技情报界，这门教材也引起了重视，1977年国防科委系统的一个情报所

(59180 部队)将我们的油印本教材翻印成铅印本,并在部队科技情报会议上散发。其后,煤炭部情报所等单位也进行了翻印。当然,这不仅仅是因为这门教材的内容,更重要的是,在粉碎“四人帮”之后,科技文献检索知识是实现四化的社会需要。

1974 年 2 月编印的《科技文献检索》是国内出现的第一部此类教材。著名文献学家、天津大学的范铮先生在其《全国大学机电系统文献课教学情况》(发表于《津图学刊》)中说:“本来查找文献的知识,最早是由理工院校讲授的。但作为一门正式课程来说,它是从图情院系引进的。1974 年 2 月,武汉大学图书馆学系陈光祚老师编出了国内第一本正式教材《科技文献检索》。同年,武汉大学将这门课列入图书馆学系的必修课。此后这门课程在图情院系逐步发展起来。”他在逝世前给我来信说:“该文 P76 有您于 1974 年 2 月编国内第一本正式教材的记载,可作为资料存查。”

尽管编出第一部科技文献检索教材是一点贡献,但其影响毕竟仅限于图书情报部门的范围。图书馆界的有识之士在 80 年代初就提出了在大学各专业中开设检索课的建议。在全国高等学校图书情报工作委员会肖自力等人的推动下,教育部 1984 年发文正式将文献检索课列入高校的教学计划。它是这门课走向社会的关键一步。这是培养和提高大学生信息意识和信息技能的英明决策。美国、印度等国图书馆界人士来华访问时都说,他们也想说服政府教育管理部门这样做,但都未成功。他们很羡慕中国的做法。因此,20 年前中国教育部的这一决策确是一个伟大的创举。

1984 年后,我被全国图工委聘请到“文献检索系列教材编委会”做一名成员,每年举行两次会议。在这个委员会中,肖自力、吴观国、来新夏、朱天俊、江乃武、葛冠雄、谢天吉、潘树广及我常常在一起讨论。在短短的几年内,组织编写了 20 多种文献检索课的教材,并培训了不少师资。于是检索课之花在全国各地开放,使教育部的文件得到落实。1993 年,在系列教材编委会的基础上,教育部又正式下文成立了“文献检索课教学指导小组”,我也成为其中的一员。在系列教材编委会和教学指导小组的成员中,吴观国、潘树广先生近年去世。想起他们的音容笑貌,我感到悲痛,并铭记他们的贡献。

我本人在文献检索领域的探索 80 年代初转向了计算机情报检索系统领域。先是翻译美国 F. W. 兰卡斯特《情报检索系统——特性、试验与评价》这一获奖著作,作为学生用的教材。1983 年吸收王知津、王津生一起合作,译本 1985 年在书目文献出版社正式出版。1993 年又主编了我们自己的《计算机情报检索系统导论》(书目文献出版社)。由手工检索扩展至计算机检索,是符合时代发展的必然,同时也是使文献检索课与时俱进、具备新的生命力的必需。

今天,文献检索课在高等学校普遍开设,这方面的教材涌现了数百种之多。文献检索的研究成为图书馆学、信息管理学科的热点之一。这个领域可以说是山花烂漫。而我,也感到“丛中笑”的欣慰。

2000 年,我退休了,但是在检索学术领域内并未停步。目前除指导博士生外,还进行个人数字图书馆的研究。近两年来，将联合国教科文组织的 WINISIS 软件进行了汉化，并以这个软件为基础，建立了个人数字图书馆，即个人文库。这个文库中，收集了我的所有著作的目录和全文、我的各个时期的照片、证件（包括获奖证书），以及从网上下载的文章、图片、音乐，因而是一个多媒体系统。目前这个库的记录已达到两万两千多条。它存储了我一生的“足迹”和爱好，具备个人化的特色。我想，个人数字图书馆的建立与利用，应该是文献检索课未来发展的重要组成部分。因为在网络检索普及的今天，检索者往往将自己所需的信息下载到文件夹内，以备日后查找使用。但是，文件夹的资料不具备结构化，无检索功能。当下载文献量较多时，使用很不方便。而 WINISIS 软件不仅提供了海量的存储（一个库最多达三千万条记录），而且检索功能十分强大。每条文献可设立数十个检索点，例如一张合影的照片，可以把其中每个人的姓名、单位、职务、合影时间、地点等项目作为标引项。一篇论文也可设立数十个标引项。每个标引项都可作为检索点。检索时，可通过单项检索、多项的布尔逻辑检索、未索引字段的全库顺序扫描检索等手段进行检索。一个库中尽管有数百万项检索点，却可以在瞬间检索到，并可显示（打印）文献全文、图像、展播音乐。可谓多而不乱，一索即得。WINISIS 是一种免费软件，在已具备上网条件的情况下，不需要增加用户的经济负担。教育部倡导的“文献检索与利用”，其“利用”部分一直显得比较薄弱。而将检索所获信息用 WINISIS 加以组织，建成个人数字图书馆（或个人文库），是“利用”在当前条件下的一种体现。我以为，今天将个人数字图书馆的知识增加到检索课中来，肯定会得到用户的欢迎，并能进一步增加文献检索课的生命力。在高等学校的课程体系中，文献检索课也需要不断拓新，与时俱进，实现可持续发展，使之能立于不败之地。我的这个建议，可能是我一生最后的一点贡献，相信会逐步得到同行们的认同。

在文献检索课教学山花烂漫的今天，我作为这个领域的一名老兵不仅在“丛中笑”，还希望它明天会更好，会有更新的发展。

原文载于《大学图书馆学报》2004 年第 4 期

图书馆自动化研究

英国的联机检索与编目系统——BLAISE*

不列颠图书馆自动化情报服务(The British Library Automated Information Services,BLAISE),是英国1977年4月建成的一个联机交互式的计算机化情报检索与编目系统。目前拥有四百多万条记录的联机书目数据库,215家用户。从英国和欧洲的任何地方,通过一般的公用电讯系统,就可以在终端上利用BLAISE系统进行情报检索、书目核对和书刊编目。随着通讯网络的完善,将可以从欧洲以外的地方利用这个系统。BLAISE系统已成为英国情报工作与图书馆工作现代化的一个重要支柱,并将成为全英INFOLINE联机检索网络的中心和全欧经济共同体EURONET联机检索网络的重要组成部分。

与世界其他联机检索系统比较起来,BLAISE的建设,有以下一些值得注意的特点。

一、设备与系统概况

BLAISE系统采用IBM370计算机和美国国家医学图书馆提供的ELHILL ⅢC软件,供联机编目用的编辑程序是英国自己编制的。

整个系统分为编辑子系统、检索子系统和MARC更新子系统。用户可以使用接口条件与电传打字机可换的终端(Teletype Compatible terminals)和其他类似于IBM2780的智能终端,对其数据库进行适时存取。

BLAISE系统的示意图如下。

二、数据库

BLAISE系统所拥有的数据库有:

(1)MEDLINE。这是美国国家医学图书馆编辑发行的有关生物医学方面的大型资料档。它包括全世界三千种生物医学杂志的参考文献。每月新增近两万篇文献的著录。目前全档共约250万条文献著录。在BLAISE系统中,从1975年起的MEDLINE可供联机检索。1975年以前的,在检索时可联机输入检索要求,而检索结果由计算机每天夜里处理,并邮寄给用户。存储在计算机中的每条著录,包括39个数据元(著录事项),如著者姓名、篇名、出处、标引词等。其中19项可用来直接检索。每篇文献平均标引词为12个。这些标引词是取自医学主题表(MESH)中的。MESH

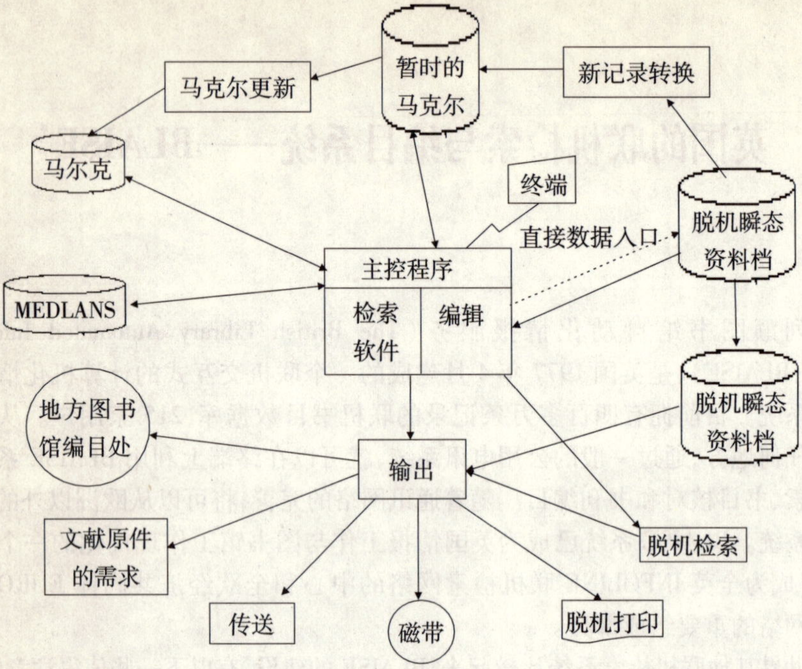

词库经常修订更新。

(2)SDILINE。这也是来自美国国家医学图书馆的。它供定题服务检索及试样检索(sample searches)之用。

(3)TOXLINE。这也是美国国家医学图书馆编的医学情报数据库。它除了毒理学的资料之外,还包括如环境污染物、有害农业化学品和工业产品、生物体液与组织中有毒物质的测定方法与分析方法,有毒物质的新陈代谢,药物化学与药效学等。TOXLINE 由 10 个分资料档构成。因此它们可以同时检索。这 10 个分资料档中,较老的资料(例如 1973 年以前或 1975 年以前的)的检索,也是由计算机在夜里处理的,不能在联机条件下取得检索结果。

(4)CHEMLINE。这是一个联机词典资料档。它包括在 TOXLINE 中所有具有化学物质登记号的化学品的名称。共约 246000 条记录。每条记录有 18 个数据元,除登记号外,还有正式采用的化学名称、同义词、分子式、各种命名、结构框架以及 MESH 中所用的词,等等。这 18 个数据都可用来作查接检索之用。这个词档的主要作用,不是用来直接查找文献,而是用来查找检索所用的化学品的名称。同时,只要当已知某一化学品的分子式时,也可用来辨识这一个化学品。

(5)MESH 词表档。它包括医学主题表中的所有词的信息,共 14000 条记录。MESH 词可以有 27 个数据元,其中 3 个可以作直接检索之用。二级主题词有 13 个数据元,其中 4 个可作直接检索之用。此档每年更新一次。更新后较老的文本成为老 MESH 词表档。当用新的档查找 MEDLINE 时,可以找到一个名词被采用的日期,以及在此词出现以前用的是什么词的说明,并对词有一个较详细的范围注释。这个词档也可用作为所有词的一个轮排索引。

(6) UKMARC。即英国国家图书馆(不列颠图书馆)所编的英国机读目录。UKMARC包括下列四种记录:①英国国家书目(BNB)的全部书刊著录。1974 年以后的 BNB 称为"即期档"(Current),1973 年以前的称为"回溯档"(Retrospective);②不列颠图书馆印本书部编目的新书(DPB)(1971 年起);③正在出版中的图书的预编目录(CIP)(1977 年起);④BLAISE 订户增加进去的 MARC 以外的资料(EMMA)(1977 年起)。

(7) LCMARC。即美国国会图书馆机读目录。1974 年以后称"即期档",1968—1973 年的称"回溯档"。

UKMARC 和 LCMARC 的每条记录都有 61 个数据元,其中 25 个可直接用来检索。例如:国际标准书号(ISBN)、国会图书馆卡片号、英国国家书目号(BNB 号)、分类号、著者姓名、取自书名或主题标目中的字,等等。

三、功能

BLAISE 系统的主要功能,一是情报检索,二是图书编目。此外还可作图书馆订购书刊与开展馆际借书之用。

(1)情报检索功能。由于 BLAISE 系统采用美国国家医学图书馆的 ELHILL 检索软件,而这个软件又来自美国系统发展公司(SDC)研制的 ORBIT 软件,因此 BLAISE 系统的检索功能,是和系统发展公司的联机检索系统、美国 MEDLINE 联机检索系统的功能基本一样的。

BLAISE 系统的 ELHILL 也具有字符串检索的能力。

检索的结果,可以有多种形式的输出。包括具有大小写字体的打印件、磁带以及计算机缩微胶片(COM)。此外,用户也可以利用远程终端或小型计算机来联机捕捉数据。记录可自动地传输到地方编目服务处(Local Catalogue Service),供各图书馆编目之用。

BLAISE 系统向检索者显示或打印的检索结果,也有三种详略不同的规格。第一种是只有文献篇名,它主要供检索者初步浏览文献的来源出处,即所谓一般的题录。第三种是除著者、篇名、出处之外,还有该篇文献所存的索引词。这更有利于了解该文献的内容涉及哪些方面和问题,这三种不同的规格,分别用不同的输出指定。

为了帮助没有经验的用户,BLAISE 设有服务台,指导用户使用这个系统的必要知识。

凡是从 BLAISE 系统检到的资料,如需要该文献全文,BLAISE 就把读者要求借出或复制的书目信息传输到不列颠图书馆外借部,负责向用户提供该文献的变制作或原件。

(2)图书编目功能。BLAISE 系统拥有供各图书馆进行联机编目的功能,从而实现了全国图书馆图书编目工作的计算机化。

编目工作的自动化,是图书馆工作现代化的中心一环。在传统的工作条件下,编目是由各图书馆分散地用手工方式进行的。它不仅消耗大量人力物力,而且也使得各图书馆的目录款式与目录组织互不统一,影响联合目录的编制和馆际互借的开展,给图书馆书刊情报资源的共享带来不利条件。UKMARC 的编制和 BLAISE 系统的建成,则基本上改变了传统编目工作的面貌。

各图书馆可以利用 BLAISE 所拥有的 UKMARC 和 LC MARC,核对自己的藏书,经过增删修改而变成符合本馆藏书状况的目录资料档,并将其打印成卡片目录、书本式目录或 COM 胶片目录,从而取代了原来的手工编目的工序。

BLAISE 系统的编排程序子系统,就是为联机编目而写的软件。

用户通过编辑程序。可以建立自己的“子资料档”(Subfile)。从主数据库中选出的 MARC 记录可以复制放进这个“子资料档”(有时也称“瞬间档”——transient file)。也可以在这个“子资料档”中建立一些新的记录。一个“子资料档”可容纳 250 条记录。超过 250 条者,可设立第二个、第三个……“子资料档”。编辑程序也能做到从检索出来的记录中删去不想要的字段。每个用户可以保持自己的筛选程序(filter)。这个筛选程序在必要时也可以改变,或者当取出的记录经过编辑程序时“旁路”(by-pass)。

用户可以修改记录的个别的字段或子字段,删去某些字段、子字段甚至整条记录,也可以加进自己的数据,按自己需要的款式建立所谓小型 MARC 记录。

然后,记录可以从编辑子系统中联机输出或脱机输出,而成为打印件,或者磁带。也可以把记录传输到地方性的图书馆编目服务处(LOCAS),以便按各图书馆确定的规格生产计算机缩微输出胶片目录(COM)。

因此,联机编目的实际过程大致是:当图书馆收到一批新书后,即用这批新书的国际标准证号(ISBN)来查对 MARC 资料档,以选出符合这些号码的记录。如果 MARC 中没有记录,用户可以将此书的记录增加到资料档中去。如果认为 MARC 记录中的数据元(即著录事项)太繁不适合本馆需要的,可以删去某些著录事项(即字段)。同时也可把本馆的藏书号码或其他事项加进记录。这样,原来的 MARC 记录就变成反映本馆藏书,并保留本馆目录款式特点的目录资料档。然后再将这些资料档输出成书本式目录、卡片式目录或 COM 缩微胶片目录。

据统计,利用 MARC 作为基础来编制各图书馆的目录,其中大部分新书,可以利用 MARC 中现有的记录,不用自己编目,而需要重新输入的,只占全部新书的 20%—40%。这说明利用 MARC 来编目是可行的。

BLAISE 系统设有 COM 服务处,即用计算机缩微输出的方式脱机生产各图书馆订购的缩微胶片(卷)目录。目前在英国的各图书馆中,COM 目录成为一种主要的目录形式。COM 目录的成本比卡片目录低得多。一张 COM 胶片,包括三千多条记录,即能代替三千多张卡片。另一种超缩微的 COM 胶片,可包括几万条记录,即能代替几万张卡片。因此 COM 目录大大地减少了原来卡片目录的体积。但查找 COM 目录必须利用显微阅读器。另外,COM 目录需不断成套地更新。

BLAISE 系统中的 MARC 档是处于不断更新之中的。这个系统能够在二十四小时之内捕获用户所建立的所有新的记录,并供给其他用户使用。这些 MARC 之外的记录(extra-MARC records)将经过核对,以便从暂时的 MARC 档(temporary MARC file)归并到主档或共享的编目档(Shared Catalogue file)中去。但这些记录将为以后 UKMARC 的同一记录所取代。CIP(正在出版中的图书的编目)的资料,也将被以后等同的完整 MARC 记录所取代。专属某个具体图书馆的地方 MARC 资料,不保存在主档中,而保存在"瞬态档"中。因此 BLAISE 系统能掌握每个用户的编目情况,帮助用户的图书采购工作和馆际供书工作,并有利于联合目录的编制。

(3)帮助图书订购与馆际互借的功能。BLAISE 系统可以帮助各图书馆的图书选购工作。首先,可以命令系统显示新出版图书的目录,并且可以按照分类、主题有次序地排顺,以便进行图书的选订。其次,也可利用 BLAISE 系统进行书目著录事项的核对工作,以取得图书供应商所售图书的准确完整的情报。第三,可以通过 BLAISE 系统了解附近图书馆的入藏情况,以避免采购工作中的一些不必要的重复浪费。

利用 BLAISE 系统,可以了解某一书被收藏在什么图书馆里,因此给馆际借书带来了方便的条件。

四、今后的发展

BLAISE 系统是 1977 年 4 月才投入使用的,目前正在扩大发展。它的数据库将增加不列颠图书馆外借部和科学参考图书馆的会议资料索引,以及英国期刊资料档。并且,全新的联机服务还将包括供编目人员用的标准"主题与人名档"(Subject and name-authority files)。此外,准备将目前使用的美国硬件与软件(即 IBM370 计算机和 ELHILL 程序)全部改用英国自己的 ICL2970 计算机和 LSP 软件,实现设备的英国化,从而使 BLAISE 系统过渡到 MERLLN(Machine Readable Library Information)系统。

英国在建设 BLAISE 系统时就宣称,他们建设 BLAISE 系统只是为了摸索经验,而真正的目标是要建成 MERLIN 系统。在 MERLIN 建成之前,BLAISE 系统起填补空白的作用。但由于财政上的困难,英国图书馆界承认,近几年内没有足够的经费来进行 MERLIN 系统的建设,MERLIN 的前景还不很确定。

BLAISE 系统正在与英国其他几个主要的联机检索系统,如 INSPEC 系统、DERWENT 系统等互相联结起来,共同组成一个叫 INFOLINE 的检索网络。各系统提供自己的数据库,对于网络化中出现的有关网络的组织、职能、硬件布局、软件及所用通讯线路等问题,由英国专门图书馆与情报机构协会(Aslib)等组织各方共同研究协商解决,而INFOLINE这个全英的联机检索网络,又准备纳入欧洲经济共同体的检索网络EURONET中去,成为后者的一个重要组成部分。

五、几点值得注意的经验

与世界其他联机系统比较起来,BLAISE的建设有几点值得我们注意的经验。

第一,BLAISE系统把联机情报检索与联机图书编目的功能结合在一起,它既是全国情报检索中心,又是全国图书馆统一编目中心。也就是说,它把情报工作的现代化建设和图书馆业务管理工作的现代化建设有机地融合为一体,一身而兼二用。这样,不仅能避免不必要的平行、重复,而且能使两者互为补充,提高服务效率,充分发挥计算机系统的作用。

科技情报(也包括社会科学情报)工作与图书馆工作是互为联系、互为交叉的。由于情报的主要来源是文献,因此对文献(包括出版物、视听资料及手稿等)的搜集、整理、检索、提供、保管等工作环节,情报工作与图书馆的工作有很多的共同性。当然,情报工作的最后目的,是进行战略和战术性的情报分析研究,确定水平动向,提供可供选择的建议,从而起到耳目和参谋的作用。但是,从目前所能达到的技术水平来看,能够采用电子计算机实现操作自动化的,正是文献资料的订购、编目与检索等工作环节。至于情报的分析研究,目前主要还要靠人脑,而不是靠电脑。因此,在图书馆工作和情报工作采用计算机实现手段的现代化过程中,两者不仅应该统筹兼顾,而且也需要密切结合。BLAISE系统在采用ELHILL检索程序的同时,增加了供联机编目用的编辑程序。在数据库中,不仅有MEDLINE资料档,还有MARC资料档。这就把单纯的联机检索系统改造成联机检索——编目系统。这个事实说明,在一台计算机上,配备两种软件,同时具备检索与编目的功能,在技术上是可行的。

我国图书馆与科技(社科)情报机构,系统很多,头绪复杂。在现代化的建设方面,是统筹兼顾,密切结合,还是各搞一套,平进重复?这将是我们面临的一个关系到是多快好省还是少慢差费的重大问题。在这方面BLAISE系统将提供我们有益的借鉴。

第二,BLAISE系统不是孤立的一个系统,而是全英联机网络INFOLINE的一部分,又从属于欧洲经济共同体的EURONET联机网络。也就是说,BLAISE的建设,从一开始就纳入了全国联网化的计划。BLAISE的建成,有力地推动了INFOLINE的逐步实现。

在建立联机系统,并使其组成网络这一方面,英国的做法与美国的做法是不同的。在美国,一些大型的联机检索系统,很多是作为商业公司经营的,彼此相互竞争,抵消了不少人力物力,各个系统拥有不少相同的数据库,硬件软件各不相同。而在英国，很注意计划、节约和合作。当然，英国的财政经费方面的困难，迫使英国图书馆和情报机构不得不走这一条路。但是，在统一计划之下，相互合作，组成网络，实行书刊情报资源共享与设备共享，以最经济的办法取得最大的实效，这是符合现代图书情报工作的发展规律的，体现了图书情报工作现代化建设的科学性。

现代化与网络化是密切相关的。图书情报工作要在技术上实现现代化，就要求在组织上实现网络化，使之与其相适应。在网络化的条件下搞现代化，能够充分发挥现代技术的优越性；也只有在网络化的条件下，才能实现原来一个图书馆或一个情报单位难以实现的各种现代技术装备的建设。

图书情报工作采用电子计算机等现代技术，大大改变了原来分散手工业式的操作。许多工种，可以交给一台计算机进行工业式的生产。图书资料的处理工作，日益走向社会化。例如，可以由一个图书馆编制 MARC，许多图书馆共享计算机编目的成果；由一个联机检索系统或网络配备丰富的数据库，成千上万个终端可以共享其书目资源和科学数据。因此，网络化就自然地代替了过去的分散经营。另一方面，电子计算机等现代技术设备用费高昂，往往非一个图书馆或情报单位力所能及。因此，现代的图书情报工作，没有必要每个图书馆和情报单位都家家“养机”，事实上也单独养不起“机”。组成网络，实现书刊情报资源共享和设备共享，正是解决这个问题的必由之路。

我国是社会主义国家，我们有比资本主义优越得多的条件。因此，有计划地建设全国的联机系统，并且使之组成上下左右脉络贯通的网络，这是我们现在面临的重大任务。也就是说，从全国网络的总体计划着眼，来建设各个方面和地区的联机系统，这样才能胸有全局，避免重缺不全之弊。相反，如果各个联机系统的建设，互不通气，没有一个全国的图书情报现代网络的总体计划，则必将产生严重的浪费，并被迫走很多的弯路。

目前，我国图书情报工作正在起步向现代化过渡。我们要抓住这个有利时机，使我国的图书情报工作现代化建设，从一开始就走计划化、合作化、网络化、科学化的道路，那么，我们就有可能在较短的时间里，赶上世界先进水平。统筹规划、全面安排，这是今日当务之急。

第三，英国国家图书馆经办的 BLAISE 系统既是一个联机服务部门，又是 UKMARC等书目数据库的生产者；既向用户提供书目情报，又负责提供文献原件或复制品；既便于各图书馆进行联机编目活动，又设有 COM 服务处，发行计算机缩微输出胶片式的目录以及普遍卡片目录。这样，开展联机服务，编辑书目数据库，提供文献复制服务，发行 COM 目录及卡片目录，负责馆际借书等方面的工作紧密地结合在一起，使 BLAISE 系统成为一个服务项目齐全，生产、服务、发行兼备的“联合企业”。这样做，较能消除各个环节之间可能出现的脱节现象，有利于提高服务效率，改善经营，方便用户。

今后我国的联机系统，能否也办成一个“联合企业”，使其具备多种功能，开展多项服务？这是很值得我们认真研究的。

---

* 我国图书馆代表团于1978年10月12日至21日访问英国伦敦等11个城市的25个图书馆，本文作者是代表团的成员之一。这篇介绍BLASE(不列颠图书馆自动化情报服务)的文章就是作者根据他访英带回的资料编写的。

——编者

原文载于《图书馆学通讯》1979年第1期

自动化图书流通管理系统的功能与构成

一、建立自动化流通管理系统的必要与道路

图书馆的图书流通工作，是图书馆工作中比较繁忙的一个环节。借书、还书、续借、预约、掌握还书日期、控制借书数量、计算并收取罚金、确定有过失的借书人的停借权日期、注销丢失图书、作废被窃借书证、填发催还通知单，以及做出逐日、逐月的各种统计报告，分析读者阅读频向等，这些业务工作，关系到读者的切身利益和图书馆的服务质量，是图书馆面对读者的第一线工作。在传统的手工操作的条件下，图书馆即使投入了大量的人力，但由于效率较低，读者借书排队，出纳台拥挤不堪、难以掌握图书去向、无法开展预约服务，这都是普遍存在的现象。

近年来，国外图书馆纷纷采用以电子计算机为基础的自动化图书流通管理系统。这种系统操作简便，高速准确，并可以实现多种服务功能，因而极大地改变了图书馆工作的面貌。对于在不同地点设立图书流通点的图书馆来说，分散的借书记录可以得到集中的控制。无疑，实现图书流通管理的自动化，是现代图书馆的发展方向。

从国外图书馆这方面的情况来看，实现图书流通管理自动化的道路是多种多样的。

第一种道路是向有关厂商购买成套的系统设备。据估计，三分之二至四分之三的图书馆都是采用这种方法来装备自己实现流通管理自动化的。近年来，国外出现了一些专门出售成套系统的厂商。他们向图书馆提供硬件（这些硬件不一定全是他们自己的产品，往往是将来自市场的各种设备进行配套）、软件，负责人员培训，并支持系统的维护工作。这种成套系统的供应者，国外称为“总控制钥匙系统商家”（turnkey system vendor）。其中较著名的是：美国的 MECICOM（现已停业）、Dataphase、Cincinnati Electronics，加拿大的 ULYSIS、GEAC，英国的 Plessey 等公司。目前从商业途径可以获得的图书馆流通管理系统，其重要的十一种是：

① CLSI 公司的“LIBS100”系统。这是一套完整的较好的系统，特别是美国公共图书馆广泛地采用这个系统。

② Checkpoint/Plessey 公司的 SPC 图书馆系统。

③ Gaylord 公司的流通管理系统。这是一个联机系统。它是由各个图书馆采用

小型计算机定期地同 Gaylord 的主机相连接的方式进行工作的。

④ 3M 公司的存货清单管理系统(Inventory Control System)。

⑤ IBM 公司的 System/7。它只是数据收集器来处理硬件。软件必须由各图书馆自己研制。

⑥ Mohawk 公司的数据科学 4400 数据收集系统(1978 年已停止供应)。

⑦ Cincinnati Electronics 公司的 PRL－1000 流通终端。

⑧ Innovated System 公司的系统。它是与激光扫描阅读的条形码相结合的。

⑨ System Control 公司的系统。

⑩ Universal Library System 公司的 ULISYS 系统。

⑪Dataphase 公司的自动化图书馆情报系统(Automated Library Information System)。

此外,近年来多伦多的 GEAC 计算机公司的全套系统很有吸引力,已进入了北美和英国市场。

据统计,1979 年这些厂商出售的成套系统达一千八百万美元以上。现在的趋势是,这方面的厂商日益增多,彼此竞争日趋激烈。成套系统的改进与更新很快,如 DataPhase 已出售第四种系统,Cincinnati Electronics 已出售第二种系统,新的系统不断地展出并投入市场。

第二种道路是图书馆自己购买中小型计算机,并与软件公司签订合同,要求提供专用的软件。

第三种是若干大学图书馆和公共图书馆,利用本校或本地政府现有的计算机作为主机,取得一定的机时,自己组织研制有关的程序,从而建立流通管理系统。如英国约克大学图书馆,澳大利亚的 Adelaide 大学图书馆等,都是走的这一条道路。这种做法可以充分发挥本校、本地计算机的潜力,投资较少,但需要有计算机方面的人才。当然,大学往往具备这种条件。

二、自动化流通管理系统的功能

自动化流通管理系统,有脱机与联机的区别,它们的功能有所不同。脱机流通系统主要采用数据收集器,每晚输入计算机进行成批处理。联机流通管理系统可便于用户随时询问图书的去向,便于图书馆工作人员在还回图书馆时及时拦截别人已预约的图书,并抓住有过失(超过借期、超过规定借书数量等)的借书人。因此联机流通管理系统的功能完善,目前多数图书馆采用的是这种系统。

当然,各个联机流通管理系统所具备的功能,由于其采用的计算机、外国设备、软件等的不同型号、容量和质量而有所不同。但大致说来,作为联机流通管理系统应当具备下列功能:

1. 借书:系统应能迅速准确地核对借书人是否是本图书馆合法的借书人,记录借出图书的信息，并根据不同类型、具有不同借书权利的借书人（如教师、研究生、学生等）自动计算出图书应还日期。

2. 查询：能及时方便地为借书人查询出借文档，以便了解任何图书的去向（如被谁借去？或是否正送去装订等等）。

3. 延期借书期限：当借书人提出这种要求时，系统能担负这种作业，及时改变出借文档中该书的应还日期。

4. 预约保留：当一本图书被借出后，另一读者可请系统登记预约。当不止一个读者预约同一本书时，系统能对其进行排队。

5. 自动打印办理借书通知：当一本被人预约的图书还回来的时候，系统能发现并登记这一事实，为预约者打印出通知书。

6. 改变还书日期：当一读者急需一本已被借出而未到期的图书时，经馆员同意，可使系统缩短该书借期，并自动打印催还通知。

7. 对已丢失图书的处理：当借书人想借一本已登记为丢失的图书时，系统能加以发现。

8. 对送去装订图书的处理：有的图书被送去装订而未按期送还图书馆时，系统能自动产生催还单。

9. 催还图书：系统能对所有已过期的图书产生适当的催还通知书。

10. 还书：当图书还回时，系统能迅速改变流通记录。

11. 发现有过失的借书人：系统能发现借书过期、超过数量、未付罚金等在借书方面有过失的借书人。

12. 编制借书清单：系统在必要时能编制任何借书人的所借图书的清单，这种功能一般是脱机进行的，并且是根据要求而作的。

13. 提供管理情报：系统能进行各项统计，提供说明服务指标的各种管理情报。这些情报是保证藏书的有效控制和高水平的服务所必需的，是改进流通工作的依据。

三、自动化流通管理系统的配置

所谓系统的配置，是由主机、外围设备、终端等组合而成的整体。当然，各个不同的系统，其各种设备的配置不尽相同。现举澳大利亚 Adelaide 大学 Barr Smith 图书馆联机流通系统为例，说明其系统配置的情况。

该系统是以两台计算机为基础的。一台是 IBM System/7（小型机），另一台是属于校部管理的 Data Cyber/173（大中型机）。另有若干装在各流通点的终端。终端有两种：一是直观显示部件（Visual Disply Unic），另一种是叫区域站（Area Station）。

区域站由下列设备组成：a. 一个书卡读出器和一个借书证读出器。B. 一个数字键盘和 6 位数字显出器。C. 9 个作业按钮和 32 个指示灯，区域站由于没有字母键盘，因此必须有机读书卡时才能进行作业。它主要用于借书与还书。它只能担负标

准的作业。直观显示部件由下列设备组成;

a.一个字母键盘。b.一个480字符的直观显示器。c.少量的专门指令按钮。它用来与System/7以及Cyhef/173计算机进行通讯联系。通过按动键盘把信息送入计算机,计算机的响应也通过在屏幕上显示信息来实现。区域站能做的作业,直观显示部件也都能做。但直观显示部件所能进行的某些作业,而区域站却不能做。

IBM System/7、Cyber/173、区域站、直观显示部件等所组成的系统,图解如下:

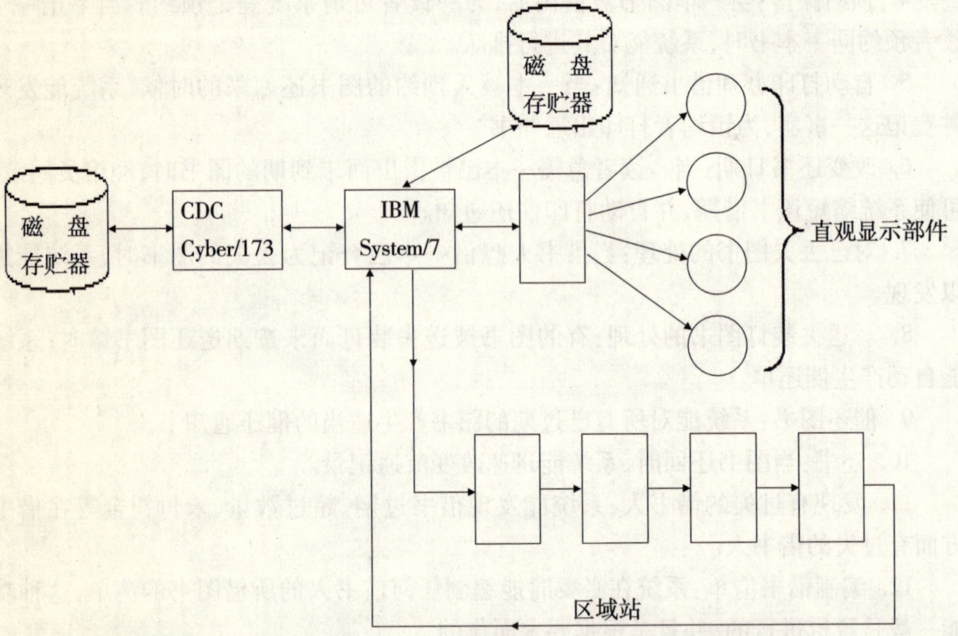

装备在图书馆各个图书流通点上的直观显示部件和区域站,与IBM System/7相联结。这台IBM System/7计算机处理大部分的联机要求。白天出现的每个事件(event)定期地传输到Cyber/173计算机,脱机时这些数据进行脱机处理,以更新每天或每月用来编制催书单、通知和报告的文档。

IBM System/7计算机保持下列数据,并能处理该数据的任何提问:

a.出借文档:它包括所有正在借出的和已预约的图书数据。这是整个系统的主要文档,这个文档中的每个记录,可以随机存取,每个记录包括:借书证号,应还日期,借书日期,记录标记(二位数字,如06代表丢失),图书类型(书、刊等)和收藏地点代号,预约的号码,以及由索书号和著者/书名组成的图书信息。

b.监视文档(Attention file):它包括那些由于各种原因而受到计算机监控的借书人的信息。例如暂停借书权利的借书人的证号,已丢失或被窃的借书证号,以及归入此文档的理由(用代码表示)。这个文档由馆员在管理口令的控制下使用直观显示部件用手工来维护操作。

c.作业运行记录文档:每件作业的完整记录在出借文档改变以前。就写入作业运行文档。因此在图书馆的每个终端上发生的所有事件的完整记录都包括在这个文档之中。这个文档每天传输到 Cyber/173 计算机,然后重新启动,输入到 Cyber/173 磁盘上的情报,被作为对每天的成批处理系统的主要输入,并随后为了安全起见,将其记存在磁带上,以备以后检查之用。

保存在 IBM System/7 计算机中的数据,当发生一个作业的时候,就立即进行更新。例如当进行借书时,一条款目就立即加到出借文档中去;而当一本书还回时,款目就被消去。

Cyber/173 计算机保持 IBM System/7 计算机中的所有数据,并保持与系统有关的其他信息。它包括下列文档:

a.出借文档:包括正在出借和需要预约的图书的信息。即:保存在 IBM System/7 中的出借文档,也都保存在这里。

b.出借索引文档:按借书证号排列,可以回答某借书人已借了什么书。

c.本馆所登记的借书人文档:它包括所有已登记和现已撤销登记的借书人的信息。这个文档的作用是,每当 Cyber/173 计算机进行作业时,核对这个文档,以保证借书人都是合法的已登记的读者。

d.借书人姓名索引文档:它按姓名排列,可用来确定某借书人的借书证号。

这里要说明的是,保存在 Cyber/173 计算机中的数据,并不随进行每一件作业而改变。而是当作业记录传输到 Cyber/173 计算机时才进行更新。因此它所包含的出借文档,不如保存在 IBM System/7 计算机中的出借文档那样“新”。例如当某借书人归还一本图书时,IBM System/7 计算机中的出借文档立即进行“结账”,而当一天的作业运行记录在传输到 Cyber/173 计算机之前,保存在 Cyber/173 计算机中的出借文档中,并未销去这一记录。

在整个系统中,Cyber/173 计算机的作用是,由于其容量较大,它所保存的文档较 IBM System/7 为多,可用来进行各种询问,并成批处理催书单、通知和统计、报告等,提供管理情报。

澳大利亚 Adelaide 大学图书馆的这种流通管理系统,对于一些高等学校图书馆和其他图书馆把图书馆专用的小型机与校部的多种用途的大中型机结合起来,联机与脱机结合起来进行作业,是有一定代表意义的。

四、机读文档的输入与建立

要实行自动化的流通管理系统,除了配备硬件、软件,解决系统配置之外,还必须将大量的书目信息和借书人信息转换成机器可读的形式,这样才能为计算机所识别、记录和处理。

这种把人可阅读的常规文档转换成机读文档的工作,需要耗费大量的馆员劳动。

国外图书馆界认为,要完成这种劳动密集的工作,其所耗费的资金,甚至比建立整个系统的其他各个方面(如购置硬件、软件等)所耗费资金的总和还要多。因此,我们在计划建立自动化流通管理系统时,一定不能忽略这个问题,必须十分仔细地研究文档的转换问题。

为了建立与输入文档,读者借书证、书卡等必须是机器可读形式的。一种是在证或卡上穿孔,另一种是采用条形码。例如澳大利亚 Adelaide 大学自动化流通管理系统所用的借书证,就是一种塑料的机读证件。把借书人姓名、证号、类别(教师、研究生、大学生等)、能借书的数量等数据进行穿孔,记录在借书证上。当借书时,终端设备能够"阅读"这些有关借书人的事项,并加以记录和存储起来,以便计算机能根据借书人的类别、借书权利自动计算还期和是否超过借书数额等。该系统所用的书卡,则以穿孔形式记录了每本图书的有关信息。例如:藏书地点代码,图书形式代码(如M 代表专著,P 代表期刊等),完整的索书号,著者/书名,等等。书卡平时放在书袋中,借还图书时作为输入还书信息的材料。但目前国外许多图书馆采用的自动化流通管理系统,是应用条形码的,它用光笔来读出。图书中的条形码是该书的登录号等,借书证上的条形码是借书证号及借书人类别等。

有的系统还把图书馆所有可以流通的图书的书目信息转换成机读形式,输入计算机中去。并且要求同一种书的各个复本,必须加上复本号,如果图书馆的藏书很多,这项工作工程是十分浩大的。当然,这项工作也可以与机读编目相联系起来的。

五、自动化流通管理系统的发展趋势

仅具备单一流通管理功能的系统,正向具备采购、编目、书目查寻、流通管理等多种功能的一体化系统发展,这是当前的一个趋势。这样,可以消除流通与联机书目查询分别用不同终端的麻烦。而与此同时,为了支持这种多功能的联机系统,正采用越来越大的中央处理机。本来在流通管理系统的文档中,流通记录是很简略的,而目前已从100—200 字符扩增至500 和500 以上的字符,而这又要求有更大的磁盘驱动器和存储装置。在1973—1974 年时,有的系统仅有10 兆的磁盘,而近年来已达30 兆、60 兆,这意味着可以在一个以小型计算机为基础的系统内放进1700000 条书目记录。

另一个趋势是改进用户的接口。即改进终端的使用方法,使用户乐于使用。例如不同的操作键采用不同的颜色,加强系统对用户的操作等。

第三种趋势是若干图书馆之间的设备共享。例如几个邻近的图书馆共用一台中央处理机。这不仅能减轻每个图书馆的负担,而且便于实行馆际互借。

参考文献

1. Maggie Low. General System Specification of CIRCON. LASIE,1978,9(1)

2. Riehard W. Boss. Genernal Trends in Implementation of Automated Circulation System. Journal of Library Automation, 1979(September)

3. Bonnie R. Nelso. Implementation of on-line Circulation at New York University-Journal of Library Automation, 1979(September)

4. P. J. Flavell. R. C Saunder. The Kent Library Automated Circulation System (KLACS). Program news of Computers in Libraries, 1978, 12(3)

原文载于《图书情报知识》1980 年第 2 期

美国图书馆自动化的发展及其启示

在美国,图书馆采用电子计算机等技术,实现书刊采购、编目、期刊管理、流通、参考、读者登记以及作业统计等工作环节的自动化,使图书馆的面貌为之一新,今天确实达到了可观的水平。据统计,1976 年美国图书馆用于技术设备和计算机服务的费用为二千万美元,而 1980 年约增至四千万美元。[1]

图书馆自动化在图书馆本身的发展史上,是一次空前深刻的变革。对图书馆的工作方法、组织体制、馆员素质等都带来了新的变化。适当回顾美国图书馆自动化的发展过程,是可以给人们一些有益的启示的。

早期的尝试

穿孔卡片设备、电子计算机等这些信息处理的工具与手段,一开始并没有立即被引进图书馆。这些设备的制造商起初并没有想到图书馆的需要,他们只是到 60 年代以后才认识到图书情报部门是他们的一个重要消费者集团。但尽管如此,美国图书馆早在四十多年前就开始尝试当时的数据处理设备,以谋求取代或减轻图书馆日常工作中那些单调、重复和费时的手工操作了。

得克萨斯大学于 1936 年安装了一台穿孔卡片设备,建立起一个新的流通系统,在 40 年代和 50 年代,大约有二十多个图书馆使用穿孔卡片设备或纸带打字机(paper tape typewriters),用来进行流通管理、订购、统计、编制书卡与期刊收藏目录等工作。这些设备从今天的标准来看,其效率是很有限的,但它却是图书馆从手工操作向机械化过渡的起点。

60 年代初,一些大学、政府机构及商业组织拥有了第二代计算机。这些单位附设的图书馆,纷纷利用这些计算机进行试验。1963 年时,估计有 50 至 70 个图书馆从事这种试验。在试验中各个图书馆互不协调,各自编写计算机程序,各自拟订机读格式,甚至在一个图书馆里,这种"自动化"的研究同其他工作也很少联系。结果产生了不少错误与挫折,招致了很多批评。失败的原因是多方面的,其中之一是当时的第二代计算机未能经济有效地适应图书馆工作的要求。图书馆收藏浩如烟海的各种类型、形式与文种的书刊资料,而对这些书刊资料进行描述、分析和分类的图书馆目录,其记录长度是可变的,记录格式是复杂的。对于计算机来说,这是较难处理的数据。同时当时计算机的容量与速度也不够理想；计算机输入用的穿孔卡片和纸带比较笨重，输入速度慢；只有大写字母的打印设备，也不大适合编目的要求；那时，联机交互设施、合适的字符集、满足图书馆要求的较高水平的软件等还不容易得到。但是，尽管如此，这时人们看到，计算机比起以前的穿孔卡片设备，能够做多得多的工作。同时，计算机能够做到“一次输入，多种输出”，这个概念开始被人们理解了。此外，在一台计算机上，把各种不同的任务协调起来，进行多种作业，以构成一个“系统”的想法，也开始出现了。

这个时期的挫折，使图书馆员开始懂得，要把计算机应用到图书馆工作中来，即使是在最简单水平上的应用，也是一个复杂的研制过程。计算机本身没有“魔力”。图书馆界应当担负起考虑周到计划的责任。同时，图书馆自动化不是一个图书馆单枪匹马所能轻易完成的。

六十年代中期的推进

60年代中期发生的两件事，大大加强了图书馆自动化“信徒”的信心。第一件事是第三代计算机的问世，第二件事是作为美国国家图书馆之一的国会图书馆在自动化方面开始采取了切实的步骤。

第三代计算机(集成电路计算机)在1965年出现了。由于硬件与软件的改进，使计算机拥有更大的存储容量，更多的功能，可靠性大大增强了，成本大大下降了，因而极大地提高了对图书馆自动化的适应性与吸引力。

国会图书馆在60年代中期也开始积极行动起来。远在1958年，国会图书馆就有一个自动化委员会。但直至1963年，它几乎没有做什么工作。1963年，馆外的一个小组对图书馆自动化问题进行了详细的调查和可行性研究，得出结论说，国会图书馆的一些主要业务实现自动化是有希望的，应该建立一个广泛的计划，自动化的目标首先应当是解决图书馆面临的压力较大的问题，即图书目录的组织与管理(编目)问题。当这个小组的结论与建议以《自动化与国会图书馆》为题发表时，原先一些很不关心的人开始改变态度，对图书馆自动化产生了很大兴趣。

把图书馆自动化的首要目标放在编目工作上，这一点对其他图书馆是很有吸引力的。国会图书馆从1901年起就向各图书馆供应印刷卡片。各个图书馆采用这种卡片作为本馆编目的重要部分。从编目入手开始图书馆的自动化，使许多图书馆看到有可能从国会图书馆获得更多的好处。

小组报告发表几个月后，国会图书馆就建立了一个单独组织来处理自动化工作，开始了MARC(机读编目)的计划。

机读编目的逐步完善

所谓MARC是将图书馆的新书目录转换成机读形式，并将其保存在磁带上以进行发行的作业系统。其他图书馆可在订购这种磁带的基础上进行进一步的加工，编印本馆的藏书目录和联合目录。MARC 计划将国会图书馆的需要与其他图书馆的需要结合起来，符合国会图书馆担负的双重任务，即图书馆自动化既要为本馆服务，又要为其他图书馆服务的目标。

MARC 在开始时仅限于单行本图书的机器编目。它确定了单行本图书的著录事项、各著录事项的先后次序、各著录事项的标识号以及便于计算机处理的其他信息，从而产生了 MARCⅠ这种机读记录格式。

作为 MARC 试验计划的一部分，有 16 个图书馆用了一年多的时间对其进行了试验、考查，此外还征求了许多编目人员与其他馆员的意见。在这个基础上，国会图书馆对 MARCⅠ格式作了较大的修改与扩充，从而发展成 MARCⅡ格式。

MARCⅡ格式被图书馆界所接受。1969 年 3 月起，国会图书馆开始发行 MARC 磁带。每周一盘磁带，包括上一周国会图书馆完成的英文图书编目记录。不久，机读编目的对象从英文图书扩大到法、德、西班牙、葡萄牙乃至所有采用罗马字母的文种的图书。记录格式也从单行本图书扩大到连续出版物、地图、影片、手稿、乐谱等。

MARCⅡ也逐步被其他国家所接受。国会图书馆同联合国教科文组织、国际图书馆协会联合会等一起，发展了国家间进行书目情报交换的国际计划，MARCⅡ被采用来作为图书馆书目情报交换的通信格式。

MARC 计划也推进了国际编目合作。英国和加拿大的 MARC 磁带同国会图书馆的 MARC 磁带是互相兼容的，彼此定期进行交换，因此国会图书馆不再对英、加的出版物进行原始编目，而英、加两国也接受美国国会图书馆对美国出版物的编目，从而实现了国际编目分工。今后要把这种分工合作扩大到世界各国的出版物编目上，还有许多问题尚待解决，但这种设想已经提出来了。

MARC 计划的发展，今天已经开始使传统的图书馆卡片目录逐步退出历史舞台。国会图书馆从 1981 年起关闭了卡片目录，其他图书馆也正在纷纷仿效。

图书馆合作网络的兴起

MARC 计划的顺利发展，促进了一大批以计算机为基础的新的图书馆合作网络的出现。“网络”的概念被广泛接受。数以千计的图书馆通过各种方式结合起来，在国会图书馆发行的 MARC 磁带的基础上，实行共享编目、建立联机联合目录、进行馆际互借及采购合作。

在美国，结构松散的图书馆网在一个世纪以前，随着美国图书馆协会的成立和国会图书馆日益加强全国性活动，就已开始存在了。国会图书馆发行的印刷卡片，使全国图书馆获得了第一个馆际之间重要的联系工具。对馆际互借手续的标准化，也大大方便了图书馆间的资源共享。但是，在图书馆自动化过程中形成的新的网络，在成员馆范围、合作深度、经营方式以及及时性与有效性方面，都较原有的网络有很大的变化。

一个有代表性的这种新网络，就是俄亥俄学院图书馆中心，即 OCLC。它建立于 1967 年，起初的目的只是为了提高本地区高等学校图书馆藏书的利用率。MARC 磁带的发行，给这个网络注入了新的生命力。它们采用电子计算机，对国会图书馆的 MARC 磁带进行再加工，实行共享编目和建立联机联合目录。开始是以脱机批处理方式进行的，但很快就发展到联机方式。各成员馆都设有计算机终端，当采购到的新书需要编目时，可以在终端询问计算机，将 MARC 磁带上该书的编目记录选择与显示出来，并输入本馆的代号以订购该书的编目卡片。如果 MARC 磁带上没有该书的编目记录，则询问馆可根据一定的格式为该书输入原始编目记录，并输入本馆代号，供其他馆使用。若以后 MARC 磁带上出现了该书的编目记录，它可自动取代原先成员馆输入的原始编目，而成为正式的记录。

因此，OCLC 的机读数据库包括了取材于 MARC 磁带上的记录和成员馆输入的原始编目记录。由于每条记录都附有收藏该书的图书馆的代号，因而同时也就形成了包括各成员馆藏书的联合目录，从而便于在采购协调、馆际互借以及参考工作等方面实行合作。这种共享编目和联机联合目录，使得众多的图书馆从 MARC 磁带中受益，减轻了各馆的业务负担，并为图书馆资源共享提供了一条有效的渠道。1975 年，OCLC 发行了五千二百万张卡片。[①] 正因为如此，OCLC 从起初的俄亥俄地区几十个图书馆迅速扩大到 1975 年的 28 个州的三百多个图书馆，其后又扩大到几乎遍布全国乃至欧洲的一些图书馆。1978 年，它走上了商业经营的道路，成为 OCLC 公司。

在美国，像 OCLC 这样的网络不断出现。但是在建立网络的方式上有变化。起初，各网络都以 OCLC 为样板，把 OCLC 的计算机程序移植到自己的计算机上。但是经过几年的考虑，多数网络得出结论，它们不需要有自己的计算机，可以同外界的计算机设施取得协议而满足自己的要求。因此网络组织被认为是为其成员馆提供可利用的广泛资源的工具。有不少网络组织成为 OCLC 和用户图书馆之间的中间人。

自动化的流通管理系统相继出现

1978 年初，有人预言，流通管理将是今后五年中图书馆自动化的主要增长领域。[②] 其后几年来，美国图书馆的流通工作自动化事实上发展也相当迅速。

早在 60 年代，某些大学就开始建立脱机方式的流通管理系统。这种脱机系统是在借书还书时收集、存储数据，然后在一定的时间由计算机成批地处理和打印出图书流通情况的资料。自从小型计算机与微型计算机取得较大的技术进展之后，图书流通管理系统便向普及化发展。脱机系统逐步进化成联机系统。

小型计算机和微型计算机的技术进展，使它大大地降低成本，提高竞争能力，从而在市场上出现了一批成套供应图书馆自动化流通系统设备的制造商。如 Checkpoint/Plessey 公司、Cincinnati Electronics 公司、CL 系统公司、DataPhase 公司、Gaylord

Bros公司、大学图书馆系统公司(ULISYS)、CIRC公司等。此外,还有不少学术机构与图书馆自己研制出来的系统,也正在进入市场。例如East Brunswick公共图书馆的系统、Bucknell大学的系统(BLOCS Ⅰ、BLOCS Ⅱ)等。

市场竞争的结果,使那些出售的系统更适合图书馆的需要。一般都具有下列功能:核查借书证的合法性;根据不同类型的读者自动计算应还日期;为读者预约借书;对过期图书打印催单;注销已丢失图书;发现借书过期不还、超过借书规定数量、未付罚金或持已挂失借书证进行冒名顶替等有过失的读者;编制读者借书清单;提供管理情报;对于在不同地点设立流通点的图书馆来说,分散的借书记录可以得到集中的控制。因此自动化流通管理系统较完善地解决了流通工作中的各种问题,因而被各种类型、各种规模的图书馆采用。据估计,美国四分之三的图书馆是购买市场上成套设备而建立自己的流通系统的。

要建立自动化的流通管理系统,必须把本馆藏书目录转换成机读形式。这样转换工作是相当费事的。起初,是利用穿孔卡片把藏书目录记录到磁带上去,这种方法不仅慢,而且容易出错。今天,一种更普遍的做法是将本馆的藏书同其他图书馆已经有的机读目录进行核对,直接利用其中现成的机读书目记录。对没有现成记录的图书,才用手工方式输入。有时,自动化流通系统的供应商也提供机读数据库,以利于这种核对工作。例如"系统控制公司"就提供包含三十万种图书编目记录的数据库,作为其出售的流通管理系统成套设备的一部分。由此可见,转换技术的本身也是在不断前进的。

作为流通管理的一部分,防止图书被窃的安全装置近年来也已相当普及了。这种称为电子安全系统的设施能够自动鉴别读者是否把未办出借手续的图书带出馆外。虽然对这种系统存在一些异议,但70年代可以说是这种系统发展与普及的十年。

情报检索服务的商业化使图书馆获得了强有力的参考工作能力

一般来说,计算机化的情报检索系统主要不是由图书馆经营的。虽然MEDLARS脱机系统和MEDLINE联机系统是由美国国家医学图书馆兴办的,国会图书馆和大学图书馆也建立了联机检索系统,但这种情况不多见。计算机化的情报检索系统往往由政府部门、文献索引编辑单位以及商业性公司建立和维持。当前在这方面的一个趋向是情报检索服务的商业化。美国洛克希德公司的DIALOG系统、系统发展公司的ORBIT系统以及书目检索服务公司(BRS)的系统,已经成为全美国的、也是世界上最有影响的情报检索系统。因此,一般认为,计算机化的情报检索是同图书馆自动化平行发展的。甚至情报检索系统的发展,要比图书馆自动化早得多,速度也快得多。

但是,计算机化的情报检索服务同图书馆有密切的关系。许多图书馆都同情报检索服务系统订立合同，设立检索终端，为读者进行各种课题的情报检索。

情报检索系统一般都装有几十个甚至一百多个书目数据库，包含了数十万、数百万、甚至数千万条书目记录，既可以进行最新资料的检索，又可以进行追溯检索。某些系统甚至可提供全文检索和数值数据的检索。在检索过程中，联机检索系统允许检索者同系统进行积极的交互，为用户显示词表、提供检索初步结果的浏览、修改检索策略、编辑打印输出结果等帮助与启发检索者的功能。因此，计算机化的情报检索服务系统使图书馆获得了强有力的参考工作的手段，在查全、查准及响应时间方面，是手工参考工作远远不能比拟的。如果从图书馆工作的各个环节的自动化来说，计算机化的情报检索给图书馆自动化作出了必要的补充和很好的贡献。

当然，情报检索系统的终端不仅仅装在图书馆里，也可以装在科学家的家里或办公室里。从终端上不仅可以得到文献的线索，而且可以订购、获得文献的复印本。也就是说，研究人员与科技工作者(他们是情报的最终用户)可以不必经过图书馆而取得情报。基于这一点，近年来有这么一种说法，认为图书馆最终将会被计算机化的情报检索服务系统所取代，图书馆将要消亡。与此有关的一种说法是，在将来，情报的产生、传递、接收与贮存都以电子的方式进行。在这种环境中，纸是没有存在的必要了，一个没有纸的情报系统将取代在纸上印刷的出版物，从而取代今天的图书馆。这些说法虽然很"时髦"，但已遭到图书馆界不少人士的反对。他们指出，新技术的发明与应用，只能补充、发展和完善图书馆的职能，图书馆将长期存在下去。正如电报没有完全取代书信的邮递、无线电广播没有完全取代电报一样。从当前的现实来看，计算机化的情报检索不仅补充与加强了图书馆自动化，而且它也依赖于图书馆组织情报用户和提供文献原作。如果没有千万个同读者密切联系、有着丰富藏书的图书馆，计算机化的情报检索系统是很难存在与发展的。

图书馆员的素质发生变化

美国著名的图书馆学家 J. H. Shera 指出："在讨论计算机及有关技术时经常被忽略的是人的重要性。不管机器的数量和成熟程度如何，人力资源仍然是任何有成效系统的基础。"[③]这个意见反映了美国图书馆自动化进程中所得到的认识。确实，自动化使图书馆员面临许多新的问题。

对图书馆的领导人员来说，如何参与系统分析和系统设计，从成本/效果的观点如何选择技术设备和自动化系统，如何确定实施自动化的步骤以及如何通过系统评价而改进系统等，都是需要担当起来、作出决策的责任。

对广大馆员来说，在自动化条件下如何掌握新的工作方法，充分发挥现有系统的功能，这是相当重要的问题。美国图书馆界人士认为，计算机系统中的大多数失误，应归咎于人的因素，而不是技术的不适当性。

因此，自动化并不减轻图书馆员的责任，相反，迫使他们重新进行学习，接受新的事物，掌握新的技能。

从美国的情况来看，部分馆员通过参与设计、研制和管理自动化而成为“数据处理馆员”或“自动化馆员”，充当计算机与图书馆之间的桥梁。但对多数馆员来说，虽然被卷入了自动化系统，但不会成为计算机专家。他们只是需要了解自动化系统的概况，了解他们所从事的那部分工作在整个系统中所占的地位，需要掌握布尔检索策略的构造、联机终端的使用，并能对读者进行指导等。

为了对图书馆员的再学习进行指导、组织和协调，1974 年有人向全国图书馆与情报科学委员会建议建立全国图书馆与情报科学再教育网络。美国的各图书馆学院校也增加了自动化方面的课程。美国图书馆协会通过其情报科学与自动化分部，美国情报学会通过其图书馆自动化与网络专门组也在馆员进修方面做了许多工作。各种有关图书馆自动化问题的学术会议、博览会、培训班以及出版物，也为馆员的学习与研究创造了条件。其成效是明显的：1970 年全美国能掌握联机系统进行图书馆业务作业的图书馆员还不到一百人，至 1974 年，这个数字就超过了两千。而在当前已经普遍承认，这方面技能的掌握是广大图书馆员应该具备的新的素质。

几点启示

第一，技术上的合理性与经济上的合理性，是图书馆自动化能够站稳脚跟并获得发展的生命线。

当代科学文化的发展使图书资料急剧增长，读者为了取得更加及时、准确、全面的情报资料，要求图书馆提供更高水平的服务。传统的图书馆工作方式方法日益不能适应新的情况和新的要求。图书馆自动化正是在这种条件下应运而生的。实用、有效、易于使用，这是图书馆自动化在技术上的必需要求。

技术越是成熟，使用起来就越是简便，越是能适应图书馆员与读者的习惯。图书馆自动化的发展过程说明，不能让图书馆工作迁就自动化系统，而应该使自动化适应图书馆工作的规格要求。

计算机必须同其他技术结合起来，才能发挥最大效益，从而证明它对图书馆工作的合理性。这些技术包括把计算机及其终端联结起来的电信技术，把计算机同缩微技术结合起来的 COM（计算机输出缩微胶片）技术，把计算机同排版印刷结合起来的计算机照排技术等。这样才能使远离计算机的图书馆进行联机存取和馆际通讯，才能高速经济地生产各种缩微胶片目录，才能便于缩印印刷型文献索引。如果没有这些技术的结合为图书馆开拓多种自动化作业，那么计算机本身在图书馆的应用就决不能达到今天这样广泛的程度。

经济上的合理性取决于成本/效果和成本/收益的比率，更是图书馆自动化能否从试验阶段进入实际运转的关键。在美国，由于通货膨胀，图书馆的预算日感拮据。图书馆所依靠的出版印刷业是劳动密集的工业，书刊的涨价远远跑在通货膨胀的前面,加之图书馆本身也是劳动密集的机构,这就迫使图书馆界求助于机械化和自动化来减少人工,降低费用。事实上,美国图书馆界曾多次进行过自动化作业与手工作业的成本比较,不少试验与评价报告表明,前者往往比后者更合算。随着计算机、电信及其他设备不断改进性能/价格比率,图书馆自动化的经济上的合理性将进一步明显。因而它是有生命力的。

当然,图书馆作业量的大小是决定单位成本高低的可变因素。作业量越大,自动化在经济上的合理性越是突出。如果作业量低于一定的基数,自动化是不合算的。也正是由于这个原因(再加上建立自动化系统需要投资这个原因),大量的中小型图书馆倾向于组成网络,分享大系统的成果,而不是自建系统。

第二,国家图书馆的核心作用、高等学校图书馆的骨干作用、图书馆与情报科学委员会的协调作用以及专业学(协)会的促进作用,是图书馆自动化的4个支柱。

作为美国国家图书馆的国会图书馆,在藏书、专业技术力量、经费预算以及全国图书馆界乃至国际图书馆界的广泛联系等方面所占有的重要地位,使它赢得了别的图书馆不可能有的威望。国会图书馆明确承认自己在自动化方面负有双重责任。它从事的MARC计划,抓准了图书馆界普遍性的需要,因而引起千万个图书馆的关注与支持。事实表明,这种核心作用是国家图书馆责无旁贷的,是非常必要的。

高等学校一般都拥有计算机等现代技术设施和相应的技术人才,因此高等学校图书馆在自动化的事业中是一支生力军。许多计算机化的合作网络中心是建立在高等学校中的。许多新的自动化作业技术也首先是由高等学校研制的。美国以及其他国家的图书馆自动化进程都表明,高等学校图书馆不愧是自动化方面的骨干力量。

1970年美国教育部和美国图书馆协会联合召开的Warrenton会议之后建立的国家图书馆与情报科学委员会,是推进图书馆合作网络的常设协调机构。它负责研制图书馆与情报服务的全国计划工作和提出相应的建议。无疑,这种协调作用对于发展图书馆自动化是很必要的。

美国图书馆协会和情报科学学会,在自动化中做了许多提倡、支持、促进的工作,特别是在有关自动化的学术交流、培养人才、推进标准化、争取社会公众的支持等方面是很有成效的。

第三,图书馆的自动化促进图书馆的网络化,而只有网络化才能充分发挥自动化的效益。

计算机、电信等技术为现代图书馆提供了前所未有的“生产力”。它不仅速度快、效率高、适用于大批量作业,而且打破了图书馆之间地理上的障碍,可以使千百个图书馆紧密联系、息息相通。这就促进了现代图书馆网络的形成与发展。技术上的自动化和组织上的网络化,两者之间存在必然的联系。

美国的情况表明,以计算机为基础的现代图书馆网络,能使大中小型图书馆都有机会参加到自动化行列中来,实行设备共享与资源共享,并有利于促进图书馆工作的标准化。没有必要每个图书馆都自成系统。这从整个社会来看,是一个很大的节约。

当然,美国图书馆的网络化并没有消除竞争。不少平行的网络之间竞争激烈。全国性的图书馆自动化总体规划,在美国这种社会制度下是不可能的。

第四,使图书馆员具备新的知识与技能,改变馆员的素质,是实行图书馆自动化的必要条件。

美国的情况表明,图书馆员对于自动化的认识与适应能力,是一个值得重视的问题。人力资源是自动化系统的基础。

馆员对自动化的认识水平与接受能力,取决于他们普遍的科学文化水平,而这种水平是同一个国家的整个科学文化水平相联系的。图书馆自动化不仅需要经济、技术方面的基础,也需要文化方面的基础。

提高馆员素质的措施,包括创造再学习的条件与机会,把操作自动化系统的技能明确列入馆员职责,增加数学、计算机、自动化等方面的人才到图书馆战线上来,这些都是必要的,也是可行的。

参考文献

1. The Professional Librarian's Reader in Library Automation and Technology,1980
2. Jesse H. Shera:Introduction to Library Science,1976
3. Jean Key Gates:Introduction to Librarianship,1976

原文载于《武汉大学学报》(社会科学版)1982 年第 3 期

图书馆自动化应该有相应的社会服务系统
图书馆自动化应该增强信息资源的开发

——从 OCLC 的发展看图书馆自动化的趋势

1　从联机共享编目网络向图书馆自动化的社会服务系统的转变

OCLC 的前身是美国俄亥俄州的大学图书馆自动化服务系统。1971 年 8 月 26 日,它开展了图书馆网络条件下的共享编目和联合目录编制工作,从而揭开了图书馆联机革命的历史。

二十多年来,OCLC 的规模获得了极大的发展。它的成员馆从 1971 年 8 月的 49 个图书馆发展到今天近万个图书馆,成员馆的地理分布,从俄亥俄一州扩展到全美国,乃至目前具有国际性;它的联机联合目录今天已达到 2700 多万条记录,并以每年两百万条记录的速度在增长,成为世界上最大的书目数据库;联机联合目录中有近 4 亿个馆藏代表,是人类历史上空前规模的联合目录。通过这种联机联合目录,每年要进行数百万次的馆际借书作业;OCLC 的工作人员,从 1971 年时的 25 人发展到现在的 800 多人。

从千万个成员馆的角度来说,OCLC 意味着什么?这就是 OCLC 是各图书馆自动化的支持系统,这表现在下列方面:

1.1　成员馆既向 OCLC 贡献新书的原始编目记录,又向 OCLC 调取已有的编目记录,从而形成本馆目录,从原则上来说,千万个成员的藏书每种只需要做一次原始编目。这就大大节约了编目工作量。据报道,每年各成员馆利用 OCLC 进行的编目量达 2200 万种文献。

1.2　成员馆可以向 OCLC 要求提供目录资料的回溯转换。OCLC 回溯转换服务——RETROCON 应顾客的需要而以联机提供、磁带装载等方式进行回溯转换服务,从而使各图书馆的目录资料的回溯转换得以集中化、社会化地进行。

1.3　编目工作不可缺少的典据文档由 OCLC 统一建立和维护,既减轻各馆负担,又提高了编目标准化水平。

1.4　各馆可通过 OCLC 的联机联合目录,查找本馆读者所需文献的馆藏情况,并用联机方式为读者办理馆际借书。这种馆际借书作业每年已达到数百万册次。

1.5　各地图书馆除可与 OCLC 进行直接联系之外,也可建立本地区的地方图书馆网络。而这种地方图书馆网络也以 OCLC 作为支持系统。这就是说,在这种格局下,各图书馆既可参加地方网络,又可进入 OCLC 网络,从而拥有更多的活动选择余地。

1.6　OCLC 设有信息技术与产品的评估组织,对市场上出现的新的信息技术与产品对于图书馆的适用性进行评估。这种评估立足于图书馆的需要,从技术、价格、与现有技术的兼容性,以及该技术的今后发展潜力等各种角度进行评价,并经常向成员馆通报评估意见,这种评估工作及其评价成果避免了各图书馆购买图书馆自动化设备与产品时可能造成的不当和浪费。

1.7　OCLC 不断改进自动化系统软件。1990 年推出它的新的联机系统——PRISM。这个新的软件系统较之它的老的软件系统来说,主要有两个改进:一是新的软件能处理两千万条以上记录的管理与检索,并能进行自动查重处理,提高编目校验能力和全屏幕编辑能力、块操作能力、字段常数的预定义,提供对美国国会图书馆主题典据记录的联机检索等等;二是增加了联机联合目录的主题查询功能,例如进行布尔检索,提供可浏览的题名索引,能回溯检索历史,等等。此外,OCLC 还面向各个图书馆自动化的需要,推出微机版的增强编目软件 CAT CD450,为各个图书馆供应图书馆自动化软件产品。此外,还为高等学校推出校园情报系统软件。这些图书馆自动化软件的商品化也是对所有图书馆实现自动化的有力支持。

正如上述各点所述,各个图书馆自动化过程中的许多共同性与基础性的工作由 OCLC 集中地提供服务。这样,OCLC 很自然成为图书馆界自动化的社会服务系统。

与此相适应的是,OCLC 从原先的图书馆间的合作组织变成了公司(1977 年),OCLC 的含义从俄亥俄学院图书馆中心改变成联机图书馆中心,即国际电脑图书馆公司。作为公司的 OCLC 管理结构的出现,适应了作为图书馆自动化的社会服务系统的营运要求。这是软件商品化、服务市场化的结果。

2　图书馆自动化的重点从共享编目转向参考服务的转变

近年来,OCLC 在拥有坚实的联机编目功能和巨大的联机联合目录数据库的基础上,将重点转移到加强参考服务功能的开发上,生产多种文献信息产品,以适应社会上包括最终用户在内的更大范围用户群的情报检索需要。

2.1　1990 年 6 月,OCLC 开通了它的联机参考系统——EPIC。这是一个多功能的联机参考系统。它可以对数据库提供主题检索,关键词和布尔检索,这个联机参考系统所拥有的数据库首先是 OCLC 的联机联合目录,但不止是这个数据库,EPIC 系统实现了对这个世界上规模最大的数据库的主题存取,从而使其成为世界上最巨大的参考资源——情报数据库。

EPIC 的主要功能有:提供关键词和词组检索;包含主题字段的多种记录格式、用户可定义格式、可使用布尔运算符、可实现命令堆积式的检索式运行；具有相邻度运算功能；具有右截断和掩符检索功能；可进行嵌套检索，提供可浏览的索引；能向检索用户提供检索费用估计；能进行联机可脱机检索结果的打印，等等。用户可通过拨号终端或 OCLC 专线网络上的任何终端对 EPIC 进行检索。这样，OCLC 的联机联合目录，便成为与其他情报检索系统数据库并驾齐驱的情报数据库，由于 EPIC 能对 OCLC 书目数据库中的每一条记录中的每一个字进行检索，因而使 OCLC 数据库成为强有力的检索工具与情报源。由于图书馆联机编目数据库比一般情报数据库有着多得多的字段与子字段，而且记录数目也比一般情报数据库大得多（目前一般数据库为几十万至几百万条记录，对于更大的数据库往往划分若干个文档），因此 EPIC 的实现在技术上有很大的突破。

OCLC 的 EPIC 服务所提供的数据库检索服务，除联机联合目录之外，还有下列数据库：

· ArticleFirst（杂志论文集）和 ContentsFirst（期刊目次库），所收录的期刊已达 11000 种，含两百万条记录，以及 30 万个目次表。

· The MLA Bibliography（MLA 书目库）

· Book Data

· Consumers Index

· A Matter of Fact

因此，今天的 OCLC 已经不只是一个图书馆编目与联合目录系统，而且也成为交互式的情报检索系统。其检索功能不亚于一般的情报检索系统。

除了编目员，图书流通馆员之外，OCLC 还拥有了参考馆员及最终用户等新的服务对象。

2.2　OCLC 以联机联合目录数据库为基础，推出了一系列的 Search CD450——桌面参考文库和情报检索系统。它们是微机—光盘系统，分教育、农业、科技及综合参考等 4 个大的类别（1990 年 7 月报道，Search CD450 共提供 16 个数据库），但使用同一种检索软件。

这种微机—光盘系统，其数据库是从 OCLC 联机联合目录分类抽出的记录，作为专题数据库并配上检索软件发行，这是对 OCLC 书目数据库的二次开发，使其更适合参考咨询与情报检索的需要，同时丰富了 OCLC 的文献信息产品和种类，为 OCLC 带来更多的经济收入。

最近（1993 年）报道，OCLC 又推出了一个新的文献产品——供大学与研究图书馆用的 OCLC 图书选目（OCLC Selected Titles for University and Research Libraries）供图书馆藏书补充之用。这也是数据库二次开发的产品。

3 我们应有的几点思考

在图书馆自动化领域，我国的起步较晚，水平方面与发达国家相比有较大的差距。我国图书馆自动化缺乏联机网络。目前基本上处于各馆单独经营的状态。数据的共享基本上是通过载体的发行来进行。然而，这并不是说我们目前不借鉴国外图书馆自动化的发展趋势而改善我国图书馆自动化的发展重点与发展战略。

3.1 首先，我国图书馆自动化很需要相应的社会化的服务系统，每个图书馆虽然有自己的特定藏书和特定的服务对象，图书馆自动化必须以这些基本条件作为设计的前提。但是，这绝不意味着各个图书馆应当采用“自给自足”的小农经济方式来经营图书馆自动化的各项业务。正如农业一样。虽然农业的生产经营者是分散的，但是，在种子、化肥、农药、农机具等方面，需要农业的社会服务系统来支持。这种社会服务系统，将千百万农户所需的基础性、共同性的农业生产有关项目集中起来经营，作为农业的支持系统，对于发展农业有促进作用，这一点是人人都能理解的，不能要求每个农户自己生产化肥、农药、农机具，也不需要他们各自培养良种。然而，在图书馆自动化方面，目前许多图书馆自己单独编制软件，单独进行数据录入(新书编目和回溯转换)，单独评价新的信息技术与产品并进行选择购买，等等，却是很普遍的现象，这导致许多低水平的重复。降低标准水平与兼容性程度，从全国来说是一大浪费。因此，建立我国图书馆自动化的社会服务系统是很必要的。这应该引起有关领导部门和广大图书馆界的重视和探讨。OCLC 在这方面的发展是可供我们借鉴的，它具有一定的启示意义。

3.2 图书馆自动化的目的，不仅在于实现自动化的管理，以取代手工操作，提高工作效率，改变图书馆的面貌，而且更重要的是实现图书馆的资源共享(书目数据的共享、图书馆藏书的共享)，使之达到新的高度。同时，要以图书馆自动化及其机读书目数据库为基础，开发各种文献信息产品，努力增强情报检索和参考服务的功能。这样，才能为读者开拓更多的文献信息资源。如果通过缩减图书订购费用，以添置图书馆自动化设备，而仅使手工管理变成计算机化的管理，这从根本上来说是不完全符合图书馆读者的愿望的。图书馆自动化应当为读者开辟更多的信息资源和信息获取渠道。OCLC 在这方面的发展趋势，也是应引起我们深思的。

参考文献

陈光祚．关于 OCLC 进展的一组报告//图书馆学情报学研究与发展报告 20202 号

原文载于《第十届全国计算机情报管理学术讨论会》会议文集，
1993 年 10 月，宜昌

电子出版物研究

轻印刷的中间产品可开发成全文数据库并可作为电子出版物发行

当前,我国出版界采用激光照排和轻印刷的技术日益普遍。这种生产加工的程序是:把作者的书稿录入计算机,经校对改错后,采用电子排版软件(如科印、华光、方正等软件)排定书稿的字体、字形和版式,然后采用激光输出、制版、印刷、装订成册,向社会发行。这种轻印刷流程的最终目标,目前仍是生产印刷版的图书。至于电子文本录入、电子排版,仅仅被看做是加工的手段。

书稿录入计算机,不管是否采用电子排版软件处理,都是计算机可以阅读的电子文本。这种电子文本以二进制代码形式出现,只能存储在计算机的硬盘或软盘上。或是存储在 CD - ROM 激光光盘上。它们只能借助计算机才能显示和阅读。

目前出版社对这种电子文本,即轻印刷生产过程中的中间产品的认识不足。在出版印刷版图书之后,把它们仅仅作为纸型保存,以备在书籍再版重印时使用。有的出版社甚至认为保存这种中间产品需要占用不少软磁盘,经济上不合算,因此不愿这样做。

其实,这种电子文本是一种重要的潜在资源,只要对它进行进一步的加工,即可开发成全文数据库,从而作为电子版的图书——完整意义上的电子出版物面向社会发行。

一、机读版图书是一种新型的出版物类型

出版物就其载体和使用方法分,可分为印刷型、缩微型、声像型及计算机可读型。前 3 种形式的出版物,我国的出版界与读者较为熟悉。而对于计算机阅读型的出版物(或称机读版图书)的了解相对较少。

在国外,60 年代初,美国《化学文摘》社开始采用电子计算机技术来改进印刷版《化学文摘》的生产速度和质量。其办法是,抛弃了过去铅排的做法,将书稿录入计算机,成为机读文本,并采用一定的软件进行索引的自动编辑。然后,将机读文本排定版式,进行激光输出、制版、印刷、装订成册。通过这种技术改造,《化学文摘》的出版速度大大提高,出版质量方面,由于计算机能对电子文本进行自动检索、自动编制索引等,也有很大提高。这种技术改造后的目的,仍然是生产印刷版书刊。在这一点上,我国出版界当前采用激光照排与轻印刷技术的状况,正经历美国 60 年代初的这种过程。

但是,在美国,人们很快地发现,作为中间产品的电子文本可以在计算机上直接使用——对出版物中的各种信息进行自动检索、自动选取其中的部分文本进行显示

打印,或对其进行重新排序处理。这样,磁带版的《化学文摘》就出现了。这是一种新型的电子出版物。从此,《化学文摘》通过磁带,装入情报系统的计算机成为《化学文摘》数据库,实现了计算机的情报检索服务。

以世界上规模最大的计算机化情报服务系统——美国 DIALOG 系统为例,以电子文本为基础的数据库达 300 多个,而包含 1907 年以来世界化学化工文献线索一千多万条记录的《化学文摘》数据库仅仅是其中一个数据库。尤其值得重视的是,在 DIALOG 系统中,像百科全书、报纸、杂志等全文数据库近年来增长十分迅速,已达 200 多个。如,其中有《美国学术百科全书》、《芝加哥论坛报》、《银行家杂志》等。读者可以从中查找和获得这种全文数据库中的任何篇章、片断的文本和信息。

国外的出版家现在对同一著作,既发行印刷版,又发行以磁带或磁盘形式出现的电子版。目前的发展趋势是,印刷版书刊的出版日渐减少,而电子版的书刊日趋增多。越来越多的出版物只有电子版而无相应的印刷版。这是与电子版的优点分不开的。电子版的优点在于:

首先,电子版书刊的存储密度大。一张 5 英寸直径的普通软磁盘可记录 18 万个汉字,一张高密度磁盘可记录 50 多万汉字。至于一张直径为 12 厘米的 CD－ROM 光盘可存储十部托尔斯泰《战争与和平》的全文。

其次,电子版可以用计算机高速查找情报,对于全文中的任何一个人名、地名、关键词都可以在数秒内查到查全,并可按用户的要求,把有关段落章节进行显示或打印,也可按用户的要求对它进行重新排序和套录。

电子版可以通过通讯线路进行远距离传输。

最后,电子版书刊的内容文字可以允许经常修改更新,这要比印刷版几年出一次新版快得多。也就是说,用户借助电子版可以获得最新的情报内容。

因此,电子版书刊有强大生命力,是信息化时代的产物和标志之一。

二、全文数据库的加工

要使电子文本成为全文数据库,即使它具有自动检索的功能,只需对它进行必要的标引加工和配置相应的建库与检索软件。

要将目前仅作为纸型保存的电子文本加工成全文数据库,其必要的处理过程是:

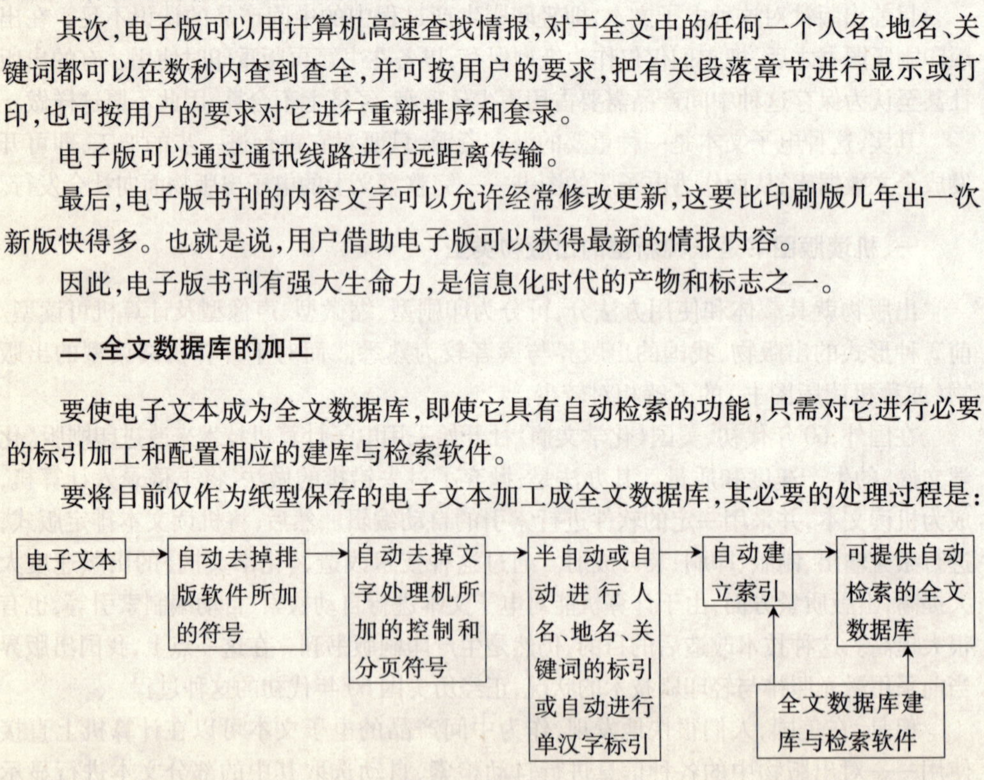

从这个加工流程图可以看到，这种加工过程都是自动或半自动的。一部100万字的电子文本书稿，只需一个人在微型计算机上加工10天左右即可。其中，去掉排版软件所加的符号，约需半天时间，去掉文字处理机所加的控制和分页符号，只需几分钟即可。对书稿中人名、地名、关键词的半自动或自动标引所需时间最多，约4—7天。至于建立索引，形成全文数据库，只需一两个小时。如果采用单汉字标引的方式，加工时间只需两天。因此，从加工时间来看，所投入的代价很低。

从加工所耗的代价来说，主要的消耗是需购买软磁盘。100万字的书稿连同建库形成的索引，只需三片高密度软磁盘。目前每片空白软磁盘价为13元，共需不到40元。

消耗较大的是微型计算机的机时，但不少出版社已购置了微型计算机作为书稿录入之用，可资使用。

因此，由于轻印刷的中间产品——电子文本已经是现成的，对它们进行加工，使之形成全文数据库的代价应该说是较低的。对这种中间产品的开发，是现有资源的再利用。

用于全文数据库建库与检索的软件，我们已研制成功，1990年10月18日通过了国家教委的鉴定。我们已利用了这个软件，试验建成了《湖北省地方志大事记》、《中国人民解放军六十年大事记》、《山东省基本情况》等全文数据库，并与武汉大学出版社合作出版《国共两党关系通史》的全文检索电子版。事实证明，对上述全文数据库中的任何人名、地名、关键词、年代都可进行检索。甚至对电子全文中的任何一个字也可进行检索。我们愿意将这个软件贡献给出版界，为我国出版业的现代化作贡献。

至于目前发行电子出版物的市场销售量问题，也应该有所估计。

首先应看到它的社会效益。电子出版物的发行，将是我国出版界走向现代化的一个标志，也能使出版物更好地为四化建设服务，适应信息时代读者新的要求。

其次，从经济效益来看，那些资料性丰富、具有较高科学与实用价值著作的全文数据库，其发行的市场是存在的。

目前我国高等学校、科研部门、图书情报部门、报刊编辑部门、行政部门所拥有的微型计算机已有一定的数量，而且正在不断增多。这些微型计算机可拿出一部分机时用于全文数据库的检索。他们使用全文数据库，要比使用相应印刷版书刊在检索速度和完备性方面优异得多。对于所查到的篇章片断，可由计算机打印，这也要比人工抄录方便准确得多。

三、全文数据库的检索功能

全文数据库的检索功能大致如下：

1. 按人名、地名、年代、关键词进行检索。例如，在《国共两党关系通史》全文库中，可查找到所有出现“列宁”、“武昌”或“北伐”的所有段落或句子。

2. 可按人名、地名、年代、关键词之间的组配进行高专指度的检索。例如可查找“英国在武汉的租界”、“周恩来与黄埔军校的关系”、“黄兴在1911年的活动”等。

3. 可在上述检索到的段落中，进行任何一个字的查找，并可显示或打印包含该字的所有段落与句子的文字。这可用于查找某人物的某句名言或诗词。

4. 可进行法定数检索。即用户事先确定检索的资料量，检索系统可引导用户逐步逼近其检索目标。

5. 具有人名、地名、关键词等的聚类功能。例如，与“西山会议派”有关的人物名单，与“收复租界”有关的地名，与“李之龙”有关的事件等。

总之，由于形成了全文数据库，著作全文中的各个知识项目和文字都可进行单项或多项组配检索，从而使文献全文成为一个“活体”，大大有利于资料信息的获取。

原文载于《武汉大学学报》(社会科学版)1991年第6期

电子出版物对图书情报工作的影响

电子出版物的出现,不仅是出版业的一次革命,而且为图书馆增加了一个藏书的新品种,为参考咨询提供了一个现代化的检索工具,为文献计量学的分析开辟了一个新的应用领域,并使之得到深化;同是也为图书内容索引(书本索引)的计算机编制提供了可能,从而有利于改进我国图书出版的使用价值。电子出版物对图书情报工作的影响,是图书馆学情报学面临的一个新课题。

我们武汉大学图书馆情报学院"全文数据库研究"课题组从1986年以来在国内率先从事全文数据库的研究开发工作,作为国家教委文科博士点基金项目,经4年多时间的研究,于1990年10月制作成功《湖北省地方志·大事记》、《中国人民解放军大事记》(解放战争时期)两部著作的全文数据库,探索和实现了全文数据库的结构、标引规则、建库和检索软件以及对检索结果的再次编辑与输出的技术。1991年7月,与武汉大学出版社合作,制作出《国共两党关系通史》(150余万字)的电子出版物,正式由出版社向社会公开发行。我们经过技术上的改进,1993年又由该社发行了《中国名胜诗词词典》(70余万字)电子出版物。国内出版界对电子出版物给予高度重视。国家新闻出版署已将它列为正式的出版物类型,承认其版权,召开了电子出版研讨会,成立了全国电子出版研究会,一些专门制作发行电子出版物的公司与出版社也已出现。近来,如《中华药典》(深圳先科激光公司制作)等电子出版物纷纷问世。

所谓电子出版物,是指以向社会发行为目标,本身以电子文本形式出现,以磁盘或光盘为信息载体,具备相应的全文数据库检索软件,并可利用计算机对其进行高速准确的浏览与检索的出版物。

对于传统的印刷型出版物来说,电子出版物是一种体现现代信息技术的新型出版物。无论是外观或功能,电子出版物与印刷出版物都有很大的区别。电子出版物有如下显著功能:

1. 文献的全文检索功能。借助于全文数据库的结构和检索软件,文献中的任何人名、地名、年代、关键词均可被单项地或多项组合地检索来来,在数十万、数百万,乃至数千万字的巨著中,要查找某一事项或词句,可在很短的时间(数秒钟内)一索即得。

2. 信息计量功能。可对文献中的事件、名词、人物、地点等项目进行频率统计和排序,获得相应的统计排序表。可借助于这种统计排序表,了解文献内容的重点和所涉及的主题范围,判断所论述问题的焦点。了解有关人物、事件、地点的影响程度。

3. 知识项聚类的功能。文献中各种知识项(如人物、事件、地点、名词、年代等),可以彼此组合,以获得有关信息的聚类。例如,可以了解某一事件涉及哪些人物、哪些地点,或者某一人物曾经与哪些人发生过关系,某一地方曾出现哪些事件等。

电子出版物的制作与发行,无疑是出版界的一次技术革命,它为出版物增加了一个新的类型;它由于省去了传统出版物生产过程中的制版、印刷、装订等工艺环节,从而缩短了出版周期;它便于文本的增、删、改,从而易于文献内容的更新和修订版的出版;它由于可以作为全文数据库通过联机情报检索系统提供广大用户利用,从而开辟了一个新的发行渠道与形式;它的制作是利用当前出版过程中激光照排(电子排版)的中间产品——电子文本为基础,依靠加工软件在计算机上自动或半自动进行,不仅速度快,在费用上也是低廉的;由于磁盘或光盘信息存储密度高,因而电子出版物的体积小,便于邮寄与携带;电子出版物可以随时进行拷贝,社会需要多少份就能拷贝多少份,因而不会造成出版物的积压或脱销;由于电子出版物的文本是计算机可以识别的数字编码,因而便于电讯线路的高速传输,从而能满足对出版物的某些紧迫需求,电子出版物的出版发行不仅是出版业的深刻变革,而且对图书馆与情报资料单位以及广大读者用户都将产生深刻的影响。

一、电子出版物是图书馆收藏的一个新品种

首先,电子出版物使图书馆与情报资料单位面临一个收藏品种。从古到今,图书馆收藏各种载体的知识记录,刻有文字的甲骨,写有文字的竹简木板或贝叶、泥版,都曾经作为古代图书形式而被古代图书馆所收藏。纸发明以后,各种写本更是图书馆的藏品。印刷术发明之后,印刷型出版物成为图书馆藏书的主体。缩微品的出现,又扩大了图书馆收藏的范围。录音带、录像带出现之后,音像出版物也开始进入图书馆的藏书。今天,电子出版物成为图书馆藏书的一个新类型,应该是一种很自然的事情。这也应该是图书馆现代化的一个表现。电子出版物体积小,所占库容小,对于使用频繁的工具书或珍贵的图书来说,如果有相应的电子版存在,就会避免图书的破损、污染,从而有利于保存文献原作或真迹。当然,并不需要对任何图书都购买其电子版,目前主要是应收藏下列类型的电子版图书:大部头的工具书(如大百科全书);具有经典性或历史意义的巨著,如《二十五史》珍本书等。一些寓文字、图形、声音于一体,既给人以知识又给人以美的享受,能突出反映美术、舞蹈、服装、名胜风光等文献内容的电子出版物(如多媒体光盘),也宜于选择收藏,因为它们的独特功能是印刷版图书所不能取代的。

要将电子出版物作为图书馆的一个收藏品种,有一系列问题需要研究解决。

关于费用问题,电子出版物的价格目前比印刷书刊昂贵,此外,图书馆要向读者提供电子出版物的浏览与检索服务,还需配置微型计算机和光盘驱动器,因此,电子出版物要成为图书馆的收藏对象目前有不少困难。

但是,也有不少因素推动电子出版物进入图书馆藏书的范围。

第一,电子出版物的功能是印刷版书刊所不能取代的。特别是处于信息时代的条件下,迅速准确地获得信息,将带来巨大的效益。信息本身就是一种潜在的财富,它能够转化成物质财富。从用户获取信息并将其转化为生产力,转化为经济技术竞争的能力这一角度来看,他们支付检索电子出版物的投入费用,与他们可能从中获取的产出效果相比,有时是微不足道的。图书馆以有偿服务的方式提供电子出版物的服务,正如提供联机检索服务一样,用户是能够理解和接受的。

第二,随着现代信息技术的迅速发展,电子出版物的成本将不断下降,这与印刷版出版物的连年涨价造成鲜明的对比。在发达国家,已经出现这种趋势:印刷版书刊品种与发行量日益萎缩,而电子版所占比重在不断上升,越来越多的书刊只出电子版而不出印刷版。这个现象不能不说有其经济上的原因:信息技术的进步使信息的存储密度越来越高,单位存储费用就相应下降;电子版制作软件越来越成熟,制作效率的提高也有利于降低电子出版物的成本;电子出版物将日益赢得更多的用户,它的发行量的增多也必将使其成本降低。

第三,电子出版物的邮寄费用低,占用书库的体积少,倒架方便,等等,这也是经费问题考虑的一个因素。

此外,图书馆除了电子出版物外,还可以通过联机情报检索方式利用联机情报检索系统中所装载的电子出版物。这也是图书馆拥有的电子出版物使用权的一种方式。在这种服务方式中,图书馆或用户不是为整个电子出版物付费,只为实际的检索量付费。对于使用频率较低的电子出版物,用这种方式进行利用是合算的。

电子出版物的整理(如分类编目)、保存、流通等工作,也给图书馆提出了新问题,这主要是电子出版物这种新型文献载体,以及其独特的使用方法所引起的。磁盘形式的电子出版物更需要注意数据的安全,不致被有意无意的操作所破坏,同时要注意防止计算机病毒的入侵。电子出版物的利用服务,还需配置相应的打印机,以便应读者用户的要求将其检索结果打印出来。从事这方面流通服务的馆员还需向使用者普及计算机数据库的初步知识和使用方法。

二、电子出版物是参考咨询的有力工具

对图书情报资料单位来说,电子出版物使它们获得强有力的参考咨询工具,即可以进行自动检索的全文数据库。一部著作,作者是按照一定的逻辑次序、分章分节撰写的,从而使有关的知识得以有序地组织,但是这种有序化是单维的。读者可以按照作者的逻辑顺序来理解和查检该著作,但是更多的情况是,读者可能从多种角度和顺

序来探索该著作,寻找其中的有关事实和知识片断,进行错综复杂的联系。也就是说,著作中的逻辑顺序不能完全满足读者检索的角度,这就是原著中单维次序和读者的多维检索要求之间的矛盾。作为全文数据库的电子出版物却从根本上解决了这个矛盾。在全文数据库中,设立了多种索引项目,从而提供了著作中多种事项的检索点,便于读者随机检索,而不必顺序浏览。即使著作中的某些事项未作为索引项目,也可发挥计算机高速顺序扫描的能力进行检索,因此,作为全文数据库的电子出版物,它的全部文本都可由计算机进行控制与操作。一般供阅读的书也被赋予多种检索的能力。从某种意义上来说,一般阅读书和工具书的界限正在消失。电子出版物的出现,使得有关的文献信息从出版这一发源环节就开始得到了计算机化的控制,提供了多维的、有序的、可操作的功能。电子出版物的实质是全文数据库,可以对其中的数据进行多种多样的情报加工,除检索之外,还可以进行有目的的抽取、排序、重新组合,从而产生新的情报的产品。因此,电子出版物是进行其他情报工作的良好基础和手段。

即使是对工具书这类出版物来说,它的电子版与印刷版之间也存在功能上的差别。尽管像书目、索引、文摘、年鉴、手册、名录、辞书、百科全书之类的工具书在编撰时已将资料与数据进行条目化,各条目之间以便于查检的次序编排,并有多种索引附于书后,以提供不同于正编内容结构的检索途径,但是印刷版工具书所能提供的检索功能仍然是静态的,而不能提供动态的逻辑组配功能。举例来说,印刷版的书目索引,虽然按主题词(或分类号)排列,在每个主题词或分类号之下著录书目款目或文献编号,用户如果仅仅只查一个主题词或分类号,则可很方便地获得该主题词或分类号之下的文献线索,但是如果用户所要检索的目标是包含多个主题或分类号在内的复合概念,或者甚至是多种系列标目(如主题词是一种系列标目,分类号是另一系列标目,同样,著者姓名、出版时间、著作文种、发表出处等都可以分别是系列标目)之间的组合,那么印刷版的工具书本身就难以提供这些复合的检索点了,而必须依靠用户人工地来进行组配,即对比多个标目之下的文献号码,取其在各标目下都存在的相同号码,以获得所需文献,从而实现了"逻辑乘"的组配功能。当然,有的印刷版工具为了提高检索性能,采用多级主题的方法,或多个主题轮排以互相说明与限定其含义的方法,或增加文献条目说明语的方法等,其目的在于在一个检索标目之下扩充其信息含量,提高检索的分辨能力,提供复合概念的表达与检索能力。但从根本来说,这仍然是静态的检索功能,与此相反,电子版工具书所能提供的多元检索标目的组配都是随意的、动态的,并且这种动态组配的能力,除了逻辑乘之外,还能实现逻辑或、逻辑非,或各不同逻辑运算的组配。检索的角度、广度和深度可以随不同的检索目的而改变。这种动态组配是随用户的检索式而响应的、灵活的、真正多维的,确切地说,这种动态组配的能力是计算机情报检索软件所赋予的。显然这是电子出版物之优势所在。

因此,电子出版物可以成为图书馆的文献参考咨询的强有力的工具,凡是著作中任何信息单元,如人名、地名、年代、关键词、片言只字,均可借助于作为电子出版物的全文数据库进行检索。上述信息单元,凡已被标引作为检索项的,可以通过数据库中的索引直接检索;没有被标引的,虽然索引中无此检索项,也可通过全文数据库的文中扫描办法进行检索。因此,文献中任何隐藏着的信息都被置于计算机的控制之下,随时可供查询,这样,原来无检索工具职能的文献,也都具有了检索能力。这是电子出版物的一个十分重要的特点。计算机全文数据库的强大检索能力远远超过传统参考咨询人员的"博览群书"、"强闻博记",在"记忆"方面,电脑是超过人脑的。可以设想,当许多经典性著作和资料价值极高的著作成为电子出版物时,就会使图书馆拥有丰富的参考咨询的信息资源,那时,传统的参考咨询工作就可以利用各类数据库(如书目数据库、事实与数值数据库,以及全文数据库)进行系统全面、高速准确的查找,从而使参考咨询工作的流程发生新的变化,而步入数据库时代。当然,并不要求每个图书馆都收藏包括全文数据库在内的各种数据库,而可以是借助于联机情报检索系统的终端,调用检索系统中所装有的数据库。也正因为如此,使传统的参考咨询工作由各馆各自为战的方式变成社会化的情报服务这种社会化的情报服务方式,确实改变了各个图书馆以馆为单位,依靠本馆收藏和本馆参考馆员的那种手工作坊式的服务,而可以借助通讯网络,依靠广泛得多的参考信息资源,利用包括全文检索手段在内的各种计算机化的处理手段,使图书馆参考服务水平登上了新的台阶。与此相适应的是对参考服务人员的素质要求也产生了新的变化,即不仅要求他们"博览群书",熟悉文献,掌握各种检索工具书及其手工检索方法,而且要求他们了解各类数据库,熟悉计算机检索的技能,并且善于把二者结合起来,这就要求他们学习新的知识和技能。

三、电子出版物使文献计量学获得新的应用领域

电子出版物使文献计量学的分析得以深化,文献内容的各个知识项,甚至字频统计的计量分析为文献计量学开拓了新的应用领域。

文献计量学以文献单元(如一篇文章,一部图书等)为对象,通过数量的统计分析,包括文献的绝对数量、相对数量等的分析,来提示文献的增长、分布、老化等规律,从而获得文献领域的各个总体性概况,有助于核心著者和著作、核心期刊等的测定,并有助于通过文献现象,进而了解一个国家、一个地区、一个知识部门的知识生产、传播、吸收以及学术界整体素质等的更普遍性的情况。然而,文献计量学毕竟是以文献单元包括其中的标引项作为统计单位的,而不是以文献中的知识单元为单位的,因此,这种计量分析显得较为粗泛,电子出版物作为一种全文数据库,它的文本中的任何知识单元甚至每个单字都是可以检索和统计的。这样,就有可能使文献计量学的计量单元从一篇篇文献而深化到文献中的各个知识单元,甚至单字一级,与此相适应

的是,基于这种文献内容细节的计量分析可以获得一般文献计量所达不到的深度。

作为全文数据库的电子出版物的计量分析可以有如下一些项目:

1. 词频统计。具有全文检索功能的电子出版物,一般在对词进行标引的同时也指明词的属性(如关键词、人名、地名、年代等)。不同属性的词可以分别统计分析。例如全书的关键词频率统计,可以据此了解著作论述中心论题与边缘论题;如果对连续出版物的电子版分时期进行这种统计,可以据此了解新出现的名词术语,从而了解学科的新发展及一些有关概念的分化或组合;对于著作中的人名进行统计,则可以根据其出现频率,判断各个人物的影响和知名度。

词频率统计可以在不同的字段中进行。在电子出版物中,一般来说,为了便于数据库的建立和检索,对文本是设立记录或字段的。例如,在我们研制的《中国名胜诗词词典》电子出版物(1993 年武汉大学出版社出版)中,每首诗(或词)作为一个记录。而在一条记录中,分设诗(词)文、诗(词)名、作者姓名、作者介绍或写作背景、诗(词)文中难点的注释、所歌颂的景点、该诗(词)在印刷版图书中的相应页码等字段。词频统计(也包括字频统计)可以在不同的字段中进行,例如,如果确定诗(词)文这一字段作为统计的对象,即可以发现许多有用、有趣的事实。在这部《中国名胜诗词词典》中,收集了与全国几百个景点有关的三千多首诗词,在诗(词)文这个字段中,若进行字频统计,可以发现:“红”、“橙”、“黄”、“绿”、“青”、“蓝”、“紫”7 个字中,“青”字出现频率最高;“喜”、“怒”、“哀”“乐”、“悲”5 个字,其中“悲”字出现的频率最高;“大”字的频率比“小”字高;“山”字的出现频率比“河”、“江”、“海”、“潭”、“湖”等字高;在“风”、“花”、“雪”、“月”、“人”等字中,“人”字的出现频率最高。这些字频统计,有助于从整体上了解中国名胜诗词中若干风格与情调。“大”字比“小”字多,主要因为名胜诗词歌颂的是祖国的名山大川,诗意磅礴,意境辽阔;“山”字频率高,是由于祖国名山众多,高山奇峰特别能激发诗人的情感;“悲”字出现的频率高,也显示了历代诗人面对景点而勾起对历史上战乱离异及时过境迁的伤感情绪,以及面对大自然而深感人生短暂的悲凉心情;“人”字的频率较“风”、“花”、“雪”、“月”都高,说明这些诗(词)仍然不脱离人生现实。

这种字频统计还可以做得更深入细致一些,例如,将这种字频统计限定在某一时期的作品或某一作家和作品范围之内,并将不同时期和作家的作品字频统计结果进行比较,以分析其不同的风格和特色。

全书的字频统计也具有重要意义,这种字频统计可以表明各个汉字的存在生命力,可以了解哪些汉字是常用字,哪些汉字是一般字,哪些汉字是罕见字,这对于汉语教学、汉字编码等有直接的指导意义。凡是电子出版物的篇幅越大,所得出的统计越有典型意义。当然,不同的学科内容的电子出版物的字频统计会出现差异,这是可以理解的,正是这种差异,可以使汉字频率统计按学科范畴进行,使统计做得更为深入、更有针对性。

与字频统计相似的是，利用电子出版物，也容易进行对文中句子平均长度的统计、段落平均长度的统计、各种标点符号使用频率的统计，这些统计对于某些特定的研究也是有帮助的。例如，句子平均长度的统计，有助于了解作家的写作风格是朴实无华还是华丽冗长的。因为后者使用各种形容词较多，而前者则相反；又例如书引号的多少，可以了解作者引用文献的多寡，文本中脚注符号使用频率的高低，也可借以了解其注释是否丰富，或引文的多少，从而有助于了解作者写作时掌握有关文献的广度和写作的严肃性。

2. 不同属性词的关联统计结合分析。这是将两个或两个以上属性的词进行有目的的联系起来统计分析，如在《国共两党关系通史》电子版中，可以将“西安事变”和与其有关的人名进行这种结合，以了解与该事变有关的人物名单，这种名单可以是按频率从高到低的次序排列，从而可以了解各个历史人物与这个事变的关系密切程度；又例如要了解历史上的与“起义”有关的人物，也可进行这种关联分析，以了解起义的领袖和镇压起义的有关人员名单；同样，如果把起义这种事件与地名进行关联分析，则可看出起义所发生或涉及的地方。即使在同一属性的词中，也可进行这种关联分析，例如分析某个人与其他人之间的联系情况，某一事件与其他事物的联系等。举一例子，在《中国人民解放军六十年大事记》（解放战争部分）中，以彭德怀作为关联分析的出发点可以与其他人的姓名相关联，从而了解与他有关的人物名单，在这个名单中，包括他的战友、上下级，也包括他的敌人和对手，同时也包括与他有一定间接关系的人。

进行这种关联分析的原理很简单，就是在作为全文数据库的电子出版物中首先进行作为分析出发点的某个事项（如人名、地名或关键词等）的检索，得到一个检索结果的集合，然后对这个集合进行二次检索，以文中扫描的办法，分别抽出人名、地名或关键词，再将这些抽出的事项按出现频率排序进行输出，这些工作，对于计算机系统来说是不难实现的。然而，这种关联分析对于读者用户来说却具有十分重要的意义，这就是，著作中原来是分散的、零星的记述，通过这种关联分析而使其得到集中化、有序化、定量化。

关联分析不仅仅是人名——人名，或人物——地名，或事件——地名，或事件——人名，或人名——关键词，或地名——人名等的两项关联，可以做到三项、四项乃至更高水平的关联，例如分析某个人在某个年代、某个地区曾经发生过直接关系或间接关系的人物名单，或某个地区在某一年代曾经有哪些人物活动过，或曾经发生过哪些事件，等等。电子出版物所能达到的这种事实或知识项的关联分析，是解剖一著作的工具，是按照新的角度重新组织著作中事实或知识项的工具，是提供新的研究线索的工具，这种电子出版物的计算机关联分析本身是机助情报分析的工具，它使得文献计量学的分析得到了推广、深化，获得了新的应用领域。

但是，电子出版物文本的文献计量学分析仍然是有局限性的，这就是著者写作时选材的全面性与丰富程度将决定这种分析结果的准确性。文献的计量学分析的准确性的基础是文献本身,是文献著者的写作,有时著者写作往往受资料可获得性的影响。

四、电子出版物有助于实现图书内容索引编制的计算机化

在印刷版的图书中,如果在书末附有图书内容索引,会提高图书的使用价值,便于读者检索。但是,由于这种图书内容索引的编制需要花费不少人力和时间,因而目前我国出版的图书往往没有附有这种索引,特别是一些篇幅巨大、资料丰富的著作,如果没有内容索引,确实给读者带来不便。改变这种状况,应当是我国出版事业的一项任务。

目前我国出版流程日益增多的是采用电子照排技术,以代替铅排方式,在这种情况下,只要存在电子文本,就可以使用全文数据库技术实现图书内容索引编制的计算机化。

用计算机来编制图书内容索引,基本原理是事先拟订有检索意义的索引词表,如人名、地名关键词的词表。这种词表的产生可以有两种方式。一是由索引编者在掌握图书内容的基础上,系统地制定,输入计算机,成为计算机系统中的一个文件;二是由索引编者在计算机上通过浏览文本,对需要作为索引项的词(人名、地名、关键词等)作出一定的标识,计算机对这种作了标识的词进行抽取、排序,并对重复标记的词进行合并,由此产生一个索引词表。当然,这两种方式可以结合起来,以求这种词表的编制既完善又迅速。

然后,计算机根据这种标识词表对著作的文本进行顺序扫描、抽取,并记明该词所出现在印刷版中的页码以及页码中的段落或行数(即所谓"地址")。这里需要指出的是,这种供人们手工检索的图书内容索引的"地址",与全文数据库的索引文件中的地址是不一样的,后者主要是记录号、字段号、字符位置,即逻辑地址,而前者是印刷版图书中的页码、段号或行数,即所谓物理地址。

然后,由计算机对各条索引款目(包括索引词,以及该词的物理地址)进行排序,在汉字属性词典等排序软件支持下,可以是按拼音、笔画、部首、四角号码等字顺进行排列,从而提供索引项目排列的有序化,便于读者查找。再后,由计算机打印输出这种索引,加以印刷,附于印刷版图书的末尾,而与图书一起出版。这就是计算机编制的、仅供人们手工检索的图书内容索引。

这种计算机辅助编制图书内容索引,与手工编制的图书内容索引相比,仍然有不完善的地方,甚至会出现错误,往往需要作二次处理,主要问题有:

第一,这种计算机辅助编制的内容索引,在索引词的选取上只能是文本中的关键词,而难以做到选用概括性的词或规范化的词。例如文本中分别用"武昌"、"汉口"、"汉阳"、"武汉"而难以用概括性的词"武汉"作为统一索引词;又例如"孙逸仙"难以

纳入“孙中山”条目之下，其原因是计算机对文本进行顺序扫描匹配时，只“认”文本中的字，而不能转义，当然也不是绝对没有办法克服这个缺点。解决的办法是在计算机中存储一个自动转换的词表，如“武昌”用“武汉”，“孙逸仙”用“孙中山”等。但这增加了程序的复杂性，同时也增加了编制“转换词表”的负担。对于重要著作的电子出版物来说，承受这种负担是必要的，以求得到高质量的图书内容索引；而对于一般著作的图书内容索引编制来说，可以从简，不必进行这种转换。

第二，难以解决的问题是，按索引词表从文本中进行匹配抽词会发生错误，这主要是在中文文本中，关键词和非关键词都是连写的，除标点符号之外，无间隔可分，因此，在抽取时可能会由于字面切分不清“断意取义”。例如，在《国共两党关系通史》这一著作中，有两个历史人物：杨虎和杨虎城。当以“杨虎”这个人名作为索引词去和文本中的“杨虎城”匹配时，会误作为“杨虎”处理，类似现象不少。例如“范长江”会作为“长江”作索引。“黄河北岸”可能被索引进“河北”条目。这些问题的解决比较困难，需要人工干预，以更正一些可能出现的错误。

第三，计算机辅助编制的图书内容索引不应仅为单级索引，而应有多级索引，如果仅为单级索引，那在有些索引条目之下会有太多的地址。例如，在《国共两党关系通史》中，“毛泽东”、“周恩来”、“蒋介石”、“广州”、“北京”、“武汉”等索引条目之下均有数百个以上的地址，这使读者无所选择，单级索引的索引条目所能提供的概念专指度不高，因此，有必要在一些条目之下进一步进行细分，设置二级索引词，这样既能提高概念的专指度，同时又可把每个索引条目之下的地址减少。在多级索引里，一级索引词与二级索引词之间的关系应是“逻辑与”的关系。

总之，图书内容索引编制的计算机化，可以使编制效率大大提高。因为其中除一定程度的人工干预之外，大部分工作是由计算机自动进行的，这种编制速度的提高，可以使图书内容索引连同著作本身一起出版，而不延误图书的出版时间。

原文载于《武汉大学学报》(社会科学版)1993 年第 6 期

论我国电子版图书及其制作技术

一、电子出版与电子出版物

所谓电子版图书，是继印刷版之后出现的一种新的出版物类型。它将著作的文本采用计算机可以阅读的形式存储在磁盘上，并在计算机软件的支持下，能够自动地形成全文数据库，提供从人名、地名、年代、关键词等多角度进行单项检索或多项组配检索的功能，甚至著作中的任何一个字都可以由计算机检索出来，所检索到的文本，可根据用户的要求，按句、段、节、章进行输出，在计算机屏幕上加以显示，或由打印机打印出来。电子版图书内容，除了与印刷版相当的文本之外，还包含由计算机自动编成的各种索引，以及计算机情报检索软件。借助于索引和检索软件，电子版图书能对著作中的各个知识项进行抽取、排序、重新组织，因而使原先散见于各个篇章段落中的知识能够从逻辑上得到集中，提供众多的检索点以及从各种角度进行知识项聚类的能力。因此，电子版图书的文本成为置于读者控制之下的、具有全文检索功能的"活体"。它远比印刷版图书拥有更多的使用价值。

"电子出版"(Electronic publishing)有两个含义。一是指的出版物的生产过程采用计算机等技术手段，例如计算机化的文字录入与处理、计算机排版等，但是其最终产品依然是印刷型的出版物。例如，华光、方正等被称为"电子出版系统"的技术，就是这种用于出版物生产过程的技术，它既包括硬件，也包括软件。目前这种技术只是取代了传统的检字、排版的铅印技术，提高了工作效率。它仍需要制版、印刷、装订而最后成为印刷的铅印刷型出版物。"电子出版"的另一种含义指的是不仅生产技术采用电子技术的手段，而且其最终产品也是电子形式的出版物。具体地说，就是出版物的文本(信息内容)是以计算机可以阅读的形式，存在磁性或光学载体上，借助于计算机才能阅读和处理。这种形式的出版物称电子出版物。用电子技术作为手段进行生产，同时又以电子形式存在，依靠电子计算机等进行利用的出版物，这才是完全意义上的电子出版物。

电子出版物与印刷型出版物比较，具有下列特点：

1. 出版周期短，更新容易。由于它不需要制版、印刷、装订，加工环节少，因而出版速度快。对于内容的增、删、改(即更新)，由于可以利用电子手段进行，非常方便灵活。

2. 信息存储密度高，节省出版物保存的空间。现在，一张高密度的软磁盘可以存放 50 万个汉字，一部洋洋百万字的图书，只用两张软磁盘即可。至于用 CD－ROM（只读光盘）来存储，一张直径 12 厘米的光盘，可存放托尔斯泰的《战争与和平》长篇小说十部。确切地说来，可存放 3 千万个汉字。

3. 可用计算机进行检索，以查找文本中的字或词，可由计算机任意翻页，并可进行显示和打印。这就取代了查找印刷型图书的手翻笔录的麻烦，不仅速度快，而且保证了文本打印的准确性。

4. 易于拷贝。拷贝一张软磁盘，只需数秒钟时间。这要比印刷装订的效率高得多。由于拷贝容易，因而不会造成印刷版书刊那种发行积压的现象。

5. 可以借助电信线路进行远距离、高速度的传输。它要比以纸张为基础的印刷书刊发行到达读者手里的速度快得多。也就是说，它极大地提高了文献情报的可获得性。

总之，电子出版物的出现和发展，是高科技的产物，是当今信息时代的标志。电子出版物的出现，是出版事业的一次革命。它不仅缩短了出版的周期，建立了一种新的信息分发渠道，而且也改变了书刊的物理形态。大家知道，图书有其本身漫长的进化历史，甲骨、泥版、竹简、绵帛都曾先后作为记载信息的载体。自从纸和印刷术发现之后，纸印本一直是图书的主要形态。随着电子计算机技术、存储技术的巨大进展，电子出版物出现了，打破了以纸为载体的出版物形态的独占局面。电子出版物以一种崭新形态，生气勃勃、前途无量地出现在出版领域。它目前已与印刷版并驾齐驱，在今后将逐步取代印刷版的出版物，尽管是不能完全取代。在发达国家中，印刷版出版物与电子版出版物所扮演的角色经历了一个有趣的相互转换的过程。在 60 年代初期，美国化学文摘社采用电子技术来改进印刷版《化学文摘》的编印过程。具体来说，就是将《化学文摘》每期的书稿直接录入计算机，并用计算机对其进行排版，编制关键词索引，然后由计算机输出、制版，再经印刷装订而成为印刷版的《化学文摘》。而加工过程中的电子文本仅仅是一种中间产品和副产品。后来，人们发现这种电子文本可以在计算机上进行检索，因而在发行印刷版《化学文摘》的同时，发行了《化学文摘》的磁带版。电子版逐步取得了与印刷版平起平坐的地位，即印刷版供手工检索之用。而电子版供计算机检索之用。从而开始了两种版本“双轨制”发行的局面。从 80 年代以来，随着计算机技术、信息存储技术、电信技术的迅速进步及其价格性能比的改善，计算机化的情报处理与检索越来越拥有广大的用户。而与此同时，印刷版书刊则不断涨价，这就使印刷版的销售市场逐步缩小，电子版逐步占得优势。目前已经有不少书刊只出版电子版，而无相对应的印刷版。看来这个发展趋势仍在继续和加强。电子版将在很大程度上取代印刷版的主角角色。

电子出版物类型，既可按照文献类型，也可按照加工深度来分类。

按照文献类型分类,电子出版物可分为电子版图书、电子版连续出版物(如电子版报纸和电子版期刊)等。

按照加工深度分类,电子出版物可分为仅供浏览用的电子出版物和具有全文检索功能的电子出版物。前者不加标引,不对文本进行建库处理(如编制各种内容索引),不配有检索软件。它仅仅是作为原始的电子文本形式出现,因而不提供检索的功能。这种电子出版物可称为原型电子出版物。严格意义上来说还不能称为电子出版物。后者是在对文本内容进行分析的基础上对文本建立全文数据库,并配有检索软件,能够提供多种检索点,以及对检索到的文本段落进行抽取、排序、显示、打印的能力。这种电子出版物可称为具有全文检索功能的电子出版物,或者是经过情报加工具有情报功能的电子出版物。

电子出版物的生产与发行已构成信息产业的一个重要组成部分。

早在1959年,美国匹兹堡大学卫生法律中心就建立了一个法律全文检索系统。不久,在60年代美国俄亥俄州律师协会也建立名为OBAR的法律条文与案例检索系统。1974年,美国《纽约时报》建立了该报的电子化的资料库,将该报刊载的报道与文章存储在计算机内,向公众提供联机情报检索。这种电子版文献的经营很快走上商业化的道路。成立于60年代的MEAD(米德)公司,当前提供两大系列的全文数据库检索服务,一是称为LEXIS的法律文献及案例全文数据库,目前是世界上规模最大的法律全文数据库。另一个系列是称为NEXIS的报纸全文数据库,包括10种报纸的新闻全文库。世界上最大的联机情报检索服务系统——DIALOG系统,也于70年代末开始装载4个全文数据库,向公众提供情报服务。至九十年代初,DIALOG系统装载的全文数据库,包括报纸、杂志、工具书的全文数据库已达80多个,占整个系统数据库的1/4。近几年来出版界很快涉足这个领域。意大利的西方出版公司以及培加蒙出版公司等接踵而至。随着的新的光学存储器——CD－ROM(高密度光盘只读存储器)的出现,更进一步推动了作为电子出版物的全文数据库的发展,这种形式的电子出版物,不再通过联机方式进行查找和利用,而是发行光盘,供用户在自己的微型计算机上使用。因而使电子出版物可以达到千家万户,深入到较广泛的读者群。

电子出版物的出现与发展,对于整个信息产业来说具有重要意义。因为它在出版这一情报源产生的初始环节,就赋予其检索功能,使文献及其内容有序化,从而有利于整个情报处理工作的进行。这改变了传统情报处理的模式。传统的模式是,在文献出版之后,再进行著录编目,使分散的大量文献有序化和数据库化,从而为读者用户利用文献创造条件。电子出版物的出现与发展,不仅使文献的有序化与数据库化提早进行,赢得了时间,而且在数据加工深度上也远比书目数据库的编制深得多。毫无疑问,电子出版物的出现与发展将促进情报信息的传播和获取,提高文献情报的可操纵性。

二、中文电子版图书的基本设计要求

中文电子版图书,与西文电子出版物比较起来,有共性,也有差异。这种差异主要是中文这种文字的复杂性造成的。在英文等西方文字中,每个单字或词之间是用空格分开的。这就便于计算机抽取字或词,并且易于识别关键词和非关键词,从而在此基础上进行自动标引和建库。然而在中文中,所有的词,包括关键词和非关键词都是连续书写和紧密连排的。在阅读中文文献时,读者在阅读时必须借助自己的知识和判断能力来进行切分,从而获得明确的概念。要是人们阅读自己不了解的专业文献,往往很难从概念上区分出专业名词术语。目前的计算机处理尚无智能,因而计算机对中文文献的内容难以做到自动抽词、自动标引。此外,中文的行文修辞十分复杂,讲究文采、褒贬,同义词、近义词、反义词繁多,代词种类不少。这些都决定中文电子出版物的编制技巧有自己的特点。

图书,作为出版物的一种类型,与期刊、报纸相比,又有自己的特点。图书的篇幅相对固定,更新周期相对较长。特别是对于工具书、教材以及其他资料性丰富或权威性高的图书,人们往往对其常读、常查并进行深入研究。这就有必要和可能对电子版图书进行较为精细的情报加工,使其成为具有较高情报功能的出版物。

为此,我们对电子版图书的设计基本要求是:

第一,电子版图书应该提供丰富的检索点和较强的检索功能。著作中的主要人名、地名、年代、关键词基本上均应能作为检索的入口。除单项检索外,还应有布尔逻辑(与、或、非)的多项组配检索,并且应有字(词)之间位置检索(二次检索)等能力。这样,使图书文本中各种知识项基本上都能处于可被检索的状态,甚至全书中的每一字都是可被检索的。

第二,电子版图书应具有一定的情报分析功能。具体来说,应该对检索结果具备再次处理,以进行关键词、人名、地名等的聚类、统计排序功能。例如,检索“西安事变”后,要了解有哪些人与此事件有关,并且根据人名的出现频度从多到少地排序,表明各人物的影响与重要性程度。又例如,要查找某个人物,要能了解与他有关的关键词(也按降序排列),从而了解他的主要活动方面;或是能了解哪些人同某人发生过关系,这些人的姓名也按出现频率降序排列,以了解关系密切的是哪些人。这种功能的实现,是借助于计算机对有关的知识项进行再次抽取、缔合、统计和排序进行的,它对研究工作者有辅助的情报分析功能。

第三,电子版图书应具备情报计量的功能。也就是说,能够统计全书有多少关键词、人名、地名、年代等,并注明其出现的次数。应能统计全书有多少字、有多少句,平均每句的长度,以及全书中有多少个不同的汉字和每个汉字的出现频率。这些统计数字可以从整体上对图书文本内容进行情报计量学或文献计量学的分析,揭示著作的内容、结构与写作的风格。情报计量学是一门新兴的科学,它通过文献中情报单元的数量统计和计算处理，能够整体地、宏观性揭示人们在阅读文献时所不能确切了解甚至忽略的一些数据，而这些数据却往往是体现一定规律的。例如，一本历史著作，往往出现许多人名，若统计每个人名的出现频率，并按频率多少的降序排列，则出现频率越高的人，在历史上的影响越大，偶尔出现一两次的人其影响较小。根据这个原理，大体可以估计历史人物的作用与影响程度。这种估计，往往同历史学家的判断不谋而合。这种频率统计工作量很大，也很繁琐，要用手工方式进行是很难想象的。然而，在电子版图书的条件下，可用计算机高速准确地完成。也正因为这样，在出现计算机和数据库之后情报计量学才能得以正式形成，并获得了生命力。反过来说，情报计量学使作为全文数据库的电子出版物获得了新的用途，增加了情报价值。

第四，电子版图书应具备灵活多样的检索结果输出功能。具体来说，用户检索到结果，应能分别按句或段或事件等多种形式输出。既可在屏幕上显示，又可在打印机上打印，又可套录拷贝到磁盘上。在显示时，应对导致检索得到结果的检索词进行反相显示，便于用户检查检索结果的准确性。

第五，电子版图书的编制应以激光照排和轻印刷的电子文本为基础，以达到经济合算的目的。目前我国出版界采用激光照排和轻印刷的技术出版书刊日益增多。在这种技术模式中，出版的流程是，将审定的初稿录入计算机，经校对后，由计算机排版软件对其进行排定字号、字形与版式然后采用激光输出，制版、印刷、装订，而最后成书。在这个流程中，经计算机录入和排版的电子文本仅仅是一种中间产品。在印刷型书刊出版之后，许多出版社将这种电子文本转拷到软磁盘上，以代替纸型保存，供日后重印再版之用。也有不少出版社干脆对其不加保存。电子版图书的编制以这种电子文本作为基础，就能在这种现成的中间产品上进一步开发成电子版产品。这样，使这种中间产品获得了新的用途，从成本上来说是最为经济合算的。从出版速度来说，它并不影响印刷版图书的出版周期，相反，由于电子版的生产是通过计算机自动或半自动处理进行的，电子版的出版周期有可能比印刷版的要短，至少是两种版本可同时完成、同时发行。显然，今后随着我国中文电子版图书日益被社会所接受，也将促进激光照排和轻印刷技术的普及。至于铅排的图书，或者是古代图书，它们无电子文本，如要出版电子版，就只能重新靠计算机的录入与排版，或者采用 OCR（光学字符识别）技术将文字转换成电子文本。这就需要增加电子版图书生产的成本。

第六，电子版图书目前主要应以微型计算机为基础，通过软盘的发行，使之便于广大的用户群使用。由于每种电子版图书的篇幅一般在数十万至数百万字之间，这个规模是目前拥有几十兆硬盘容量的微机能够承受的。当前，我国科研机构、高等学校、大中型企业以及图书馆和情报资料单位拥有的微机日益增多，电子版图书以软盘发行，就便于用户将软盘上的电子文件装入他们自己的计算机中进行检索利用。这样，既便于用户在本部门就地使用电子出版物，又能使电子出版物拥有较宽广的读者市场。因此，我们选择的硬件环境是 286 机器，带 40 兆硬盘。对显示器无特殊要求，单显或彩显均可。采用 DOS 操作系统。当然,还存在一种更好的选择,就是将电子版图书制成 CD－ROM 光盘进行发行。一片直径 12 厘米的光盘可存储 500 至 600 兆的信息,比软磁盘的容量要高出数百倍。它记录的信息是永久性的,不能擦除,因而适合于作为电子版图书的载体。CD－ROM 光盘的检索需要光盘驱动器和微型计算机,但驱动器价格不高。采用 CD－ROM 光盘,不仅能将一部巨著存储在一张光盘上,而且有可能将整套丛书存储在一张光盘上。就单位信息存储而言,CD－ROM 光盘的成本远比软磁盘低。今后,随着我国 CD－ROM 技术的推广,电子版图书将会以这种载体发行。当然,电子版图书也可装载到大、中、小型计算机中,通过联机终端提供检索服务。这是另一种选择。

第七,电子版图书制作系统应能自动编制书本式索引,以帮助印刷版图书提高其检索功能。

当前我国出版发行的印刷版图书,大部分都没有附以内容索引。特别是大部头的资料性很强的图书,没有内容索引,读者就很难找到书中的有关资料,从而降低了该书的使用价值。在国外,一般图书都在书末附有索引,指出书中所出现的人名、地名、关键词在书中的页码地址。西方有的国家还规定,对没有这种索引的图书,不给以版权。我国出版的图书缺少这种图书内容索引,是我国与发达国家出版业的一个差距。

我国图书缺少内容索引的一个重要原因,就是手工编制索引需费大量的人力物力,并且会延长出版的周期,提高图书的成本。电子版图书本身就是一个全文数据库,完全可以利用来编制内容索引。这种索引由计算机在程序控制下进行编制,速度高,准确性大。由计算机编制的这种索引,可称为机编索引。机编索引仍是供人们手工检索的,它和作为全文数据库一部分的机内索引是不同的。这种机编的图书内容索引的形式是:索引款目词由人名、地名、关键词构成。索引款目按一定的字顺排列,也可先按人名、地名、关键词分列成几个栏目,然后再按字顺排列。字顺可以有拼音、笔画等多种方式。款目中的地址为该词在印刷版图书中所在卷数与页码。

严格来说,这种机编书本式索引不是电子版图书的一个必要部分,而是作为全文数据库的一个副产品。

三、电子文本的格式化处理

电子版图书的编制技术,主要是全文数据库的制作技术。主要包括全文数据库的结构设计、标引规则与标引处理软件、全文检索软件及后控词表机制的建立等。

首先是对全文文本进行结构化处理。

全文文本不像书目记录那样有规则。后者有各种字段,如题名、著者出处、摘要等。有些字段又可区分子字段。在一条记录中各字段的次序是固定的,尽管有的记录可以缺少某些字段。这就为建库和检索提供了方便条件。然而文献的全文文本却无一定的格式。有的分章分节,有的却无章节之分;有的文中有小标题,有的却没有。各个自然段的长度彼此差别很大,有的长达数千言,有的仅一两个字。每条书目数据记录中每一字段,在概念上是一个完整的逻辑单元,它的含义一般不需要依靠别的字段来加以补充和限定。但是全文文本中的各个段落往往彼此紧密联系相互补充,构成一定的语境,共同组成一个逻辑上的概念单元。这样,给全文数据库的结构设计带来困难。

但是,电子版图书必须进行格式化处理,否则,数以几十万或几百万字的文本难以组成一个有合理结构的数据库,难以进行快速的扫描和检索,也难以定义检索结果输出的范围。

全文文本的格式化可以有若干选择。一是从文本中的内容含义出发,将一个相对完整的内容单元作为一个记录单位。如一个小节,或一小标题之下的文本作为一个记录。这种记录可以包含若干个自然段。例如,对百科全书文本,可以一个条目作为一个记录单位。对于一篇科技论著,可以研究问题的提出、研究历史的回顾、研究方法与实验条件、研究结论,以及有关参考文献等各自定义为一个字段。另一种选择是从文献的外表形式来划分,例如以一个自然段作为一条记录。这种方法简单易行,并且可以由计算机程序自动完成。但缺点是不能将一个有始有末的事件、前后彼此关联的假设与论证所包括的若干段落有机地组合在一起,相反,有时会产生割裂现象,使检索所得段落在内容含义上不完整,甚至是断章取义。因此,全文数据库格式化的一个较优的方案是,将上述两种选择结合在一起。即以自然段作为记录单位,同时将内容上密切关联的若干段落组成一个逻辑上相对独立的大单元。这可称为逻辑块。这种单元可作为检索结果处理(如显示、打印等)的单位。此外,文中的目次、脚注、参考文献目录等均可考虑作为一些特殊的单元进行处理。

全文数据库的格式化,还包括对每个记录和每个逻辑块加上一定的标识符,并进行编号记数,以便作为以后建立的索引之地址。

四、自动标引与半自动标引相结合的标引处理

所谓标引,就是标出全文文献文本中具有情报检索价值和分析价值的知识项。有了这些标引出来的知识项,可以以其为基础建立各种索引,从而提供读者以检索的入口,即所谓检索点。例如,文献文本中的重要人名、地名、年代及关键词就是标引的对象,当它们被标引之后,就成为全文数据库中倒排文件(索引)中的款目词。因而读者就有可能从这些人名、地名、年代、关键词出发,进行单项检索或多项组配检索。标引是揭示全文数据库中情报或知识价值的钥匙。标引的质量在很大程度上决定了全文数据库的质量。全文数据库,严格来说,既包括电子全文文本本身,又包括在标引词基础上建立的倒排文件(索引)。由此可见标引在全文数据库编制中的重要地位。

全文数据库的标引,与书目数据库的标引比较起来,有自己显明的特色。

全文文本的篇幅巨大。一部著作,少则十数万字,或数十万字,多则数百万字甚至千万字以上。其中的关键词、人名、地名、年代等知识项不可胜数。例如,《国共两党关系通史》150万字的文本中,仅人名就有4千多个。而且每个人名,在著作中多次出现,多则出现千次以上,少则数百、数十次或数次。当然也有仅出现1次的。地名和关键词的出现个数与出现频率也相当高。这就是说,全文文本中需要作为标识项的字符串很多,其所占整个文本篇幅的比例很多。例如,我们对《湖北省地方志·大事记》3.6万字文本的试标引中,标引项竟达3000余个,平均十几个字中就有一个标引项。当然,作为历史著作,其中的人名、地名、事件及其他关键词较多,即所含"事实"多,是有其特殊性的。理论性的著作,标引项不会如此之多。但总的来说,要比书目数据库多。对于这么多的标引项,不能采用手工方式标引,而必须借助计算机自动标引或半自动标引,这样才能达到一定的效率。否则,其工作量之艰巨是很难想象的。因此,全文数据库的标引应该以自动或半自动标引为手段。自动标引的方法,目前以词典法(或词库法)为主,即事先编制人名、地名、年代、关键词的词表,让计算机根据词表扫描全文文本而加以标引。从计算机作业来说,这主要是词表中的词与文献全文文本进行字符串的匹配。

由于中文书写或排印中,将词与词、关键词与非关键词都紧密相连成句的特点,如果采用计算机高速自动标引就会出现错误标引。这种错误,有下列5种类型:

a. 字面嵌套引起的错误标引。例如,人名中的"陈云涛"与"陈云",就可能标引上两个"陈云"。地名中的"檀香山"与"香山",也可能标上两个"香山"。这种情况,在关键词中尤其多见,如"反社会主义"与"社会主义","西山会议派"与"西山会议",都可能出现标引上的错误,难以区别。在不同属性的词之间,也可能产生另一类型的混淆,例如人名"范长江"与作为关键词的"长江",人名"谭平山"与作为地名的"平山"。特别是以地名和关键词组成的名词,如"大理石"、"黄岩蜜桔"、"美洲虎"等,也会造成地名与关键词的混淆。当然,可采用自动标引中的"最长匹配"原则来处理,但这增加了自动标引程序的复杂性。

b. 词的同形异义造成的错误标引。例如,"日照时间长"中的关键词"日照",与山东省的地名"日照",计算机就难以判别其区别。同样,地名"平定"与关键词"平定"也会是这样。

c. 字的假组合而引起的错误标引。例如,"泰山西部地区",就可能导致标引出"山西"这一地名。"他上海校学习"就可能标引出"上海"。这类问题在全文文本中出现的几率较高。这也是计算机难以识破其假组合,而导致"杂凑"产生的原因。

d. 中文文本中出现的转义字句也会导致错误标引,如"马虎",并无"马"与"虎"的成分。在"一丘之貉"的成语中,并无探讨动物的意思。同样,"福如东海",绝不实指"东海"地名。显然,这都给自动标引设置了障碍。

e. 由于计算机中文处理的局限，难以标引"一字词"（即由一个字构成的词）。在计算机汉字编码中，每个汉字由两个字节构成，在标引"一字词"时，往往可能导致前一汉字的第二个字节与第二个汉字的第一个字节错误地拼成另一汉字，从而导致错误的标引。然而，在全文文本中存在不少"一字词"，例如，地名的简称，如"沪"、"京"、"鄂"、"湘"；又例如朝代的名称，如"唐"、"汉"、"陈"、"宋"等。一些稍带文言的文本，更会出现如"降"、"俘"、"银"、"渔"等一字词。汉字编码上的问题，容易造成"一字词"自动标引的"禁区"。

因此，对于全文数据库来说，完全自动的标引是不完全适合的，还需要在此基础上进行有人干预的半自动标引。半自动标引，可利用文字处理软件中的"查找并取代"的现成软件模块，选用其中的"G"操作键，回答"Y"或"N"以作判别，以此进行标引。这样，上述5种不易自动标引的问题可以得到解决。这就是自动标引和半自动标引相结合的标引模式。

实行这种两者相结合的标引模式，将要标引用的词表分成两个部分。第一部分是不会引起错误标引的词，如"李大钊"、"周恩来"等人名、"武汉"、"杭州"等地名，以及专指性高的关键词，如"中共中央"、"台儿庄战役"等。在选择这部分供完全自动标引用的标引词时，要注意这些词既有独立的检索价值，又不致引起错误标引。在选取这些词时，可以将所有的标引词（即供自动标引的词和供半自动标引的词）按区位码排序，从相邻排列的词表中有助于识别如"陈云"与"陈云涛"这样可能引起标引问题的词。当然，如果字面嵌套出现在词的中间时，不易觉察，如"檀香山"与"香山"这两个词按区位码排列，并非相邻。因此，有些错误标引是始料不及的。当已进行标引之后，若发现此类问题（如"檀香山"标引成"香山"），也仍然有补救办法，就是仍然用文字处理软件的"查找并取代"模块，查找"檀<P 香山>"改为"<P 檀香山>"即可。这种半自动的标引又可称为二次标引。因为它一般是在完全自动的标引之后进行的。

全文数据库的标引最好是进行词的属性标引。所谓属性标引，就是在标识标引词时，同时指出该词的属性. 词的属性有：人名、地名、关键词、年代、文献名等。可分别用一个字母来代表各种属性。例如："P"代表地名，"N"代表人名，"K"代表关键词，"AT"代表年代，"D"代表文献名等。之所以要给标引词加上属性指示符，是出于两个原因。首先，由于加上属性指示符，就能区分同形异义词。例如，检索作为地名的"P 黄岗"，就不会误检出作为人名的"N 黄岗"，因而可以降低误检率。其次，更为重要的是，便于对检索结果按词的属性进行聚类输出。例如，检索"N 陈毅"之后，可以对命中记录中的所有人名进行抽取，并在统计频率的基础上按频率高低排成一个人名表，这个人名表就是与陈毅有关的人氏的名单，频率高的人名，显然与陈毅的关系较为密切，或是他的亲密战友和上下级，或是他的主要对手。频率较低的人名，也表示多少同陈毅有一定的关系。否则，不会在同一段文字中与陈毅的名字共同出现，虽然有时这种关系可能是间接的。同样,如果将陈毅有关段落文字中的地名进行聚类输出,也可列出与陈毅有关的地名表,从中大致可看出他南征北战和东奔西走的地方。其中频率高的地名,是他的主要活动地点。如果按关键词进行聚类输出,则输出的关键词表大致可以说明哪些事件或事物与陈毅有关。如果按文献名称进行聚类输出,所获得的聚类表则会表示哪些历史性文献与陈毅有关。同样,如果检索某一关键词(例如淮海战役),则也可按人名、地名等聚类,排出与此战役有关的人名、地名和关键词。这种聚类对于图书内容的分析和情报计量的研究都有重要意义。如果全文数据库不进行词的属性标引,就不可能实现这种聚类,全文数据库的价值就会降低。

在全文数据库的标引中,有时还需进行加注标引。在全文文本中,各段文字之间是紧密相连的。前一段文字中提到的名人,在下一段落中往往用代词"他"或"她"代替;同一地名,在后续段落中往往用"该地"的措词代替;前一段落中的所记年代,在后一段文字中往往用"同年"、"次年"表示,甚至不再写明年代,而只写×月×日,或"春夏之交",或"三个月之后"等。此外,还有在后续段落中只用尊称、爱称来重复前文所指某人的,如"总理"、"先生"、"父亲"等等。之所以这样行文,一则是为了避免过多重复同一称谓,节约篇幅;二则也增加了文采。当顺序阅读文献文本时,这在理解上是不成问题的。但是,作为供检索用的全文数据库,当检索结果只是一些独立的段落或句子时,这些代词或尊称,在失去上下文的语言环境中,就变得难以理解;并且情报用户也难以用这些称谓词作为检索词,从而可能造成漏检。因此,需要对这些词(或字)进行加注。例如,"他",根据其实际所指,如标引成他(AN 李达),"次年",标引成"次年(AT1954)","该地"标引成"该地 <AP 武汉>"等,以作注解说明。这就叫做加注标引。加注标引,可以充分提供检索的入口点,发掘文献的情报信息含量,并节约检索者的智力劳动。

全文数据库标引时所用的符号,为<、>、N、P、K、AN、AK、AT 等,在检索结果显示或打印时应该删除,以恢复文献文本的原貌。因此,这些符号和字符应该采用区别于汉字码的 ASCⅡ码,以便于程序较容易地将它们在显示打印时删除。加注标引与一般标引不同的是,一般标引仅删除这些符号与字符本身,而汉字仍然保留。例如,标引文本是:"<N 毛泽东>同志在<P 延安>就<K 西安事变>指出……",在显示打印时应还原成"毛泽东同志在延安就西安事变指出……"然而加注标引则不同,不仅要删除所加的符号与字符,而且连同加注的汉字一并删除,以恢复文本的原貌。为了达到这一目的,在采用词属性指示符时应与一般标引所用的词属性指示符有所区别,如"AN"区别于"N";"AP"区别于"P"等。当然,这些指示符以及各种标引符号可以改变,只要便于记忆和程序执行即可。

全文数据库的标引应该适度,没有必要对文献中每个人名、地名、关键词都作标引。这主要是为了控制索引的篇幅和提高检索的速度。凡作为标引的词,应该有一定的检索价值。对于没有被标引的人名、地名、关键词,虽然不能直接作为检索用词进行检索，但仍然有一定的方法补救。这就是通过全文检索软件中的“二次检索”功能来弥补。这种“二次检索”，又称为“文中扫描检索”，即在第一次检索的初步结果中，进行顺序扫描，而将未被标引的人名、地名、关键词查找出来。有关“二次检索”的功能，将在全文检索软件设计部分详细讨论。

把握适度标引的原则，其依据主要是文献保障原则和用户保障原则。所谓文献保障，就是文献中出现频率极高和极低的词可以不必作为标引词。例如，在《国共两党关系通史》全文数据库中，“国民党”和“共产党”二词的出现频率极高，因为全书就是围绕这两个政党的关系而写作的。同样，在一个情报学专著的全文数据库中，“情报”和“情报学”两词的出现频率是极高的，因为这种专著通篇都是论述这方面概念和内容的。共性太大，特性太低，所能命中的文字段落（记录）就会很多。因此可以不必标引。另一方面，出现频率过低的词，例如仅偶尔一提的事物或人物，也可以不标引。所谓用户的保障，是指用户在检索时，有可能作为检索出发点的词才应作为标引词进行标引。如果有些词，用户从来不会作为检索词进行检索的，也可不作为标引词。

设立“方面词”，对于全文数据库标引来说，也是有必要的。所谓“方面词”，是指有情报检索价值的，但并非在概念上是独立完整的词。这些词仅仅作为事物的一个“方面”。例如“决议”、“协定”、“唁电”、“通电”、“文告”、“惨案”、“暴动”、“谈判”、“起义”、“哗变”、“战役”等。这些词之所以是“方面词”，是因为它们总是和具体的事物相联系的。例如××决议、××惨案、××通电等。“方面词”可以在不影响关键词完整标引的情况下，通过加注标引而进行标引。例如，“沙面惨案”可以标引成<K 沙面惨案>和<AK 惨案>两个词。这样，可以使检索用户分别从这两个词均可进行检索。通过“方面词”的检索，可以允许用户进行从同一方面进行情报的检索和统计。如有哪些惨案发生过，举行过哪些起义等。事实上这也是从另一个角度进行的聚类。总之，“方面词”的设立，可以增加全文数据库的情报价值和分析功能。

五、电子版图书应有的基本检索功能

检索功能的设计与实现是电子版图书制作的核心问题。电子版与印刷版比较，主要的优势是电子版能借助计算机对著作中各个知识项和每个文字句段进行高速、准确、全面的检索。这种检索是印刷版图书所能进行的手工翻阅远远不能比拟的。电子版图书的格式化处理、自动和半自动标引处理等环节，目的也在于为计算机的自动检索提供条件，是为检索功能的实现服务的。

电子版图书应该向读者用户提供哪些检索功能？这主要取决于读者用户查找该著作中的

知识项并对其进行统计分析的需要，同时也取决于计算机容量、运算速度和软件支持的能力。

作为具有较高学术性和资料价值的大部头著作，读者用户的检索要求有如下一些类型：

1. 查找某一知识项在著作中的出处。例如，书中在什么地方提到了某人、某地、某事？这些知识项所在的段落文字或上下文是什么？见之于印刷版图书中的哪些页码？这是读者用户的起码要求。拿检索的术语来说，这是单项检索的要求。

2. 查找两个或两个以上知识项相结合的文字出处。例如，某人在某一年代的活动，或某人在某年某地的活动，或某一事件中某人的言行，或某两个或某三个人的关系，或某人除参与某个事件之外的所有记载等。这种检索需要涉及的项目较多，并且这些知识项是相互联系在一起的。拿情报检索的术语来说，这是多项组配检索。

3. 片言只字的检索。这种检索，所查找的对象不是人名、地名、年代或关键词，而是只要求查到某句话，例如某句名言、成语、典故等。一般来说，由于这种片言只字是不作为知识项标引的，因而实现这种检索功能，需要让计算机合理地扫描电子文本。拿检索的术语来说，这是"文中扫描"或"二次检索"。

4. 查找各种人物或事物之间的联系。例如，某一事件中涉及哪些人、哪些地方？某人与哪些其他的人有关系？该人与哪些人的关系密切程度如何？某地发生过哪些事件？其中重大的事件是哪些？某人主要从事什么工作或参与什么活动？等等。这种检索要求并不一定需要找到书中的段落文字，而只要求计算机告诉这些问题的答案本身。显然，在印刷版图书的条件下，读者要获得这些答案是相当困难的，需要依靠大量的阅读和分析综合工作。但在电子版图书的条件下，计算机可以轻而易举地让读者用户获得答案。这种检索，拿情报检索的术语来说，是所谓"知识项的综合"或"聚类"，或称为情报的"缔合"。

5. 情报计量学的统计排序要求。这是读者用户的高层次的情报检索需求。例如，想要了解著作中先后出现过多少人名，多少地名，多少个关键词，以及每个人名、地名、关键词的各自出现次数，计算机应极其精确地统计出来，并且可以按各种次序（如频率的高低，或人名、地名、关键词的字顺）进行排序列表。读者用户根据这些排序表，可以了解著作内容所涉及的广度，可以帮助估计一定人物的历史作用与影响程度。这种检索，拿情报检索的术语来说，就是"频率排序"。

针对读者用户的上述情报检索要求，作为电子版图书的全文数据库系统的功能设计是：

第一，设置二级检索机制。第一级是保管为标引词的检索。要为标引词构造倒排文件，使之能直接查找。查找的模式为布尔逻辑检索（包括"与"、"或"、"非"，以及括号嵌套、截词检索（前方一致）等）。布尔逻辑的3个运算符以及括号的连用，可以允许检索者表达检索意图，便于调整检索的专指度水平，任意进行扩检或缩检。截词（词的右截断）可以使用户进行非精确一致的检索，允许从词的片段进行"模糊检索"。由于建立了倒排文件，第一级检索的速度很快。

第二级检索是在第一次检索基础上进行的,故又称为二次检索。二次检索的对象可以是未经标引的词或字符串,甚至是一个汉字。二次检索无倒排文档可用,因而不得不采用顺序扫描的方法进行检索目标与文本的匹配。因此,二次检索又称为"文中查找",或具体意义上的"全文检索"。

在第二次检索中,应实现字符串的位置检索功能,即按指定的字符间的相邻度进行匹配,第二次检索进行的速度较慢。

第二,建立法定数检索的机制。所谓法定数,是用户在检索时指定的检索结果的期望值。例如,他要求检索到有关某一事物的三条段落的资料。当输入该检索词时,可能有十条段落命中,这时系统就要求用户再输入一个检索词,以便在系统内部作逻辑乘的运算,以缩小检索的命题范围。若第二次检索结果仍大于用户的期望值,系统会再要求用户输入一个检索词再作逻辑乘的运算,进一步缩小检索的范围。反之,如果检索结果小于期望值,系统要求用户再输入一个检索词,在内部作逻辑加的运算,以扩大检索的命题范围,直至接近用户指定的期望值为止。法定数检索是一种逐步逼近的算法。这种检索机制的意义在于,能改变布尔逻辑检索的盲目性与机械性,使之带上"柔性",能使检索结果具有不同的贴近性,同时也避免用户的检索结果为零。法定数检索是符合人们搜集情报的要求和行为的。

第三,为了实现人名、地名、关键词的聚类,需要在软件中配置对检索结果的再次数据处理功能,它包括自动抽词、频率统计及排序。

第四,全文数据库系统软件还应包括全书规模的处理功能,如全书标引项统计、排序、编制书本式索引的功能。

第五,应实现检索结果输出的多样化,在软件上应有一定的自动编辑功能,并能提供显示、打印、套录的多种输出选择。在结果显示中,对导致检索结果的检索词应有反相显示,以便用户检查检索结果的准确性。

第六,电子版图书的制作还需一系列辅助处理软件。例如消除文本中文字处理所带来的不必要的控制符号、超长记录的监测与处理、排除汉字错位等软件。同时须掌握发现不正确标引及进行纠正的技巧。

总之,电子版图书检索功能的设计应从用户的需要出发,分析其获取情报信息的目的、途径和方法,注意其心理和行为的表现。而检索功能的实现,即软件的编制,应力求选择良好的编程语言和工具,采用软件工程学的方法。

用户界面是整个系统的窗口。它直接面向用户,应该有菜单驱动和命令驱动相结合的驱动方式,应有明确的提示。需要进行较长时间的作业时,应该让用户事先知道,使之有等待的思想准备,并随时了解系统内部处理的进程。对于用户的误操作,应提供有礼貌的说明提示。这些都是"用户友好"原则的体现。

六、设置后控词表的机制

全文数据库的标引,应该是自然语言的标引,很难做到控制词汇标引。这是全文数据库与书目数据库的主要区别之一。电子版图书的标引用词是随著作内容而转移的。各种著作,内容五花八门,不可能为每部著作拟订一个词表。即使是同类著作,不同的著作行文用词也会有所不同。前面说过,由于电子版图书的篇幅较大,从数十万字至数百万字不等,不可能对其中的各种用词做规范化工作。因此,电子版图书的标引必须以文中用词为依据,即必须以自然语言为基础,在标引时不加规范控制。这样,可以节约标引的时间和费用,减少自动标引的复杂性。一般来说,这种自然语言的标引基本上是能够满足用户的检索要求的。首先,著作的作者在写作时,往往注意术语用词的规范化;其次,读者用户要阅读检索他所需要的著作,一般对该著作所属的学科有一定的基础背景知识,对检索用词的选择不至于束手无策。他有能力选择同义词、近义词、相关词进行取代或扩检。学科专业知识水平越高的读者越能够取得良好的检索结果。而对学科专业知识了解得较少的读者用户往往会遇到较大的困难。全文数据库的用户一般是从事一定专业学科研究的最终用户,因此按自然语言检索是问题不会很大的。

当然,应当承认,没有控制词汇的标引,确实在查全率和查准率方面会产生不良影响。同义词的存在,会使读者用户对某一问题的检索导致漏检。例如,“起义”这一概念,用词很多,如“起义”、“起事”、“举义”、“暴动”、“兵变”、“哗变”、“谋反”等。在没有规范化的情况下,读者用户想要把电子版图书中所记述的各次起义的段落文字全部检索出来,就必须要把各种可能设想到的同义词和近义词统统列举出来,并用逻辑“或”连接成一个检索式。同样,著作中对一个人的称呼,往往也有不同的称谓。例如“孙中山”,就会有“孙总理”、“大总统”、“孙文”、“孙逸仙”、“孙先生”等不同的称呼。事实上,这也可以看做是同义词。

相关词的存在,往往无上位词来统率,因而也会导致检全率的下降。例如,各种自然灾害有地震、洪水、干旱、冰雹、风灾、虫灾、瘟疫等。而且在上述每种灾害之下,又有不少相关词。因此,要把各种自然灾害的段落文字都检索齐全,则在构造检索式时需要花费很大的智力。

而且,在构造检索策略时,读者用户付出的智力劳动,系统不能记载下来加以积累继承。举个例子,如果有一个高水平的读者用户拟订了一个很好的检索式,取得了良好的检索结果。当他完成检索后,第二个读者用户再来检索同一课题,还必须从头考虑检索式的构造。这也就是说,前人的成功检索经验,不能成为后人可以享用或参考的财富。构造检索策略一次又一次的重复劳动,彼此是无关的。不同读者用户对同一课题取得的检索经验,也是彼此隔绝的。要取得良好的检索结果,人人都要从零出发进行思考试探。这是以自然语言为基础的全文数据库标引带来的主要问题。

要解决这个问题,一个可取的办法是在电子版图书的检索系统中建立后控词表的机制。所谓后控词表,就是这种词表不是供标引用的,而只是辅助检索的一种手段。这是后控词表与一般的词表主要区别之点。一般的词表,是供标引人员选词标引用的,即所谓"前处理"的工具。当然,这种词表示也可供检索时参考使用,以便使检索者了解文献是如何标引的。但总的来说这种词表的基点是放在标引上面。然而,后控词表根本就与标引无关。它的构成是:用户认为是等价的同义词并用逻辑"或"相连接的各词,被纳入同一个词组号,构成后控词表的一个片断。例如,"孙中山"、"孙文"、"孙逸仙"、"孙总理"等,构成同一组的检索词。当用户在检索式中只检索其中的一个词,而需求助于后控词表机制时,后控词表的机制就把这一词组内的所有词均以逻辑"或"相连接纳入用户的检索式。例如,用户只检索"孙中山",而系统就会自动地使用户的检索式变成"孙中山 + 孙文 + 孙逸仙 + 孙总理"。这就无疑使检索达到较高的查全率。后控词表的编制,可以由专家事先进行编制,但是更重要的是随着用户在检索中使用逻辑"或"的式子,系统自动捕获逻辑"或"前后连接的各词,而将其纳入后控词表,或者是由系统管理人员根据用户的成功经验,有选择地将相关的一批词纳入后控词表。这种纳入是随检索的不断进行而进行的,因而它是不断增长的。例如,第一个用户检索"洪水"的检索式只是"洪水 + 水灾",第二个用户检索时想得更全面,检索式是"洪水 + 水灾 + 大水",这样,"大水"就纳入原来"洪水"与"水灾"两词的后控词组,使之变成第三个成员。第三个检索者如果又想到一个新词,那么这个新词就可以成为第四个成员。这种后控词表的机制,是在自然语言标引的情况下,帮助用户找到同义词和相关词以进行合理检索的工具和手段。借助于这种机制,前人在检索上所花的智力劳动及其成果,可以变成后来检索者能够分享的财富。

后控词表不是供标引用的,但它却可使用户尽可能找全文献中各种可能的标引词。后控词表是弥补自然语言标引局限性的一种办法。作为全文数据库的电子版图书,应当具备这种建立和使用后控词表的机制。

七、电子版图书编制的另一些可能的方案

上述编制电子版图书的方案,是以标引为基础的,而且这种标引还进行了词的属性的区分,因此有助于提高查准性能,并能据以实现人名、地名、关键词的聚类。从某种意义上来说,这种构造全文数据库的方案是精雕细刻的方案。然而它要求人们付出较多的智力劳动。因为标引词表的确定本身是一项艰巨的任务。只有基本通读文献全部文本,才能不致遗漏有检索价值的标引用词。同时,只有了解文献所属学科专业的知识,才能判断各种候选词的相对重要性,以便作为选定标引词的依据。这也就是说,既要求标引加工人员付出较多的文献主题分析和选词劳动,又要求他们具备较高的学科专业知识背景。这样,就可能延长文献加工的时间,同时也难以使同一人员

胜任多学科的各类电子版图书的加工。

其次,这种加工方案存在本身的问题。一部大型著作,其中提到的人名、地名、关键词很多,不可能一一列举,更不可能都作为标引词使用。在选词时,必然有所取舍。但这种选择的标准却难以掌握。以地名为例,若只选县级以上的地名,舍弃县级以下的地名,也不尽然合理。一些小的乡镇,有时却演出了惊天动地的事件。例如"金田村"、"台儿庄"、"西柏坡村"、"卢沟桥"、"宣化店"等,都曾是闻名全国和全世界的舞台。一些重要的游击基地和根据地,往往并非在县以上的地方。一些重大战役,也往往是在远离大城市的地方进行的。选择标引词时所考虑的"重要"程度的判断,有时不一定同读者用户检索时的判断相一致,即读者用户选择的检索词,电子版图书不一定正好将其作为标引词,从而就会导致漏检。当然,可以通过二次检索的功能来作为补救的手段,但难以检索全面。用户是多种多样的,他们检索的目的动机也各不相同。以《国共两党关系通史》全文数据库为例,读者用户既有史学工作者,又有其他类型的人。例如,一些在中国近现代史上未起很大作用的人物,他们的后代或其出生地的研究机构,却希望以该人物的姓名作为一个检索词进行检索。各地的地方志编纂人员也都会以本地地名作为检索的出发点,了解在该文献中所有提到本地的资料,尽管文献中对该地只是偶尔一提或顺便涉及,也是符合他们的检索要求的。

因此,上述以标引为基础的全文数据库加工方案并非尽善尽美,更不是唯一的模式。

可供选择的另一些加工模式是:

第一,单汉字处理模式。

单汉字处理模式是将检索单位从人名、地名、关键词的词一级下降到各个单汉字一级。也就是说,每个汉字均作为标引的标目。检索时,再将有关的单汉字通过逻辑乘连接起来,以实现人名、地名、关键词的检索。例如,"武*汉"就是要检索武汉一词在文献中的所有出处,"周*恩*来"就代表检索"周恩来"。"西*安*事*变"即为检索"西安事变"的检索式。

这种单汉字处理模式的主要优点是免除了文献内容主题的分析和标引词的选择,凡是每个汉字均作为标引词,不需加以选择判断,因而可由计算机自动完成标引工作,从而大大加快了全文数据库的加工速度。这是这种模式的一个优点。其次,读者用户可以据此检索任何人名、地名、关键词,即使这些词在大部头著作中只是偶然提到一次的,也能被检索出来。因此使查全性能到了极高的程度。这是这种模式的另一个优点。同时,这种模式加工的全文数据库的检索,本身就隐含了截词检索的功能。因为逻辑乘相连接的检索单位(单个汉字)越多,检索的概念就越专;检索单位越少,则检索的概念越泛。例如要检索"黄埔军校"、"黄埔同学会"的资料,只需检索"黄*埔"即可,从而收到了截词检索的效果。而且,不仅能实现右截断,也能实现左截断,"*恩来",也可检索出周恩来的资料。在标引系统中,要实现左截断的检索功能是相当困难的。而在单汉字模式中，这个功能的实现却变得轻而易举。此外，掩符检索功能的实现也被自然地包含在这种模式处理的系统中。所谓掩符，就是中间截断，例如，"蒋 a 石"（这里，a 是掩符符号），意思是要检索第一字是"蒋"，第三字是"石"，而中间的字可以变化不计的资料。在单汉字系统中，"蒋 * 石"的检索式就可实现这种掩符检索，而把蒋介石有关的资料全部检索出来。这是这种模式的第三个优点。

但是，单汉字处理模式却有不少缺点。

首先是没有词的属性区分，因而不能实现人名、地名、关键词的聚类。全书的知识项统计也无法实现。在这一点上，降低了电子版图书的情报检索与分析价值。全书的知识项统计也无法实现。

其次，误检的可能性增高。检索式中的各个单汉字（运算项），只要在一个记录中同时存在就算命中。这样，检索式"山 * 东"，不仅会检索出山东省的资料，而且还会命中包含如"东山岛"、"太行山以东地区"、"孙中山东渡日本"等记载段落。后者即为误检。虽然它符合单汉字系统的算法，但并不符合读者用户检索的本意。当然，这类误检是可以通过作为二次检索的位置检索消除一部分的，例如，可以消除"东山岛"的误检，但消除不了"太行山东部地区"、"孙中山东渡日本"之类的误检。

再次，以每个汉字为检索标目，使倒排文件的形成需要大量时间，同时由于每个汉字的出现地址信息成千上万，从而使倒排文件的篇幅巨大。在一般文献中，许多常用汉字，如"的"、"要"、"来"、"去"、"为"、"大"、"小"等的出现频率往往达百分之一以上。如有人统计过，文学作品中，"的"字的出现率为百分之三。即使以百分之一来计算，150 万字的著作，在倒排文件中该字的地址即有一万五千个，几个汉字的逻辑乘运算将花费较长的时间。在微型计算机环境中，这种纯粹的单汉字系统要处理大型电子出版物，是相当复杂和困难的。当然，可用档次较高的计算机来完成单汉字系统的任务。但是，作为电子版出版物的发行目标，不能期望读者用户都有机会使用档次较高的机器。目前供广泛发行的电子版图书，应以微型计算机作为典型的使用环境。因而不能不考虑这方面的问题。

单汉字处理模式也可说是"粗放型"加工模式。

第二，另一种可供选择的处理模式是单汉字、停用字及预筑块三结合的模式，即"混合型"加工模式。

这种模式仍然以单汉字处理为基础，但作了两个方面的改进。

一是对没有实质意义和检索价值的汉字不作标引，其使排除在倒排文件之外。这些字，如"的"、"了"、"吗"、"之"、"到"、"是"、"否"、"则"等，它们可称为"停用字"。当然，它们并不是绝对无检索价值，有的字可构成人名、地名及关键词的一个因素。如"有的放矢"、"萨空了"、"毛润之"、"实事求是"、"国是研究会"、"冯乃言"等。这是非常偶然的情况，一般它们在文本中是虚字，作为感叹词、连接词等用，不具备检索的意义。这种停用字可达数十甚至百数以上。由于这些字一般是常用字,出现频率高,因此将它们排除在倒排文件之外,就减少了这种文件的篇幅,也缩短了检索的时间。但停用字一旦使用,就不能作为检索的项目。例如"了"字作为停用字,不标引,则在检索"萨空了"此人的资料时,就会得到系统给出的结果为零的应答,从而造成漏检。因此,这种由停用字组成的字表,不仅供标引时作为舍弃的依据,同时在读者用户提出检索式时,系统也要调用这个停用字表检查用户检索式中是否包含这些字,给予提示,或在检索时自动略去不参与进行逻辑乘组配。

二是在标引时,对频率高的人名、地名、关键词构筑预筑块。例如,"北京"、"武汉"、"上海"、"广州"、"孙中山"、"毛泽东"、"周恩来"、"西安事变"、"一国两制"等,在标引时以一个词作为一个整体,作为一个标引与检索单位。这种预筑块的建立,也可以压缩倒排文件的篇幅,并减少组配的次序,加快检索速度。

单汉字、停用字及预筑块三结合的处理模式,是吸取单汉字处理优点和词一级标引的优点,同时克服这两种模式各自一些缺点的模式,因而是值得在实践中试验的。

但是,这种模式的缺点是,加工比较复杂,需经过数次处理。其次,这种模式也像单汉字处理模式一样,很难全面提供有关情报的聚类、统计和分析。

另一个缺点是,用户在检索时难以记住哪些词是预筑块,哪些词未做预筑块。这增加了拟订检索表达式的困难。但这个缺点是可以克服的。检索时,可在检索程序中增加检索式的预处理模块,自动将不作为预筑块的词改为单汉字检索,并略去停用字的检索因素。这种自动转换对用户应是透明的,用户可以不了解检索式的系统内部的转换过程。

以上3种处理模式可列下表加以对比。

处理模式	加工速度	检索速度	一次检索查全性能	一次检索查准性能	倒排文件体积	能否聚类
以标引为基础的处理模式	慢	快	差	好	小	能
单汉字处理模式	快	慢	好	差	大	不能
单汉字、停用字及预筑块三结合的处理模式	慢	中	好	略差	中	能提供一部分但基本上不能

八、电子出版物的出版可以作为我国学术著作出版的一种形式

如上所述,电子出版物由于具有信息存储密度高、出版周期短、能提供全文检索和信息计量分析的功能、能借助电信线路实现远距离高速度传输等优点,因而电子版

图书的出版可以作为我国出版的一种方式，并正式纳入我国出版制度。这种出版方式，目前特别适合于学术著作的出版。

当前，我国学术著作的出版面临较大的困难，主要是学术著作发行量小，出版成本高，出版社要赔本，因而著者出书困难；其次是学术著作的出版周期长，影响了学术研究成果的迅速传布和交流。

学术著作，特别是大部头的学术专著，作者往往花费了大量的科学劳动才得以写成，本身包含了很大的学术价值。但是，能阅读这种著作的读者较少，因而发行量不大。出版社越是多出这样的书，越是要赔本。虽然有关方面对这类著作的出版给以一定补贴，但也不能完全解决问题。而另一方面，学术著作的著者却有很大的意见，认为通过极大的努力写成的专著而不能问世，是极大的遗憾。他们即使表示不要稿费，也不能弥补出版社的亏损。因而一些作者不得不反而向出版社交纳费用。

采用出版电子版图书的方式，有助于这类问题的解决。即对某些学术著作，只出电子版，而不出印刷版。这是因为从出版成本、出版周期、著作的使用价值等方面，电子版图书都有自己独特优势。

1. 首先是出版成本方面。电子版图书只需计算机文字录入和计算机排版，并自动建立全文数据库，即可成书发行，而不需要制版、印刷、装订等工序。这样，免除了制版、印刷、装订的费用。电子版图书的生产成本，除了文字录入是手工方式进行的以外，其他工作，如计算机排版与全文数据库建立（包括自动标引与半自动标引和倒排文件的形成）基本上是依靠计算机软件支持而自动进行的，加工费用相对较低。电子版图书的载体是软磁盘，每张软磁盘可存储50万个汉字，而价格仅为六元上下，这要比同等篇幅的印刷版图书所需纸张和印刷装订费要低。当然，出版电子版的成本还包括计算机处理的机时费，但用于标引与形成倒排档的机时消耗不多。

其次，出版发行电子版图书不会导致图书印数的不适当而造成发行积压或脱销。这是因为电子版图书的生产份数可相当灵活，当需要时可由计算机进行任意份数的拷贝。拷贝一张磁盘仅需数秒钟的时间。即使拷贝的份数过多，只需一条计算机处理命令即可删除，这些磁盘便成为空白的，可另作他用。而印有文字的纸张是不能像这样“擦掉”重新使用的。

电子版图书的体积远比印刷版的体积小。它不需要有大的发行库房，也便于运输、邮寄，减少这方面的费用。

2. 从出版周期来考虑，如果从学术成果的传播和科研信息交流的角度来说，电子版图书的优越性更为明显。

① 电子版图书的生产由于免去制版、印刷、装订等工序，因此其成书速度更快，出版周期要比印刷版图书大大缩短，因而能为科研成果的迅速传播创造条件。

② 电子版图书便于出版增订版。当著作内容需修改补充时，借助计算机能很快实行“更新”。

③ 电子版图书可借助通讯线路进行远距离高速度的传播。这是因为电子版中的文字,是计算机能够处理的二进制符号,这种符号在电讯线路中的传输速度可达每秒数百字,甚至更高。

④ 电子版图书可以装进联机情报系统,向社会公众提供检索服务。读者用户可以在就近的检索终端查阅所需要的电子版图书的内容文字,并且可以在终端立即获得检索结果的打印件(联机打印),或者要求计算机在当地打印后将打印件邮寄给检索者(脱机打印),从而大大提高信息的可获得性。

3.从图书的使用功能与价值来看,印刷版图书仅能供人们阅读浏览,而电子版图书则增添了计算机情报检索的功能和情报计量统计的功能,因此其效用大大优于同类印刷版图书。与印刷版比较,电子版图书是一种增加了内含价值的新型图书。

出版发行电子版图书的主要局限性在于:读者使用这种形式的图书,必须借助计算机才能阅读和检索。它不像印刷版图书那样可以在任何条件下都能使用。但是,作为学术著作的读者,一般是高等学校、科学研究部门、大中型企业和政府管理部门的工作人员。他们所在的单位一般都拥有微型计算机,并且拥有量正日益增多。在今后,个人拥有微型计算机的,也会有所增长。因此,使用电子版图书的条件已经具备,并且今后将日益改善。

出版电子版图书的另一个障碍是,读者用户须掌握计算机的初步知识和电子版图书的使用方法,才能使电子版图书在读者用户中发挥作用。但是,这种知识和方法是不难学会的。虽然电子版图书的制作包含复杂的技术,但读者用户不必了解电子版图书的内部结构,而只需了解使用方法即可。正如电视机的内部构造是十分复杂的,但用户使用电视机的方法却是简单易学的。特别是电子版图书的查找方法大量使用“菜单”方式,用户只需根据“菜单”项目进行选择,学会电子版图书的查找方法,一般只需数个小时即可。随着全文数据库界面的“用户友好”程度的改进,电子版的易用性还会提高。另一方面学术著作的读者都有较高的科学文化水平,使用电子版图书方法上的障碍是容易克服的。因而电子版图书的推广在使用方法上不存在多大的困难。

电子版图书的推广可能遇到的另一种障碍是人们的传统观念和心理接受能力方面的问题。人们习惯于使用印刷版图书。它有体积、有重量,可以随时手翻眼看,因而认为它是一种“实物”。它可使书架增辉,可在学友之间互赠。然而电子版图书的外表形式是计算机的软磁盘,用肉眼看不到其中的任何文字信息,而必须借助计算机才能阅读查找使用。因此,电子版图书的著者可能会产生一种失落感,担心自己的论著一般人看不见、摸不着,担心不能很好参与学术交流的主渠道,更担心社会对自己成果的不承认。但是,我们认为,随着电子版图书的逐步推广普及,传统观念与心理承受方面的问题可以逐步得到解决。音像出版物就是一个例子。音像制品也不是印刷型的出版物,它也必须借助于机器设备才能使用,可是在今天,音像出版物已为社会所接受和承认。音像出版物的制作、发行已有了自己完整的系统。音像出版物以其自己独特的功能(再现声音和图像)在出版界为自己赢得了地位。我们相信,电子出版物也将会步其后尘,赢得人们的理解和社会的承认。

要将电子版图书作为我国出版制度中的一种正式出版形式并加以实施,就必须有一套相应的政策和措施。

第一,承认电子版图书是正式出版物,给予书号,并保护其版权,以便出版社将其视为正式产品,从事电子版出版物的编辑、制作和发行的业务。

第二,国家建立电子版图书的出版登记制度,向著作的著者授予著作证书,承认其成果,并确定合理的稿费标准。

第三,编制全国电子版图书出版目录,及时发布出版信息。

第四,疏通发行渠道,要求书店等发行部门将电子版出版物纳入其正常的发行业务。

第五,研究拟订电子版出版物的定价依据,确定合理的价格,保护读者用户和出版社的利益。

第六,着手研究制订电子版图书的有关标准。例如电子版图书的基本形式、功能、检索命令及运行环境要求等方面的标准。这些标准将有助于来自各个不同出版社制作的电子版图书具有通用性和互易性,便于读者用户的使用。

第七,争取社会的理解和支持,使电子版图书在参加评奖、人员考核晋升专业技术职称等方面具有与印刷版图书同等的地位。

九、《国共两党关系通史》全文检索电子版规格

(一)原书篇幅:全书150余万字,6000多个自然段。

(二)加工对象:该著作的供激光照排轻印刷用的电子文本。消除其排版符号,再对其进行格式化处理。

(三)标引:对全书中有检索意义的人名、地名、关键词、年代等知识项(共约4000个),用半自动方式进行加标、抽取并排列成供标引用的词表。再用该词表对全书文本进行自动标引。在此基础上,用半自动方式进行二次标引,主要是更正易混淆的错误标引,及进行加注标引。对每个被标引的词均指明其属性。P表示地名,N表示人名,K表示关键词,AT表示年代。

(四)倒排文件:以标引词为基础建立索引文件(倒排文件),提供一次检索之用。索引文件量为1201472字节。地址参照文件量为122600字节。

(五)检索功能

一次检索 { 人　名 / 地　名 / 关键词 / 年　代 } 单项检索及布尔逻辑组配(与、或、非)检索

二次检索 { 单词或非标引字符串的文中扫描 / 两个词或字符串的相邻位置检索

截词检索:可进行右截词(前方一致)检索

法定数检索 { 用户首先指定检索结果的期望值,系统通过与用户的交互使检索结果逐步逼近期望值

检索运算项限制:最多可达五项

保留检索限制 { 最多可达5个。在被保留的5个检索中,随时可调出检索结果。如果再进行新的检索课题,则先进行"清除"处理,使新的检索集合号成为"1"。

集合号检索:对已产生集合号的保留检索,可用集合号进行组配检索

(六)检索结果处理:

按事件输出 / 按自然段输出 / 按句子输出 } 输出格式的选择

按人名输出 / 按地名输出 / 按关键词输出 } 知识项聚类的选择

(以上选择是通过光标移动和回车进行的)

检索结果显示 / 检索结果打印 } 输出形式的选择

可中断显示或打印

检索结果显示时,显示文本中按第一个检索词进行反相显示。

(七)系统运行环境:

CCDOS4.0 版本操作系统或 MSDOS3.30 + 汉字库。

IBM286 微型计算机及兼容机(需 10 - 40 兆硬盘)一台,打印机一台。

(八)发行形式:高密盘 4 张,或低密盘 12 张,包括数据及软件。

(九)系统安装:用 RESTORE. EXE 依次将 4 张软盘考入 C 盘。C 盘自动在 WK

(c:WK)子目中建立《国共两党关系通史》电子全文检索系统。

(十)建库与检索软件特点:程序采用软件工程方法。用C语言编写。主程序FULIHIS. EXE供检索用,程序量为133248字节。

(十一)《国共两党关系通史》全文检索电子版推出单位:武汉大学图书馆情报学研究所、武汉大学出版社。由武汉大学出版社发行。

(十二)系统推出时间:1991年7月。

参考文献

1. 陈光祚. 论全文检索系统. 武汉大学学报,1991(6)
2. 陈光祚. 关于全文数据库的结构、检索功能及其文本标引之探讨. 知识工程,1991(2)
3. 陈光祚. 轻印刷的中间产品可以开发成全文数据库并可作为电子出版物发行. 武汉大学学报,1989(6)
4. 陈光祚. 计算机化的工具书及其查找方法//朱天俊编. 中文工具书教程. 北京大学出版社,1991:410-423
5. 陈光祚,谢新洲,陈睿. 一种改进布尔逻辑的新技术——法定数检索. 情报科学技术,1989(1)
6. F. N. 德斯基著;陈光祚等译. 新一代的情报检索系统. 科学技术文献出版社,1989
7. F. W. 兰卡斯特著;陈光祚,王知津,王津生译. 情报检索系统——特性、试验与评价. 书目文献出版社,1984
8. 湖北省地方志全文检索系统研制报告(陈光祚)、技术报告(陈睿). 图书馆学情报学研究与发展报告,9002期

(原文载于孙承鉴、许绥文编《九十年代图书馆——现代技术国际研讨会论文选集》,万国学术出版社,1994年)

电子出版物概论

一、电子出版物是信息时代的产物和标志

电子出版物是现代信息技术的产物，它将著作的文本以计算机可读数据的形式存贮在光盘或磁盘上，并且有全文数据库的结构和相应的检索软件，借助于计算机进行检索、浏览和打印。这种新型的出版物具有信息记录密度高，易于拷贝，能借助电讯设施传递，能实现对著作文本中字、词、句、段的自动检索、自动计量和自动聚类的功能。电子出版物的出现与发展，给出版业带来一次革命。它将逐步取代印刷型出版物，在出版业中占有日益重要的地位。电子出版物对于整个信息产业也将带来重要影响。

与国外相比，我国的电子出版物的出现较晚，但就我国来说，作为现代信息技术产物的电子出版物的出现与发展，是出版业乃至整个信息产业的一个具有重大意义的影响深远的动向。

（一）电子出版物是现代信息技术的产物和体现

现代信息技术中，高密度大容量的信息存储技术（如光盘）为电子出版物提供了合适的文献新型载体；数据库技术，特别是全文数据库技术为著作文本的合理组织和高速检索提供了科学的结构；多媒体技术提供了文字、图像、声音统一结合于一体的信息表达形式；超文本技术提供了文本中各种逻辑关系的关联，实现阅读中的多维联系；电讯网络技术为电子出版物的多用户共享提供了可能。

电子出版物中的全文，是置于计算机控制之下的“活体”。电子出版物中的各个知识项，能够由计算机自动统计，并按照其频率高低排序输出。对于著作中的有关事实，也可由计算机自动地进行聚类——联系与缔合，使文献中原先散见于各个篇章中的文字得到新的有序的处理。从而使文献计量学提高到对出版物内容深度分析的信息计量学的高度。借助于电子出版物的自动信息计量功能，能帮助读者了解著作的重点，新的学科名词的增长情况，各个人物在历史上的影响程度等，这对于科学研究工作来说，是一种新的研究分析的工具。

电子出版物将提高人们读书治学的效率，成为科学研究的新工具。

电子出版物使人在文献知识密集化的情况下，提高了其有序化和可检索性的

程度。

电子出版物可以为文献全文的自动翻译提供条件。

电子出版物可以借助电信线路进行高速传输,可以提供远距离的联机情报检索,从而极大地提高了文献情报的可获得性。

电子出版物具有崭新的物理形态,是"无纸信息系统"的一部分。对于促进科学文化的发展和社会进步具有重大意义。

(二)电子出版物的出现是出版业的一次革命

出版业是信息产业的一个重要组成部分。在信息的记录、积累、传播、利用中,出版物和出版业是一个基本的渠道。出版业联系着广大的作者和读者,在科学文化的发展和精神文明建设中,具有导向的作用。然而,当前的以纸张为载体的印刷出版物面临出版周期长、成本逐年上涨、发行量不易准确预测,以及学术著作由于印刷数少而赔本严重等问题。在社会信息化的进程中,电子出版物正是解决上述问题的一种可能的途径。

电子版的出版物可以用激光照排的中间产品——电子排版文本加工而成。近年来,激光照排技术逐步取代铅排技术,在出版过程中,电子排版文本仅仅是一种中间产品,我国的出版业,有的还未充分认识到这种计算机可读文献的重要价值,往往书印成后将其删除,或仅作为"纸型"加以保存,出现巨大的浪费。利用这种中间产品来开发电子出版物,在某种意义上来说是"废物利用"。因此,电子版出版物的成本是非常低廉的,出版社对同一著作,同时出版印刷版和电子版,也可以使电子录入与排版的成本由印刷版与电子版分摊。这在经济上是可取的,电子出版物为出版社增加了新的产品类型和利润渠道。

由于电子出版物的生产,省去了制版、印刷、装订等工序,从而缩短了出版周期。

由于电子出版物可以进行任意次数的拷贝,这就在一定程度上消除了由于对市场需求掌握不准而造成的印刷版图书发行中的积压或脱销。电子出版物特别有利于学术著作的出版,学术著作发行最小、成本高。然而它们有长期的生命力,有长期的读者需求。电子出版物只要保存一份母本,随时随地可以拷贝,这就有助于解决学术著作出版难这一长期以来普遍存在的问题。

同一著作,同时出版印刷版与电子版,这可以说是双轨制。根据国外的经验,起初,电子版仅仅是一种副产品,印刷版才是出版社赖以生存的主产品。然而,随着科学技术的发展和读者情报需求的提高,电子版逐步取得了与印刷版平起平坐的地位。随着时间的推移,许多书刊不再出版印刷版,而只发行电子版,这一趋势今后还将继续加强。

电子出版物的发展,也将引起出版社在组织上的某些变革。事实上,我国有的出版社已成立了电子出版物生产部,甚至成立了单独的电子出版社。

电子出版物的出版将推动出版界涉足于其他信息服务业。在国外,许多著名出版社不仅出版电子出版物，还提供联机检索服务，收购社会上的一些数据库生产商的企业，对数据库的生产、分发、服务进行“一条龙”的经营。由于出版社资金雄厚，本身掌握了大量信息，它的加入将大大加快信息服务业（数据库业、联机情报检索业等）的产业化与商业化的进程。目前我国的数据库业、情报检索服务业主要由图书馆与情报系统经营，发展的步履十分艰难，出版界与情报界的合作，特别是出版界的参与可能是解决我国这一难点的重要一步。

电子出版物是一种电子化的产品，它有日益广大的市场。信息技术的进步将逐步降低电子出版物生产的成本。这与印刷版图书连年涨价正好形成鲜明的对比。电子出版物在经济上的巨大潜力是可以预见的。

从市场角度来看，图书馆界正在开始对电子出版物作为藏书的一个新品种有新的共识，电子图书馆的建设正在形成势头。电子出版物是电子图书馆的主要信息资源。图书馆将是电子出版的巨大的市场。今天，学术界个人拥有微机的比重逐步增多。随着时间的推移，他们就不会满足把计算机仅仅用来打字这一单纯功能，而可以购买自己所需的电子出版物，装入微机加以利用。这种潜在的市场也是可以预见的。

我国可用来制作电子出版物的文化资源也是十分丰富的。国外有些书商已把眼光投向我国，他们想把我国的文化遗产（如二十五史、十三经、本草纲目等名著）制作成电子出版物，已与我国有关部门进行接触。我国出版界怎么不能自己来经营？这是完全有可能的，目前我国正在编印《传世著作丛书》、《四库全书存目丛书》、《中华文化大典》等巨著，也完全可以在出版印刷版的同时出版电子版。另外，我国近年来已出版不少地方志，也可以将其文本加工成电子版的地方志。

制作电子出版物的投入有多大？首先一个因素取决生产什么类型的电子出版物。

以软磁盘为载体的电子出版物，其所需设备仅为一台或几台微型计算机即可。这种以软磁盘为媒体的电子出版物，可发行的用户面很广。只要拥有微型计算机的单位和个人，将软磁盘的电子出版物装载到微机中去，就可使用。用户不必添置其他任何设备，如光盘驱动器等。此外，由于软磁盘价廉，空白的5英寸软磁盘每片价格只6元左右，一部200万字左右的电子出版物（包括数据与软件），若经压缩，只需两张软磁盘即可。因此这种电子出版物的制作成本低，其单价可与同类著作的印刷版相当，对于用户来说，负担不大，因而易于推广。

以光盘为载体的电子出版物：它适合篇幅巨大的电子出版物，一片光盘可存储3.2亿汉字，中国大百科全书76卷总共才1.2亿汉字，也就是说，一片光盘可存放两部中国大百科全书。光盘电子出版物的制作，涉及光盘母盘的制作和复份的压制，具备这种生产线的单位极少，必须委托有关机构去生产；另一方面，对用户来说，要使用这种电子出版物，还必须添置光盘驱动器。

多媒体光盘电子出版物：从技术上来说，这是当前最先进的电子出版物，可以把文字，图形（静态与动态的）及声音结合在一起，它特别适合服装、名画、邮票及儿童读物等方面的著作，但从制作成本来说是高昂的。因此这类电子出版物成本较贵。

决定电子出版物成本的另一因素是电子文本的获得，若采用印刷图书生产过程中的电子排版文本，则成本很低。如果专门为生产电子出版物而录入文本，并且还需校对改正，则成本较高。因此应当提倡采用前一种方式。

电子出版物的成本还取决于发行份数。

从经济分析来说，电子出版物的制作和发行作为出版业中一个新兴的信息产业部门是可行的。特别是以激光照排的中间产品（电子排版文本）为基础的电子出版物的生产发行是可取的。它具备了实现的条件。

（三）电子出版物将推动整个信息产业的影响

1. 对文献信息加工业和联机检索服务业的影响

由于电子出版物的出现，使文献从其发源环节就以机读数据库的形式出现，能够置于计算机的控制之下，这样，使得传统的文献信息加工的流程能得到改进。传统的加工流程是，印刷版的书刊出版后，图书、资料、情报部门对其进行收集、描述，建立书目数据库，以便使这些出版物的信息机读化和数据库化。电子出版物的出现，使文献数据库化的起点得以提前实现。

电子出版物可以通过联机情报检索系统提供检索服务。联机检索系统的终端遍布世界各地，这就可以使文献中的有用知识通过电信线路迅速到达千家万户，加速了科学技术转化成现实生产力的过程，在 80 年代初期，世界著名的一些联机检索系统装载的全文数据库（电子出版物）只有少数几个，而今天则已占其装载的全部数据的 1/3 以上，电子出版物的联机检索服务，是出版物发行的一种新方式。

2. 对数据库业的影响

数据库业产生于 60 年代，最早出现的是目录、索引、文摘等书目数据库，70 年代，事实数据库（包括数值数据库）有了长足的发展。70 年代末 80 年代初，随着计算机容量与速度的提高，全文数据库应运而生。全文数据库可提供文献全文的检索与显示打印，因而实现了情报信息提供的源信息化。全文数据库提供的信息，具有原始性、直接性与客观性，因而全文数据库大有后来居上的趋势。目前不少全文数据库具有相应的印刷版。

全文数据库的生产者，除出版社外，还有不少其名称并无“出版”字样的数据库公司。在数据库业中，全文数据库的产值所占比重正在迅速提高。

3. 对咨询业的影响

电子出版物的自动检索、计算和聚类功能，使它具备了强有力的参考、咨询的能力，文献中的各种知识和事实，在计算机控制之下，可以一索即得，大大节省了翻阅印刷版文献的时间，在没有相应印刷版的电子出版物的情况，更是取得有关信息的主要源泉。

尽管咨询业并非仅限于文献中的信息,但是,通过文献查找有关事实、论据,进行查新服务,仍然是基本的途径,电子出版物无疑提高了咨询解答的效率,它对咨询业的发展具有促进作用。

4. 对电信业的影响

电信网络对于数据库(包括电子出版物)的利用具有重要意义,电信网络是制约信息发展的一个方面,它是基础设施,是信息传输的通道。但是,对社会的信息需求的满足来说,根本的还是数据库。美国克林顿政府搞的信息高速公路。实际上其内容包括5个方面:(1)高性能计算机、高速通信,即硬件方面;(2)数据,包括电影、电视、各类数据库等广义数据;(3)应用软件系统;(4)标准。(5)人才。不少专家把信息传输通道比作"公路",把传输的内容数据比作"车辆"。在我国现阶段,"路"虽然重要,但"车"更为急需。而"车"的发展,将促进"路"的发展,也就是说,电子出版物的发展既依靠电信业的发展,又促进电信业的发展。

二、我国电子出版物发展概况

我国政府对电子出版物极为重视,采取一系列政策,支持、鼓励电子出版业。国务院决定由新闻出版署统一管理电子出版物的出版和发行,新闻出版署制定了电子出版物管理条例和发展规划,及对电子出版业有利的经济政策,对重大电子出版选题的开发给予支持,使电子出版单位能形成规范开发的实力。同时将与有关部门一起着手制定电子出版物的统一标准和统一格式。对已出版的电子出版物,已宣布承认其为正式出版物,在评奖和作者的职称考核方面具有与印刷版出版物同样的地位,对电子出版物给予单独的统一书号。

我国发展电子出版物有很有利的条件。我国是个出版大国,有丰富的出版资源。近几年,年出书9万多种,杂志7千多种,报纸2千多种,中国出版的品种规模占世界第一位。有人估计,中国大陆每年由杂志传递100亿字的信息,由图书传递200亿字的信息,由报纸传递400亿字的信息,以及图片信息3万对开张,绝大多数书刊报纸的排版和大多数文件的排版都使用了计算机自动处理系统,形成了数量极其庞大的电子排版文本,从而为电子出版物的制作提供了丰富的资源。

目前,我国电子出版物的制作大致有下列渠道。

① 具有电子出版物出版权的出版社系统

在这个系统方面,有人民出版社、科学出版社等国家出版社;有武汉大学、清华大学等学校出版社;有江苏出版总社电子音像出版社、大百科全书出版社等地方与专业出版社。它们生产发行了电子出版物,如《邓小平文选》、《国共两党关系通史》、《中国大百科全书》、《中国学术期刊光盘》、《中国专利文献》、《中外故事集锦》等光盘出版物。

② 计算机公司

在这个方面,金盘公司,深圳先科激光公司、北晨公司、易宝公司等也都生产电子出版物,如《人民日报》、《百家优秀报刊》、《红楼梦》等。

③ 图书馆与情报系统

在这方面,上海图书馆、中国科技信息研究所及其重庆分所等制作发行书目数据库,如文达、万方数据库系统及中文科技期刊篇名数据库等光盘。北京图书馆制作发行了中国国家书目等光盘。

关于我国电子出版物的生产总量,据估计为数百种,产值约 1 千万元。

我国电子出版物的载体与制作技术近年来有极大的进步。载体方面,由磁盘转向光盘;制作软件平台由 DOS 转向 WINDOWS;内容由单纯文字文本转向图文声并茂。

我国除对新版图书制作电子版之外,还对中国文化遗产——大量的古籍开始出版电子出版物,例如《全唐诗》、《全宋词》、《红楼梦》、《水浒传》及地方志等。

我国电子出版物的发行方式将面临变革。目前我国电子出版物以装帧形式(磁盘、光盘)为主,由出版社、书店发行。今后,网络发行将是一个新的发行方式,读者可通过电信网络选择与获得自己所感兴趣的电子出版物,进行阅读、拷贝或打印,用户不必为整个电子出版物付费,而仅仅为自己所使用的那一部分内容与电信作业时间付费,在信息高速公路的条件下,有的电子出版物的使用甚至可不付费。

我国电子出版物的版权保护问题:

电子出版物的版权包括 3 个方面。一是著作的作者,二是计算机程序设计的作者,三是总体设计者。

著作的作者同文字图书作者享有同样的版权:

①署名权;

②发表权;

③保护作品完整权,修改作品权;

④获得报酬的权利;

⑤其他如继承权等权利。

软件设计者,可作为出版社的作者来认识,应享有下列权利:

①开发者的身份权、署名权;

②获得报酬的权利;

③使用限制权;

④受他人委托开发电子图书软件,如有书面协议以协议决定著作权归属,无协议则属受托者。

总体设计者,是指整个项目的总体策划人。他决定计划书稿内容的数据结构、程序功能的要求,从而确定电子出版物的表现风格和总体面貌。总体设计者享有总体版权,享有署名权、获得报酬权、发表权和修改权。

总之,电子出版物的版权问题涉及的方面较多,目前有些问题在著作权法和其他法规中尚没有明确的提法,有待在今后立法中予以明确。

三、我国电子出版物制作出版中尚待解决的一些问题

1. 汉字库问题

电子出版物的学科主题相当广泛,包括自然科学、社会科学等各个领域。此外,电子出版物不仅应包括当代人写的新著作,也应包括一些历代著作。这样,电子出版物所包含与使用的汉字字量是十分庞大的。汉字经过漫长的历史演变,逐渐丰富,甲骨文字,约有汉字3000个;东汉许慎著《说文解字》,有9353个,加上异体重文1163字,共为10516个;南朝顾野王著《玉篇》(公元543年),收字22726个;宋代司马光著《类篇》(1066年),收字31319个;明代梅膺祚著《字汇》,收字33179个;清代张玉书等著《唐熙字典》(1716年),收字421724个;民国时代中华书局编《中华大字典》(1915年),收字44908个。据估计,累计到现在,古今汉字总数大约已有60000个左右。然而,我国公布的标准计算机汉字库(包括一级字库与二级字库)总共只有6763个汉字。因此在制作电子出版物时,就会遇到汉字库不够用的问题。特别是人名、地名用字所遇到的困难更大。

对于标准汉字库之外的汉字,目前汉字录入时采用以下两种方法:

一是造字。由造字者确定其编码,但由于不标准,这种办法没有通用性。目前有的电子出版物往往附有自造汉字的字库,以供显示和打印之用,不同出版社制作的电子出版物,自造汉字库不尽相同,甚至出现每种电子出版物自带一个独特的自造汉字库的现象。这种做法,会降低电子出版物的通用性,使标准化难以实现。

二是拼字。华光、方正等电子录入排版系统有拼字的功能,例如"细雨濛濛"的"濛"字,汉字库中没有,于是将"氵"和"蒙"进行拼接。这种拼接是用特定的排版命令来实现的。然而,在制作电子出版物时,由于离开排版系统,删除了这种命令,就会变成两个字,一个"氵"字,另一个是"蒙"字。苏轼歌颂西湖的著名诗句"山色空濛雨亦奇",本来是七言诗,结果就变成了八个字一句,另一方面,如果读者想检索"濛"字在所有名胜诗词使用的情况,也无法将它作为检索词输入计算机,由于电子排版系统有拼字功能,还会造成一些不应该发生的人为错误,例如"栖"字,它的繁体是"棲"字,当作者使用繁体时,如果编辑疏忽而未将其改为简体字"栖"时,录入员往往不认识此繁体字,就进行拼字。这样,在电子出版物中,"栖"字就成为"木"、"妻"两字,令读者哭笑不得。

我国的古籍是我国文化遗产的一部分,将一些重要著作例如二十五史、十三经、各地的地方志,以及各学科领域的经典著作转化为电子图书,有十分重要的意义,这是用现代信息技术开发文化遗产的举措,其影响是深远的。这些古籍包含了不少生僻字。特别是在人名、地名中特别常见,这使得当前的汉字库更显得难以应付。此

外,繁体字与简体字并非一一对应,例如,“皇后”的后和后来的“后”变成了一字。这也给文献的情报处理与检索带来麻烦,造成误检。因此,电子出版物要发展,非扩充现有的汉字库不可,这个问题的解决,必须依靠我国有关的权威管理部门进行决策和采取措施。

2. 电子排版系统与电子出版物制作系统的沟通问题

当前,电子录入排版系统(号称电子出版系统)已相当成熟。它们的推广应用面也日益扩大,在出版印刷行业中,由这些录入排版系统产生的电子文本数量很大。这些排版文本是用来制作电子出版物的现成原料,既经济又实用。

然而,要以这些排版文本为原料制作电子出版物,有必要首先删除排版符号。因为作为封装型的电子出版物,在发行时不可能带上这些排版系统本身,否则,既会增加电子出版物的成本,又会增大电子出版物本身的容量。当然,舍弃了排版系统与排版符号之后,电子出版物中的所有汉字在字体、字号上就没有区别,因而显得单调。另一个更大的问题是文本中的“上标”、“小标”写法不能正确表示,一些数学也难以表达,脚注文字会混入正文。这些由于脱离排版系统造成的问题,降低了电子出版物文本的可读性。

其次,电子出版物中的每个自然段应加注其在相应印刷版图书中的页码,以便使电子版与印刷版相联系,然而华光、方正等电子排版系统对分页及页码的编写是根据一定的算法自动形成的。电子出版物的制作者不了解这种算法,因此不得不等到排版完成,页码编定之后才能用手工办法在文本有关的地方加注页面结束符,或给每个自然段末尾加注页码。这样,既费时间,也容易出错。

因此,为了提高电子出版物的质量与制作速度,需要把电子排版系统与电子出版物制作系统沟通起来。

这种沟通,可以有如下几种方式:

第一,在排版系统中增加电子出版物制作和检索的软件,以便使书稿的录入、排版和电子出版物的制作实现“一气呵成”,即一条龙的操作流程,这样制作成功的电子出版物,可在排版软件的支持下,能够解决上面所说的各种问题,使电子出版物在显示打印时有字体、字号的区别,能正确表示上标与下标,能正确表示数学式及其他特殊标志,能确定脚注的正确位置,能高速准确实现文本中每个自然段的页码编定。当然,造字(包括拼字)问题尚有待扩大汉字库作为最终的解决办法。在发行封装型电子出版物时,虽然不能提供整个排版系统,但最好能提供一个最低限度的支持文本显示与打印的排版软件,这个软件不需要太多的功能,只需支持文本的显示与打印即可。我们呼吁排版系统再向前跨出一步,真正实现“电子出版系统”的全部功能,即不但能进行电子排版,还能制作电子出版物。目前清华大学生产的《中国学术期刊全文检索系统光盘》已采用了这一技术路线。

第二,从当前已有电子出版物制作与使用软件出发,增添使文本正确显示的功能，着重解决上面所说的各种问题，这就需要增添特定的汉字库，包括规模较大（超过20000个汉字）的汉字库，并能有字体与字号的区别。在全国未对现行标准汉字库改变之前，作为电子出版物的需要，不妨先行研制并使用这种扩大的汉字库，但是，希望对这种汉字库的制作与使用采用全国一致的办法，使这种汉字库具有标准化的含义，而不要各出版社各自为政。

3. 制定电子出版物的有关标准问题

可以预言，我国电子出版物今后将有较大的发展，众多的出版社将会成为电子出版物的制作者与出版发行者。此外，一些学术团体、图书馆和情报资料部门也将会参加到电子出版物制作的行列中来，因此有必要及早制订电子出版物的一些基本标准。这些标准可以有：

（1）电子出版物版式标准。例如电子出版物的封面、版权、目次、序言、正文等的结构框架；自然段、逻辑块、页面等的标志符号的选定，以及脚注的位置选择、引文的显示模式等。

（2）电子出版物的检索语言的标准。例如，词表显示、目次浏览、检词、组配、显示或打印检索结果、翻页等的命令，应该有一个标准化的命令语言集。此外，布尔逻辑检索的运算符和位置检索的运算符，以及截词检索的截断符也应规范化。

（3）检索结果的处理模式标准，这包括对检索所得文本的编辑、排序、套录等功能与指令的规定。

制订标准是一项基础性的工作，由于出版是整个文献信息处理工作的源头，它的标准化对于一系列后续处理工作都有深刻影响。在美国，出版界和图书馆与情报服务部门早在几年前就开始共同制定电子化书刊的标准，这是值得我们借鉴的。

电子出版物有关标准的制定，将有利于提高这类出版物的通用性，方便读者使用，从而从技术角度促进我国电子出版物的发展。

4. 电子出版物的定价问题

目前电子出版物的定价没有一定的标准可依，如何科学地计算电子出版物的文本，是一个需要加以解决的问题。

一般来说，一部电子出版物成本主要取决于下列各因素：

（1）电子出版物的篇幅，即文本的大小规模，文本的来源有两种，一是专为电子出版物录入的，二是拷贝印刷版图书生产中的电子排版文本而得到的。这两者的成本差别很大。后者的费用事实上由印刷版与电子版共同负担。

（2）建库与检索软件的质量水平，这表现在检索的方便性、有效性、查全率与查准率、用户界面的设计水平等。

（3）电子出版物所有的载体形式，例如软磁盘、只读（CD－ROM）光盘、一次性写（WORM）光盘等。这种载体的区别又决定了其制作的工艺区别，例如CD－ROM光盘的生产需要制作母盘，然后进行压制。这种工艺需要代价昂贵的生产线，因而加工费很高。

(4)电子出版物的发行批量。这种批量不能与印刷版等同。在国外,一般认为电子出版物发行量能达到250份,即具有制作出版的价值。因此,这个数字可以作为电子出版物基础成本计算的参考依据之一。

(5)电子出版物生命周期的长短,有些电子出版物(如经济统计、新闻等)的时效性强,更新频繁。而有些电子出版物(如二十五史、历代著名诗词等)具有长效性,更新迟缓或用不着更新,它们的发行期与经济收效期差别很大,显然前者的定价应高一些,后者的定价应低一些。

原文见于湖北省出版行业岗位培训试用教材,1997年,此章由陈光祚教授撰写

作为全文数据库的电子出版物对信息产业的影响

一、电子出版物的出现是出版业的一次革命

出版业是信息产业的一个重要组成部分。在信息的记录、积累、传播、利用中,出版物和出版业是一个基本的渠道。出版业联系着广大的作者和读者,在科学文化的发展和精神文明建设中,具有导向的作用。然而,当前的纸张为载体的印刷型出版物却面临出版周期长、成本逐年上涨、发行量不易准确预测,以及学术著作由于印刷数少而赔本严重等问题。在社会信息化的进程中,电子出版物正是解决上述问题的一种可能的途径。

电子版的出版物可以用激光照排的中间产品——电子排版文本加工而成。近年来,激光照排技术逐步取代铅排技术,在出版过程中,电子排版文本仅仅是一种中间产品,等制版印刷等工序完成之后,这种电子排版文本往往被删除,或者被拷贝在软盘上,以代替纸型保存。其实,这种电子排版文本是计算机可读形式的文本。而计算机可读形式数据的出现,是本世纪科学技术伟大成就之一。因为它可以由计算机处理。然而,我国的出版业,并没有充分认识到这种计算机可读文献的重要价值,而出现巨大的浪费。利用这种中间产品来开发电子出版物,在某种意义上来说是“废物利用”。因此,电子版出版物的成本是非常低廉的,出版社对同一著作,同时出版印刷版和电子版,也可以使电子录入与排版的成本由印刷版与电子版分摊,这在经济上是可取的。电子出版物为出版业增加了新的产品类型和利润渠道。由于电子出版物的生产,省去了制版、印刷、装订等工序,从而缩短了出版周期。

电子出版物可以任意次数地拷贝,就在一定程度上消除了由于市场需求掌握不准确而造成的印刷版图书发行中的积压和脱销。电子出版物特别有利于学术著作的出版,学术著作发行量小、成本高,然而它们有长期的生命力,有长期的读者需求。电子出版物只要保存一份母本,随时随地可以拷贝,这就有助于解决学术著作出版困难这一长期以来普遍存在的问题。

同一著作,同时出版印刷版与电子版,这可以说是双轨制。根据国外的经验,起初,电子版仅仅是一种副产品,印刷版才是出版社赖以生存的主产品。然而,随着科学技术的发展和读者情报需求的提高,电子版逐步取得了与印刷版平起平坐的地位。

随着时间的推移,在目前,许多书刊不再出版印刷版,而只发行电子版,这一趋势今后还将继续加强。就我国而论,目前的电子版还处于起步阶段,但是,我们相信,国外发生的电子版与印刷版二者之间地位的戏剧性转换,今后也将在我国出现。因为这种位置转换毕竟代表了社会信息化的进程。

电子出版物的发展,也将引起出版社在组织上的某些变革。事实上,我国有的出版社已成立了电子出版物生产部,甚至成立了单独的电子出版社。

电子出版物的出版将推动出版界涉足于其他信息服务业。在国外,许多著名出版社不仅出版电子出版物,还自己提供联机检索服务。此外,还收购社会上的一些数据库生产商的企业,从而使出版社涉足于信息服务业。例如,世界上最大的联机检索系统为 DIALOG、BRS、GRBIT 等,均被出版社收购。出版社对数据库(包括全文数据库,即电子出版物)的生产、发展、服务进行"一条龙"的经营。由于出版社资金雄厚,本身掌握了大量信息,大大加快了信息服务业(数据库业、联机情报检索业等)的产业化与商业化进程。在我国,目前还未发生这种情况。目前我国的数据库业、情报检索服务业在图书馆与情报系统经营、发展的步履十分艰难。出版界与情报界的合作,特别是出版界的参与可能是解决我国这一难点的重要一步。我们要注意分析研究发达国家的这一动向。

电子出版物是一种电子化的产品,它有日益广大的市场,存储技术与软件技术的进步将逐步降低电子出版物生产的成本。这与印刷图书连年涨价正好形成明显的对比。电子出版物在经济上的巨大潜力是可以预见的。

我国政府已开始对电子出版物采取鼓励扶植的政策,正在拟订有关的管理条例,这为电子出版物的生产作为一种产业来经营创造了良好的政策环境。

从市场角度来看,图书馆开始对电子出版物作为藏书的一个新品种有所认识。随着这种共识的普及,图书馆将是电子出版物的巨大市场。学术界个人拥有微机的比重正逐步增多,虽然目前科学研究人员购买微机,大多数是用做文字处理,以利写作。但是,随着时间的推移,他们就不会仅仅满足于此,而会购买自己所需的电子出版物,装入自己的微机加以利用,电子出版物的这种潜在的市场也是可以预见的。

我国可用来制作电子版的文化资源也是十分丰富的。国外有些书商已把眼光投向我国,他们想把我国的文化遗产(如二十五史、十三经、本草纲目等名著)制作成电子出版物,已与我国有关部门进行接触。我国出版界为什么不能自己来经营?这是完全有可能的。目前我国正在编印《传世著作丛书》、《四库全书存目丛书》、《中华文化大典》等巨著,也完全可能在出版印刷版的同时出版电子版。另外,我国近年来已出版不少地方志,也可以将印刷版文本加工成电子版的地方志。

制作电子版的投入有多大?首先取决于生产什么类别的电子出版物。

以软磁盘为载体的电子出版物,其所需设备仅为一台或几台微型计算机即可。这种以软磁盘为媒体的电子出版物,可发行的用户面很广。只要拥有微型计算机的单位和个人，将软磁盘的电子出版物装载到微机中去，就可使用，用户不必添置其他任何设备。此外，由于软磁盘价廉，空白的 5 英寸软磁盘每片价格只 6 元左右，一部 200 万字左右的电子出版物(包括数据与软件)，若经压缩，只需两张软磁盘即可。因此这种电子出版物的制作成本低，其单价可与同类著作的印刷版相当，对于用户来说，负担不大，因而易于推广。

以 CD - ROM 光盘为载体的电子出版物，适合篇幅巨大的电子出版物，一片光盘可存储 3.2 亿汉字，中国大百科全书 76 卷总共才 1.2 亿汉字，也就是说，一片光盘可存放两部中国大百科全书，并且还有余地。对于极大部头的电子出版物来说，软磁盘是不合适的。光盘电子出版物的制作，涉及光盘母盘的制作和复份的压制，具备这种生产线的单位极少，如果出版社要生产 CD - ROM 光盘的电子出版物，则必须委托如深圳先科激光公司等单位去从事母盘制作及复份压制工作，其费用相当高。另一方面，对用户来说，要使用这种电子出版物，还必须添置光盘驱动器。

多媒体光盘电子出版物，从技术上来说，是当前最先进的电子出版物，可以把文字，图形(静态与动态的)及声音结合在一起，它特别适合于服装、名画、邮票及儿童读物等方面的著作，但从制作成本来说是高昂的。

决定电子出版物成本的另一因素是电子文本的获得。若采用印刷图书生产过程中的电子排版文本，则成本很低；如果专门为生产电子出版物而录入文本并且还需校对改正，则成本较高。因此应当提倡采用前一种方式。

从经济分析来说，电子出版物的制作和发行作为出版业中一个新兴的信息产业部门是可行的。特别是以激光照排的中间产品(电子排版文本)和软磁盘为基础的电子出版物的生产发行是可取的。它具备了实现的条件。

二、电子出版物将推动整个信息产业的发展

1. 对文献信息加工业和联机检索服务业的影响

由于电子出版物的出现，使文献从其发源环节就以机读数据库的形式出现，能够置于计算机的控制之下，这样，使得传统的文献信息加工的流程得到改进。传统的加工流程是，印刷版的书刊出版后，图书、资料、情报部门对其进行收集、描述，建立书目数据库，以使这些出版物的信息机读化和数据库化。电子出版物的出现，使文献数据库化的起点得以提前实现。

电子出版物可以通过联机情报检索系统提供检索服务，而联机检索系统的终端遍布世界各地，这就可以使文献中的有用知识通过电信线路迅速到达千家万户，加速了科学技术转化成现实生产力的过程，在 80 年代初期，世界著名的一些联机检索系统装载的全文数据库(电子出版物)只有少数几个，而今天则占其装载的全部数据库的三分之一以上，这种以联机数据库形式出现的电子出版物，包括百科全书、年鉴、手册等工具书，也包括如《圣经》之类的名著，以及大量的报纸、杂志全文。与封装型的

电子出版物(以光盘和磁盘载体发行的)相比,联机数据库的内容易于更新。用户使用联机数据库,只需为实际的检索量付钱,而不必为整个电子出版物付钱。因此,电子出版物的联机检索服务,是出版物发行的一种新方式。

2. 对数据库业的影响

数据库业与文献信息加工业有交叉关系。但就全局而论,数据库业是信息产业中的一个重要部门。

在国外,数据库业产生于60年代,最早出现的是目录、索引、文摘等书目数据库,70年代,事实数据库(包括数值数据库)有了长足的发展。70年代末80年代初,随着计算机容量与速度的提高,全文数据库应运而生。全文数据库可提供文献全文的检索与显示打印,因而实现了情报信息提供的源信息化。全文数据库提供的信息,具有原始性、直接性与客观性,因而全文数据库大有后来居上的趋势。目前不少全文数据库已无相应的印刷版。

全文数据库的生产者,除出版社外,还有不少其名称并无"出版"字样的数据库公司。在数据库业中,全文数据库的产值所占比重正在迅速提高。

3. 对咨询业的影响

电子出版物的自动检索、计量和聚类功能,使它具备了强有力的参考、咨询的能力。文献中的各种知识和事实,在计算机控制之下,可以一索即得,大大节省了翻阅印刷版文献的时间,在没有相应印刷版的电子出版物的情况下,更是取得有关信息的主要源泉。

尽管咨询业并非仅限于文献中的信息,但是,通过文献查找有关事实、论据,进行查新服务,仍然是基本的途径,电子出版物无疑提高了咨询解答的效率,它对咨询业的发展具有促进使用。

4. 对电信业的影响

电信网络对于数据库(包括电子出版物)的利用具有重要意义,电信网络是制约信息发展的一个方面。但是,根本的还是数据库,美国克林顿政府搞的信息高速公路,实际上其内容包括5个方面:① 高性能计算机、高速通信,即硬件方面;② 数据,包括电影、电视、各类数据库等广义的数据;③ 应用软件系统;④ 标准;⑤ 人才。不少专家把信息传输通道比作"公路",把传输的内容数据比作"车辆"。在我国现阶段,"路"虽然重要,但"车"更为急需。而"车"的发展,将促进"路"的发展,也就是说,电子出版物的发展既依靠电信业的发展,又促进电信业的发展。

原文载于《中文文献数据库国际研讨会文集》、《高校文献信息学刊》1994(3-4)

我国电子出版物与全文数据库建设

电子版图书的制作技术，主要是全文数据库的制作技术。主要包括全文数据库的结构设计、标引规则与标引处理软件、全文检索软件及后控词表机制的建立等。

1 电子文本的格式化处理

全文文本不像书目记录那样有规则，它没有一定的格式。有的分章分节，有的却无章节之分；有的文中有小标题，有的却没有；各个自然段的长度彼此差别很大，有的长达数千言，有的仅有一两个字。而且全文文本中的各个段落往往彼此紧密联系，相互补充，构成一定的语境，共同组成一个逻辑上的概念单元。这样，给全文数据库的结构设计带来困难。

但是，电子版图书必须进行格式化处理，否则，数以几十万或几百万字的文本难以组成一个有合理结构的数据库，难以进行快速扫描和检索，也难以定义检索结果输出的范围。

全文文本的格式化可有若干选择。一是从文本中的内容含义出发，将一个相对完整的内容单元作为一个记录的单位。这种记录可以包含若干个自然段。例如，对百科全书文本，可以一个条目作为一个记录单位；对一篇科技论著，可以研究问题的提出、研究历史的回顾、研究方法与实验条件、研究结论，以及有关参考文献等各自定义为一个字段。另一种选择是从文献的外表形式来划分，例如以一个自然段作为一条记录。这种方式简单易行，并且可以由计算机程序完成。缺点是不能将一个有始有末的事件、前后彼此关联的假设与论证所包括的若干段落有机地组合在一起，因此，有时会产生割裂现象，使检索所得段落在内容含义上不完整，甚至是断章取义。全文数据库格式化的一个较优的方案是，将上述两种选择结合在一起，既以自然段作为记录单位，同时将内容上密切关联的若干段落组成一个逻辑上相对独立的大单元，这可称为逻辑块。这种单元可作检索结果处理（如显示、打印等）的单位。此外，中文中的目次、脚注、参考文献、目录等均可考虑作为一些特殊的单元进行处理。

全文数据库的格式化，还包括对每个记录和每个逻辑块加上一定的标识符，并进行编号记数，以便作为以后建立的索引之地址。

2 自动标引与半自动标引相结合的标引处理

所谓标引，就是标出全文文献文本中具有情报检索价值和分析价值的知识项。这些标引出来的知识项，可以以其为基础建立各种索引，从而给读者提供检索的入口，即所谓检索点。例如文献文本中的重要人名、地名、年代及关键词就是标引的对象。当它们被标引之后，就成为全文数据库中倒排文件（索引）中的款目词。读者就可以从这些人名、地名、年代、关键词出发，进行单项检索或多项组配检索。标引是提示全文数据库中情报或知识价值的钥匙。标引的质量在很大程度上决定了全文数据库的质量。

全文数据库的标引，较之书目数据库的标引有自己明显的特色。

全文文本的篇幅巨大。一部著作，少则十数万字，多则数百万字甚至千万字以上，其中的关键词、人名、地名、年代等知识项不可胜数。例如，《国共两党关系通史》150 万字的文本中仅人名就有 4000 多个，而且每个人名，在著作中多则出现千次以上，少则数百、数十次或数次，也有出现 1 次的。地名和关键词的出现个数与出现频率也相当高。例如，我们对《湖北省地方志 · 大事件》36000 字文本的试标引中，标引项竟达 3000 余个。平均十几个字中就有一个标引项。这么多的标引项，如果采用手工方式标引，其工作量之艰巨是很难想象的，必须借助计算机自动标引或半自动标引，才能达到一定的效果。自动标引的方法，目前以词典法（或词库法）为主，即事先编制人名、地名、年代、关键词的词表，让计算机根据词表扫描全文文本而加以标引。从计算机作业来说，主要是词表中的词与文献全文文本进行字符串的匹配。

全文文本的词是由未经规范化的关键词组成的。这给标引带来许多困难。首先，同义词很多，例如同一概念有许多叫法，如“鸦片”、“烟土”、“烟毒”、“毒品”等；官职与人名之间也有实质等价的同义词，如某人有时以其姓名出现（包括他的名、号、字等），有时又以官职或姓名加籍贯的称谓出现；实名与代词也有等价的关系，如“他”、“该年”、“该地”、“次年”等。代词是全文数据库特有的现象，要依赖上下文的语境才能明白其实质内容，如果把代词作为检索词用，便无意义。但也不能把文本中的代词改写成实词，这样就会破坏文献文本的原貌。其次，文本中经常出现缩合词，如“日伪军”、“陈谢兵团”等。第三，简称与全称，如“湘”与“湖南”，“鄂”与“湖北”。第四，是地名的今昔不同称呼。如“北平”与“北京”，“蕲水”与“浠水”等等。这类同义词在书目数据库中有，但在全文数据库中较为突出。如果在检索中输出的只是有关的段落、句子，失去了上下文的语言环境，就会给阅读与理解带来问题。对这类问题可作如下处理。

（1）对人名的各种正式名称、尊号、别名等均取文献中所题字样。对地名的新旧名称，对同一概念的各种同义词，也都以取文献中所提的词汇为准。

（2）全文数据库的标引仅供计算机系统内部处理用，在显示和打印检查结果时被删除，以恢复文献的原来面貌。唯一例外的是对年代的加注标引不加删除，例如1854年8月13日(AT18540813)中的“AT18540813”部分是增加的加注标引。之所以这样处理，是当按段落输出检索结果时，段落中的原文往往不全记年月，如“8月13日”，甚至“13日”。在输出检索结果时保留对年代的加注标引有助于检索者的识别。

(3)全文数据库在检索功能上应该做到文中的每一个字都是可供检索的。全文数据库的标引政策是深度较大的标引，但不是完全彻底的标引。同一人名、地名或名词(概念的关键词)在同一句子中出现两处以上的，只标引一次即可；专指性不很强的关键词(如描述时间的“春”、“夏”、“秋”、“冬”，描述职务的“书记”，“长官”，描述过程的“进攻”、“退却”等)可不标引。

(4)文本中的人名、地名、文献名、关键词及年代，均冠以下列不同的标识符，以便让计算机识别、抽取和聚类。① 人名冠以N，并用尖括号括起，如<N 林则徐>等。一人在文中不同地方分别以名、字、号等出现时，均按原文所题标引，另设后控词表来解释这类问题，保证查全率。② 地名冠以P，并用尖括号括起，如<P 武昌>等。文中同一地名有新旧名之别时，均以原文所题为准，例如<P 北平>等。③ 文献名冠以D，并用尖括号括起，如<D《筹议严禁鸦片章程折》>等。④ 关键词冠以K，用尖括号括起，如<K 起义>。⑤ 年代词冠以AT，并将年月日改注××××××××8位阿拉伯数字，再用尖括号括起，如1854年8月13日，标引成：1854年8月13日<AT18540813>。这样便于计算机对年月日大于等于或小于等于的运算，以检索一定年限范围的资料。

(5)文本中某一人名、地名、文献名、年代等，在其后的行文中往往出现“他”、“其”、“该地”、“同年”、“次年”等代词。这种情况需进行加注标引。例如：他<AN 林则徐>，其<AN 钟人杰>，该地<AP 黄冈>，同年<AT18540000>，次年<AT18550000>。加注标引的目的是使不定代词明确化，增加检索入口。

(6)标引词的选取。简称综合性关键词，如“日伪军”(即“日军”与“伪军”)、“两江”(即“浙江”和“江西”)、“一、四纵队”(即第一纵队和第四纵队)等。为了提高检索功能，除按“K 日伪军”、“K 两江”等进行标引外，还可标引成“AK 日军”、“AK 伪军”、“AP 浙江”、“AP 江西”、“AK 第一纵队”、“AK 第四纵队”等。凡有“A”开头的标识符，皆为加注性标识符。人史、地名、年号同其他词汇构成的复合关键词，如“陈得才部”、“刘邓大军”、“孟良崮役”、“咸丰帝”等，对这类复合关键词，原则上按关键词处理，标识符是“K”。但对“将领姓名+部队”的关键词，如“陈得才部”，可标引成“N 陈得才”，适应检索者的习惯。对“官衔+姓名”(如湖广总督官文)的称呼分别标引。例如标引成“K 湖广总督”和“N 官文”，这种做法是把复合概念拆成单元词，即可增加检索点，又便于灵活组配。这种后组式的标引更适合计算机检索的特点。同样，“短程航线”标引成“K 短程”和“K 航线”，而不标引成“K 短程航线”。

由于中文书写或排印中,将词与词、关键词与非关键词都紧密相连成句的特点,如果采用计算机高速自动标引就会出现错误标引。这种错误,有下列5种类型。

(1)字面嵌套引起的错误标引。例如,人名中的"陈云涛"与"陈云",就可能标引上两个"陈云"。地名中的"檀香山"与"香山",也可能标上两个"香山"。这种情况,在关键词中尤其多见,如"反社会主义"与"社会主义","西山会议派"与"西山会议",都可能出现标引上的错误,难以区别。在不同属性的词之间,也可能产生另一类型的混淆,例如人名"范长江"与作为关键词的"长江",人名"谭平山"与作为地名的"平山"县。特别是以地名和关键词组成的名词,如"大理石"、"黄岩蜜桔"、"美洲虎"等,也会造成地名与关键词的混淆。当然,可采用自动标引中的"最长匹配"原则来处理,但增加了自动标引程序的复杂性。

(2)词的同形异义造成的错误标引。例如,"日照时间长"中的关键词"日照"与山东省的地名"日照",计算机就难区别。同样,地名"平定"与关键词"平定"也是这样。

(3)字的假组合而引起的错误标引。例如,"泰山西部地区",可能导致标引出"山西"这一地名。"他上海校学习"可能标引出"上海"。这类问题在全文文本中出现的概率较高,也是计算机导致"杂凑"产生的原因。

(4)中文文本中出现的转义字句也会导致错误标引,如"马虎"和成语"一丘之貉",并无探讨动物的意思。同样,"福如东海",决不实指"东海"。这些都给自动标引设置了障碍。

(5)由于计算机中文处理的局限,难以标引一字词(即由一个字构成的词)。在标引一字词时,可能导致前一汉字的第二个字节与第二个词的第一字节错误地拼成另一汉字。然而在全文文本中存在不少一字词,例如,地名的简称"沪"、"京"、"鄂"、"湘"等,又例如朝代的名称"唐"、"汉"、"陈"、"宋"等。一些稍带方言的文本,更会出现如"降"、"俘"、"银"、"渔"等一字词。汉字编码上的问题,容易造成一字词自动标引的"禁区"。这也可以通过在匹配扫描时右移一个整字(一个汉字或一个ASCII字符)来解决,但这增加了匹配扫描的时间。

因此,对于全文数据库来说,完全自动的标引是不完全适合的,还需要在此基础上进行有人工干预的半自动标引。半自动标引,可利用文字处理软件中的"查找并取代"的现成软件模块,选用其中的"G"操作键,回答"Y"或"N"作判别,以此进行标引。这样,上述5种不易自动标引的问题就可得到解决。这就是自动标引和半自动标引结合的标引模式。

实行两者相结合的标引模式,就要将标引用的词表分成两个部分。第一部分是既有独立性的检索价值,又不会引起错误标引的词,如"李大钊"、"周恩来"等人名,"武汉"、"杭州"等地名,以及专指性高的关键词,如"中共中央"、"台儿庄战役"等。选取这些词时,可以将所有的标引词按区位码排序,从相邻排列的词表中,有助于识别如“陈云”与“陈云涛”这样可能引起标引问题的词。当然，如果字面嵌套出现在词的中间时，不易觉察。如“檀香山”与“香山”这两个词按区位码排列，并非相邻。因此，有些错误标引是始料不及的。若发现此类问题（如“檀香山”标引成“香山”）也仍然有补救的方法。就是仍然用文字处理软件的“查找并取代”模块。查找“檀 <P 香山 >”改为“ <P 檀香山 >”即可。这种半自动的标引又可称为二次标引。因为它一般是在完全自动的标引之后进行的。

全文数据库的标引最好是进行词的属性标引。所谓属性标引，就是在标识标引词时，同时指出该词的属性。词的属性有：人名、地名、关键词、年代、文献名等。可分别用一个字母来代表各种属性。由于加上属性指标符，就能区分同形异义词。例如，检索作为地名的“P 黄岗”，就不会误检出作为人名的“N 黄岗”，以降低误检率。其次，更为重要的是，便于检索结果按词的属性进行聚类输出。例如，检索“N 陈毅”之后，可以对命中记录中的所有人名进行抽取，并在统计频率的基础上按频率高低排成一个人名表。这个人名表就是与陈毅有关的人氏的名单。频率高的人名，显然与陈毅的关系较为密切；频率较低的人名，也表示多少同陈毅有一定的关系。同样，如果将与陈毅有关段落文字的地名进行聚类输出，也可列出与陈毅有关的地名表，从中大致可看出他南征北战的地方。其中频率高的地名，是他主要活动的地点。如果按关键词进行聚类输出，则输出的关键词表大致可以说明哪些事件或事物与陈毅有关。如果按文献名称进行聚类输出，所获得的聚类表则会表示哪些历史性文献与陈毅有关。同样，如果检索某一关键词（例如淮海战役），则也可按人名、地名等聚类，排出与此战役有关的人名、地名和关键词。这种聚类对于图书内容的分析和情报计量的研究都有重要意义。如果全文数据库不进行词属性标引，就不可能实现这种聚类。全文数据库的价值就会降低。

在全文数据库的标引中，有时还需进行加注标引。可以充分提供检索入口点，发掘文献的情报信息含量，节约检索者的智力劳动。

全文数据库标引时所用的符号，为〈、〉、N、P、K、AN、AK、AT 等，在检索结果显示或打印时应该删除，以恢复文献文本的原貌。因此，这些符号和字符应该采用区别于汉字码的 ASCII 码。加注标引与一般标引不同的是，一般标引仅删除这些符号与字符本身，而汉字仍然保留。然而加注标引则不同，不仅要删除所加的符号与字符，而且连同加注的汉字一并删除，以恢复文本的原貌。为了达到这一目的，在采用词属性指示符时应与一般标引所用的词属性指示符有所区别，如“AN”区别于“N”、“AP”区别于“P”等。当然，这些指示符以及各种标引符号可以改变，只要便于记忆和程序执行即可。

全文数据库的标引应该适度，凡作为标引的词，应该有一定的检索价值。对于没有被标引的人名、地名、关键词，虽然不能直接作为检索用词进行检索，但仍然有一定的方法补救。这就是通过全文检索软件中的“二次检索”功能又称为“文中扫描检索”来弥补。即在第一次检索的初步结果中,进行顺序扫描,而将未被标引的人名、地名、关键词查找出来。有关“二次检索”的功能,将在全文检索软件设计部分详细讨论。

把握适度标引的原则,其依据主要是文献保障原则和用户保障原则。所谓文献保障,就是文献中出现频率极高和极低的词可以不必作为标引词。用户保障,是指用户在检索时,有可能作为检索出发点的词才应作为标引词进行标引。如果有些词,用户从来不会作为检索词进行检索的,就不必作为标引词。

设立方面词对于全文数据库标引来说也是有必要的,所谓“方面词”,是指有情报检索价值的,但并非在概念上是独立完整的词。这些词仅仅作为事物的一个“方面”,例如“决议”、“文告”、“惨案”、“谈判”、“战役”等。方面词可以在不影响关键词完整标引的情况下,通过加注标引而进行标引。例如,“沙面惨案”可以标引成 < K 沙面惨案 > 和 < AK 惨案 > 两个词。这样,检索用户可以分别从这两个词进行检索。通过方面词检索,可以允许用户从同一方面进行情报的检索和统计,如有哪些惨案发生过,举行过哪些起义等。事实上这也是从另一角度进行的聚类。方面词的设立,可以增加全文数据库的情报价值和分析功能。

3 电子版图书基本检索功能的设计

检索功能的设计与实现是电子版图书制作的核心问题。电子版与印刷版比较,主要的优势是电子版能借助计算机对著作中各个知识项和每个文字句段进行高速、准确、全面的检索。这种检索是印刷版图书的手工翻阅远远不能比拟的。电子版图书的格式化处理、自动和半自动标引处理等环节,目的也在于为用户提供检索功能。作为具有较高学术价值和资料价值的大部头著作。读者的检索要求有如下5种类型。

(1)查找某一知识项在著作中的出处。例如,书中在什么地方提到了某人、某地、某事?这些知识项所在的段落文字或上下文是什么?见之于印刷版图书中的哪些页码?这是用户的起码要求,是单项检索的要求。

(2)查找两个或两个以上知识项相结合的文字出处。例如,某人在某一年代的活动,或某人在某年某地的活动,或某一事件中某人的言行,或某两个或某三个人的关系,或某人除参与某个事件之外的所有记载等。这种检索需要涉及的项目较多,并且这些知识项是相互联系在一起的。这是多项组配检索。

(3)片言只字的检索。这种检索,所查找的某句话,例如某句名言、成语、典故等,一般来说,它是不作为知识项标引的,因而实现这种检索功能,需要让计算机合理地扫描电子文本。这是“文中扫描”或“二次检索”。

(4)查找各种人物或事物之间的联系。例如,某一事件中涉及的地方;某人与其他人的关系,该人与哪些人的关系密切程度如何;某地发生过哪些事件,其中重大的事件是哪些;某人主要从事什么工作或参与什么活动;等等。这种检索要求并不一定需要找到书中的段落文字,而只要求计算机告诉这些问题的答案本身。显然,在印刷版图书的条件下,读者要获得这些答案是相当困难的。但在电子版图书的条件下,计算机可以轻而易举地让用户获得答案。这种检索,就是所谓"知识项综合"或"聚类",或称为情报的"缔合"。

(5)情报计量学的统计排序要求。这是读者用户的高层次的情报检索需求。例如,想要了解著作中先后现出过多少人名地名,多少个关键词,以及每个人名、地名、关键词的各自出现次数。计算机应极其精确地统计出来,并且按各种次序(如频率的高低,或人名、地名、关键词的字顺)进行排序列表。读者用户根据这些排序表,可以了解著作内容所涉及的广度,帮助估计一定人物的历史作用与影响程度。这种检索就是"频率排序"。

针对读者的上述情报检索要求,作为电子版图书的全文数据库系统的功能设计是:

第一,设置一级检索机制。第一级是作为标引词检索。要为标引词构造倒排文件,使之能直接查找。查找的模式为布尔逻辑检索,包括"与"、"或"、"非",以及括号嵌套、截词检索(前方一致)等。布尔逻辑的3个运算符以及括号的连用,可以允许检索者表达检索意图,便于调整检索的专指度水平,任意进行扩检或缩检。截词(词的右截断)可以使用户进行非精确一致的检索,允许从词的片断进行"模糊检索"。由于建立了倒排文件,第一级检索的速度很快。第二级检索在第一次检索基础上进行,又称为二次检索。二次检索的对象可以是未经标引的词或字符串,甚至是一个汉字。二次检索无倒排文档可用,因而采用右序扫描的方法进行检索目标与文本的匹配。因此,二次检索又称为"文中查找",或具体意义上的"全文检索"。在第二次检索中,应实现字符串的位置检索功能,即按指定的字符间的相邻度进行匹配,第二次检索进行的速度较慢。

第二,建立法定数检索的机制。所谓法定数,是用户在检索时指定的检索结果的期望值。例如,他要求检索到有关某一事物的三条段落的资料。当输入该检索词时,可能有10条段落命中,这时系统就要求用户再输入1个检索词,以便在系统内部作逻辑乘的运算,以缩小检索的命题范围。若第二次检索结果仍大于用户的期望值,系统会再要求用户输入一个检索词,再作逻辑乘的运算,进一步缩小检索的范围。反之,如果检索结果小于期望值,系统要求用户再输入一个检索词,在内部作逻辑加的运算,以扩大检索的命题范围,直至接近用户指定的期望值为止。法定数检索是一种逐步逼近的算法。这个检索能改变布尔逻辑检索的盲目性与机械性,能使检索结果具有不同的贴近性,同时也避免用户的检索结果为零。法定数检索是符合人们搜集情报的要求和行为的。

第三,为了实现人名、地名、关键词的聚类,需要在软件中配置对检索结果的再次数据处理功能。它包括自动抽词、频率统计及排序。

第四,全文数据库系统软件还包括全书规模的处理功能,如全书标引项统计、排序、编制书本式索引的功能。

第五,应实现检索结果输出的多样化,在软件上应有一定的自动编辑功能,并能提供显示、打印、套录的多种输出选择。在结果显示中,对导致检索结果的检索词应有反相显示,以便于用户检查检索结果的准确性。

第六,电子版图书的制作还需一系列辅助处理软件。例如消除不必要的控制符号、超长记录的监测与处理、排除汉字错位等软件,同时需掌握发现不正确标引及进行纠正的技巧。

电子版图书检索功能的设计应从用户的需要出发,分析其获取情报信息的目的、途径和方法,注意其心理和行为的表现。而检索功能的实现,即软件的编制,应力求选择良好的编程语言和工具,采用软件工程学的方法。

用户界面是整个系统的窗口,它直接面向用户,应该有菜单驱动和命令驱动相结合的驱动方式,应有明确提示。需要进行长时间作业时,应该让用户事先知道,使之有等待的思想准备,并随时了解系统内部处理的进程。对用户的误操作,应提供有礼貌的说明提示。这些都是"用户友好"原则的体现。

4 设置后控词表的机制

全文数据库的标引,是自然语言的标引,很难做到控制词汇标引。这是全文数据库与书目数据库的主要区别之一。电子版图书的标引用语是随著作内容而转移的。即使是同类著作,不同的著作行文用词也会有所不同。由于电子版图书的篇幅较大,不可能对其中的各种用词做规范化工作,因此,电子版图书的标引必须以文中用词为依据,即以自然语言为基础,在标引时不加规范控制。这样,可以节约标引的时间和费用,减少自动标引的复杂性。

当然,应当承认,没有控制词汇的标引,在查全率和查准率方面会产生不良影响。同义词的存在,会使读者用户对某一问题的检索导致漏检。例如,"起义"这一概念,用词很多,如"起义"、"起事"、"举义"、"暴动"、"兵变"、"哗变"、"谋反"等。在没有规范化的情况下,读者用户想要把电子版图书中所记述的各次起义的段落文字全部检索出来,就必须要把各种可能设想到的同义词和近义词统统列举出来,并用逻辑"或"连接成一个检索式。同样,著作中对一个人的称呼,往往也有不同的称谓。例如"孙中山"就会有"孙总理"、"大总统"、"孙文"、"孙逸仙"、"孙先生"等不同的称呼。事实上,这也可以看做是同义词。

相关词的存在,往往无上位词来统率,因而也会导致检全率的下降。例如,各种自然灾害有地震、洪水、干旱、冰雹、风灾、虫灾、瘟疫等。在上述每种灾害之下,又有不少相关词。要把各种自然灾害的段落文字都检索齐全,则在构造检索式时需要花费很大的智力。而且,在构造检索策略时,用户付出的智力劳动,系统不能记载下来,加以积累继承。举个例子,如果有一个高水平的用户拟订了一个很好的检索式,取得了良好的检索结果。当他完成检索后,第二个用户再来检索同一课题,还必须从头考虑检索式的构造。这就是说,前人的成功检索经验,不能成为后人可以享用或参考的财富,这是以自然语言为基础的全文数据库标引带来的主要问题。

要解决这个问题,一个可取的办法是在电子版图书的检索系统中建立后控词表的机制。所谓后控词表,不是供标引用的,只是辅助检索的一种手段。这是后控词表与一般词表主要的区别。它的构成是:用户认为是等价的同义词并用逻辑“或”相连接的各词,被纳入同一个词组号,构成后控词表的一个片断。例如,“孙中山”、“孙文”、“孙逸仙”、“孙总理”等,构成同一组的检索词。当用户的检索式中只检索其中的一个词,而需求助于后控词表机制时,后控词表的机制就把一词组内的所有词均以逻辑“或”相连纳入用户的检索式,使用户的检索式变成“孙中山 + 孙逸仙 + 孙总理”。这就无疑使检索达到较高的查全率。后控词表可以有专家事先编制,但是重要的是随着用户在检索中使用逻辑“或”的式子,系统自动捕获逻辑“或”前后连接的各词,而将其纳入后控词表或者是由系统管理人员根据用户的成功经验,有选择地将相关的一批词纳入后控词表。这种纳入是随检索的不断进行而进行的,是不断增长的。例如,第一个用户检索“洪水”的检索式只是“洪水 + 水灾”,第二个用户检索时想得更全面,检索式是“洪水 + 水灾 + 大水”,这样,“大水”就纳入原来“洪水”与“水灾”两词的后控词组,使之变成第三个成员。第三个检索者如果又想到一个新词,那么这个新词就可以成为第四个成员。这种后控词表机制,是在自然语言标引的情况下,帮助用户找到同义词和相关词以进行合理检索的工具和手段。借助于这种机制,前人在检索上所花的智力劳动及其成果,可以变成后来检索者能够分享的财富。后控词表可以帮助用户尽可能找全文献中各种可能的标引词,是弥补自然语言标引的局限性的一种办法。作为全文数据库的电子版图书,应当具备这种建立和使用后控词表的机制。

5 FULLSEA 主干程序

Fullsea 并非一个单纯的单汉字系统,也不仅仅为开发全文系统所用。在我们的研制过程中,自始至终贯穿着这样一种思想,即 Fullsea 应当是一个融合多种标引方案、书目全文均通用的集成化的情报管理系统。

为了验证 Fullsea 的各种性能指标,并检测系统运行的稳定性、安全性和实用性,我们在实际工作中利用 Fullsea 作了多次的开发应用。

比如,武汉大学图书情报学院校友通讯录数据库系统。这是一个事实型数据库。我们首先利用 CDS/ISIS 建成了此库,然后通过 ISO2709 格式将数据交换到 Fullsea 系统下。该库容量为 9000 多条记录,每个记录包括姓名、性别、专业、类型、工作地址、在校年月6个字段。系统提供5种检索途径,姓名、专业、类型均为全字段索引方式,工作地址为单汉字索引。根据检索结果,获得了各种统计数据,例如历届校友男女性别比例、各专业学生变化情况、各地生源人数等,这些结论为我们作进一步的定量分析提供了依据。系统运行良好,其速度明显快于CDS/ISIS。

又比如,《中国名胜诗词大辞典》电子出版物。它是在本人的主持下,由武汉大学图书情报研究所和武汉大学出版社共同研制的全文检索系统。该系统以Fullsea为原型,经过适当修改以适应诗词全文检索的需要,系统容量达到120多万字。

我们针对名胜诗词的特点,拟定了诗名、作者、景点、名胜介绍、诗词正文、注释6个字段,提供多种索引方式,保证用户从不同的途径均可找到所需诗词。其中诗名、作者、景点、名胜介绍为全字段方式,诗词正文做单汉字索引。在将北大方正电子排版中间文本转化为自由文本的过程中,我们保留了各个字段的标识符,如诗名、作者等,初步满足了聚类的要求;同时对各检索点在菜单中均提供对应的入口,减少用户不必要的输入。整个操作轻松方便,随时提供辅助说明及在线帮助。

Fullsea实际上是这样一个综合体:以Dbase为代表的微机DBMS,以CDS/ISIS为代表的典型IMS,以Dialtwig(Dialog微机模拟系统)为代表的典型IRS三种系统工具和功能在一定程度上的集成。尽管它在全文本的系统开发上取得了一定的成效,但远未达到成熟的实用阶段,还有待于进一步开发。

Fullsea在保持记录的最大长度不变的情况下,采用动态策略分配字段空间所获得的最大长度明显优于其他系统。因此它适合于字段少、字段长度较大的全文本数据的处理。这是本系统设计的出发点。Fullsea较大的限制是字段数,但字段数的增加并不困难,只需在内存中再划出一小片空间即能实现。

从数据库的设计、标引、索引到检索,Fullsea系统具有了大多数检索系统的基本功能,特别在软件设计过程中,针对全文检索的要求,Fullsea对一些原有的功能作了扩充,使之适合于全文本检索。某种程序上,Fullsea是一个开发全文系统的工具。

Fullsea比较注重数据存储的方便、索引更新的简单及对大量数据处理的要求,采取了B+树索引技术和索引地址参照链接文件的方式,避免了B+层数的限制,而且索引更新也极为容易。但是这种链接方式造成了存取数据效率低下。在正常情况下,检索一个索引项地址的读盘次数是3次,这段时间用户几乎觉察不到,但读取记录集合号费时颇多,检索的绝大部分时间都浪费在磁盘的读状态中。造成效率低下的另一个原因是位置运算。Fullsea没有记录词的位置信息,它必须在检索结果的基础上重新搜索记录的字段内容才能判断位置是否紧邻。对于大的全文本这种操作极不合算。对效率的改进涉及许多模块的修改,这是十分棘手的事情。

Fullsea作为一个开发全文检索的工具,有一定的实用价值,但尚需进一步的完善与优化。这里略举一二。

(1)索引参照文件结构的重新设计。系统目前采用单链文件结构,主要为了实现索引更新功能，但它以牺牲时间为代价，成为系统效率的一个掣肘因素。迄今为止，笔者尚未找到一种合理的文件结构同时满足索引更新和检索速度的要求。

(2)附加索引词的位置信息。这是系统改进的另一重要点。采用这种方式势必增加内存开销，而且必须在检索过程中实施内存与外设相结合的技术，否则难以达到实用水平。这就为开发者们提出了另一个课题，即怎样在软件中使用扩展内存，扩充内存及临时交换文件技术。

(3)与自动标引结合。自动标引对改善全文检索系统的性能有重要影响。Fullsea 今后准备将自动标引作为它的一个功能模块。

(4)后控词表。后控词表对于采用自然语言标引的系统是一种好的、值得采用的方法。CDS/ISIS、IMS-tool 具有简单的后控词表功能。这一点值得 Fullsea 系统借鉴。

6 电子出版物制作中尚待解决的一些技术问题

我国电子出版物的出版发行目前处于起步阶段。从技术上说，还存在一些尚待解决的问题。例如汉字库字量不足，各种电子排版系统不得不造字拼字，而彼此之间缺乏标准化，如果离开电子排版系统的支持，那么电子排版文本中的某些字就无法复原；电子出版的制作系统与电子排版系统二者不一定相同，但存在二者之间的沟通问题；由于电子排版文本在制作中需要进行全文数据库所需格式的转换，汉字易产生错位；电子排版物的标准化的起步阶段需及时提上日程；电子出版物的定价依据也需进行科学的分析。

原文载于《中国图书馆学报》1995 年第 5 期

电子出版物的特征与范围

电子出版物是继印刷型出版物之后出现的一种新型出版物。它体现了现代信息技术在出版业中的应用。与印刷型出版物比较，它的信息载体不是纸张，而是磁性或光子信息存储介质；它的信息表达形式不是常规的文字符号，而是计算机可读形式的数据；它能提供计算机的情报检索、文献中信息量的计量分析和知识项的聚类等功能；它能借助于通信线路实现高速传输和网络条件下的出版发行。

电子出版物的出现与发展，是出版业的一次革命。它是信息时代的产物和标志，它不仅为出版业增添了一个新的物理形态的出版物，而且它能缩短出版周期、不受印数的束缚、降低出版成本。电子出版物的出现与发展，是人类走向"无纸信息系统"的重要一步。

电子出版物对社会将产生深远影响。它将提高人们读书治学、获取有用信息的效率；它能使文献信息从一出版就置于计算机的控制之下，使出版与信息处理有机结合；它将使图书馆面临一个新的收藏对象，将改变文献处理与服务工作的流程。

我们从 1987 年开始，就一直从事全文数据库的电子出版物的制作研究。先后得到了三项国家科研基金的支持：国家教委作为文科博士点基金项目 1986 年下达了"全文数据库研究"计划；中华社会科学科研基金于 1991 年下达"全文数据库与电子出版物"项目的任务；国家新闻出版署于 1992 年作为重点科研项目立项，下达"电子出版物制作技术研究"的项目任务。

从 1987 年以来，我们的科研项目取得了一系列成绩：1990 年 10 月制作完成《湖北省地方志 · 大事记》、《中国人民解放军大事记》（解放战争时期）等两个全文数据库，并通过了国家教委的鉴定，发表了有关的研制报告和技术报告；1991 年 7 月与武汉大学出版社合作制作成功《国共两党关系通史》（150 多万字）电子出版物，并向社会公开发行。这是利用出版过程中的中间产品激光照排的电子文本加工而成，并由出版社正式发行的电子图书。《新闻出版报》及其他中央与地方报纸、中央电视台及地方电视台对此作了报道，并称这是我国第一部电子出版物。经技术上的改进，又制作发行了《中国名胜诗词大辞典》（1993 年）、《市场经济大辞典》（1994 年）等电子出版物。

制作电子出版物，包括下述技术处理：电子版图书的总体设计；文本格式化；自动与半自动标引;全文数据库建库与检索软件的编制;电子出版物评价准则的确定等的研究。

我们将研究中的成果在有关刊物中作了发表,例如"论全文检索系统"(《武汉大学学报》哲学社会科学版 1989 年第 6 期);"轻印刷的中间产品可以开发成全文数据库并可作为电子出版物发行"(《武汉大学学报》哲学社会科学版 1991 年第 6 期);"论我国电子版图书及其制作技术"(《中国出版》1992 年第 5、6、7 期);"利用全文数据库技术制作电子出版物"(《情报学报》1993 年第 1 期)等。

一、电子出版物的基本特征

所谓电子出版物,是继印刷型出版物之后出现的一种新的出版物类型。它将著作的文本转换成计算机可读形式的信息,记录在磁性载体(磁盘、磁带等)或光学载体(CD-ROM 光盘)上,并在计算机软件的支持下,自动形成全文数据库,并提供从著作中的人名、地名、年代、关键词等各种知识项出发对文本进行单项检索或多项组配检索的功能。甚至著作中的任何一个字都可以由计算机检索出来,所检索到的文本段落,可根据用户的要求按句、段、节、章等进行输出,即在计算机屏幕上加以显示,或由打印机打印在纸上,或由计算机对其进行"套录"(downloading),将检索结果以计算机可读信息的形式记录到磁盘或光盘上。电子出版物的内容,除了与印刷版相当的著作文本之外,还包含由计算机自动编成的各种索引,以及计算机情报检索等软件,借助于这种索引和检索等软件,电子出版物允许按照用户的要求,对著作中的各个知识项进行抽取、排序、重新组织,因而使原先散见于各个篇章段落中的知识项能够从逻辑上得到集中,提供从各种角度进行知识项聚类的能力,因此,电子出版物的文本成为置于读者控制之下的,具有全文检索功能的"活体",它远比印刷版图书拥有更多的使用价值。

电子出版物的基本特征是:

1. 文献的文本是以计算机可读数据的形式加以表示的。这种机读形式的数据,是计算机可以识别、理解、处理的数据,归根结底,它们是用二进制码表示的。在遥远的古代,人们就发明了文字、符号(包括象形文字和拼音文字),它们可以刻在甲骨、石头上,书写在泥版、贝叶上,书写或印刷在纸张上,这些文字符号是供人们识别和理解的,因此这些文字和符号可以说是"人能够阅读的数据"、"白纸上印黑字",长期以来构成了出版物的基本特征,但是,"人读数据"的形式并不是唯一的。录音带,电影片,录像带可以记录声频视频的模拟信息。在这种情况下,所用的载体不再是纸张,而是胶片和磁带,以及称为 CD 的光盘。对于这种形式的数据,人们不能直接"阅读",而必须借助于录音机、播放机等才能使人们看到、听到并理解这些信息。在计算机信息处理的时代,一般使用二进制数据的表示形式,即"计算机可以阅读"形式,这种"机读数据"的出现,是 20 世纪科学技术伟大成就之一。这是因为:第一,它的记录密度高;第二,它可以用计算机进行高速准确的处理;第三,它可以借助数据传输网络进行远距离的传输。所有的电子出版物必须以机读数据的形式出现,这是它首要的特征。

2. 电子出版物的信息载体是磁性或光学信息存储介质,不同载体的物理存储信息的密度是不同的,随着科学技术的进步,载体的信息存储密度越来越大。

泥　版	$10—10^4$	mm^3(每1字符存储密度)
印刷图书	1	mm^3
磁性载体	10^6	mm^3
光学载体	10^8	mm^3

有人估计,若按每个字符以 10^3 mm^3 的密度来存储信息,那么,全球的全部信息可存储在一立方米的体积中,可以通过一条光导纤维用二至三周的时间完成传输。

信息载体的进步,直接促进了出版业的进步。例如在古代,纸张以其质轻价廉,并与印刷术相结合,创造了古代文明,奠定了出版业的基础,在今天,电子数据处理、光学存储介质以及通讯系统的应用,使电子出版物得以产生。信息技术不仅改变了信息存储的载体,而且也直接导致新型出版物的出现。目前,电子出版物以 CD-ROM(高密度只读光盘存储器)和多媒体光盘为主,同时也以磁盘或磁带为载体,电子出版物不再需要纸张,从而使文献的产生、阅读、传播进入了“无纸时代”。

3. 电子出版物中的信息是有结构的,是经过一定的格式化处理而组成的信息集合。也就是说,电子出版物必须具备数据库的结构,否则,零乱的信息无法被计算机程序有效地加以处理。电子出版物的基本单元是记录。一篇文章、一条词条、一个自然段、一个内容相对完整的章或节均可作为一个记录。一部电子出版物就是由许多这样的记录组成的,而一条记录之中,又可进一步区分若干个字段,一个字段中,又可进一步区分若干个字段或重复字段。这都需要根据文献文本的本身结构来规定。可以说,电子出版物的主体就是数据库,特别是全文数据库。

4. 电子出版物应有相应的检索软件和其他编辑软件的存在。计算机软件是“激活”文献文本数据的动力。在电子出版物中,无论是随机检索,还是文中顺序扫描,或者对检索到的文本进行排序、按一定格式进行显示、打印或套录,都丝毫离不开软件的支持。如果仅仅有机读数据的存在而无相应的软件,这些数据就是“死”数据,是不可能实现电子出版物的功能的。电子出版物的软件(包括实现一定数据库结构的建库软件、提供各种检索功能的检索软件,以及实现检索结果各种处理的编辑、打印、套录软件)往往根据电子出版物的文本结构特点和用户的需要而定。因此,各种电子出版物的软件不尽相同,有的甚至相差很大。许多电子出版物都有自己特定的软件(专用软件),电子出版物软件的标准化和通用性是一个需要解决的问题。

5. 电子出版物的使用——即检索或浏览,必须借助于电子计算机进行。这里所说的电子计算机,包括大、中、小型计算机、微型计算机,在微型计算机中,还包括掌上型电脑等。电子出版物之所以离不开计算机,一是因为它的文本是机读数据,只有计算机才能识别;二是因为浏览、检索过程是必须借助软件进行的,而软件的运行是不能离开计算机的。这种情况,正如缩微胶片不能没有显微阅读器,录像带不能没有录像播放机一样。电子出版物对于计算机的要求是:一是应有较大的硬盘存储容量。这是因为电子出版物的文献,少则数十万字,多则数百万乃至数千万字,加上相应的索引,本身容量较大;同时,检索软件本身也有数十 K 至一二百 K 字节之多;再者,在检索和对检索结果的处理中还可能产生一些中间工作文件,也需占有一定的磁盘容量。二是要求有较高分辨率的显示器和打印机。

6. 电子出版物必须以出版为目标,所谓“出版”就是公之于世,以文献的形式参与社会的知识交流。电子出版物毕竟是出版物,与印刷型出版物一样,有自己的著作权。在出版物的内容方面,作者与出版社要承担责任,接受社会的检验与评论。那些不是以出版为目标的电子文本,例如许多单位用微机或四通打字机形成的内部使用的电子文书文件,是不属于电子出版物之列的,即使是配上建库与检索软件,也只能称为电子文书档案全文系统。

7. 电子出版物的发行方式,既可以是作为封装型的磁盘或光盘出售给读者用户,也可以是作为联机数据库的形式,以联机情报检索服务的方式,以有偿服务为基础,向公众提供检索利用。与印刷型图书的发行相比较,作为联机提供的方式是一种新增加的发行方式。联机发行方式有许多优越之处:首先,是借助于通信线路,能够使没有联机系统终端机地方的读者及时地利用电子出版物,新的电子出版物或修改更新后的电子出版物装载到联机检索系统之日,就是各地读者可以存取之时,这样,地理上的障碍和发行上的延迟都不再存在,也就是说,读者可以获得最新的信息,加速了知识的传播。第二,由于联机检索系统可以同时装载许多电子出版物,例如美国的 DIALOG 联机情报检索系统装载有数以百计的电子出版物,从《圣经》到电子版的报纸、手册、年鉴、百科全书等,这样读者在使用电子出版物时有广泛的选择余地。第三,通过联机情报检索系统检索利用电子出版物,读者只为实际的检索时间与检索量付费,而不像购买电子出版物那样为整个电子出版物付费。显然,这种方式的发行对某读者来说是经济合算的。当然,联机检索方式的费用,包含下列几方面的费用:通信线路费,作为联机数据库的电子出版物利用费,计算机处理的机时费,检索命中结果的打印费,终端租用费等。从这个角度来说,费用还相当昂贵。对于读者频繁使用电子出版物来说,购买封装型的电子出版物却是经济合算的,但是,电子出版物增加了一种发行方式,对读者来说,就有更大的灵活性与选择性。电子出版物开拓了一个新的文献发行渠道。

二、电子出版物的范围与种类

根据前面所说的电子出版物的基本特征，大致可以确定电子出版物的范围。即以出版为目标，通过市场供应方式发行的以磁盘、磁带、光盘为载体，以机读数据形式表示的，体现数据库结构并辅有计算机检索软件等信息处理手段的，通过计算机加以利用的出版物，符合这个范围的就是完全意义上的电子出版物。

但是也有一些例外：

1. 书目数据库。例如美国《化学文摘》、《科学文摘》等大量的文摘、索引、书目等数据库，是最早出现的机读数据的集合。它其中包含了二次文献的全部信息，即题名、作者姓名、作者单位、发表出处页数、文种、主题标引词、分类号、文摘等项目。每篇文献的描述信息为一记录，各记录按顺序号（基本上是文献加工的时间）排列。这些文献磁带从60年代以来，一直在发行，是数据库工业的主要产品之一。这种书目数据库只包含数据，而无计算机检索软件。图书情报部门购买或租用了这些文献书目磁带之后，需自配建库与检索软件，之所以只发行数据而不带软件，是因为：第一，这些文献磁带是连续发行的，它与新文献的发表保持平行发展的关系，不断报道与揭示全世界有关领域的新文献的信息，因而这些书目数据的累积量很大，一般都达到了数百万条记录；第二，用户采用的情报存储与检索软件互相不尽相同，也没有必要统一，同时，书目数据是有长期使用价值的，而软件是经常更新换代的。这些书目数据库也应属于电子出版物。尽管它不带软件，但用户必须有相应软件存在才能使用。它们只是把数据的发行与软件的发行分开而已；第三，这些书目文献磁带的发行对象是图书情报部门，而非最终情报用户。图书情报部门必须对它们进行加工，即将它们装入计算机，建立数据库索引，才能加以利用，正如粮店购买的大米面粉，需经过锅灶的加工才能食用一样。

2. 软件出版物。软件出版物的主体是软件本身（包括源程序和可执行程序），同时也附有一些说明材料。软件是计算机指令的集合，本身就应该是机读形式的。特别是可执行程序，只能以机读形式存在。但软件只是一种加工工具，它本身一般不包含加工对象——数据，在这一点上，正好与书目数据库相反，它们都各取一端。

尽管书目数据未能完全符合电子出版物的所有特征，但仍然可归属电子出版物，因为它符合电子出版物的主要特征。机读书目数据不直接具有检索功能，可称为原型电子出版物。

3. 软件出版物是为满足人们的软件需要而出版发行的，可列为一种有其自身特色的电子出版物。电子出版物的分类，即可按出版物的类型来划分，也可按信息服务方式来划分，现列表如下：

- 电子出版物（按出版类型分）
  - 电子图书
    - 电子版工具书（如字词典、百科全书、手册、年鉴等）
    - 电子出版专著（各领域的专著等）
    - 电子教科书
    - 电子法律条文及判例
  - 电子连续出版物
    - 电子杂志
    - 电子报纸
    - 电子特种文献
      - 电子版专利说明书
      - 电子版科技报告
  - 电子版的书目数据
  - 计算机软件

- 电子出版物（按信息提供方式分）
  - 封装型电子出版物
    - 光盘型电子出版物（一般包含数据、软件）
    - 磁盘型电子出版物（一般包含数据软件）
    - 掌上型电子出版物（包含数据、软件及硬件）
    - 磁带型电子出版物（一般只包含数据）
  - 联机数据库型电子出版物
    - 书目数据库
    - 事实与数值数据库
    - 全文数据库
      - 电子版报纸
      - 电子版工具书
      - 电子版杂志
  - 计算机通导型电子出版物（电子报刊、杂志等）

所谓封装型电子出版物，是相对联机数据库型电子出版物而言的。它将数据及软件作为一个出版单位，予以“包装”而发行到用户手里，这种出版物大多数是电子图书，它是相对独立的整体。数据库的内容相对稳定。

联机数据库的电子出版物装载在联机情报检索服务系统中，用户只能通过联机检索方式进行利用。这种电子出版物出现最早的是书目数据库。例如各种科技文献的文摘、索引、目录。其后，一些工具书的机读版也出现在联机系统中，例如百科全书、手册等。联机全文数据库出现较晚，70年代末才崭露头角，但现在发展很快。以电子报纸为例，美国的全国与地方一级的数十种报纸都作为DIALOG联机系统的全文数据库而提供检索服务。作为联机数据库的电子出版物，一般来说属“开放型”出版物，需要对数据库的内容经常予以更新，数据库内容的动态性较强，报刊是连续出版的，必须连续更新其数据库。手册、大全之类的工具书，也是连续出新版的。至于像经济商情方面的联机数据库，其更新周期更短，最短的每几十秒钟更新一次。联机数据库型的电子出版物便于读者获得最新的信息与资料。

计算机通讯型电子出版物，是一种在计算机网络条件下，通过各个终端用户发送和接受的电子出版物，类似于公布式数据库，这种出版方式主要有电子邮政、电子会议系统、电子杂志等。这一类电子出版物的典型方式是作者在自己的终端上创作、编辑论文，其他读者通过网络存取并利用它；读者可以对某一篇论文发表意见，或者与作者对话，所有这些论文中所包含的有关它的意见、对话均可为网络中的其他用户阅读利用。读者和作者可以通过网络实现直接的联系，每一个终端用户可以是作者、读者，也可以是自己作品的出版者。在这样的出版系统中，一篇论文可以与一系列对该论文不同读者所作的评论或综述联系起来。这种电子出版系统将从本质上改变信息的创造、交流和获取方式，赋予出版新的含义，在一定意义来说，这种出版系统是学术界一定范围的交流系统。

原文载于《图书馆工作与研究》1995 年第 3 期

我国电子出版物制作中尚待解决的一些技术问题

近年来,我们将全文数据库研究的成果应用于出版领域,新闻出版署科技司给我们下达了"电子出版物及其制作技术研究"的课题,并从经费上给予了支持。我们边研究、边推出电子版图书。1991 年 7 月,制作完成《国共两党关系通史》电子版(150 万字);1993 年 9 月,制作完成《中国名胜诗词大辞典》电子版(120 万字);1994 年 2 月,制作完成《中国市场经济大辞典》(260 万字)。这三部全文数据库型的电子出版物均已由武汉大学出版社向社会公开发行。

在电子出版物的制作中,我们取得了一些经验和理论成果。它们已以论文和专著的形式发表和出版。这些论文和专著如:《论全文检索系统》(《武汉大学学报》社会科学版 1989 年第 6 期),《轻印刷的中间产品可以开发成全文数据库并可作为电子出版物发行》(《武汉大学学报》社会科学版 1991 年第 6 期),《论我国电子版图书及其制作技术》(《中国出版》1992 年第 5、6、7 期连载),《用全文检索技术制作电子出版物》(《情报学报》1993 年第 1 期),《电子出版物对图书情报工作的影响》(《武汉大学学报》社会科学版 1993 年第 6 期),以及专著《电子出版物及其制作技术》(武汉大学出版社,1994 年 7 月出版)。

本文拟就电子出版物制作中的一些尚待解决的技术问题进行讨论。

1. 汉字库问题

电子出版物的学科主题相当广泛,包括自然科学、社会科学等各个领域。此外,电子出版物不仅应包括当代人写的新著作,也应包括一些历代著作。这样,电子出版物所包含与使用的汉字字量是十分庞大的。汉字经过漫长的历史演变,逐渐丰富。甲骨文字,约有汉字 3000 个;东汉许慎著《说文解字》有 9353 个,加上异体重文 1163 字,共为 10516 个;南朝顾野王著《玉篇》(公元 543 年),收 22726 个;宋代司马光著《类篇》(1066 年),收字 31319 个;明代梅膺祚著《字汇》,收字 33179 个;清代张玉书等著《唐熙字典》(1716 年),收字 421724 个;民国时代中华书局编《中华大字典》(1915 年),收字 44908 个。据估计,累计到现在,古今汉字总数大约已有 60000 个左右。然而,我国公布的计算机汉字库(包括一级字库与二级字库)总共只有 6763 个汉字。因此在制作电子出版物时,就会遇到汉字库不够用的问题,特别是人名、地名用字所遇到的困难更大。

对于汉字库之外的汉字，目前汉字录入时采用以下两种办法：

一是造字，由造字者确定其编码。但由于不标准，这种办法没有通用性。目前有的电子出版物往往附有自造汉字的字库，以供显示和打印之用。不同出版社制作的电子出版物，自造汉字库不尽相同，甚至出现每种电子出版物自带一个独特的自造汉字库的现象。这种做法，会降低电子出版物的通用性，使标准化难以实现。

二是拼字。华光、方正等电子录入排版系统有拼字的功能，例如，“细雨濛濛”的“濛”，汉字库中没有，于是将“氵”和“蒙”进行拼接。这种拼接是用特定的排版命令来实现的。然而，在制作电子出版物时，由于离开排版系统，删除了这种命令，就会变成两个字，一个“氵”字，另一个是“蒙”字，苏轼歌颂西湖的著名诗句“山色空濛雨亦奇”，本来是七言诗，结果就变成了八个字一句。另一方面，如果读者想检索“濛”字在所有名胜诗词中使用的情况，也无法将它作为检索词输入计算机，由于电子排版系统有拼字功能，还会造成一些不应该发生的人为错误，例如“栖”字，它的繁体是“棲”字，当作者使用繁体时，如果编辑疏忽而未将其改为简体字“栖”时，录入员往往不认识此繁体字，就进行拼字。这样，在电子出版物中，“栖”字就成为“木”、“妻”两字，令读者哭笑不得。

我国的古籍是我国文化遗产的一部分，将一些重要著作例如二十五史、十三经、各地的地方志，以及各学科领域的名著转化为电子图书，有十分重要的意义，这是用现代信息技术开发文化遗产的举措，其影响是深远的。这些古籍包含了不少生僻字。特别是在人名、地名中特别常见，这使得当前的汉字库更显得难以应付。此外，繁体字与简体字并非一一对应，例如，“皇后”的后和后来的“后”变成了一字。这也给文献的情报处理与检索带来麻烦，造成误检。因此，电子出版物要发展，非扩充现有的汉字库不可，这个问题的解决，必须依靠我国有关的权威管理部门进行决策和采取措施。

2. 电子排版系统与电子出版物制作系统的沟通问题

当前，电子录入排版系统（号称电子出版系统）已相当成熟。它们的推广应用也日益扩大。在出版印刷行业中，由这些录入排版系统产生的电子文本数量很大，这些排版文本是用来制作电子出版物的现成原料，既经济又实用。

然而，要以这些排版文本为原料制作电子出版物，有必要首先删除排版符号。因为作为封装型的电子出版物，在发行时不可能带上这些排版系统本身，否则，既会增加电子出版物的成本，又会增大电子出版物本身的容量。当然，舍弃了排版系统与排版符号之后，电子出版物中的所有汉字在字体、字号上就没有区别，因而显得单调。另一个更大的问题是文本中的“上标”、“小标”写法不能正确表示；一些数学表达式也难以表达，脚注文字会混入正文。这些由于脱离排版系统造成的问题，降低了电子出版物文本的可读性。

其次,电子出版物中的每个自然段应加注其在相应印刷版图书中的页码,以便使电子版与印刷版相联系,然而华光、方正等电子排版系统对分页及页码的编写是根据一定的算法自动形成的。电子出版物的制作者不了解这种算法,因此不得不等到排版完成,页码编定之后才能用手工办法在文本的有关地方加注页面结束符,或给每个自然段末尾加注页码。这样,既费时间,也容易出错。

因此,为了提高电子出版物的质量与制作速度,需要把电子排版系统与电子出版物制作系统沟通起来。

这种沟通,可以有如下几种方式:

第一,在排版系统中增加电子出版物制作和检索的软件,以便使书稿的录入、排版和电子出版物的制作实现"一气呵成",即一条龙的操作流程,这样制作成功的电子出版物,在排版软件的支持下,能够解决上面所说的各种问题,使电子出版物在显示打印时有字体、字号的区别,能正确表示上标与下标,能正确表示数学式及其他特殊标志,能确定脚注的正确位置,能高速准确实现文本中每个自然段的页码编定,当然,造字(包括拼字)问题尚有待扩大汉字库作为最终的解决办法。在发行封装型电子出版物时,虽然不能提供整个排版系统,但最好能提供一个最低限度的支持文本显示与打印的排版软件,这个软件不需要太多的功能,只需支持文本的显示与打印即可,我们呼吁排版系统再向前跨出一步,真正实现"电子出版系统"的全部功能,即不但能进行电子排版,还能制作电子出版物。

第二,从当前已有的电子出版物制作与使用软件出发,增添使文本正确显示的功能,着重解决上面所说的各种问题,这就是需要增添特定的汉字库,包括规模较大(超过二万个汉字)的汉字库,并能有字体与字号的区别。在全国未对现行标准汉字库改变之前,作为电子出版物的需要,不妨先行研制并使用这种扩大的汉字库,但是,希望对这种汉字库的制作与使用采用全国一致的办法,使这种汉字库具有标准化的含义,而不要由各出版社各自为政。

3. 汉字错位的自动监测与校正问题

汉字编码是由两个字节组成的,在制作电子出版物时,由于对文本进行了一系列处理,往往出现汉字的错位现象,即第一个汉字的第二个字节第二个汉字的第一个字节构成一个汉字,因而使文本错乱。

引起这个问题的原因有:

(1)由文本中夹杂的一些符号引起的,如上标、下标、引文等符号;汉字行款中偶尔插入 ASCⅡ码的数字与字母(它们占一个字节)等,都可能引起汉字错位。此外,文本中的空格(有的是一个字节,有时是 2 个或 3 个字节)也可能导致错位问题。

(2)由书稿录入人员操作不规范而引起的,例如,应该用汉字码的标点符号时,录入员偶尔用ASCⅡ码的标点符号。此外,阿拉伯数字、括号等的使用也会出现类似的情况。

(3)由于电子出版物的制作过程中使用了WordStar、WPS等文字处理工具而使一些不必要的控制符号混入文本,也容易造成汉字的错位。

(4)由于文本中使用了电子出版物中某些加工软件所指定的保留字(或符号)而引起的。

汉字错位,引起文本不可读的问题,是电子出版物的读者所不能容许的,因此必须力求避免。当然,电子出版物的制作者可以通过校对、删除不必要字节并增补汉字的办法来解决。但这种办法效率太低。因此有必要增加汉字错位的自动监测功能,并在人工干预的情况下予以改正。

此外,各种中文DOS系统对于汉字的显示功能不尽相同。文本中间的一些空格,在有的汉字系统中仍显示成空格(一个或两个字节),而有的汉字系统却对汉字显示过于严格,往往强行消去空格,导致汉字错位,或者在系统认为不可识别的错位汉字地方注上?符,使文本显示更加不可读。因此电子出版物的使用应选择合适的汉字系统。

4. 制定电子出版物的有关标准问题

可以预言,我国电子出版物今后将有较大的发展,众多的出版社将会成为电子出版物的制作者与出版发行者。此外,一些学术团体、图书馆和情报资料部门也将会参加到电子出版物制作的行列中来,因此有必要及早制定电子出版物的一些基本标准。这些标准可以有:

(1)电子出版物版式标准。例如电子出版物的封面、版权、目次、序言、正文等的结构框架;自然段、逻辑块、页面等的标志符号的选定,以及脚注的位置选择、引文的显示模式等。

(2)电子出版物的检索语言的标准。例如,词表显示、目次浏览、检词、组配、显示或打印检索结果、翻页等的命令,应该有一个标准化的命令语言集。此外,布尔逻辑检索的运算符和位置检索的运算符,以及截词检索的截断符也应规范化。

(3)检索结果的处理模式标准,这包括对检索所得文本的编辑、排序、套录等功能与指令的规定。

制定标准是一项基础性的工作,由于出版是整个文献信息处理工作的源头,它的标准化对于一系列后续处理工作都有深刻影响。在美国,出版界和图书馆与情报服务部门早在几年前就开始共同制定电子化书刊的标准,这是值得我们借鉴的。

电子出版物有关标准的制定,将有利于提高这类出版物的通用性,方便读者使用,从而从技术角度促进我国电子出版物的发展。

5. 电子出版物的定价问题

目前电子出版物的定价没有一定的标准可依,如何科学地计算电子出版物的文本,是一个需要加以解决的问题。

一般来说,一部电子出版物成本主要取决于下列各因素:

(1)电子出版物的篇幅,即文本的大小规模。文本的来源有两种,一是专为电子出版录入的,二是拷贝印刷版图书生产中的电子排版文本而得到的。这两者的成本差别很大,后者的费用事实上由印刷版与电子版共同负担。

(2)建库与检索软件的质量水平,这表现在检索的方便性、有效性、查全率与查准率、用户界面的设计水平等。

(3)电子出版物所有的载体形式,例如软磁盘、只读(CD-ROM)光盘、一次性写(WORM)光盘等。这种载体的区别又决定了其制作的工艺区别,例如 CD-ROM 光盘的生产需要制作母盘,然后进行压制。这种工艺需要代价昂贵的生产线,因而加工费很高。

(4)电子出版物的发行批量,这种批量不能与印刷版等同。在国外,一般认为电子出版物发行量能达到 250 份,即具有制作出版的价值。因此,这个数字可以作为电子出版物基础成本计算的参考依据之一。

(5)电子出版物生命周期的长短。有些电子出版物(如经济统计、新闻等)的时效性强,更新频繁;而有些电子出版物(如二十五史、历代著名诗词等)具有长效性,更新迟缓或用不着更新。它们的发行期与经济收效期差别很大,显然前者的定价应高一些,后者的定价应低一些。

上述 5 个因素,在决定一部电子出版物的定价方面,其所占的份额并非等同,而应有不同的权值。现在很需要根据这些因素及其权值得出一个计算电子出版物定价的公式。

原文载于《1994 年北京国际电子出版研讨会论文集》

5. 电子出版物的定价问题

目前电子出版物的定价没有一定的标准可依，如何科学地计算电子出版物的文本，是一个需要加以解决的问题。

一般来说，一部电子出版物成本主要取决于下列各因素：

(1)电子出版物的篇幅，即文本的大小规模。文本的来源有两种，一是专为电子出版录入的，二是拷贝印刷版图书生产中的电子排版文本而得到的。这两者的成本差别很大，后者的费用事实上由印刷版与电子版共同负担。

(2)建库与检索软件的质量水平，这表现在检索的方便性，有效性，查全率与查准率，用户界面的设计水平等。

(3)电子出版物所有的载体形式，例如软磁盘，只读(CD－ROM)光盘，一次性写(WORM)光盘等。这种载体的区别又决定了其制作的工艺区别，例如CD－ROM光盘的生产需要制作母盘，然后进行压制。这种工艺需要代价昂贵的生产线，因而加工费很高。

(4)电子出版物的发行批量，这种批量不能与印刷版等同。在国外，一般认为电子出版物发行量能达到250份，即具有制作出版的价值。因此，这个数字可以作为电子出版物基础成本计算的参考依据之一。

(5)电子出版物生命周期的长短。有些电子出版物(如经济统计，新闻等)的时效性强，更新频繁；而有些电子出版物(如二十五史，历代著名诗词等)具有长效性，更新迟缓或用不着更新。它们的发行期与经济收效期差别很大，显然前者的定价应高一些，后者的定价应低一些。

上述5个因素，在决定一部电子出版物的定价方面，其所占的份额并非等同，而应有不同的权值。现在很需要根据这些因素及其权值得出一个计算电子出版物定价的公式。

原文载于《1994年北京国际电子出版研讨会论文集》

数字图书馆研究

为"个人数字图书馆"鸣锣开道

三年前，即2002年，我利用我们（包括博士生臧国全和阮建海）汉化的联合国教科文组织信息存储与检索软件——WINISIS，对我自己的数字化资源（电子文稿和扫描文件）和下载的因特网上的有关资源，进行个人数字图书馆的建设。在试验取得初步结果后，发表了两篇文章：《论个人数字图书馆》（《中国图书馆学报》2002年第3期）和《营造"E"时代私人藏书楼——个人数字图书馆》（《现代图书情报技术》2002年第4期）。在这两篇文章中，指出个人数字图书馆是个人为着自己读书治学的需要，对自己有用的数字化资源所进行的信息采集、重新组织的一种方式；个人数字图书馆是古代私人藏书楼在今天网络电子时代的复兴。

三年来，我一直致力于建设自己的个人数字图书馆，现已累积至近4万条记录。随着一定批量记录的建立，进一步证实个人数字图书馆有下列特点：

（1）个人数字图书馆存储和处理的对象是一次文献，即文献的全文、图像和声音，也就是说是原始文献。从这个意义上来说，它是全文数据库、声像数据库。而传统图书馆和当前多数数字图书馆所存储和处理的是文献目录，建立和维护书目数据库是它们的基点。个人数字图书馆的基点转向原始文献，提供的信息具有直接性，符合用户的要求。

（2）个人数字图书馆是多媒体数据库。由于WINISIS软件的功能，它能在同一个库中存储和处理文字、图像（包括静态和动态的）及声音。例如，在这个个人数字图书馆中，既有《红楼梦》的全文，也有金陵十二钗的绘画，还有如《好了歌》等之类的红楼梦主题歌曲，从而多方面地提供有关信息。这一点，当前多数大型数字图书馆是难以做到的。

（3）采集加工个人的有关信息，使"藏书"具有鲜明的个性化。它包括了我一生的所有著作的全文和目录、照片、友人信件、各种有关证书（如获奖、职称、聘书等），以及含有个人隐私的文件（如身体健康检查、化验单）等。这些文献有的本身就是电子文本，如网上下载的，或作为个人电子输入文本，可直接导入个人数字图书馆，如果不存在电子文本，则通过扫描仪将原件变成图形文件导入个人数字图书馆。显然，这种藏书的个性化是网上任何搜索引擎不能取代的，也是任何社会化的大型数字图书馆所不能取代的。对个人来说，建立个人数字图书馆是对自己治学之路的很好总结和纪念。

(4)个人数字图书馆是学术研究的得力工具。个人数字图书馆的建设是一个不断进行的过程,从而对新的有关资料可以做到随时更新增补,跟上最新的学术研究进展。与搜索引擎比较,个人数字图书馆的信息采集具有鉴别的过程,只选那些可信度大、水平高的著作。并且可以以自己需要为基准,只选文章的某一部分、某一段落,甚至其中的某一图表,以成"剪辑"。因此个人数字图书馆的藏书可以做到收藏的高质量和针对性。其次,个人数字图书馆中的信息是实实在在的"到手"了的信息,它不像搜索引擎所指向的网络文献那样"虚拟"。而下载进入个人数字图书馆的文献则像购得的纸质图书那样能长期保存。学术研究往往需要回溯较长时期的"历史"性文献,以作全面的考察。依赖搜索引擎则较难做到这一点。搜索引擎所指向的文献,往往随着"时过境迁"而变成"死链"。其次,搜索引擎仅靠文字字面的选取,揭示文献的准确度较差。个人数字图书馆是经过鉴别挑选的文献,排除了无关的或关系不大的文献,摒弃了内容过时或有错误倾向或格调低下的文献,使文献信息得到"固化"、"纯化"及"序化",使"馆藏"少而精。这就是个人数字图书馆不能被搜索引擎取代的原因。

(5)无钱也可以成为收藏家。在古代,私人藏书楼的建设需耗费大量资金,因为不仅要盖楼,而且要收购书画,只有家产殷实者才能做到。而今天出现个人数字图书馆,网民可以从网上免费收集大量的著作、图像和音乐,把这些下载的信息纳入个人数字图书馆,使之成为有组织的信息集合,因而可以根据自己的爱好成为各类收藏家。与古代的私人藏书楼相比较,所不同的是藏书的形态不一样。由于是数字化文献,其存储密度远远高于纸质文献。加之数字文献有的还有信息压缩机制,更提高了存储密度。同时,数字图书馆本身是数据库结构,有强大的整序功能和检索功能,从而免除了私人藏书楼的分编、典藏等工作。将目录的设置和全文文献结合在一起,这一点远远胜过传统的藏书楼和图书馆。

(6)与"文件夹"不同,个人数字图书馆具有数据库的结构与功能。WINISIS 软件是联合国教科文组织开发维护的多媒体数据库软件,是优秀的文献存储与检索软件。它能存储文字、图像、声音。每个库存储量最多可达到 3000 万件记录,可谓是"海量"。每条记录可设置上千个字段,每个字段可赋予上百个标引词。它具有自动索引(倒排档)的功能,当输入一条新记录时,索引即能自动更新。它具有强大的检索功能:单词检索、多词的布尔检索、字段限定检索、截词检索、后控词表检索、全库的顺序扫描检索等。个人数字图书馆可以把数以万计、数十万计乃至数百万计的记录构成一个有序的整体,并且有相应的计量。此外,个人数字图书馆是个开放的数据库,允许随时增加新记录,修改或删改记录。数据库中信息的有序化与记录的输入先后次序无关,也就是说,个人数字图书馆的建库者没有必要事先对资料分类处理,而可随机输入。进库后,由数据库管理功能对记录及其各个字段按其值进行分类、排序，形成检索词表，并提供各种检索功能。它赋予了信息记录及其各元素的可操作性。

(7)个人数字图书馆的信息的加工宜采用简易方式。它不必像传统图书馆和正规数字图书馆那样讲究著录、词表、标引的规范性。因为它们是个人所建所用，可以采用自然语言(关键词)作为标引和检索的语言。对于不熟悉图书馆学知识的专家学者个人和广大网民来说，关键词是他们最熟悉的。在标引时，提倡充分标引，即在一条记录中，可以标上十几个或数十个关键词，以此增加检索的查全性和组配检索的精确化。

(8) WINISIS 软件免费，建立个人数字图书馆不会增加经济负担。

WINISIS 软件是联合国教科文组织送给发展中国家的礼物，是免费使用的。用户利用此软件建立个人数字图书馆，只要有计算机设备和上网条件就可进行。免除了巨额的软件购买费，可谓是天上掉下的馅饼。但在现在的社会条件下，这种馅饼却遭到了怀疑。因此，我们不得不为个人数字图书馆的建设鼓与呼，为它鸣锣开道！

与某些图书馆的冷漠和怀疑相反，近年来一些网络数据库商和软件商，却敏锐地看到了个人数字图书馆建设需求量大而广的特点，正在寻找巨大的商机。例如，“超星”、“清华同方”、“泰德时代集团”、“富士通”等，已经打出“个人数字图书馆”、“个人书库”、“个人文库”等旗号，以便在他们网络数据库框架下开展新的业务。这种商业动向，正好说明了个人数字图书馆是有广阔前景的。

但是以这种商业运作方式建立的个人数字图书馆，不同于我们所主张的个人数字图书馆。后者是自建自享，主动权完全操在自己手里，并有完全的所有权(WINISIS 软件无版权纠纷)，允许收藏隐私性的资料。使用时不必上网，因为个人数字图书馆就在自己的计算机中，如果采用较大硬盘的笔记本电脑或可移动硬盘，个人数字图书馆可方便地携带作讲学、展示之用，从而实现真正的个人化。

主要基于网上下载信息而建成的个人数字图书馆，并不违反知识产权的有关法律。因为仅供个人使用，没有商业行为，因而是属于对网上信息的“合理使用”的范畴。

建设自己的个人数字图书馆，必将逐步形成一种新的时尚。图书馆应当为帮助读者建立个人数字图书馆提供方法指导，使图书馆的用户教育迈上一个新的台阶，图书馆学的知识将进一步为社会所接受。

参考文献

1. 陈光祚等. 论个人数字图书馆. 中国图书馆学报，2002(3)
2. 陈光祚. 营造 E 时代的私人藏书楼——个人数字图书馆. 现代图书情报技术，2002(4)
3. 陈光祚. 论联合国教科文组织信息管理软件 WINISIS 在中国推广的巨大意义. 情报科学，2003(10)

4. 陈光祚等. 构建"描述项+外挂文献全文"的简易型数字图书馆——国际免费软件 WINISIS 的应用//信息化与信息资源管理——2002 信息化资源管理学术研讨会论文集
5. 陈光祚等. 论免费国际软件 WINISIS 在我国图书情报界的应用. 图书情报知识,2002(6)
6. 陈光祚等. 一个值得重视和推广的国际性信息存储与检索软件. 大学图书馆学报,2002(5)
7. 陈光祚等. 利用国际免费软件 WINISIS 建立博士文化全文数据库. 图书情报工作,2002(10)

原文载于《图书情报知识》2005 年第 6 期

个人数字图书馆：理论探讨和建库实践

一、前言

本人从事个人数字图书馆的研究已整整4年。2001年就着手探讨，并在《图书馆学情报学研究发展报告》该年第2001-2号上发表了《论个人数字图书馆》一文，提出了个人数字图书馆的概念和定义。2002年着手试建本人自己的个人数字图书馆，在实践中取得初步成功的基础上，在《中国图书馆学报》2002年第3期上发表了同题的论文，又在《图书馆现代技术》(2002年第4期)上发表了题为《营造E时代私人藏书楼——个人数字图书馆》的文章。此后，我一直利用联合国教科文组织的WINISIS软件建立个人数字图书馆，以个人之力，现已建立了五万条记录，库容量达15个G。这是一个多媒体的、兼容各种文件格式的数据库，并有强大的检索功能。在建立了一定批量的库规模之后，在今年(2005年)的《图书情报知识》第3期上发表了题为《为"个人数字图书馆"鸣锣开道》的文章，进一步为个人数字图书馆鼓与呼。此外，近年来还在《情报科学》、《大学图书馆学报》、《现代图书情报技术》等刊物上发表了有关个人数字图书馆的WINISIS软件及其应用的论文，总计共9篇论文。因此，虽然我不敢说对个人数字图书馆的研究是很深入的，但至少可以说是认真的。我提出个人数字图书馆的论题，并非一时的"灵感"，也并非只是"设想"、"思考"、"展望"、"畅想"等类的理论之作，而是从理论与实践相结合的基础上所进行的历时4年的探索。作为本文研究基础的，即我所建立的个人图书馆，不仅是书目库，更重要的是全文库、音像资料库。它既是我一生的档案卷宗，记录了我几十年来的足迹，又是我业余爱好的绘画、书法、音乐与戏剧录音等的收藏品。建立个人数字图书馆的实践确实花费了我很大的精力。在许多人看来，为了写个人数字图书馆的文章，而不惜代价建立实际的数据库，显然是一种"笨"举。但我却认为，这是理论与实践结合的必要。

二、数字图书馆的基本特征

关于数字图书馆，至今还未形成一个众所公认的定义，但是，对于其基本特征，研究者却提出了许多看法。数字图书馆的特征，有人也称为数字图书馆的"要素"。

《数字图书馆概要》中指出：

“数字化资源、网络存取、分布式管理，是数字图书馆的要素，缺少什么就无法称之为数字图书馆。”（上海图书馆）

这是对数字图书馆基本特征的最明确的表述。但是我认为有可商榷之处。

美国国家科学基金会资助的一项有关数字图书馆的“国家挑战”项目报告中对数字图书馆所下的定义为“数字图书馆是一系列的信息资源以及相关的将这些资源组织起来的技术手段（如创建、检索、利用信息的技术），涵盖了现有分布式网络中所有数字媒体类型（文本、图像、声音、动态图像等）的存储和检索系统”。[1] 仔细推敲这个定义，数字图书馆的基本特征是：数字化资源，多媒体，能包含多文件格式，具有存储与检索功能的数据库结构。我认为这 4 个方面的表述是科学的。至于分布式管理、网络化存取，是大型面向公众服务的数字图书馆的充分条件，而不是鉴别数字图书馆特征的必要条件。

当然，仅仅包含数字化资源，不能认为是数字图书馆。因为在 20 世纪 60 年代出现的机读数据库（如美国化学文摘等）就是数字化资源。它并不是数字图书馆的开端。但数字化资源无疑是数字图书馆的必要特征（要素）之一。

多媒体的出现也早于数字图书馆。声音、图像、动态图像这些记录和表达信息的形式，其本身也经历了从模型信息到数字化信息的演变。多媒体数据并不等于是数字图书馆，但它是数字图书馆必要的特征（要素）之一。

目前出现在网络中的文件格式日益增多。单就文本文件而言，有纯文本格式、DOC 格式、WPS 格式、压缩文件格式（caj、pdf）以及一些独特的（如表达数学式）的格式等。就声音文件而言，有 MP3 格式、WMA 格式、RM 格式、RAM 格式等。就图形文件而言，有 JPG 格式、BMP 格式、GIF 格式等。电影电视录像也有 RM 等不同文件格式。在某一特定的网站，仅提供一种或数种格式文件的演播，因为它必须提供相应的播放器软件。作为数字图书馆，必须能涵盖散见于因特网上各种格式的文件，并使之能够集成。这是数字图书馆有别于其他包含数字文件的系统之所在。

数据库的存在，才能使数据得到合理的存储、整序，随时更新，提供检索功能及有关的排序、统计、综合等功能。因此数据库系统是数字图书馆的最基本的条件。与一般数据库软件相比，作为适用于数字图书馆的软件应该能把多媒体、多格式的数字文件整合在一个库内，并提供统一的输入界面、统一的索引库、统一的检索指令，并能展示、输出及保存各种媒体与格式的检索结果。此外，这种数据库软件应该有网络传布（哪怕是局域网）的能力。

以上 3 个方面，即数据化资源、多媒体功能及数据库软件三者的结合，就成为数字图书馆系统。至于“分布式管理”、“网络化存取”，我认为是大型面向公众的数字图书馆的特征，而并非是一切数字图书馆必须具备的特征。

有人认为，“只有真正达到超越时空限制、突破馆际界限而自由获取信息，才能最大限度发挥数字图书馆的优势”（邢宇皓：数字图书馆离国人有多远，光明网 2005 年 8 月 8 日）。其实，出现于上世纪 70 年代的联机检索系统，早就达到了超越时空限制。随后出现的馆际编目与馆际借书系统，也早就突破馆际界限。因此，这些特征不能算是数字图书馆的基本特征。当然，说它是数字图书馆的优势，是可以的。

与世界事物的多样性一样，数字图书馆不可能只是一种规格。数字图书馆技术的发展，一方面促成了包含极其庞大的数字化资源、高速度运行、服务覆盖面宽广的大型数字图书馆的产生与发展；另一方面，数字图书馆技术也可促成小型的个性化的数字图书馆的产生。我们所说的个人数字图书馆就属后一类。前一类是大型化、巨型化的结合，必须依靠国家的大量投入。而后一种是数字图书馆技术走向民间（大众）的产物，是数字图书馆走向小型化、个人化的发展趋势的表现。后者一类图书馆显然没有前一类数字图书馆那样“显赫”，以至可能被某些专家不屑一顾，甚至嗤之以鼻。但我认为，我们不能轻视个人数字图书馆。因为它的潜在用户是极为广泛的。我国现在有一亿以上的网民，即使千分之一的网民想建立自己的个人数字图书馆，以代替使用文件夹保留文件，那其总数也在十万家以上。这个数字将超过我国当前“正规”数字图书馆的千倍万倍，而且不需要国家资金的投入，也不会增加个人的经济负担。

国家大型数字图书馆和个人数字图书馆之间，不是相互排斥的，而是互为补充的。前者是国家文库的体现，收录信息齐全，犹如文献海洋，任何一个个人数字图书馆在规模上不可能与之相比，而且要以它为依靠。个人数字图书馆的创建与拥有者大多数也会是大型数字图书馆的用户，特别是查找涉及自己专业边缘性、背景性的资料，非以它为索取的信息来源。

但是个人数据库有自己的优势。首先它可以成为特色数据库，并且是大型面向公众数字图书馆所不可取代的。举例来说，有关于个人的全部著作、相片、手迹、证书，信件等，公众性的数字图书馆不可能收全。对于名人或未来名人的研究来说，他的个人数字图书馆将是最为齐全的第一手的资料来源。

个人数字图书馆对于文化艺术部分的收录，也可以成为特色收藏。例如就绘画、书法、篆刻、剪纸、雕塑、音乐等领域文献而言，个人数字图书馆的创建者往往出于爱好，会不遗余力搜集，其齐全程度会令人刮目相看。打一个比方，历史上的私人藏书楼，在民间文学文献的收藏方面，往往高于正统的官藏。因此，目录学的研究。除了正史艺文志（经籍志）之外，私藏目录也是必要的。只有把二者结合起来，才能考察中国历代典籍的全面情况。虽然个人数字图书馆一般不会上网，缺乏横向交流，但是只要保留下来，其中的某些个人数字图书馆将会对研究工作有用，从而发挥社会作用。

与大型数字图书馆相比，个人数字图书馆的更新更为及时。网民可以网上下载资料，并及时收入个人数字图书馆。其速度正如将下载文件纳入文件夹一样。这在大型数字图书馆是难以办到的。

与大型数字图书馆相比，个人数字图书馆使用的方便性与经济性也是显而易见的。个人数字图书馆的使用不必上网（检索利用时），免除网络拥堵，并不需要支付大型数字图书馆的使用费用和电讯费用。即使是在无上网条件的情况下，也可用来检索、打印和展示。

与大型数字图书馆比较，个人数字图书馆可以成为知识组织的工具。因为后者收录文献信息的单位，既可以是一本书（如《红楼梦》），也可以是书中的一个章节，甚至一段文字；既可以是一个诗集（如《李白诗全集》），也可以是一首诗，甚至一句精彩的诗句（如"恨不相逢未嫁时"）；既可以是画集，也可以是单幅的画。即使收录一篇论文全文时，也可把其中重要的论点作为记录中一个特定的字段标出。一张多人合影的照片，经过标引，可以用每人的姓名、合影时间、地点进行检索。又例如，可以通过设置后控词表，将相关的文献信息在检索时一齐检出，如"书法"、"题词"、"题字"、"题记"、"墨宝"、"手迹"等，可用"书法"一词一起检出。个人数字图书馆把文献的组织深入到知识组织。当然，从信息管理进入知识管理并非如此简单。在曾蕾等人的《在数字图书馆中溶入知识组织系统》[2]一文中指出了知识组织的一些类型：系统分类和大致分组模式；元数据式的系统模式；关系模式；规范文档等。作为个人数字图书馆来说，没有条件实现这些机理，因为个人数字图书馆的编制者是非图书情报专业用户，但在选材、标引、后控词表编制等方面可以向知识组织的方向做一些努力。

今后，个人数字图书馆的知识组织模式还可以进一步发展。

三、个人数字图书馆与面向公众服务的数字图书馆之比较

关于个人数字图书馆较之面向公众服务的数字图书馆的特点及其两者的比较可列表如下：

类型 / 内容 / 比较项目	个人数字图书馆	面向公众的数字图书馆
服务对象	面向个人提供信息存储、检索、输出等服务。服务面窄，对象明确。	面向公众提供信息服务。服务面广，因而具有一定的综合性。
收录范围	收录信息的范围专深，贴近个人用户的需求。	收录的范围较广，以便供不同个人用户选择。

（续表）

比较项目 \ 内容 \ 类型	个人数字图书馆	面向公众的数字图书馆
收录的文献类型	收录的文献类型较广，主要是网上下载的文本资料、网页、图像（静态与动态）、DOC文件、WPS文件、CAJ文件、音乐等，E-mail，以及个人自产的电子文件，如作者稿件与出版发表文章的电子文本、家庭相册等。上述不同类型的信息可以综合建库。 收录的文献以全文为主。	收录文献类型较为单一。不同类型的文献往往分别建库。 收录的文献可以是书目、文献全文等。
信息加工	信息加工力求简单，一般是关键词标引，可不用主题词表，不追求著录的标准化。	信息加工深度大，往往有词表支持。强调著录、标引的标准化。
信息检索	检索以自然语言为主，以关键词和文中顺序扫描为主要的检索手段，辅之以字段限定检索，一般对用户的检索知识要求较低，易于使用。	由于有人工语言的支持，检索效率较高。但要求用户具备一定的检索知识。
检索结果输出	个人数字图书馆要求支持检索结果的多种输出功能，如检索结果以字顺排列、相关度排列、进库先后排列。同时要求检索结果以文本、HTML、DOC等格式输出，以供用户不同需求的利用。	检索结果一般仅供网上在线浏览，少有下载功能，以保护数据的知识产权。
使用方式	个人数字图书馆的使用方式除采集网上资料时需上网进行外，一般是以脱机方式进行检索、浏览、打印及其他形式的输出。因而节约上网连接的时间与费用。	每次利用都必须进入网络，较为费时，通讯费较高昂。
软件购买费用	个人数字图书馆的软件一般免费，如WINISIS。	必须购买、租用或自编数字图书馆的软件，费用较高。
软件维护费用	个人数字图书馆维护费用较低。	维护费用高。
馆藏形式	个人数字图书馆的收藏主要由下载资料、接收的E-mail及个人自产电子文本为主，这些资料是“到手了”的资料，可以不再依靠网络，因而也不受网络更新的影响。从这个意义上来说，个人数字图书馆已成个人长期保存利用的“宝藏”。	资料都在网上，因而对用户来说是虚拟藏书。

四、我的个人数字图书馆建库实践

三年前，即2002年4月，我利用我们（包括博士生臧国全和阮建海）汉化的联合国教科文组织信息存储与检索软件——WINISIS，对我自己的数字化资源（电子文稿和扫描文件）和下载的因特网上的有关资源，进行个人数字图书馆的建设。现已累积至5万条记录，容量15个G。随着具有一定规模批量建立，进一步证实这种个人图书馆有下列特点：

1. 个人数字图书馆的存储和处理的对象是一次文献，即文献的全文、图像和声音，也就是说是原始文献或一次文献。从这个意义上来说，它是全文数据库、声像数据库。而传统图书馆和当前多数数字图书馆所存储和处理的是文献目录。建立和维护书目数据库是它们的基点。个人数字图书馆的基点转向原始文献，使提供的信息具有直接性，是符合用户的要求的。

2. 个人数字图书馆是多媒体数据库。由于WINISIS软件的功能，它能在同一个库中存储和处理文字、图像（包括静态和动态的）及声音。例如，在这个个人数字图书馆中，既有《红楼梦》的全文，也有金陵十二钗的绘画，也有如《好了歌》等之类的红楼梦主题歌曲，从而多方面地提供有关信息。这一点，在当前多数大型数字图书馆也是难以做到的。

3. 采集加工个人的有关信息，使"藏书"具有鲜明的个性化。它包括了我一生的所有著作的全文和目录、照片、友人信件、各种有关证书（如获奖、职称、聘书等），以及含有个人隐私的文件（如身体健康检查、化验单）等。这些文献有的本身就是电子文本，如网上下载的，或作为个人电子输入文本，可直接导入个人数字图书馆；如果不存在电子文本，则通过扫描仪将原件变成图形文件导入个人数字图书馆。显然，这种藏书的个性化是网上任何搜索引擎不能取代的，也是任何社会化的大型数字图书馆所不能取代的。对个人来说，建立个人数字化图书馆是对自己治学之路的很好总结和纪念。

4. 个人数字图书馆是学术研究的得力工具。网上资源是学术研究的信息来源，可以通过搜索引擎等工具将其普查，通过浏览阅读而鉴别资料的质量，然后将其下载纳入个人数字图书馆。个人数字图书馆的建设是一个不断进行的过程，从而对新的有关资料可以做到随时更新增补，跟上最新的学术研究进展。与搜索引擎比较，个人数字图书馆的信息采集具有鉴别的过程，只选那些可信度大、水平高的著作，并且可以以自己需要为基准，只选文章的某一部分、某一段落，甚至其中的某一图表，以成"剪辑"。因此个人数字图书馆的藏书可以做到收藏的质量和针对性。其次，个人数字图书馆中的信息是实实在在的"到手了"的信息，它不像搜索引擎所指向的网络文献那样"虚拟"。网络文献往往不稳定，今天在网上见到的文献，日后往往难以再找到。某些网络文献的"自生自灭"现象，受许多因素的影响：网站编者的意愿、服务器容量的限制、支撑软件的变化等。而下载进入个人数字图书馆的文献则像购得的纸质图卡那样可长期保存。学术研究往往需要回溯较长时期的“历史”性文献，以作全面的考察。依赖搜索引擎则较难做到这一点。搜索引擎所指向的文献，往往随着“时过境迁”而变成“死链”。其次，搜索引擎仅靠文字字面的选取，揭示文献的准确度较差。例如，“熊猫”，既包括作为动物的熊猫，也可能包括作为“熊猫”商标的各种商品，也可能包括在文献中不作为中心词“熊猫”的边缘性文章。在搜索引擎中更有可能字面错误组合而被选取的文献，例如“全国性教育会议”，则可能误被“性教育”所选取。个人数字图书馆是经过鉴别挑选的文献，排除了无关的或关系不大的文献，摒弃了内容过时或有错误倾向或格调低下的文献，使文献信息得到“固化”、“纯化”及“序化”，使“馆藏”少而精。这就是个人数字图书馆不能被搜索引擎取代的原因。

5. 无钱也可成为收藏家。在古代，私人藏书楼的建设需耗费大量资金，因为不仅要盖楼，而且要收购书画，只有家产殷实者才能做到。而今天出现个人数字图书馆，网民可以从网上免费收集大量的著作、图像和音乐，把这些下载的信息纳入个人数字图书馆，使之成为有组织的信息集合，在使用时就能通过检索，找到特定的图书、文章、绘画、书法、音乐，并可将它们进行显示、打印或展播。因而可以根据自己的爱好成为绘画收藏家、书法收藏家、风景照片收藏家、音乐收藏家或文献收藏家。如果有广泛的兴趣，则可以成为百科全书式的收藏家。与古代的私人藏书楼相比较，所不同的是藏书的形态不一样。由于是数字化文献，其存储密度远远高于纸质文献，加之数字文献有的还有信息压缩机制，更提高了存储密度。以我所建的数字个人图书馆为例，4 万多条记录只占用不到 10 个 G 的空间。在这些藏书中，《红楼梦》全文是一条记录，一部《红高粱》电影也只是一条记录，按此推算，一个 120G 的硬盘可以存放 100 万左右的记录。这远远超过古代私人藏书楼的规模。其次，数字图书馆本身是数据库结构，有强大的整序功能和检索功能，从而免除了私人藏书楼的分编、典藏等工作。将目录的设置和全文文献结合在一起，这一点远远胜于传统的藏书楼和图书馆。

6. 与“文件夹”不同，个人数字图书馆具有数据库的结构与功能，计算机操作系统提供一种存放信息的文件夹，它本身只是简单地存储用户下载的文件，无检索、整序的功能。当文件夹中存放的资料较多时，使用起来很不方便，难以查找。存放的只是一个题目，无法全面反映信息的内容。而 WINISIS 软件是联合国教科文组织开发维护的多媒体数据库软件，是优秀的文献存储与检索软件。它能存储文字、图像、声音。每个库存储量最多可达到 3000 万件记录，可谓是“海量”。每条记录可设置上千个字段，每个字段可赋予上百个标引词。它具有自动索引（倒排挡）的功能，当输入一条新记录，索引即能自动更新。它具有强大的检索功能：单词检索、多词的布尔检索、字段限定检索、截词检索、后控词表检索、全库的顺序扫描检索等。个人数字图书馆可以把数以万计、数十万计乃至数百万计的记录（包括文章全文、图像、音乐等）

构成一个有序的整体,并且有相应的计量。它不是文件的简单罗列。此外,个人数字图书馆是个开放的数据库,允许随时增加新记录,修改或删除记录。数据库中信息的有序化和记录的输入先后次序无关。也就是说,个人数字图书馆的建库者没有必要事先对资料分类处理,而可随机输入。进库后,由数据库管理功能对记录及其各个字段按其值进行分类、排序,形成检索词表,并提供各种检索功能。它赋予了信息记录及其各元素的可操作性。

7. 个人数字图书馆的信息的加工宜采用简易方式。它不必像传统图书馆和正规数字图书馆那样讲究著录、词表、标引的规范性。因为它们是个人所建所用,可以采用自然语言(关键词)作为标引和检索的语言。对于不熟悉图书馆学知识的专家学者个人和广大网民来说,关键词是他们最熟悉的,在标引时,提倡充分标引。即在一条记录中,可以标上十几个或数十个关键词,以此增加检索的查全性和组配检索的精确化。

8. WINISIS 软件免费,建立个人数字图书馆不会增加经济负担。

一般来说,数字图书馆的建设,特别是大型数字图书馆的建设,需要耗费大量的资金。其中仅购买软件一项,就需数万、十数万元,甚至更多。尽管个人数字图书馆规模小,数据不很规范,不必经过因特网提供服务,但它仍然是数字图书馆的一种类型。因为它具有下列特性:信息的数字化,由计算机存储和处理,具有较强检索功能,检索结果可在计算机上显示、打印和展播(指声频文件和视频文件)及下载,可在局域网等网络上进行传播。与大型数字图书馆比较,个人数字图书馆是"非正规军"。就信息需求的个性化而言,它是不能被大型数字图书馆所取代的,就建立的主动权和使用的方便性而言,个人数字图书馆更有优势。更突出的一点是,个人数字图书馆的建设是非常经济的。

WINISIS 软件是联合国教科文组织送给发展中国家的礼物,是免费使用的。用户利用此软件建立个人数字图书馆,只要有计算机设备和上网条件就可进行,也就是说,现在的网民就有建立个人数字图书馆的条件。免除巨额的软件购买费,可谓是天上掉下的馅饼。但这种馅饼却遭到怀疑冷漠,这使我们一直感到困惑不解。因此,我们不得不为个人数字图书馆的建设鼓与呼,为它鸣锣开道!

与某些图书馆的冷漠和怀疑相反,近年来一些网络数据库商和软件商,却敏锐地看到了个人数字图书馆建设的需求面广而大的特点,正在寻找巨大的商机。例如,"超星"、"清华同方"、"泰德时代集团"、"富士通"等,已经打出"个人数字图书馆"、"个人书库"、"个人文库"等旗号,以便在他们网络数据库框架下开展新的业务。这种商业动向,正好说明了个人数字图书馆是有广阔前景的。

但是这种商业运作方式建立的个人数字图书馆,不同于我们所主张的个人数字图书馆。后者是自建自享,主动权完全操在自己手里,并有完全的所有权(WINISIS 软件无版权纠纷),允许收藏隐私性的资料。使用时不必上网,因为个人数字图书馆就在自己的计算机中，如果采用较大硬盘的笔记本电脑或可移动硬盘，个人数字图书馆可方便地携带作讲学、展示之用，从而实现真正的个人化。

主要基于网上下载信息而建成的个人数字图书馆，并不违反知识产权的有关法律。因为仅供个人使用，没有商业行为，因而是属于对网上信息的"合理使用"的范畴。

五、附：联合国教科文组织免费发行的 WINISIS 软件简介

所谓 WINISIS，是指基于 Windows 的 CDS/ISIS 系统，其含义是集成化的计算机文献工作管理系统。它的前身是基于 DOS 操作系统的 CDS/ISIS 系统。这是联合国教科文组织遵照增进各国科学文化交流的宗旨而向图书馆和信息服务机构免费提供的信息管理软件。WINISIS 有单机版、多用户版、JAVA 网络版等。

基于 DOS 的 CDS/ISIS 是联合国教科文组织 1985 年推出的。由于它的功能先进，加之免费发行，因而受到世界各国特别是发展中国家的欢迎。我国于 1986 年从联合国教科文组织接受了这种软件，并由中国科技情报研究所和国家建材局对其进行了汉化，使之适合于中文信息资源的处理。同时，对该软件进行了安装时的加密处理，并收取少量的费用。这个软件也受到我国信息服务机构和图书馆的欢迎。从 20 世纪 80 年代后期至 90 年代中期，约有 8000 多家用户正式采用。这个软件后来被人解密后，自由流传，其用户数量至少达数以万计。应用这个软件建立的数据库也大量出现，有的还以光盘形式发行。

但是从 90 年代中期以后，随着计算机技术和网络技术的迅速发展，基于 DOS 的 CDS/ISIS 显得落后了。从 1997 年开始，联合国教科文组织开始推出基于 Windows 的 CDS/ISIS，即 WINISIS，并不断更新升级，目前已是 1.5 版。而在我国，却没有跟上这种时代的变化，没有跟踪这个软件的新发展。这个软件被人们遗忘了。

同在中国的情况相反，WINISIS 在世界各国特别是发展中国家受到了高度的重视和欢迎。这个软件的正式版本是英文和法文版，许多国家把该软件进行了语言本地化，已出现了阿拉伯文版、韩文版、俄文版、葡萄牙文版、西班牙文版、波兰文版、德文版、意大利文版、越南文版、泰国文版、荷兰文版、捷克文版、波斯文版、土耳其文版、日文版、斯洛伐克文版及尼泊尔文版等版本，总共达数十种语言的版本，可见这一软件流行的广泛程度。许多国家成立经联合国教科文组织授权的这一软件的发行中心，开展培训和学术研究活动，成立了 WINISIS 用户协会，并把用 WINISIS 建成的数据库在因特网上发布，允许下载，以实现数据库的共享。

中国是世界上最大的发展中国家，图书馆和信息机构的数量很多，而且我国是联合国重要成员，理应是 WINISIS 软件的最大受益国。可是我国却未推广使用这一软件，也没有对其汉化，使之形成 WINISIS 的中文版，更没有成立用户协会。中国几乎成为 WINISIS 在世界上推广活动的空白区。原先在 DOS 下 CDS/ISIS 建成的大量数

据库被废弃，有的成为“死库”。这一情况，与我国在世界上的地位很不相称，也与我国图书信息机构的潜在需求很不适应。

2001 年 7 月，在武汉大学信息管理学院、信息资源研究中心的支持下，我开始研究 WINISIS 软件及其在中国推广的可行性。随后带领我的博士生臧国全和阮建海对 WINISIS 1.4 版进行汉化，编出了 WINISIS 的中文版。同时根据国外的材料，编印了中文的《WINISIS 用户手册》。并在中文版的 WINISIS 基础上，建立了“中国图书情报学书目数据库”、“中国名胜诗词全文数据库”、“武汉大学博士论文（附有全文）数据库”、“武汉大学图书情报学院校友名录数据库”等，从而证明了 WINISIS 对中文资料处理的实用性。

WINISIS 的推广，将有力地促进我国数据库的建设。

信息资源的数据库化，即数据库的建立与维护，必须有相应软件的支持。数据库软件的质量直接关系数据库的功能。WINISIS 是一个技术先进的数据库建立与维护软件。WINISIS 既能支持书目数据库、事实与数值数据库的建立与维护，同时也能支持全文数据库的建立与维护。一个软件能同时支持上述 3 种数据库，这是一大特色，其他的同类软件很少具有这种功能。

关于支持书目数据库的建设方面：WINISIS 以及其前身 DOS 下的 CDS/ISIS，在书目数据库建设方面，有其很大的优势。它原本是面向图书馆建立书目数据库而设计的，因而具有优良的性能。同其他数据库管理系统软件相比，它的字段是可变长的，可设置重复字段与子字段，每个字段可以有不同的索引方式（索引方式达 9 种之多），具有截词检索、布尔检索、位置检索、字段限定检索、全库顺序扫描检索、后控词表检索等检索功能，有索引词词典（每词之下有文献量）的显示并可据此选词检索，用户可设定和修改检索结果的项目及其次序，对检索结果可以进行多层次的排序，并可对全库或命中记录进行 ISO2709 标准格式的输出与输入等。WINISIS 书目数据库的这些性能，是至今为止其他软件所不能比拟的。

在支持事实与数值型数据库的建设方面 WINISIS 也有独到之处。联合国教科文组织发布了可与 WINISIS 配套的 IDAMS 数据统计与分析软件。为了对 WINISIS 数值数据进行统计分析，还推出了 WINIDIS 软件。也就是说，先把 WINISIS 库内的数据通过 WINIDIS 转换成 IDAMS 库内格式的数据。IDAMS 软件包能对数据的有效性如数据的代码和数据的一致性进行校验；对数据进行标准的统计分析，如列表、回归分析、聚合分析，还能进行一些更高级的技术，如方差的单向分析，因子分析、交互式的时列分析、多维表的交互式构建等。因此，WINISIS 建立的数值型数据库借助上述两个软件，可以进行包括各种高级手段的统计分析，并进行数据挖掘。

在支持全文数据库的建设方面，WINISIS 可用来建设全文数据库。在这里，全文数据库有两种类型：一是将文献全文纳入数据库，可对文献的标引项和文献全文进行基于索引的直接检索，我们建成的《中国名胜诗词全文数据库》就是如此。该库分别设立“诗词名”、“作者”、“作者介绍与写作背景”、“景点”、“诗词全文”、“注释”、“名胜景点介绍”等字段。每一诗词为一记录。在一条记录中，只要全文不超过 1.6 万字(32K)的文献，均可适应此种类型的建库。其索引与检索方法等同于书目数据库。二是对超过 1.6 万字的任何长度(例如数万字或十多万字)的文献，除文献的标引项外，可将文献全文进行“外挂”。所谓“外挂”是指文献全文存储在计算机的某一或某几个目录之下。检索时，用户对标引项进行检索，然后需察看全文时，对命中文献进行点击，即可展示全文，并可打印。这种做法，各种格式均可。例如 TXT、Word、HTML、Jpg、Ps、甚至 .pdf 的压缩格式，只要在计算机中装有各种相应的浏览器软件，就能“原汁原味”地按原来的格式显示打印。显示打印结束后，又回到 WINISIS 系统，可继续进行检索。我们在 WINISIS 系统中，试建了“武汉大学学位论文全文数据库”系统。每篇学位论文一般为近十万字，有的达十多万字，并且其中包括图片、表格，文献格式除 Word 格式外，还有特殊的文献格式，如数学论文的 Ps 格式等，它们均可纳入系统。这种特性，特别适于网上下载的各种格式的文献进行统一建立全文数据库的要求。

WINISIS 可建立各种规模包括特大型的数据库。WINISIS 软件可能建立的数据库数目不限。每个库容量最多可达 3000 万条记录，每个记录可设置多至 1000 个字段(描述项)。这种巨大的容量，可以适应数据库不断增长的要求。

WINISIS 可用来建立维护多媒体信息管理系统。

多媒体信息管理系统可以集文字、图形(静态的与动态的)、声音的信息于一体，进行统一的存储、检索和展示，多媒体信息管理系统是数据库当前的发展方向。

WINISIS 可以将文字、图形、声音等文献，通过其标引项(指述项)统一建设，而将文献本身进行“外挂”。必要时通过命中记录的点击，而展示文章、图片、动画、音乐、VCD、DVD 等文献的内容。

当然，多媒体信息管理系统的更深入的做法是对图片、声音等本身进行信息处理、存储和相似性的检索，而不一定借助外部的描述。但这种系统的实现较为困难，而且目前正在研究试验的一般是单项的系统，如指纹系统、声音识别系统等。WINISIS 所可能建立的多媒体信息管理系统当然不是这样的系统。但从目前的情况来看，WINISIS 的“描述项 + 外挂全文”的模式不失为是一种实用的模式。

WINISIS 系统可用来建立虚拟图书馆。

WINISIS 的另一个优越功能是可按记录中的网址自动连接上网。这种功能适合于建立虚拟图书馆系统。

虚拟图书馆是网上信息资源的一种组织形式。它是从特定的目标出发，对网上符合特定专题的有关网站、网页进行普查，并进行可链接性核实鉴定，然后进行精选，写出有关摘要注释，给以分类排列而成。每一个网站或每一个网页，其后都必须注明网址，以便用户按此网址上网搜集信息。虚拟图书馆不收录用户所需的最终信息，而是指引人们获取最终信息的渠道,类似于推荐书目,给人们以读书治学的门径。它能为用户节约大量的时间而获得信息密度最高的情报源。虚拟图书馆的编制,往往是在各个门类的专家负责指导下进行的,因而是因特网上学术性较高的工具。在网上信息迅速膨胀、搜索引擎的检准率日益难以提高的今天,虚拟图书馆的可贵之处尤其重要。

但是网上公布的数以千万计的虚拟图书馆,一般不能自动地联网,而需用户记下网址,运用浏览器并输入网址才能进入所需的网站网页。这种"两步走"的方式给用户带来不便。而 WINISIS 下建立的虚拟图书馆,不仅能从网站名、关键词、分类号、文种、国别、内码(如 GB、Big5)等多种角度及其布尔组合进行准确检索,而且在检索结果的记录中,点击网址即可自动上网。上网结束后,仍处于 WINISIS 的系统中,可继续进行检索上网。这给用户带来检索上网"一步走"的好处。我们用 WINISIS 软件试建了"图书情报学虚拟图书馆",收录有关各类图书馆、信息服务机构、搜索引擎、图书馆学情报学有关出版社、杂志、研究机构、学校院系及主要研究人员等的条目 3000 余条。事实证明,这种虚拟图书馆的建立与维护是可行的。

WINISIS 可用于个人数字图书馆的建设。

尽管 WINISIS 发行的主要对象是图书馆和信息服务机构,但是从事研究、教学工作的个人或科研项目组也可使用该软件建立个人数字图书馆。这些人员往往从网上下载有关的文章、图片、歌曲等文献,供自己研究学习之用,同时也有不少自己的文稿、书信等电子文献。它们往往被保存在一个或多个文件夹中。当下载资料数量增多时,就出现了如何科学组织、准确检索、合理使用的问题。采用 WINISIS,就能使众多的资料多而不乱,一索即得,并展示文献全文,大大提高使用效率。这就是个人数字图书馆。

免费的 WINISIS 推广是对西部地区、老少边穷地区、中小型图书馆的"雪中送炭",而大型图书馆则可用来建设专题数据库。

我国正在开发西部地区,这其中包含了信息资源和信息服务的开发。西部地区和老少边穷地区由于经济落后,往往无力购买价格昂贵的商业性软件。联合国教科文组织之所以推出免费的 WINISIS,其意也是对经济相对落后的发展中国家的援助。因此,中文版的 WINISIS,我们将首先向西部地区、老少边穷地区推广发行,为这些地区的图书馆和信息服务机构作一点贡献。

条件较好的图书馆和信息服务机构,有的已开始进行数据库和数字图书馆的建设,但仍可以运用 WINISIS 建立专题数据库,以光盘等形式发行。这是因为 WINISIS 单机版程序容量不大,只有几十多兆。一张容量 650 兆的光盘,除 WINISIS 程序外,仍可有 600 兆左右的数据可供存储。WINISIS 无版权纠纷,可以把程序与数据一起放在同一光盘上发行。而其他商业软件由于版权限制是绝不能做到这点的。

从节约软件费的角度来说,WINISIS 将为我国创造巨大的经济价值。

使用 WINISIS 软件，能得到可持续发展的保证并与国际数据库建设接轨。

联合国教科文组织设有专家组不断修改维护 WINISIS 程序，不断推出新版本。新版本的获取也是免费的。今后我们也将对新版本的 WINISIS 进行汉化，并修改中文版的《用户手册》，以保证该软件的推广使用做到与时俱进，获得可持续发展的保证。

WINISIS 采用 ISO2709 的国际标准数据交换格式。库内的数据能与其他系统通过国际标准格式进行交换，从而能与世界数据库建设的主流接轨。这有利于我国与其他国家合作建库。

WINISIS 的局限性。

WINISIS 是信息存储与检索软件，而不是图书馆自动化软件，也就是说，它的主要功能是建设数据库，而不是以图书馆的采购、分类、编目、流通、期刊管理等工作环节为目标而编写的图书馆自动化软件，它不能代替图书馆自动化软件。当然，在图书馆自动化软件（如 ILAS）下建立数据库可与 WINISIS 数据库进行交换数据。这就是从馆藏目录中抽取有关记录建立 WINISIS 专题数据库的根据。

引用文献

1. DUCLA – NFS Workshop Aspects of Digital Libras. Final Report, November 1996. http://www. lis geis cula. edu /DL /UCLADL Report, htm.
2. http://alexandria. Sac. ucsb. edu /giansee /archive/2002/Kes - at - paper. Pdf

参考文献

1. 陈光祚，阮建海，臧国全. 论个人数字图书馆. 中国图书馆学报，2002(3)
2. 陈光祚. 营造 E 时代的私人藏书楼——个人数字图书馆. 现代图书情报技术，2002(4)
3. 陈光祚. 论联合国教科文组织信息管理软件 WINISIS 在中国推广的巨大意义. 情报科学，2003(10)
4. 陈光祚，阮建海，臧国全. 构建“描述项 + 外挂文献全文”的简易型数字图书馆　国际免费软件 WINISIS 的应用//信息化与信息资源管理——2002 信息化资源管理学术研讨会论文集
5. 陈光祚，臧国全，阮建海. 论免费国际软件 WINISIS 在我国图书情报界的应用. 图书情报知识，2002(6)
6. 陈光祚，臧国全，阮建海. 一个值得重视和推广的国际性信息存储与检索软件. 大学图书馆学报，2002(5)
7. 陈光祚，臧国全，阮建海. 利用国际免费软件 WINISIS 建立博士论文全文数据库. 图书情报工作，2002(10)
8. 陈光祚. 为“个人数字图书馆”鸣锣开道. 图书情报知识，2005(3)

论网络时代的个人数字图书馆

一、前言

个人数字图书馆是e时代的私人藏书楼,也可简称为个人数字文库。它是数字图书馆的一种类型,是个人自己所建、供自己使用的数字图书馆。与面向公众的数字图书馆相比较,个人数字图书馆的规模小;文献信息的加工(如著录、标引等)不需要很规范;它一般存储在自己的微机中,使用时不必上网;数据的进库不必有严格的次序,而可以随时进行,随机入库。但在软件的支持下,众多的文献多而不乱,一索即得。它的建立不需要多少经济上的投入,甚至不需要添置新设备。简易性、经济性、方便性、个性化是它的特色。个人数字图书馆是面向公众的数字图书馆发展的延伸和普及化。但是,从技术上来说,它和大型数字图书馆一样,是数字化技术、数据库技术、信息检索技术、多媒体技术的综合应用,是高科技的产物和体现。与我国当前出现的数字图书馆相比,在技术上甚至有超过的程度。

2002年,我利用我们汉化的联合国教科文组织推出的信息存储与检索软件WINISIS试建了我的个人数字图书馆,取得了成功。就以此试验为基础,我撰写了《论个人数字图书馆》一文,发表于《中国图书馆学报》2002年第3期上。从那以后,我一直在全力建立我自己的实用个人数字图书馆。三年多来,这个个人数字图书馆已存有五万条记录,容量约20多个G,内容可分3个方面。①收录了我的一百多篇著作的全文,我所指导的近40篇博士、硕士论文的书影,几百张本人和家庭的照片,以及有关的证书、聘书、友人信件。它几乎记录了我一生的"足迹"。②它作为我从事学术研究的工具,收录了图书馆学、情报学、文献学、数字图书馆、电子出版等领域的数千篇论文、报告及鉴定材料,作为跟踪学术进展的利器。③出于自己的爱好和艺术欣赏,收录了国内外的风景名胜、历代书画、人物、宗教、少数民族、花卉、动植物的照片,以及时事(如伊拉克战争的照片就达600多张)、科技(如航天、火星探测等)的图文及地图。此外也收录了感兴趣的歌曲、动画、春节联欢晚会节目的录像等。真可谓是上至天文,下至地理,诸子百家,三教九流的资料,都在选藏之列。它成为我的"百科全书"。目前库的容量已超过20多个G。当然今后还会与日俱增。从理论上说,WINISIS允许装载多达3000万条记录,足够超出我一生的建库量。

我觉得,现在是小结我建立个人数字图书馆实践活动的时候了。因此,在此文中,我将就建立个人数字图书馆的设计、作业过程、经验教训写出来,求正于同行专家,并使有志于建立自己数字图书馆的人们有所参考借鉴。

二、个人数字图书馆的基本特色

为什么要建立个人数字图书馆,特别是在当前已存在大型面向公众的数字图书馆的情况下,为什么还要建立自己的数字图书馆?这就必须首先理解个人数字图书馆的特性。

1. 数字化:改变个人藏书的形态,文献的数字化。我虽然不是藏书家,但几十年来收集图书、期刊、会议资料也不少。不断增购书架,也跟不上私人藏书的不断增长。这是纸印本图书的物理属性所决定的。“汗牛充栋”,古人已有感慨,何况是出版物极大增加的今天呢?解决的办法有两个:一是进行剔除,将淘汰下来的书作废纸卖,从而进行私人藏书的“瘦身”,但是对于治学的人来说,这并非上策。二是进行数字化。由于信息载体和信息表示方法的改进,数字化书刊的存储达到了空前的密度,因而其体积大大缩小。我的个人数字图书馆中收录的资料,要是转换成纸印本的话,大约有1万册左右。照此推论,一张80G电脑硬盘,可以放下几十万册书(或收藏单位)。而这个数量,对于个人来说是足够的。数字化文献的获取有几种办法:扫描仪扫描,将纸印本进行转化;本人用Word等方式写的稿件,在出版图书时拷贝该书的电子排版文本(自己写的著作可以做到);以“合理使用”的办法从网上下载图文;收取E-mail中的文件,等等。一般来说,个人数字图书馆仅供个人使用,学习研究,也不上网,不涉及商业目的,因而不会引起版权纠纷。这种数字化的私人藏书,与纸印本相比,形态有了极大的改观。它不仅“瘦身”,而且“隐身”。因为它存在于计算机中,只有打开计算机,并在一定的软件支持下才能显示阅读。如果在计算机或数据库中加上密码,则能保证个人数字图书馆所有者的隐私。当然,数字化的文献也存在硬盘损坏、病毒入侵、误操作导致的删除等等风险。发生这种风险后,数以万计的文献数据可以荡然无存,消失殆尽。因此数字文献必须有备份,以应不测。

2. 全文化:立足于文献全文的存储与服务。目前,我国图书馆的数字化服务一般是提供书目数据库。也就是说,把过去的卡片式目录转换成数字化的目录。各馆广泛采用的深圳ILAS软件就是以书目数据库为基础,把图书采购、编目、图书借阅流通、期刊管理等集成在一起,提高了图书馆工作的效率,改变了传统图书馆的面貌。这种工作,在国外,大约半世纪前就开始实行。我国也在上世纪八九十年代起步与发展,成为图书馆现代化的主要内容。书目数据库服务是二次文献服务,其功能是描述和指引原始文献(一次文献)。它必须以原始文献(一般指图书馆藏书)的存在与支持为前提。然而对于读者和情报用户来说,最终目的是获得原始文献,以便阅读、筛选出自己感兴趣的内容。二次文献只是获取原始文献的桥梁。造成二次文献服务成为图书馆工作基点的原因,一是图书馆工作长期以来的传统所致,二是由于当时计算机的容量与速度有限,不能把千万图文的内容全文存入计算机。二次文献服务的间接性给读者用户带来不便。随着计算机容量速度的飞速进步,全文数据库逐步兴起,在国外,首先在法律、文学名著领域首先起步。我国当前的一些数字图书馆也采用"外挂全文"的方式,在书目数据库检索中提供全文的浏览或下载(如清华同方的中国期刊网等)。从而将提供文献检索与提供文献全文结合起来,大大方便了读者用户。严格来说,这并非全文数据库结构。因为文献全文是进行人工标引或半机械标引的,检索是通过标引项而检索全文文献的。这是"外挂"式的全文系统。完全的全文数据库结构是对文中所有文本均可检索。例如 Lotus Notes、易宝等软件所建的全文库。但是,"数据描述项 + 外挂全文"的方式较适合比较大型的全文数据库,误检率较低,同时系统的开销不是很大。因此,它是当前比较合适的模式,也是比较适合个人数字图书馆的模式。

3. 数据库化:将网上下载文献和自产文献进行数据库化。当前,中外的网络资源越来越丰富,其中可免费下载的占了很大部分。网民们往往将自己感兴趣的论文、图片、动画、歌曲、曲艺下载到文件夹,进行保存,并供日后脱机(不联网)使用。但是文件夹不具备数据库结构,不能有效地检索,而只是可供浏览题目,对文献中除题目可含概念之外的主题无法了解掌握。特别是当下载文献越来越多时,这种矛盾也就与日俱增。下载文献构成个人数字图书馆的主要部分。因此将下载文献纳入个人数字图书馆,与其他文献(如自产文献)一样处理、统一检索,是个人数字图书馆的任务,也是个人数字图书馆较之文件夹的一大优势。实现多种格式兼容和多媒体化。所下载的文献和自产文献,其格式多种多样,有文本文件(TXT),也有 Word 格式文件(DOC),CAJ 文件、PPF 等压缩型的文件;图片除 Jpg 文件外,还有 Bmp 文件、HS 文件等。至于歌曲、戏曲等声音文件格式也是五花八门。很多格式的文件需要依靠相应的软件才能打开阅读或视听。个人数字图书馆可以通过在系统中装载这些软件插件而自动调用。当阅读完成后,仍在个人图书馆系统中,不必离开数据库系统。

4. 多媒体化:使文字、图像、动画、声音互相配合,以提供丰富多彩的知识。个人数字图书馆的建立是为了提供有关的专业知识和提供对艺术的美感享受。有许多专业知识,不仅需要文字的叙述,而且更需要图片、录像、声音加以表达,如地震、外科手术、历史人物图片、书法、绘画、舞蹈及音乐作品等。因此多媒体化是一个理想的个人数字图书馆的基本要求。目前国内一些单位推出的所谓"个人数字图书馆",既无多媒体功能,又无全文功能,仅仅是一个书目数据库的格式。它们不能很好满足用户的要求,在技术上也远远落后于当前的信息技术发展现状。以这种软件建立的个人数字图书馆作用不是很大。

5. 检索功能的强化

如上所述,理想的个人数字图书馆是基于全文的、具有多媒体的数据库。入库的资料不是整齐划一的单类型的文献，而是文字、图像、声音文件的混合，加之个人数字图书馆的建立者不是图书情报专业人员，不大可能采用正规的图书分类法或主题词表，所用标引语言一般是他们所习惯的关键词。因此，这种个人数字图书馆是知识描述和组织的方式，而检索也属知识检索的类型。这就要求具备强大的检索功能。基本的功能应该有单项检索、截词检索、布尔检索、字段检索、全库扫描检索、后控词表检索等。并且，要求各种媒体、各种文件格式的文献能形成统一的索引库、统一的检索界面、统一的检索历史保存及调用。

6. 简易化：与面向公众的大型数字图书馆比较，建库的简易性是个人数字图书馆的一大特色。个人数字图书馆是个人自建自用的，并且一般是利用业余时间进行的。他们不具备专业文献工作者的知识和时间。因此文献的著录、标引要力求简单。具体来说，文献（包括图片等）的录入应以拷贝方式为主，尽量减少文字的输入。标引使用关键词，而不必使用规范化的情报语言——分类法、主题词等。关键词是人人都能使用的自然语言。虽然它由于未作词的规范（同义词、多义词、近义词、反义词的处理）而影响检索的效果，可能造成漏检和误检，但可以通过个人数字图书馆的软件功能（如后控词表及文中扫描类）加以解决，易用性原则在个人数字图书馆中是十分重要的。解决关键词标引漏检的一项办法，是提高标引的引得深度，即尽可能多标引一些词。例如，作为同义词都可作为标引词，如“非典”与“SARS”，“唐伯虎”与“唐寅”，“宋徽宗”与“赵佶”，“李后主”与“李煜”等。其次，在标引时，尽可能标引其上位词甚至“族首词”。例如“噬人鲨”，可标引其上位词“鲨鱼”、“海洋动物”，甚至标上族首词“动物”。之所以这样标引，主要是有助于克服对较细小概念的漏检，而可以从“鲨鱼”、“海洋动物”、“动物”等较大概念找到。个人数字图书馆一般用关键词，未采用分类表和主题词表作为辅助工具，因此词间关系不易明确。所能做到的是在标引时适当增加穷举度和加标上位词。在标引时还有一个问题值得注意：网络文献语言经常出现一些新名词，例如“车模”。这不是汽车的模件，而是指汽车销售的宣传模特。类似的名词还有“伊妹儿”等。作为自然语言，要承认它，并纳入标引与检索词。

三、个人数字图书馆建立的各个环节

1. 选题。即确定所要建立的个人数字图书馆的主题范围。一般来说，学者个人有自己的专业和研究方向。结合专业和研究方向是建立个人数字图书馆的首选。例如，从事微生物学教学的人，建立“微生物学教学”个人数字图书馆；从事图书馆学、信息管理专业的人建立专业的以文献全文为基础的个人数字图书馆较为合适。当然，也应包含学者的个人著述目录全文及相关网站、本人及家庭照片等。其中网站的网页可以“虚拟链接”的方式纳入个人数字图书馆。使用时，在联网条件下，点击网页可以看到不断更新后的最新网页。对于出于艺术欣赏的人来说，舞蹈、音乐、文物、服装等为主题的个人数字图书馆也是合适的。这类个人数字图书馆应以图片、声音、录像文件为主，当然也可收集有关论文与评介文章。在收录图片时应注意也收录有关说明。

2. 选材。互联网上的信息资源相当丰富，而且越来越多。因此在选材时要把握一定的尺度。① 选择权威性较高的网站网页，以保证信息的准确性。② 选择时效性强的资源，以保证有保存价值。③ 选择有历史意义、科学价值、美学意义的资料，不选格调低下、荒诞不经的资料。④ 少收或不收缺乏说明的材料。例如有些花卉图片，却未指出是何种花卉，只有一个“淡淡的清香”、“阳光下的地方”之类的浪漫标题，而无实质内容；有的资料的说明只给出一个很小的地名，不知属何省何县。对这些资料也只好忍痛割爱。⑤ 要避免去常有病毒的网站获取资料。一旦染上病毒，会引起系统出问题。有一次，差点毁掉我两年来积累起来的两万六千条数据。⑥ 网站浏览与通过搜索引擎搜索相结合。前者可以选取每天网站上有重要性的资料，后者是有目的地选取资料。前者有利于新资料的选取，后者用于系统地搜索资料。

3. 资料的保存方式。所选取的资料要进入个人数字图书馆保存，有许多不同的方式。

① 作为整个网页的保存，这需要将网页文件作为单一的文献形式(.mht)保存。这种保存方式的优点是作业步骤简单，并且可以将网页上的图像、表格等一并保存。此外，还可保存网页上的链接功能。但是网页保存方式也有缺点。一是网页上一些没有必要的广告、附件也可能被保存下来。二是某些网站从技术上为了维护其版权，不允许进行网页保存。也有的网页在保存时需要有版权的特定标记(如××网等)在内才能保存，否则不可保存。

② 将网页上的某些文字图片作为 Word 文件保存。如果对网页上的某些内容或全部内容感兴趣，可以将其转成 Word 文件(DOC)进行保存。其优点是可以保留原文件的分段格式(Office2003 可做到这一点)。

③ 将图片取出保存。对 WINISIS 软件来说，可以保存的图片格式有两种：jpg 文件和 bmp 文件。但现在网页上经常以别的格式来发表图片，如 HS 格式等。对于非 jpg 和 bmp 格式来说，可以使用某些软件工具(如 ACDSee 等)，先将其转化格式，然后再保存。网上图片有时太大或太小，也可用有关软件(如 Photoshop)予以缩放。有关图片的说明文字与图片是密不可分的，可以将这些文字拷贝到个人数字图书馆的库结构中的某一字段，使之与图片结合成一个整体。

④ 对于篇幅较短的文章可以以 TXT(文本文件)的形式进行保存。但需要将它进行格式(主要是回行符)的处理，以保证其库中显示时不产生汉字错位和格式不对。以 TXT 格式保存文件的优点是文件的体积较小，远比 DOC 格式节省空间。

⑤ 作为虚拟链接方式保存。对于某些网站，由于处于不断更新之中，应该以虚拟链接方式保存，在打开时，即可自动指向其最新的网页。这是 WINISIS 软件的一大优点。例如，我将世界上 200 多个图书情报(信息管理)的学校专业的网站利用这种

方式保存进库,从而起到了"虚拟图书馆"的作用。依我看来,虚拟图书馆不是直接提供信息用户所需最终信息本身,而是提供获得这种信息的途径(网站或网页)。虚拟链接方式的另一优点是节约个人数字图书馆的存储空间。但这种保存方式有很大潜在的危险,就是互联网上的网站网页很不稳定,它自生自灭,虚拟链接的网站网页有时被删除,或相关软件更改,那么这种虚拟链接就可能变成"死链"。

四、有关的几个问题之讨论

可能不少人会问,目前国家投入数以亿计的资金正在建立若干大型的数字图书馆,它们的目标是要囊括各个领域的古今文献,建立个人数字图书馆有何必要?微薄的个人之力又何以能承担此任务?即使个人数字图书馆建成,它又有什么社会意义?所谓的个人数字图书馆够得上数字图书馆的标准吗?

对于这些问题,我以三年多来建立个人数字图书馆的实践为基础,逐个进行讨论。

1.个人数字图书馆是数字图书馆的一个独特的类型,它符合数字图书馆的基本特征。什么是数字图书馆?有人明确地提出,"数字化资源、网络存取、分布式管理,是数字图书馆的要素,缺少什么就无法称之为数字图书馆"(上海图书馆:《数字图书馆概论》)。它是"缺一不可"论的典型,也是当前主流甚至是唯一的观点。但是我们可以引用美国国家科学基金会资助的一项有关数字图书馆"国家挑战"项目报告中对数字图书馆所下的定义:"数字图书馆是一系列的信息资源以及相关的将这些资源组织起来的技术手段(如创建、检索、利用信息的技术),涵盖了现有分布式网络中所有数字媒体类型(文本、图像、声音、动态图像等)的存储和检索系统。从这个定义可以引出数字图书馆的基本特征是:数字化资源、多媒体、能包含多文件格式、具有存储与检索功能的数据库结构。这是数字图书馆的基本特征,也是判断数字图书馆的基本要求。至于"分布式管理"和"网络化存取"是大型数字图书馆的特征。如"美国记忆"之类的大型数字图书馆,就是来用这种创建和利用模式的。我国的一些大型数字图书馆的建设,如国家图书馆、上海图书馆等也以此等模式为目标。这种模式必然是大型化、高投入、建设周期长。它们的建设是国家文化建设的重要体现,是衡量一个国家文化水平的标志。但不能以这个标准来要求所有的数字图书馆。

数字图书馆并非大型图书馆才能兴办的"专利"。因为与世界事物的多样性一样,数字图书馆也应该是多样的。在规模上,可以是大型、甚至是超大型的,也可以是小型的;在服务面方面,既可以是面向公众的,也可以是自建自用的;在营建投入方面,可以是高投入,也可以是基本免费的。这后一方面的,即小型的、自建自用的、基本不增加投入的数字图书馆,就是个人数字图书馆。个人数字图书馆之所以能称为数字图书馆,是因为它符合数字图书馆的基本特征要求。即:数字化信息,包含多媒体(文字、图像、动态图像、声音)功能,兼容多种文件信息格式,具有使数据得到合理存储和检索的数据库结构。个人数字图书馆是数字图书馆的一种类型。它是最贴近用户个性化需求的数字图书馆。可以说,个人数字图书馆是“e”时代的私人藏书楼。

我对个人数字图书馆的研究,没有只停留在“思考”、“构想”或“理论视角”的空泛议论上,自2002年起,我采用联合国教科文组织研制和推广的WINISIS信息存储和检索软件(此软件也是我和两名博士臧国全、阮建海一起汉化的),开始建立实际的个人数字图书馆。这是一个多媒体、兼容多种文件格式、具有强大检索功能的数据库。现在,我基于这个实际存在并且还在不断增长的个人数字图书馆,发表一些看法。

1. 从“虚拟”走向“实藏”——个人数字图书馆的优势之一。因特网为人们开辟了广泛的虚拟世界,其中包括了虚拟图书馆。人们在计算机面前,只要打开机器,数量庞大、门类多样的信息资源就能“为我所用”,可谓是“招之即来,来之能用”。把计算机一关,就什么也不存在。这些信息不占用户个人物理空间,并且能实时(至少是及时)获取。虚拟信息服务确实打破了时空限制,扩大了用户的视野,改变了图书馆藏书利用的范围。但是,要实现享用这些虚拟信息,需要一系列条件,需要有众多的情报源(网站、网页)及其维护组织,有电讯设施,有支撑软件(图形与声音软件、文字软件等),这些都是缺一不可的。这些方面的任何一个环节出现问题都会影响虚拟信息的享用。如网站关闭、被黑、更新而导致的内容不稳定、网络拥堵、软件更改,病毒攻击等。因此,实藏在虚拟世界中有不可替代的作用。将网上信息通过下载,装入个人数据库的数据库框架,就成为独立的信息集合,它就不受网络的影响,正如从库存流动的书店中购得图书入藏图书馆一样。个人数字图书馆入藏的信息,是为我所有、为我所用的实实在在的藏书,可以长期保存。

2. 从“巨无霸”走向“小型”有限化。信息存储的有限性是个人数字图书馆的显著特点。人类创造与记录信息的能力是极其巨大的。在古代,藏书之富就有汗牛充栋之称。二次世界大战以来的“信息爆炸”,以及近年出现的“信息骤变”的警呼,是当代信息量增长的描述。互联网上到底有多少信息量(网页为单位),谁也说不清。使用搜索引擎,虽然对信息进行了“过滤”,但探索结果之多也令人无所适从。庞大的信息量使有的人深感“信息过载”。个人数字图书馆正是从“无限”中创造“有限”。个人数字图书馆是小型的信息集合,根据我建立的个人数字图书馆来说,内容主要是三个方面:(一)本人的全部著作的目录及全文,本人和家庭的全部照片,本人的各种证件(如职称、获奖、兼职等),本人的带有隐私性的资料(如身体检查记录、病史、化验单、工资条等),以及有关本人的网页、评论文章等,也就是说是本人的“档案集”。(二)本人治学领域的资料集。就我而言,感兴趣的学科进展领域包括:数字图书馆、电子出版物、全文数据库、文献检索、目录学等。这些方面的资料也进行必要的筛选,去除那些低劣、空泛、抄袭、无创意的文章,只选那些具权威性、有新见解、资料充分的文章。这实质上是网上资源的筛选和重新组织,也是跟踪学术进展的工具。(三)本人感兴趣的网上绘画、书法、音乐等艺术品的收藏集。出于个人爱好,选取网上名家绘画、书法、风景名胜、名人、花卉、动物、音乐、曲艺等的照片及录音录像作品,用以艺术欣赏，陶冶情操。以上3个方面，构成了从“无限”到“有限”的建库，从而使我掌握的信息得到固化、纯化、精化、集中化。

3.“以我为主”的个性化——个人数字图书馆的又一优势。网上信息（包括大型面向公众的数字图书馆）是面向社会的，信息量的丰富是网站竞争的重要条件。但是对于个人来说，他并不需要这么多的信息。相反，会认为大量的信息与己无关，甚至是“垃圾”。个性化是当前信息用户的基本要求。一些网站为了适应这种趋势，推出了一些“个性化”措施，但总的来说，这些个性化措施不尽人意。个人数字图书馆由用户自建自用，可以做到最彻底的个性化。用户并不追求馆藏的规模，而重在信息对自己需求的贴切度。除了选择网页之外，个人数字图书馆还可以选取网页的一部分，甚至其中的一节一段作品作为收藏对象。此外，还可在标引上进行个性化处理。例如一张多人合影的照片，可标出本人或每个人的姓名身份；一篇报道文章或学术排名，可将其中有关自己的段落标引在记录的某一字段并加以突出显示。个性化还表现在个人数字图书馆可以用创建者熟悉的自然语言——关键词作为标引和检索的语言，而不必采用分类法和主题词之类的正规控制语言。个性化是个人数字图书馆的生命，是它存在与发展的根本理由，因为个性化是人类行为的特点。

4. 读其文、观其形、闻其声、观其行，多媒体功能——个人数字图书馆的主要优势之一。人们从事研究和进行艺术欣赏，往往需要文字、图像、录音、录像等形式信息的结合。例如，火山、地震、海啸的研究，不仅需要有关文字记叙和论文，也需要图片，也需要记录其动态变化的录像录音。又例如欣赏京剧大师梅兰芳的风采，不仅需要梅兰芳的传记之类的文字，更需要有关照片、唱片录音录像，以见其形，闻其声，从而比较真切地了解大师。长期以来，图书馆仅是建立、维护提供书目数据库。对信息用户来说，获得的检索结果仅是二次文献，而不是原始性资料，不直接，不解渴。近年来发展起来的全文数据库，在对于满足用户的需求方面有了进步。这使得目录的检索同原文的提供结合在一起，受到信息用户的欢迎，从而赢得广阔的市场。但是这仍不是多媒体文献信息，用户更需要的是，在同一个系统内，同时能“读其文、闻其声、见其形、观其行”的多媒体系统。而个人数字图书馆（作为数字图书馆的一种类型）却能满足这种需求。例如，在我用联合国教科文组织信息存储与检索软件WINISIS所建立的个人数字图书馆中，其中大部分为文字读物，如《红楼梦》、《全唐诗》、《书林清话》等全文著作，我本人的一百多篇论文全文，除文字信息外，有数以千计的图片（静态图像），如我一生的相片及名人、风景、动物、花卉等照片。此外，还收录了几千条有关海啸、火山、舞蹈等的录像片和各时代、各民族的歌曲。这些音频、视频和文字资料在一个系统内统一存储，建立统一的索引库，提供统一的检索界面，并且在不退出个人数字图书馆系统的条件下，以统一的命令进行显示、演播，并有统一的检索史记载，这就是多媒体系统。从技术上来说，这种多媒体个人数字图书馆，把先前图书馆的典藏书库、视听阅览室、电子阅览室的功能结合在一起。从而达到了一个新的飞跃。具有多媒体功能的个人数字图书馆使信息收藏有声有色,特别是在艺术欣赏方面有其独特的作用。目前国内一些号称大型的数字图书馆,在多媒体方面都还没有达到这样的水平。

5. WINISIS 软件——适用了建立个人数字图书馆的数据库软件。我所建立的个人数字图书馆,它之所以能够实现多媒体功能,并能兼容多种文件格式,具有强大的检索功能(布尔检索、字数限定检索、截词检索、全库顺序扫描检索、后控词表检索等),同时具有海量存储的能力(一个库最多可存储三千万条记录),这一切都归功于 WINISIS 软件。这个软件是联合国教科文组织(UNESCO)开发维护的并免费赠送给发展中国家的。这个软件的前身是在 DOS 下的 CDS/ISIS。我国在上世纪 80 年代末 90 年代初曾流行过。1996 年后,联合国教科文组织将此软件改进为 WINDOWS 下的软件,并增加了多媒体功能,此后,每两三年就更新一个版本。进入 21 世纪后,我在网上发现了这个软件,并将其进行汉化。遵照联合国教科文组织的宗旨,我曾举办了几次培训班,并免费赠送该软件及所附的小型样库。与世界各国(尤其是发展中国家)热烈采用这个软件的情况相反,我国作为世界上最大的发展中国家,图书馆界却对这个软件的推广表现冷漠。当然,原因可能是多样的。软件商为了保护自己的利益,不愿意看到免费软件的推广,而采取沉默态度;有的图书馆热衷购买昂贵的商业软件,而对 WINISIS 持怀疑态度。"便宜没好货"的观念根深蒂固。一些数字图书馆专家对这种小型的数字图书馆不屑一顾,甚至嗤之以鼻。图书馆学的理论研究者由于对现代技术不很了解,惯于从"理论视角"的高度发表文章,品味不出具有 5 万条记录的实际个人数字图书馆为基础而总结出来的文章的论述。在这里,我声明,这个个人数字图书馆虽然不能拷贝给别人(否则违反网络版权),但欢迎人们来实地考察、指导。我自认为,花费我三年多时间建立的个人数字图书馆,是我一生最大的财产。

6. 特色数据库——个人数字图书馆的社会价值。个人数字图书馆一般是用户自建自用,不对社会开放服务,彼此也缺乏横向交流。因此有人怀疑甚至否认其社会价值。关于这个问题,我的看法是:第一,个人数字图书馆的概念被社会接受,使数字图书馆技术走向社会大众,从而使广大学者网民把建立自己的个人数字图书馆作为读书治学的风尚,从而产生千千万万个个人数字图书馆,这是社会意义的一种表现。第二,人们在建立自己的个人数字图书馆时,都会把自己的著作、相片、证书、书信等全面列人。这些具有个人档案意义的收藏,将是研究该人的第一手资料。如果此人将来成为名人,其研究价值不言而喻。即使是不大出名的人,他自建的个人数字图书馆也将是传之于后代的财富。它与自传或别人撰写的传记一样,都有相同的意义,而且它比后者更为真实、客观。这些个人数字图书馆只要保存下来,就具有潜在的社会价值。第三,即使是出于业余爱好,在个人数字图书馆收录绘画、书法、篆刻、剪纸、音乐、曲艺、录像、动画、新闻或人物照片、名人讲话录音、诗词散文的朗诵等,也会成为具有特色的数据库。一般来说,出于爱好的人往往会竭尽全力加以收藏,而成为较详尽的专门收藏，其特色将会使人们刮目相看，其特色部分甚至会超过面向公众的大型数字图书馆的收藏。在历史上，私人藏书楼在规模上不及官藏，但是在藏书特色上有其独到之处，这是人们所公认的。因此私藏目录仍是考察中国图书的历史存在、流传散佚、辑佚的重要工具。

7. 个人数字图书馆的建设，并不违反知识产权的有关法律。它是自建自用，没有商业性行为。从网上收集，正如剪报一样（剪报公司除外）。我国公开报刊的阅读权（保密资料除外），是人们正当的权利，没有任何法律加以制止。一些需要付费才能下载的网络资源，如果已经付费，当然合法；如果不付费，也就无从下载，从而也进入不了个人数字图书馆。近年来，一些网站通过种种技术手段禁止人们下载网页或图片，对其中的一些好文章和图片，读者往往望之兴叹，似乎要人们回到"剪刀加浆糊"的时代去。但好在东方不亮西方亮，这个网站不能下载的资料，在其他网站却可以下载。例如"中华网"、"光明网"、"东方网"等就比较慷慨，因而我在很大程度上依赖这些资源。即使那些用技术手段"秘不示人"的资料，也以技术手段加以反制。例如将网页或网页中的文章图片用 Word 格式下载，可以达到同样的效果。当然，我们应当遵守法律，但是对网站资源的"合理使用"也是知识产权中所允许的。2004 年 12 月 18 日北京召开的"合理使用与数字图书馆建设发展研讨会"上，图书馆界的专家们振臂高呼数字时代更应坚持合理使用原则，认为"当前代表读者和社会公众权益的声音太弱了，这种现象是图书馆界高度关注的。图书馆界必须代表读者和社会公众的权益，要求在著作权人和公众的权利之间寻找平衡点，进一步完善合理使用机"（摘自上海图书馆网站中辛骅《图书馆界振臂高呼数字时代更应坚持合理使用原则》一文）。何况，个人数字图书馆的建设是个人行为，仅为自己读书治学而已。

8. 简便和节约——个人数字图书馆易于推广的又一特性。个人数字图书馆的建立不需读者花费什么。它虽然名为"图书馆"，但并不需要馆舍，甚至连一个书架也不需要。它只是存储于计算机中（或移动硬盘上）的一个信息空间。举例来说，我所建的个人数字图书馆，容量已达 20 多个 G，将其拷贝到移动硬盘上，只有一包香烟大小的体积。数字化信息的存储密度，远远高于纸质文献，高于缩微胶片、唱片、录音带之类的文献。个人数字图书馆不要求有规范化的著录、标引，不需词表或分类法，并且基本上也不要求输入汉字（增补标引项除外）。在设备的要求方面，具备上网条件的用户即可进行。如果自己要把原先的相片、纸质文献纳入个人数字图书馆，仅需增购扫描仪一台即可。至于像 WINISIS 这样的数据存储与检索软件是免费可以获得的（市场上同类软件却需数万至十几万元，个人用户不堪承受此负担）。也有些人认为建立个人数字图书馆需要很多时间，自己没有时间。这里，我们认为应当这样看：首先个人数字图书馆的建设是个日积月累的过程，并非一日之功。不少网络用户利用"文件夹"保存自己需要的资料。其实将选中的文献保留在"文件夹"中与保留在 WINISIS 的数据库中，其操作时间相差很少。所增加的只是加注标引项（标引词），这些词也可以从文献的标题或正文中选取拷贝。所以说建立个人数字图书馆并不需要增加太多时间。唯一需要增加时间的是学习掌握 WINISIS 软件,但这是一次性的。这个软件的使用,是面向非计算机专业人员的,学起来不难。因为只要学会操作就行,不必了解软件的内部结构。正如使用电话只需了解打电话的步骤即可,而不必了解电话是怎样传到接电话人那边,看电视只需了解怎样打开、选频道、关机等方法一样。至于电视、电话的内部结构和信号传输的布局结构是十分复杂的。但是没有人会以为自己不了解其全部知识而不敢打电话、看电视的。使用软件的人不必了解软件的内部结构和如何汉化,只需掌握其功能即可。学习建立个人数字图书馆的必要知识,需要花费一些时间代价。一般来说,只需一两天时间即可。这就是用户和技术专家的区别。最古板的老先生现在也会坐飞机、打手机、开空调。现代化的生活已进入社会的各个方面。就我个人而言,文科出身,年已古稀,且得过脑溢血,可以说是个"老先生"吧。但近四年来一直在建个人数字图书馆,似乎是自不量力,做与自己年龄不相称的事,有损健康。但是我觉得却从中得到许多乐趣。想听音乐时,从西方音乐大师的交响乐到山区少数民族的民歌,一点鼠标,可以招之即来;想看舞蹈,从芭蕾舞到民间秧歌的录像,也可瞬间欣赏;想读文章,从诸子百家到现代散文,即可应招而来。至于数以千计的各地名胜古迹的照片或录像,可供我"神游";历代名人画像、艺术作品(绘画、书法、雕刻、文物等),随时可以一索即得;回想自己一生的历程,从十几岁的青少年时的形象,到在英国一年多的风华正茂的生活,直到近年同儿孙一起的合影,总之,一生的形象记录,可以历历在目。这种享受,可以陶冶性情,可以追思人生,可以勾画自己的学术生涯,其乐也无穷!

参考文献

1. 陈光祚,阮建海,臧国全. 论个人数字图书馆. 中国图书馆学报,2002(3)
2. 陈光祚. 营造 E 时代的私人藏书楼——个人数字图书馆. 现代图书情报技术,2002(4)
3. 陈光祚. 论联合国教科文组织信息管理软件 WINISIS 在中国推广的巨大意义. 情报科学,2003(10)
4. 陈光祚,阮建海,臧国全. 构建"描述项+外挂文献全文"的简易型数字图书馆——国际免费软件 WINISIS 的应用//信息化与信息资源管理——2002 信息化资源管理学术研讨会论文集
5. 陈光祚,臧国全,阮建海. 论免费国际软件 WINISIS 在我国图书情报界的应用. 图书情报知识,2002(6)
6. 陈光祚,臧国全,阮建海. 一个值得重视和推广的国际性信息存储与检索软件. 大学图书馆,2002(5)
7. 陈光祚,臧国全,阮建海. 利用国际免费软件 WINISIS 建立博士论文全文数据库. 图书情报工作,2002(10)
8. 陈光祚. 为"个人数字图书馆"鸣锣开道. 图书情报知识,2005(3)
9. 陈光祚. 个人数字图书馆:理论探讨和建库实践. 深图通讯,2005(3)

文献计量研究

布拉福德定律在测定核心期刊中的局限性

《情报科学》1980 年第 2 期发表了王津生同志《浅谈布拉福德分散定律及其应用》一文，对布拉福德定律及其在考察核心期刊方面的应用，作了较全面的介绍。现在，我们根据国外最近有关这个定律讨论的研究材料，就布拉福德定律在测定核心期刊方面的局限性，也写一点浅谈，作为对王津生同志文章的一点补充。

所谓“核心期刊”，是一个相对的概念。就某一主题的研究来说，通常以该主题的论文作为期刊的中心内容，这种期刊称为“核心期刊”。科学地确定核心期刊的范围，对于获得高密度的情报源，对于专业图书馆建立基本藏书，对于广大科学工作者重点浏览本专业期刊内容，都有着重要的意义。

布拉福德定律为测定核心期刊提供了一个科学的方法。在布拉福德定律的图式(graphical formulation)中，期刊（在横坐标上）按其刊载有关该主题的文献数量排列，文献量最多的期刊排在第一位。以此类推，有关该主题的文献量之和（在纵坐标上），与期刊的排列形成一条曲线（以对数比率）。如下图：

典型的布拉福德分布图式

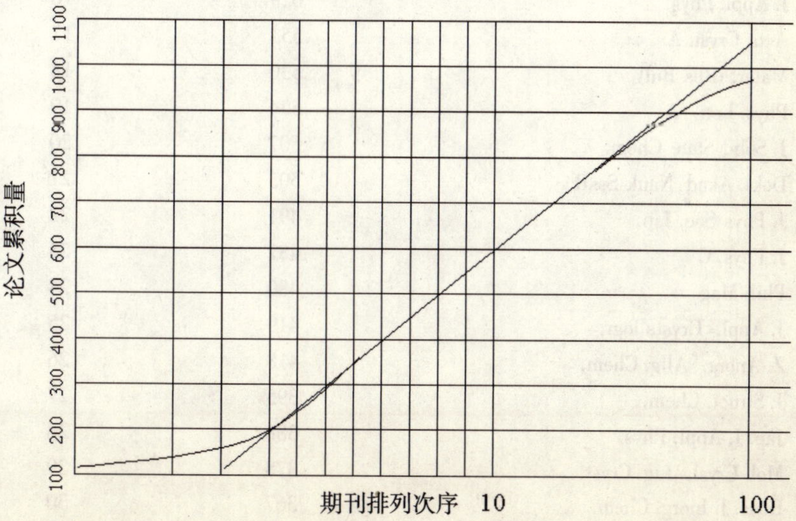

图中，由曲线开端的地方起，直至其变成直线的那一点止，称为核心期刊。各个

学科各个专业的核心期刊数量是不同的，但核心期刊的数量一般不会太多，在本图中，核心期刊为10种。

虽然布拉福德定律已成功地用来测定核心期刊，编制核心期刊目录，但它是有一定缺点的，这是因为布拉福德定律对期刊的排列，是以其刊载一定主题的论文的绝对数量为准的。这种统计方法，对于每期刊载大量论文的大型期刊来说，是较为适合的，但对于每期刊载论文较少，然而却是对口的期刊来说，就有可能被排除在核心期刊之外。试以结晶学的期刊为例，按照布拉福德定律排列前30种期刊。

期刊名称	结晶学论文数量	排列次序
Acta Cryst. B	3325	1
Phys. Status SoiJai A	1031	2
Phys. Rev. B	1022	3
Sov. Phys. Sold State	979	4
Kristallografiya	863	5
Inorg. Mater	788	6
Inorg. Chem.	782	7
Cryst. Struct. Commum.	745	8
J. Chem. Soc. Dalton Trans.	713	9
Phys. Staus Solidi B	686	10
Compt. Rend. C	667	11
J. Chom. Phys.	651	12
J. Amer. Chem. Soc	640	13
J. Chem. Sor. Chem. Commun.	632	14
Solid State Commun.	630	15
J. Appl. Phys.	629	16
Acta Cryst. A	551	17
Mater. Res Bull	530	18
Phys. Lett. A	524	19
J. Solid State Chem.	507	20
Dokl. Akad, Nauk SssR	503	21
J. Phys Soc. Jap.	491	22
J. Pnys. C	482	23
Phil. Mag.	480	24
J. Appl. Crystallogr.	419	25
Z. Anorg. Allg. Chem.	418	26
J. Struct. Chem.	395	27
Jap. J. Appl. Phys.	388	28
Mol. Crysl. Lig. Cryst.	378	29
Russ. J. Inorg. Chem.	367	30

在这30种期刊中，前16种属于核心期刊。但这种计算方法，却使一些专门的结

晶学小型期刊,没有资格成为核心期刊。例如《J. Cryst. Mol. Struct.》(结晶体分子结构杂志)等,就是这样。

为了弥补布拉福德定律在测定核心期刊方面的这个缺陷,国外有人提出了"百分比分布"(Percentage Distribution)的方法。这种方法就是计算一种期刊其所刊载的某一主题的论文占该期刊全部论文的百分比。各种期刊按其百分比的大小次序排列。由于百分比的计算与期刊的规模无关,因而就使那些小型的然而是对口的期刊不致被淘汰于核心期刊之外。按照这种方法,结晶学方面的前30种期刊的次序是:

期刊名称	论文总数	结晶学论文数	结晶学论文所占比例(%)	按布拉福德定律排列的次序
Cryst. Struct. Commun	746	745	99.9	8
Aeta Cryst. B	3369	3325	98.7	1
J Cryst. Mol. Struct.	174	159	91.4	60
Acta. Cryst. A	617	531	89.3	17
Z. Krist. KKK	111	99	89.2	73
J. Appl. Cryst.	493	419	85.01	25
Cryst. Lattice Defects	132	105	79.5	72
Kristallografiya	1268	863	68.1	5
Mol. Cryst. Lig Cryst.	597	378	63.3	29
J. Solid State Chem.	862	507	58.8	20
Nater. Res. Bull.	1092	530	48.5	18
Krist. ech.	694	334	48.1	34
Phil. Mag.	1041	480	46.1	24
Rev. Chim. Mineral.	321	147	45.8	63
Bull. Soc. Fr. Mineral. Cryst.	377	168	44.6	59
J. Struct. Chem.	1149	395	34.4	27
J. Less Common Metals	974	316	32.4	37
Phys. Status Solidi A	3428	1031	30.1	2
Z. Anorg. Allgem. Chem.	1417	418	29.8	26
Amer. Mineral.	700	206	29.4	50
J. Phys. Chem. Solids	1170	336	28.7	33
Inorg. Mater.	2881	788	27.4	6
Ferroelectrics	362	95	26.2	75
J. Chem. Soc. Dalton Trans.	2730	713	26.1	9
Sov, phys. Sclid State	3881	979	25.2	4
J. Phys. C	1975	482	24.3	23
Phys. Kond. Mater.	70	17	24.3	132
J. Electron. Mater	206	48	23.3	103
Phys. Status Solidi B	2978	686	23.0	10
Acta Chem. Scand.	1430	310	21.7	39

在这个按百分比排列的表中,前10种期刊刊载结晶学的论文占全部期刊内容的50%以上,前8种占90%以上。这里值得注意的是排在第3位的《Jorunal of Crystal and Molecular Structure》(晶体与分子结构杂志),由于其为小型专业期刊,因而在布拉福德定律中排在第60位。这样,就使这种无疑是结晶学的核心期刊遭到了被排斥的对待。同样,还有若干被布拉福德定律排在第100位以下的期刊,在按百分比分布的排列中出现在前30种之内。

另一个值得注意的是,按布拉福德定律排在高位的,但在百分比分布中排在低位的是《Journal of the American Chemical Society》(JACS,美国化学会杂志)。JACS是一种大型期刊,发表化学各个领域的论文。每年JACS发表610篇结晶学论文,按布拉福德定律排在第13位。但是640篇结晶学论文,只占JACS内容的6.5%。

因此,布拉福德定律"偏袒"大型期刊,而对小型期刊不那么"公正"。当前科学期刊的发展趋势是专业化,专业划分更为细小的小型期刊正不断增长。这种趋势是和当代科学技术向深度发展相适应的。面对这种发展趋势,布拉福德定律对待小型期刊将导致在确定核心期刊方面一些不应有的误差。

针对这个问题有人提议,将布拉福德定律和百分比分布的计算方法结合起来,以改进对核心期刊的测定方法。具体来说,除了按布拉福德定律从有关论文的绝对数量来确定核心期刊之外,还按百分比分布从有关论文的相对数量来补充核心期刊的范围。建议凡百分比占50%以上者,均作为核心期刊。看来这个办法是可取的。

(本文材料来源:Information Choices and Policies. Proceedings of the ASIS Annual Meeting,1979,Volume 16. edited by Roy D,Tally and ronald R,Deultgen,Knowledge Industry Publications,Inc. P230—235)

原文载于《情报科学》1981年第1期

基于图书馆学情报学书目数据库主题计量分析选择核心课程

图书馆学情报学的学科发展正处于一个重新构筑体系的大变动之中。首先表现在学科的命名上,提出了"信息管理"、"信息学"、"文献信息学"、"文献学"等多种不同方案,彼此争议很大,尚无定论,这表明了人们从各种视角确定学科的基本范畴。其次,表现在分支学科上,出现了许多新的概念,如"期刊学"、"读者学"、"导读学"、"索引学"、"信息社会学"、"情报社会学"、"图书馆经济学"、"咨询经济学"、"文献社会学"、"情报服务学"、"文献检索学"、"文献检索教育学"等。这表明人们致力于将某些领域的知识上升到分支学科的高度,也对某些知识领域进行重新组合取舍,开拓新的学科分支,进行新的学科分支的划分。

导致图书馆学情报学目前这种多少有些混乱局面的原因,基本上有两个。一是信息技术的渗透,使图书情报工作的面貌和流程发生很大的变化。信息载体的非纸质化、信息表示的数码化、信息处理的计算机化、信息传输的网络化、信息资源的数据库化、信息服务的自动化等,大大改观了图书情报的原有工作内容和学科内容,另一原因是建立在现代信息技术基础上的信息产业的崛起,开拓发展了信息市场,它对长期以来作为社会公益事业的图书情报机构产生很大的压力和吸引力,并且导致图书情报学科理论体系的变化,以便包容这一新的进展。学科集成化,这是图书情报学科发展的当前焦点。

在这种形势下考虑核心课程,就需要抛弃传统观念,立足于当前社会人才需求和新的技术环境的适应性。

一、基于数据库计量分析测定核心课程的优越性

课程设置是培养目标的具体体现。核心课程的设置尤其重要,因为它体现了教学的重点和培养的方向,决定培养出来的人才对社会需要的适应性,同时也反映了学科的发展水平。

对图书情报学专业教育来说,核心课程的设置不是一成不变的。它是随社会的环境、信息技术的应用、图书馆职能及学科本身的发展而变化的。核心课程的设置也有更新的问题,因此,核心课程的测定,应审时度势,建立在科学分析的基础之上。对社会上图书情报专业人才需求的调查与预测,是测定核心课程的基本依据。但是,根

据图书情报学的学科发展水平与发展趋势，将主要的知识单元，按照教育学的原则，进行合理的组织，使之组成若干核心课程，也同样是重点的依据。

依据图书情报学的发展水平与动向进行核心课程的测定，一个基本的方法是基于专业书目数据库的计量分析。数据库收录专业文献较为完备，提供人们的视野宽阔，为全面分析提供客观、丰富的信息，从而避免片面性和主观性。同时作为计算机检索系统的数据库，本身带有强大的检索与计量功能，便于人们在大量数据中得心应手地进行计量分析，从而使分析较具科学性。

数据库收录的文献，一般是科学研究的成果，代表了学科发展的热点和前沿，具有一定的超前性。基于数据库分析得出的结论，较符合教育面向现代化、面向未来的要求。

二、本计量分析的信息源——“中国当代图书情报学论著书目数据库”简介

(1)收录文献的类型

收录50多种图书情报学专业刊物上的论文。

收录高校学院、学位论文、非图书情报专业刊物上的有关论文。

收录会议录及其他论文集中的单篇论文。

收录图书情报学专著、教材及标准文件。

收录图书情报学专业的部分名词术语的英语缩写。

(2)收录文献的时间范围和数据库规模

1989年以来的有关文献基本收录。

1989年以前的文献有选择地收录，尤其被90年代论著引用的早期文献重点收录。

收录文献的年代以1990年为主，适当追溯早期文献，体现了以现实为主的原则。目前本库有近4万条记录。

(3)数据项

本库每条记录除题名、著者姓名、出处、分类号、关键词外，增设了“著作所在单位”项。这有利于帮助鉴别文献写作背景，进行作者群落的分析。

(4)检索点

关键词	著者姓名
著者单位	分类号
出处(刊名、出版社名称)	发表年代

题名中的单汉字及其位置组合

以上各检索项可进行任意的逻辑组配(与、或、非)检索。

三、数据计量分析的方法

首先，本研究对数据库计量分析，基本上以文献题名所包含单汉字这一信息单元为基础。这是出于下列考虑：

1. 文献题名是文献内容主题最集中、最简洁的揭示，所谓“点题”的含义就在于此。虽然在文艺作品中，题名多含象征意义，但是在科学技术（包括图书馆学情报学）文献中，文献题名的表述一般是朴素的、求实的、准确的。即使在某些文献中，题名中包含文艺的色彩，但往往辅之以副题名，给以明确的表述。例如：刘尚恒的一篇文章《过眼云烟等闲视 泡影山河岂偶然：论我国古代私家藏书的散佚》，其实质就是副标题中所指的私家藏书的研究。这种题名的结构形式仍不失题名的确切性。

2. 文献题名是文献作者自己拟定的，而分类号或主题词却是文献处理工作者在标引中赋予的。前者较具客观性，后者则多少带有标引员的主观性。因此题名从文献信息加工的角度说，它比标引词更具原始性。

3. 题名是由一串单字组成的，其中包括关键词，它们以一定的句法彼此联系、限定、补充，构成文献的主题。在计算机软件（即单汉字检索系统）的帮助下，这些词可以以多种方式进行组合，变换概念的大小和角度。例如“联机数据库的套录技术”一题，可以分析成如下概念：“数据库”、“数据库套录”、“套录”、“联机套录”、“联机数据库”等。借助单汉字检索软件中的单字位置检索与逻辑检索功能，可以灵活地实现这些组配，它要比标引员的赋词标引所给定的词要充分得多。凭借这种单汉字检索，本身就隐含有词的后截断或前截断的功能。

但是题名中的单字检索有很大局限性，就是它无法揭示分类含义，不能揭示由多个名词构成的一个较大范畴的概念。因此这种方法主要用于学科研究的热点和专指高度的名词。

其次，本研究也采取标引词与单汉字检索相结合的计量方法。正如前面提到的，这是由于题名中的单汉字组合有时并不能揭示其隐含的主题，例如其上位概念、下位概念或相关概念。这是主题词与分类体系比较的一个弱点。因此本文也采用了标引词作为分析的依据之一，本库的标引词无词表作为依据，主要是关键词，规范性差。因此在计量时，在检索式中将标引词与单汉字（及其位置组合）结合使用，可以取得较高的查全率。为了排除误检，使用了逻辑非和对检索初步结果二次扫描的手段。同时为了增加单汉字组成的词的查全率，对某些检索词设置了后控词表的功能（CDS 软件中的 ANY 功能）。例如把“年鉴”、“手册”、“词典”、“字典”、“百科全书”、“工具书”等词统列入“工具书”的 ANY 词表之下。

本研究计量的范围限于 1990 年至 1995 年，分年统计。

四、初步计量结果

1. 按题名单字的计量

(1)“信息”一词的使用，逐年呈明显的稳定增长趋势。而与此相对照的是，“文献”、“情报”、“图书”等无此现象。

	1990年	1991年	1992年	1993年	1994年	1995年
信息	127	135	262	576	767	870
情报	717	816	517	645	462	370
文献	365	424	406	466	429	462
图书	217	237	286	340	255	249

这种变化是与社会信息化的进程一致的。"信息"成为图书馆学情报学研究的重点。

(2)关于学科的名称,统计如下:

	1990年	1991年	1992年	1993年	1994年	1995年
图书馆学情报学	9	20	25	28	19	16
图书情报学	18	10	6	8	9	15
文献情报学	0	0	1	1	0	0
文献信息学	2	1	3	4	4	4
信息管理学	0	0	1	0	0	6

从上述统计可以看到,作为学科的总体名词仍然以"图书馆情报学"为多数。尽管"信息管理"这一名词近年来使用很多,但作为"信息管理学"一词使用不多。但从1995年起,这一新的学科名称增加,且这些文献多数是讨论该学科体系、方法的基础理论文章。

(3)90年代以来,按照图书情报学各领域进行的文献计量:

	1990年	1991年	1992年	1993年	1994年	1995年
藏书	74	101	103	108	119	83
编目	34	29	42	46	43	51
分类	130	99	123	130	138	139
检索	220	221	220	273	207	207
参考	23	24	30	30	38	38
咨询	38	31	52	90	71	72
查新	13	21	50	50	41	36
读者	98	148	140	166	142	181
教育	131	95	141	107	123	152
数据库	60	89	126	135	102	111
期刊	187	286	348	399	307	375
信息产业	8	12	23	63	104	99
情报经济(总论)	10	8	12	12	14	11
市场	19	21	44	254	423	328
标引	28	52	46	58	53	44
索引	42	36	31	62	131	47
检索语言(总论)	8	12	3	18	13	11
主题	39	59	57	71	83	69

自动化	40	60	81	98	107	129
网络	25	32	39	60	73	117
改革	86	59	89	227	183	156
史	41	40	42	47	47	42
专利	21	40	42	47	47	42
经济/商情	81	60	105	255	410	349
科技	218	303	314	352	263	231
社科	28	49	40	39	38	33
文摘	11	23	29	20	15	26
管理	233	252	277	335	293	359
政策	13	23	42	26	24	20
电子出版	4	2	8	20	37	19
计量	24	18	25	28	25	15
情报研究	57	47	64	38	25	18
信息技术	16	15	32	36	37	36
光盘	19	31	47	49	54	35
著录	27	25	38	41	55	45
流通	17	19	21	43	25	33
信息市场	4	1	10	30	73	48
信息资源	13	10	46	42	50	94
文献资源	79	80	78	69	77	93

2. 按标引词和单汉字相结合的计量:

	1990 年	1991 年	1992 年	1993 年	1994 年	1995 年
文献计量学	34	33	35	48	64	111
检索	239	252	249	296	229	238
图书馆自动化	44	71	99	115	168	184
信息经济学	42	44	88	164	322	260
分类	150	108	132	136	154	149
主题法	55	83	84	93	111	84
编目	66	72	96	108	191	112
读者(用户)	140	231	257	321	358	368
藏书	112	150	157	190	220	176
文献保护	15	20	22	12	15	15
数据库	82	123	158	172	157	156
参考咨询	26	40	67	76	72	72
服务	167	274	375	448	486	480
网络	39	58	74	85	104	166
管理	254	268	286	347	308	328
文献学	57	39	47	47	43	50

网络	34	58	74	85	104	166
标引	36	55	48	61	61	50
目录学	23	36	38	39	58	74
情报研究	65	60	82	61	47	32

根据上述统计,可以认为下列课程应作为核心课:

(1)文献信息工作管理学。仅限于从管理学的角度进行阐述,包括有关政策、法律等。

(2)文献信息服务学。包括流通、参考、咨询、查新等服务。

(3)读者用户研究。包括读者用户的需求、行为、导读等研究。

(4)藏书研究。包括藏书采集、文献资源配置与共享、藏书组织、文献保护、剔旧等。

(5)文献情报检索。包括科技与社科文献检索。

(6)数据库建设。包括文献著录、标引、书目库、事实库与全文库的设计与实现,以及机编索引。

(7)图书馆自动化与现代化。包括电子图书馆、数字图书馆等研究。

(8)文献信息网络及其信息源。包括网络信息及其获取与利用。

(9)信息经济学。包括信息产品、信息市场、社会信息化等。

(10)分类法与主题法。

以上十门核心课程的选择,体现了下列三条原则:A. 课程内容方面,传统手段与现代化方法相结合。如"文献情报检索",既包括手工与书本式检索,又包括计算机化的数据库的检索。同样,"数据库建设"既包括文献著录、标引的基本原理,又包括各类数据库及其建库方法。"分类法与主题法"课程也应包括自动分类、分类表的机读化等内容。这种结合,不仅反映了现代信息技术在图书情报工作各个领域的渗透,反映了各门课程内容新的增长点,同时也改变了过去现代化手段单独设课,造成与"传统"课程的"两张皮"的现象。B. 研究对象方面,实行图书馆工作与情报工作的结合。例如"文献信息工作管理学",就包含图书馆管理学与情报工作管理学。"读者用户研究"既包括图书馆读者研究,也包括情报用户研究。这种结合也有利于消除重复,丰富课程内容,改变了过去图书馆学情报学各自形成课程体系的状况。C. 社会科学与科学技术领域的适当结合。例如"文献情报检索"、"数据库建设"等,对社会科学文献与自然科学、技术文献在理论方法上进行统一阐述。

原文载于《北京大学学报》(信息管理系专刊)1997 年

论数据库检索系统用于文献计量分析

1　文献计量分析需从手工转向计算机化

文献计量学是我国图书情报学中发展较为迅速的分支学科之一。特别是近年来文献计量学的应用——即根据文献计量学的原理及其方法进行核心期刊、核心作者、活跃的研究人员群落以及学术机构的学术榜等的测定,成果丰硕。但是,这种统计分析存在两个突出的问题。

一是大多数计量分析是依靠手工统计进行的,而没有以计算机化的数据库检索系统为基础。手工统计主要是根据各种印刷版的索引、目录甚至是原文献进行的,工作量大,效率低。许多公用的计算机化的情报检索系统,例如国外的 DIALOG、STN、ESAIRS 等联机情报检索系统、国内的"中文科技期刊篇名数据库"(重庆)、"社会科学期刊论文数据库"(上海)等光盘情报检索系统,目前主要被作为情报检索的工具,而很少被人作为文献计量的数据源加以使用。这些检索系统中一些可用于文献计量分析的功能也未引起人们的重视。

二是作为计量分析对象的数据不完备。表现在选题较窄、时间跨度太短、文献类型单一。有的仅以一种或数种期刊为对象,以三五年(较长的为 10 年)为期进行统计分析。不少计量分析没有把更多的信息源——例如非核心专业期刊、高校学报、会议文献、专著、教材等包括进来,计量分析的视角小,局限性大,以偏概全的分析结论可信度低,难以描绘图书情报学研究进展的"全息"图景。当然,这种小规模的统计也往往是手工作业条件下不得已而为之的结果。

因此,文献计量分析的结论是否准确,首先取决于计量对象的数据的典型性与完备性,否则将引出片面的结论甚至有时是荒谬的结论。要针对大量数据进行统计分析,必须改变手工作业的现状。

因此,充分利用当前计算机化的数据库检索系统实现计量分析的自动化是必要的。把情报检索技术引向文献计量学的研究,是我国文献计量学发展的一个新领域。

我国一些学者已开始以数据库为基础、运用各种数学手段进行计量分析的研究,但这方面的研究仅限于国外数据库中的数学、物理等自然科学领域,或以国外引文索引和文摘索引数据库为基础。将这种方法应用于我国图书情报学文献的全面计量分析却是太少，甚至没有。至于探讨以数据库系统为基础的计量分析所涉及的检索策略、软件功能灵活应用的文章实为少见。

目前，国内图书情报学期刊论文数据库主要有中国科技信息所重庆分所的"中文科技期刊篇名数据库"和上海图书馆文达等光盘数据库。前者收录资料是从1989年开始，后者则从1993年开始的，时间跨度均不长。重庆分所的光盘收录图书情报学期刊为50多种，品种不够全面，且中间有掉期现象，特别是对纯社会科学的期刊（如高校学报的哲社版、文史哲教方面的刊物）未加收录，著作方式（如译、编译等）不加著录。上海图书馆的光盘收录刊物的面较全，但其中数据质量尚存较大问题，如著录项不全（许多记录缺作者姓名），同一文献具有不少重复记录，检索软件质量也较差。这两种光盘都是以关键词作为标引词的，无词表依据，因而标引的随意度大，标引深度低，对文献计量的主题分析不够理想。不管怎样，这两种机读数据源仍然是今天文献计量分析所不能忽视的。此外，作为书目数据源的中国国家书目光盘等也应予以重视和利用。

2　本计量分析试验的数据源——自编图书情报学论著数据库及其独特的计量功能

笔者出于学习研究的需要，近两年来以个人之力一直在建立一个图书情报学论著数据库，目前已积累文献线索3万多条记录。它不仅是一个情报检索系统，也是一个文献计量的数据源。

本库是这样建立的：

（1）从重庆与上海光盘中套录数据，通过自编的格式转换、记录查重去重等软件处理，转换成ISO2709格式，装入CDS/ISIS定义的统一格式的数据库，实现了多种套录来源数据的统一处理。在建库中改正了原数据的一些录入错误，增加了必要的标引词。

（2）收录笔者所见的图书情报学专著、会议录、教材，通过著录标引增补到本库中去。对大部头专著中的重要子目、会议录中的单篇论文均予以分析著录，以适应多种类型文献综合计量分析的需要。

（3）根据近年来发表出版的论著所附的参考文献目录，对90年代以前的文献也著录进库。这些被当前论著引用的早期文献在一定程度上是具有重要性和生命力的，以这种方式进行回溯建库是在个人力量单薄的情况下一种较合理的办法。

（4）对每条记录加注文献作者所在单位，作为数据库中单独的一个字段。对作者单位异动情况（如毕业分配或工作调动到新单位，或单位改名等）也作了反映。

（5）对图书情报学领域中的外文缩写字也予以收录，并注上全称和中文译名，并注明文献出处，以供复查。因此本库包括了一些事实性数据记录，但它是同文献出处相联系的。

(6)采用CDS/ISIS软件,对记录中作者、刊名(出版社)、卷期(出版年)、关键词、分类号、作者所在单位等字段建立索引,以提供较多的检索点。由于重庆光盘中将卷期与页码连在一起,在索引表中只选前4个字符(即年代、期)进行索引,纳入排档。

这个数据库对文献计量分析来说,不仅数据量较大,而且依仗CDS/ISIS软件,能提供高速自动准确的统计、排序与分析的功能。具体来说有:

(1)强化检索语言功能。CDS/ISIS软件允许建立单汉字索引,我们利用这一软件功能对题名中的每个字建立了单汉字检索功能。对主题分析来说,标引关键词、分类号和题名中单汉字检索功能的结合使用,可以得到某一主题的较高查全率和查准率。目前上述两种光盘数据库的主题标引主要是根据题名的拆字标引的,标引的规范性与一致性差,而且每篇文献赋予的标引词仅3至4个。单纯的关键词检索会引起较大的漏检率。具有逻辑乘和相邻度运算功能的题名单汉字检索,可以弥补关键词标引的深度不足和标引不一致的缺点。高查全率是进行专题文献计量分析的前提与基本保证。

(2)建立后控词表。CDS/ISIS系统中的ANY词表的设立,对同义词、近义词、全称词和简称词、新称词与旧称词等可进行联系控制,以减轻构造检索策略时的负担,提高查全性能,从而有利于文献计量分析的全面性。同义词如"信息检索"与"情报检索","古籍"与"古书"等;近义词如"藏书建设"与"文献资源建设","藏书剔旧"与"藏书剔除"等;全称词与简称词,如"布拉福德定律"与"布氏定律","北京图书馆"与"北图"等;新称词与旧称词,如"中国科学技术信息研究所"与"中国科学技术情报研究所"等。这种通过ANY词表进行的后控制,在没有词表规范控制的情况下是必要的。对于地理上从属关系的词,如"广东"与"汕头"、"佛山"与"广州"等,也可通过ANY词表进行控制,以适应如"广东的图书情报事业"之类的计量要求。但是ANY词表的建立,并不影响上述各词的直接检索。

(3)应用建立专题子库的功能。对全库中主题检索的命中文题,可依靠CDS/ISIS软件的功能,进行ISO2709格式的数据输出,并建立相应的专题子库,这些子库中的索引字段和显示数据可按计量分析的需要而定。笔者曾以这种方法建立了"信息产业"、"数据库及其建设"、"阅读学与导读学"等子库,这些子库的规模达1000余条记录或数百条记录。在子库中进行专题统计分析,可以节约大量时间,并便于提高分析深度。

(4)使用倒排文件的输出与编辑功能。CDS/ISIS软件具有自动打印倒排文件的功能。只要在数据库索引定义中,对不同字段加上不同的文字常量(如作者加"|% Au = |V2",文献作者单位加"|% AF = |V4",文献出处加"SO ="等),这种倒排档打印输出就会将同一属性的字段索引项排在一起。这种输出记录之后,可用排序软件,按索引项中的命中文献数据进行降序排列,由此即可得到作者的著述量频率、刊物的载文量频率、作者单位的发文量频率的自动排序,以供文献计量分析选用。

(5)顺序扫描检索。有些文献计量数据在手工条件下或一般标引词机检体系下是很难获得的。例如要统计全库或子库中文献有多少是翻译或编译的(如著作方式的计量),就是如此。CDS/ISIS的全库或命中集合中的字段顺序扫描功能,可以很快地获得这方面的数据。例如,作者字段如果是第2字段的话,即可用如下命令:"?V2:'译'"或"? #XV2:'译'"(这里,X是指某号命中集合)。全库扫描的速度较慢,但3万多条记录的全库扫描也只需几分钟即可完成,这是手工操作所不能相比的。顺序扫描方法还可用于记录中的非索引字段(如摘要)。

(6)文献发表年代范围的选取法。在文献计量分析中,往往需要以时列方式进行统计,要求逐年统计文献量,或分时期(数年为一期)统计文献量。CDS/ISIS软件中的Val,Ravr等函数功能可以轻而易举地作出年代分段统计,例如文献发表(出版)年代的字段为第5字段的话,可用如下命"? Val(V5)>1985 AND Val(V5)<1990",或"? RAVR(V5|;|)>1985 AND RAVR(V5|;|)<1990",即可获得1985年至1990年的有关统计数字和相应的文献记录。

(7)第一著者(或独著者)与合著者的分别统计法。CDS/ISIS对第一著者(或独著者)和其他合著者(或第一关键词或其他关键词)可在索引中加以区别。这样,可以便于在文献计量分析中对第一作者(或独著者)或第一关键词进行加权计算。办法是在索引定义表(FST)中,对著者索引项加"Au="文字常量,即可使第一作者(或独著者)姓名前冠以"Au="的字样,其他合著者姓名前没有这种字样。第一关键词与其他关键词的区别也是如此。这一点,在重庆或上海的光盘检索系统中是无法区分的。这种区分第一作者(独著者)与合著者的方法,可用来测定合著文献的比例,以及第一著者(或独著者)撰写文献的平均数。

(8)二次甄别法。按主题检索可能有些误检的产生,这影响计量分析的准确性。前者,例如要查找所有数据库研究方面的文献,检索式可以是"数据库$+库"。这里"数据库"这一关键词后面加"$"符号是指截断,用以包括数据库建设、数据库设计、数据库分析等关键词。"库",是指题名中出现"库"字的记录。之所以采用这种关键词与题名中单汉字相结合的检索式,是因为它可以命中题名中包含诸如"文献库"、"全文数据库"、"数值库"、"刊库合一"、"库结构"等字样的文献。但这样检索的结果可能混进"四库全书"、"四库分类法"、"书库"之类的文献。因此需要从这个检索集合出发,进行二次扫描,以排除包含"四库"、"书库"之类的文献。文献的删除及其在系统索引文件中的更新是很容易做到的。这种办法就是二次甄别法。另一种甄别的必要是CDS/ISIS软件的缺点造成的。当进行相邻度检索时,"A·B"检索式会将符合"B·A"检索式的文献误检出来。例如要检索文献题名中带有"法国"的文献,使用"法·国"检索式,会误检出"中国法律数据库"之类的文献。在这种情况下,就不得不需要依靠CDS/ISIS软件对已建立的检索结果进行指定字段的顺序扫描,才能排除误检记录,以达到甄别的目的。

(9)文献统计法。目前重庆光盘对重要文章开始作摘要。统计一种期刊或一个专题内,有多少文献被作了摘要,也是文献计量的一个指标。在CDS/ISIS库中实现这一功能很容易,只要按顺序扫描摘要字段中的逗号或句号即可。

3 本计量分析试验的项目与指标

依靠计算机化的数据库和检索功能,可以进行极其多样的计量分析。除了一般的指标测定外,还可以进行目前尚少有人进行的计量项目:

(1)题名措词的计量分析。例如"初探"、"再探"、"论"、"论纲"、"谈"、"浅谈"、"思考"、"商榷"、"评"、"评述"、"评论"、"述评"、"答"、"问答"、"构想"、"看法"等,这些计量如果与一定年代或同一定的刊名相联系,是不无意义的。这种分析借助于题名单汉字索引可以举手可得,但至今发表的文献计量分析文献尚未作这方面的分析。

(2)作者所在单位及其有关分析。由此可以测定一些单位的研究人员阵容和总体实力。例如,一些人才密集的单位(如中国科技信息所、中国科学院文献情报中心、北京图书馆、上海图书馆以及高等学校图书馆和图书情报学系)的学术成果总量可得以比较排序,还可就某一专题或某一种期刊为对象进行这种比较排序,了解各自的学术研究优势。这对于帮助选择硕士点、博士点是有用的。这种作者群落和人才地理分布的计量分析有人用手工方式做过,但规模毕竟有限。

(3)在某一专题文献中确定最早的撰稿人及其文献。这个工作可在临时建立的专题子库中按年代筛选的方法进行。这种分析国内目前很少做过,但对于撰写文献评述、回顾发展历史是有意义的,这也是对开创者的尊重。在笔者阅读过的一些文献述评文章中,其中有的就是由于无相应文献计量数据作参考,而模糊了历史。例如,国内有关文献计量学的介绍,有的人认为始于70年代末,事实上早在60年代初就有专文发表。又例如目录学对象研究的"矛盾说",很多人认为是80年代初期提出的,事实上这个年代应提早到50年代末期。

(4)重大研究主题趋势变化的计量分析。学科的发展,往往表现为新的名词术语的产生和原有学科名词的分化、转义和逐步淘汰,这些又主要表现在文献题名与摘要、正文的文本之中。作为书目数据库,题名是文献作者自己拟定的,而作者对学科的发展是最为敏感的。标引工作是二次文献工作者进行的,词表和标引落后于学科的发展是正常的现象。题名具有很重要的价值。因此,在文献计量工作中在题名中捕捉新的名词及其文献量的增长,是一种有效的手段。例如近年来新产生的学科名词,如"索引学"、"检索学"、"期刊学"、"阅读学"、"文献检索学科教育学"、"导读学"、"读者学"、"文献类型学"、"文献社会学"、"信息社会学"等,关键词标引往往漏标这种新名词。在本数据库中可在题名中迅速查找,并按年代计量,以了解其提出、形成过程和发展趋势。对于概念广泛并不断增加内涵的学科研究领域,要研究其发展与动向。题名分析也是一个重要途径。例如可按形势发展和技术进步的背景观测有关文献的状况,如"改革"、"中国法修订"、"文献检索课"、"文献资源建设"、"信息产业"、"图书馆现代化"等。由于范围广泛,可用后控制表进行有关词汇的联系控制,以获得较全面的文献计量,帮助了解图书情报学研究发展的动因和机制。同时对获得的文献再进一步建成子库,可进一步测定其相关词的出现年代与分布比例。

(5)按分支学科测定核心期刊与核心著者。关于我国图书情报学的核心期刊,已有人做过大量测定工作,并有定论。然而,如果按图书情报学的分支学科进行核心期刊的测定,其结论将有所不同。要进行这种分支学科的核心期刊测定,在数据库检索系统中建立子库的条件下是容易进行载文量、核心著者凝聚度等指标的测定的。当然,还需要补充引文分析及专家意见。目前图书情报档案学已被列为一级学科,其分支学科很多,如果按分支学科进行核心期刊与核心著者的测定,就会更有针对性和可比性。

(6)一定专题或分支学科文献中书与刊的比例的测定。由于本数据库收录文献类型既包括期刊论文,又包括专著、会议录、工具书及教材,因而测定书刊文献的比例是易于进行的。这种比例的高低,反映了研究成果系统化、成熟化的水平。

(7)测定一稿多投、一稿多登的情况。目前由于图书情报学刊物较多,各编辑缺乏机检检索系统,因而同一稿件在两种甚至3种刊物上重复登载的情况时有发生。CDS/ISIS软件虽然没有查重(题名、著者姓名的重复)功能,但可以将数据转换成其他格式,用专门的查重软件进行。我们已编成针对打印格式的查重软件,即使在CDS/ISIS数据库系统内,进行著者检索或专题检索时,也易于发现。这种监测一稿重复发表的功能,有助于学风的端正与刊物编辑质量的提高。系统全面地对一稿多登的查重测定,也应该是文献计量的一项内容。

由于我们建立的"图书情报学论著数据库"目前仅积累到6万多条记录,看来还相当不完备,估计如有10万条记录,才能达到基本完备的水平。因此,虽然我们利用这个数据库进行了各项指标的测定,但恐数据不全,而不敢贸然公布。这种计量分析,留待今后数据库规模进一步增长后,再另文发表。

参考文献

1. 邱均平,谢新洲. 文献计量学研究的新趋势:计算机辅助的文献计量研究. 情报学刊,1990(3)
2. 尤弢. 文献计量方法与计算机辅助的文献计量研究. 武汉大学硕士论文,1996
3. 李胜强. 为ISTIC/ISIS增加文献计量统计功能,情报理论与实践,1994(2)
4. 任安良,马国庆. 计算机辅助文献计量分析数据库管理系统(CABA-DBMS)的设计. 情报学报,1992(5)
5. 陈兴. 微机在文献计量学中的应用. 情报学刊,1991(3)

原文载于《情报科学》1998年第2期

其他研究

科技文献链及其意义

科技文献数量庞大，类型复杂，出版发行渠道多种多样，问世时间各不相同，乍看起来，它们之间缺乏必然的联系。文献的海洋似乎是一个无序的混合体。

但是，如同世界上五花八门的生物可以组成食物链，众多的化学元素可以形成周期表一样，各种科技文献也可以组成一个“科技文献链”。

“科技文献链”的概念可以揭示各种文献彼此的依存关系及其产生演变的时间顺序，可以启发人们更好地认识科技文献情报流的特性，研究文献链中各环节的平衡问题，从而更好地利用科技文献，做好情报工作。

一、科技文献链的构成

科技文献链是怎样构成的？应该从什么基点来描绘这个链的各个环节及其相互关系呢？

文献就是记录下来的知识。科技文献有许多特征，最本质的特征是它所包含的科技知识内容。一个新知识有它自己的被创立、被传播、被综合到现有知识体系中去的过程。这个过程中的每一个环节，都伴随着出现一批科技文献。因此，我们按这个知识发展的过程来描绘科技文献链的构成及其顺序是比较恰当的。根据这个方法，美国《图书馆与情报科学百科全书》第二十六卷画出了“科学情报的演变”图（见图1），笔者认为，这个图在某种意义上也可看做是“科技文献链”的结构形成。

从图1可以看出，新知识的产生，导源于研究与发展活动。这一环节中存在的情报交流，主要是科研组织成员之间的交流。如果从人类整个知识体系来看，来自现存文献中的有关知识，以及研究组织制订的计划方案，是这一环节的情报输入，而研究组织通过观察、试验而获得的原始性发现与数据，是这一环节的情报输出。它们被记录在实验室笔记或日记里，是最具有第一手意义的文献。它们是文献情报流的起点。

接着开始了非正式交流。在这一环节中，取得新知识的科研组织同有关团体或个人之间，通过非正式的渠道进行交流，为口头交谈、个人通信，以及传阅只供小范围内沟通情况用的备忘录。

以上两个环节虽然可以产生书面的文字或图形，使知识能在一定的物质载体上得以简化，从而形成文献，但这种文献一般是不公开发表的，其可获得性仅限于极其

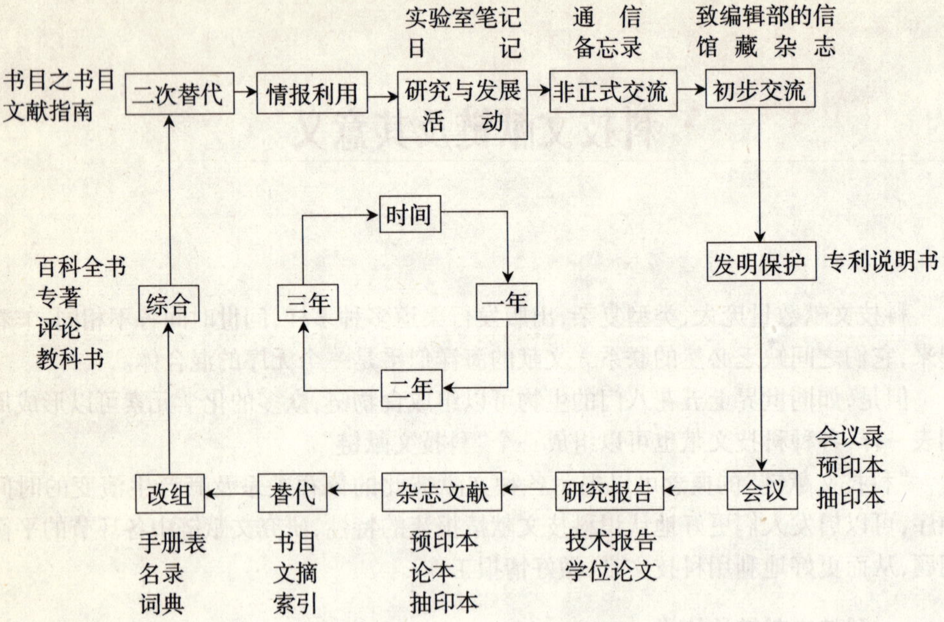

图 1　科学情报的演变

狭小的范围。它们处于文献情报流的“潜流”阶段。

有关新知识的交流随之进入了正式交流阶段，其中较早的一种就是“初步交流”。当研究工作取得一定进展、获得一定知识之后，科技人员就会愿意通过正式的、公开的渠道来交流他们的成果，以便在公开出版物中确立他们发现的优先权，或者传播进行中的情报，宣布其开创性的研究工作。由于力争速度，这一环节产生的文献主要是科技人员撰写的短讯、短文，往往发表在影响较大的或所谓“信札”之类的杂志上。这种初步交流，构成了对现有科技文献的早期贡献。一般来说，继这种短讯、短文之后，将会随之出现详细的报道与论述研究成果的文章。但也有不少日后并无相当详尽的后继论文发表，而这些短讯、短文可能就是唯一的公之于世的研究内容。造成这种情况的原因是多方面的，可能是研究计划受挫，也可能是发现研究目标不能达到，也可能是出于保密的考虑。

不是所有的科学家都愿将他们的研究成果公开发表，特别是有关实用新技术的交流，涉及产权的利益。因此，争取发明保护，以便在法律上确立新技术的垄断权，这也是产生科技文献（主要是专利说明书）的一个重要环节。专利说明书是发明人应专利审批当局的要求而撰写的，并由专利审批当局予以印刷公布，从而成为科技文献的重要组成部分，纳入科技文献情报流。

科技会议是科学交流的一种形式，也是科技文献（主要是会议论文的预印本、会议录等会前、会后出版物)的源泉之一,从而也就构成了科技文献链中的一个环节。

研究报告,是指科研组织向主管部门或资助单位撰写的报告其研究进展与结果的科技报告,或者是以硕士论文、博士论文形式提出的供评定学位的文献。这一类型的文献虽然并不能都认为是正式公开出版物,在交流的范围与获得方式上有所限制,但仍然是文献链中的一个重要环节。

科技期刊是科学交流的传统园地。据估计,在整个科技文献总量中,期刊论文占有最大的份额。来自期刊论文的情报,占整个科技情报量的百分之六十以上。在图书馆的文献采购预算中,期刊逐步地上升为第一位,因此期刊论文(包括期刊发行前的预印和已发表论文的抽印本)是科技文献链中重要的一环。

到此为止,科技文献链各环节产生的文献,其内容基本上反映了研究与发展活动所取得的知识,具有原始数据、见解新颖、首次公布的特征。因此,从总体上来看,它们是一次文献。但是,在这些一次文献中,从实验室日记笔记、通信、备忘录、致编辑部的短文短讯,直到专利说明书、会议文献、研究报告、期刊论文等的顺序,在内容与形式上,原始性依次递减,而系统性依次递增,及时性依次递减,而可获得性依次递增。这种改变,反映了文献著者、编者、审者、出版者所投入的加工劳动,因而使文献情报流逐步地发展壮大起来。

随后,科技文献的演变进入了二次文献的领域。由于一次文献数量庞大、文种多样、发表分散,难以掌握和利用,因此,必须对一次文献进行书目控制和重新组织。这是科技文献链向前伸延的合乎逻辑的结果。科技文献链在这一领域的 3 个环节是“替代”、“改组”和“综合”。

所谓“替代”,就是用索引语言描述文献的特征,对其所含信息进行各种不同程度的压缩(作成题录、简介或摘要),并使文献著录款目有序化,从而成为可供检索的工具——书目、索引、文摘。它们是对一次文献进行情报加工的结果,是掌握一次文献的工具,因而称为二次文献,这种文献检索工具不是重复一次文献所表达的知识内容,而是对一次文献本身的再次传递,它们体现了图书馆情报人员的有价值的劳动。从文献情报流的运动来说,书目控制(即“替代”)这个环节是文献情报流的“控制闸门”。借助于这个闸门,文献情报流的流量得以测度,流向得以合理调节。

对一次文献进行加工的另一种形式,是对其所含的知识进行重新组织,即从大量有关一次文献中抽取、核实、排比有用的数据、事实和结论,按照便于查检阅读的体系重新给以组织。这种改组的结果,产生了手册、表、名录、词典等类型的文献。它们同文献检索工具的区别在于,一般情况下可以取代对一次文献的阅读。从文献情报流的演变来说,是对一次文献的提纯与浓缩,从而更便于情报用户吸收消化。“改组”这个环节比起“替代”来说,是更高水平的情报加工。

把一次文献所包含的知识综合或溶化到现有知识体系中去,使之成为整个知识体系的一个有机组成部分,从而更新、丰富和提高现有知识,这就是文献链中所谓

"综合"的环节。这一环节产生的文献主要是不断更新版次的百科全书、教科书、专著以及评论文章等。

至此,科技文献的演变并没有结束。由于二次文献也很庞杂,因此也需要对其进行书目控制与改组,即"二次替代",科技文献链也随之进入了"三次文献"的领域。"二次替代"的结果,主要是产生了"书目之书目"和"文献指南"之类的文献。它们可以说是文献"钥匙的钥匙"——总钥匙。掌握这个总钥匙,是对科技文献情报流问津的关键。

在上述的科技文献链中,如果以"研究与发展活动"为起点,按顺时针方向移动,是由一次文献向二次文献、三次文献演变的过程,是科技文献的由博而约、由分散到集中、由无组织到系列化的过程。随着这个过程的推移,科技文献的有序化程度、可检索性和可获得性递增。但是,经历这个过程中的各个环节,都需要消耗一定的时间。在图1中,中间的时间指针,以"研究与发展活动"等于零作为起点,逐步增加为一年、二年、三年(当然,具体参数多大是可以讨论的),它就说明了随着文献的演变而表现在时间上的"滞后"次序。也就是说,按照顺时针方向移动,文献所含情报逐渐老化,新颖性和及时性递减,但就文献所含知识的成熟性和定形化来说,却是递增。

从人们有目的地掌握和利用科技文献来说,应该按文献链的反时针方向进行。即首先借助于三次文献,进而掌握二次文献,最后检索一次文献,从而从一次文献中吸收有关情报。当然,对于某些情报需求来说,二次文献就可满足,不需要再求助于一次文献。例如,对于一般了解背景材料或有关基本知识的情报需求来说,查阅词典、百科全书、名录、教科书,以及浏览文摘等,有时可以满足要求。总的来说,科技文献链的利用模式应如图2。

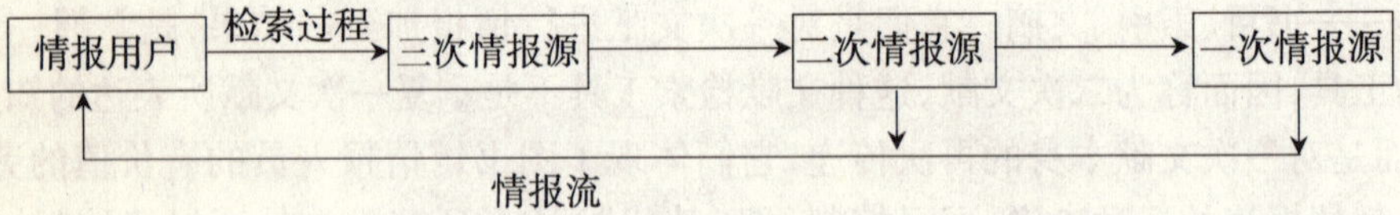

图2 科技文献的利用模式

二、链中各环节的平衡问题

如上所述,科技文献之所以一环扣一环,形成一种链式结构,乃是导源于人们记录情报,传递情报、利用情报的需要。各个环节之间的顺序和联系,反映了科学交流的客观规律。

链中各环节的依存关系,突出地表现在一次文献、二次文献及三次文献之间的平衡。一次文献的不断增长,导致二次文献的产生。古人说过,典籍日繁,盖有目录以为纲纪。正是这个意思。而二次文献的增多,又导致三次文献的出现。二次文献以一次文献为基础,而三次文献又以二次文献(也包括一次文献)为基础。从绝对数量来看,一次文献量最大,二次文献次之,三次文献最少,它们形成了"三级宝塔"式的结构。它们之间在数量上的比例关系,是一个值得探讨的问题。在"食物链"中。"初级消费者"同"高级消费者"之间(如鼠与猫)的数量比例大致表现为"十律",即前者是后者的十倍。改变这一比例,就会破坏"食物链"的平衡。当然,在科技文献链中,一、二、三次文献之间的比例,不会简单地等同于"食物链"中的比例。但是,应该说,这中间可能是存在某种规律的。例如,如果二次文献太"少",将会使大量一次文献得不到充分反映而被埋没;二次文献如果太"多",将会造成情报加工的浪费。同样,三次文献同二次文献之间的比例,大致也是如此。人们常说的检索工具的"缺"或"滥",事实上就是指的文献链中各环节失去平衡的意思。当前我们科技情报界面临的检索工具体系的建立与健全问题,正是为了调整一次文献同二次文献之间不相适应的状况,解决它们之间的平衡问题。当然,一、二、三次文献之间的合适比例是多大,看来只有通过大量的统计来分析研究。其次,统计的单位应该是什么,是按页数统计,还是按种数统计,或是按文献篇数和索引条数统计等问题,也是很需要讨论的。这些都应该是文献计量学研究的新课题。

文献链中各环节的平衡问题,还表现在各种类型文献(如专利说明书、会议文献、科技报告、期刊论文等)的比例问题。有人曾对计算机科学领域的文献作出统计分析,发现期刊论文几乎占总文献量的一半,其后的次序是:会议论文、图书、科技报告、学位论文等。当然,各种类型文献的比例,可能因学科性质、历史传统以及成熟程度而异。即使是同一学科,也会因时间而异。尽管实际情况十分复杂,但是如果联系各种影响因素来解释比例的消长,认识各学科文献情报流的特性,看来不是没有意义的。至少,对科技文献的采集、情报加工重点的确定,以及指导科技人员重点阅读,都将有所帮助。

科技文献链中各环节在时滞方面的相对平衡,也是值得注意的。各种类型文献存在问世时间的差别,这是不可避免的。但问题是应保持在一个什么样的水平上,以及如何调整不合理的时滞。例如二次文献的时滞过长,将会大大降低本身的使用价值,甚至失去存在的意义。即使在一次文献中,如何安排在报道新知识的优先级别上,也是需要考虑的,例如让属于初步交流性质的"信札"杂志之类的出版物,抢先报告尚未完成全文的有关新知识的消息或进行中的研究情报,使科技界更及时掌握有关动态,赶上研究的浪尖,在我国来说,就是一个值得探讨的问题。

三、有关文献链的研究方法

"科技文献链"这一概念,是从整体性的高度、有序性的高度和动态和高度来探索科技文献的产生、演变和结构规律的,它不是孤立地研究具体的某一特定文献,而是把科技文献作为整体来研究。单个文献的出现与否或出现的时间可能是随机的、偶然的,但就整体而言,科技文献是有序的。科技文献链所体现的动态性,不仅指在文献的链式结构中,文献是不断出现的,情报流是持续不断的,而且也指的是,科技文献有其本身演变的历史,各种类型文献是彼此联系、可以转化的。值得注意的是,体现在科技文献链中的情报流的运动,不是简单的位移,而是在它经历的每个环节中,都不断加入了文献著者、编辑者、情报加工者的创造性劳动,逐步使文献中所含知识得到鉴别、提纯和综合,从而使文献情报流不断增值。作为链起点的研究与发展活动,是情报源的发源地,又是链的终点,即情报流的目的地。这种循环往复,推动着人类对自然的认识能力螺旋式地上升,不断完善科学技术的知识体系。

当然,本文描述的科技文献链只是粗线条式的。事实上,有许多问题有待研究,例如,在链式结构中,各环节之间有可能存在着错综复杂联系的网状结构。其次,影响科技文献链的构成及各类型文献比例关系的,不仅限于科学技术和文献出版发行本身的因素,而且也包括社会因素。例如,国家对科技文献的重视程度和相应的情报政策,有关的组织体制,社会的情报吸收水平等。因为归根结底,科技文献的存在与传递,毕竟是一种社会现象。因此,探讨科技文献链这一概念,并不意味着对科技文献的结构特性作过分简单化的处理。

探讨科技文献链的研究方法,主要是统计、比较、分析的方法。只有以普通调查、充分数据为基础,才能引出比较接近实际的结论。联系各个国家的科学文化特点进行比较分析,也是一种有意义的研究方法。

科技文献链的研究,应该是文献计量学的一个课题。对这个课题作深入的研究,是有价值的。

参考文献

1. Subramanyam K. Scientific and Technical Information Resource. Marcel Dekker, Ine. . New York, 1981
2. Encyclopedia of Library and Information Science. Vol. 26, Marcel Dekker, Inc. New York, 1979:394

原文载于《情报学报》1983 年第 1 期

情报新技术的迅速发展与第三世界国家面临的问题

近年来,情报新技术的发展十分迅速。在情报的生产方面,文字处理技术和电子出版的发展,提高了文献写作与发行的劳动生产率,使情报源得以迅速增长。在情报的存贮方面,CD-ROM 等光学存贮技术的进展极大地增大了情报存储容量,并降低了单位存贮费用;在情报的加工方面,自动标引与分类以及各种机编索引技术提高了加工效率,联机编目使情报的处理集中化和标准化,套录技术的应用促进了数据库的微分化与重组化;在情报检索方面,用户友好的接口改进了情报系统的易用性,有助于提高用户的作业量,数传网的增多和伸延使联机情报检索扩大了服务地区的覆盖面,智能检索的研究将逐步提高检索效率,数值和全文检索的发展使情报检索走向纯情报化;在文献提供方面,联机联合目录、联机馆际借书把资源共享提高到新的水平;在文献情报的传递方面,电子邮件与传真技术开辟了高速度传递的新手段;在情报系统的建设上,主机规模逐步升级导致系统的巨型化与网络化,而微机的普及使个人检索系统和千百种适应特定目标的小型系统日益繁荣;在国际合作方面,也借助于情报新技术的手段,使合作在更大范围和多种层次上蓬勃开展。所有这些,有力地提高了情报工作的搜集加工信息和提供情报服务的能力,从而推动我们的时代步入"信息化时代"和"信息化社会"。

但是,我们在惊喜地看到情报新技术迅速发展的同时,不能忘记社会因素。我们应当冷静地分析情报新技术对不同社会状况的国家带来的不同后果,尤其是应当从第三世界的角度,正视他们面临的新问题并制定相应的对策,进行这方面的反思,对于调整和改进我国的情报工作政策与规划是很必要的。

一、发展中国家与发达国家在情报处理能力上的差距迅速扩大

西方某些情报学家认为,逐步地把情报从富国传输到发展中国家,最终将减少这两类国家之间的差距。他们说,发展中国家只有大力发展情报服务工业,使现代技术获得最大可能的使用,除此之外别无选择。

这些观点表面看来是无懈可击的,但实际上过于理想化,甚至是乌托邦。情报新技术的研制,需要资金,并且需以国家的经济与科技的整体水平为基础。情报新技术的应用,与一个国家的情报工作基础结构密不可分,同时更要以较高的情报用户需求

水平为前提。而情报的需求与情报意识直接来自一个国家的生产、科研的发展及其需要。发展中国家经济落后,科技水平低,情报工作基础结构不完善,因而缺乏在发达国家中存在的那些基础与前提,事实上,情报领域的几乎一切新技术的研制与利用,发达国家都遥遥领先,发展中国家处于望尘莫及的地位。这两类国家在情报处理能力上的差距,这些年来不是在缩小,而是在迅速扩大。例如,美国 DIALOG 情报检索系统的存储容量已达 10 万兆之多,美国 OCLC(联机计算机图书馆中心)的联机联合目录已达 2000 多万条记录,他们的数据库工业已达相当规模。而发展中国家在情报系统的建设上却困难重重,步履维艰,有的新技术应用项目刚刚起步,又遭夭折。即使是一些依靠外援建立起来的情报系统也面临日常维持费用短缺的困境。许多国家无力建立独立的数据库,仅把自己的情报资源纳入发达国家的数据库作为其中很小的一个份额,而且在文献著录所用语种、著录格式、标引语言等方面不得不舍弃本国的特色而迁就大国,即使要获得本国的情报,也不得不去检索国外的检索系统和数据库。发达国家凭借自己的经济实力与技术优势,控制了情报流(特别是科技情报流)的生产与分发,成为“情报强国”。正如穷国与富国的差距在日益扩大那样,在情报领域中,发展中国家与发达国家在情报资源的掌握与加工能力方面,差距也在扩大。

二、发展中国家与发达国家在情报存取方面事实上的不平等正在加剧

从理论上和技术的潜力来说,情报新技术的发展确实使情报的获得克服了地理上的障碍与时间上的延迟,极大地提高了文献情报的可获得性。今天的情报用户,可以用比过去多得多的渠道,快得多的速度存取数量多得多的情报源。但是,我们必须看到新技术的应用带来的另一方面的问题,这就是,由于电子出版与数据库化的进程,促使电子版文献的比重增加和印刷版文献所占比重的下降,联机检索逐步取代手工检索,这一切使过去基本上是免费的传统获得情报的渠道被代之以按计算机与通信线路工作时间所获得情报量等进行计费的新模式。传统的图书馆和情报服务机构,逐步被推向有偿服务的道路。情报商品化的趋势日益加剧。这对于经济贫困的发展中国家意味着什么,可以说是不言而喻的。人们在现代化情报系统面前,他们对情报存取的权力,主要取决于他们的支付能力,有多少钱就能取得多少情报,没有钱就无从问津。许多发展中国家(包括我国)的联机检索作业量十分稀少,除了其他原因之外,主要的抑制因素是支付能力的问题。有的发展中国家连正常的供电都很困难,通讯设施非常落后,以致电话都不通畅,又如何能把以计算机与现代化通讯设施相结合为基础的现代化情报系统作为获得所需情报的日常渠道?在以印刷版文献为主的传统方式中,购买文献是一次性支付的,然而使用的次数可以不限,但在现代化情报系统中,每次使用都得付钱。而且现代化的情报系统主要掌握在发达国家手中,使用必须支付外汇,这对于特别缺乏外汇储备的发展中国家来说更是难题。因此,发

展中国家不得不把情报需求的满足程度控制在支付能力的范围之内。在“信息化时代”存在情报饥饿的现象，就是发展中国家所处的情报存取事实上不平等的地位的反映。

三、发展中国家的情报逐步为发达国家所控制，他们对发达国家的依赖性日益严重

一些发达国家的情报专家公开指出，情报是一种战略武器，谁掌握了情报，谁就掌握了支配权，谁就会在世界的舞台上处于有利地位。“情报战”并不是一个新鲜的名词，它是早已有之的现实。近年来，一些发达国家及其机构或个人对于“帮助”发展中国家建立与完善情报系统表现出极大的兴趣。他们或充当顾问，提供咨询，或给以贷款，以示援助，还有在国际合作的名义下进行活动。有人说，他们对情报产生的爆炸式的兴趣甚至超过了情报爆炸本身。当然我们并不否定有的国际合作项目确实发挥了一些积极作用。但是，听听发展中国家对此作的反响是必要的。

发展中国家认为，在国际合作方面，联合国教科文组织免费提供 ISIS、Min-ISIS 及 Micro-ISIS 等系统软件，确实对发展中国家的情报工作向标准化迈进有好处。此外，由国际原子能机构研制的 INIS 系统和联合国粮农组织研制的 AGRIS 系统，以及起初是由美国国家医学图书馆和泛美卫生组织合作建立的 MEDLARS/MEDLINE 系统等，都是工业化国家与发展中国家合作的例子，产生了积极的效果，但像这类实实在在的成果为数不多。联合国教科文组织近年来把注意力侧重放在第三世界，试图为各国国家情报政策的制定与实施提供方向性的建议，但由于财政等方面的原因（美、英等国拒绝拨款）而显得力不从心。“世界科技情报系统”（UNISIST）和国家情报系统（NATIS）的计划，由于内部的竞争，在一些发展中国家产生消极的影响，使得某些国家建立综合性情报计划受到挫折。

有些发达国家在无私援助的幌子下，用高利率贷款在第三世界国家帮助建立国家情报系统，实际上只是加重了第三世界国家的债务负担，为施舍国开辟他们的情报技术与产品的市场，并进而取得对这些国家的情报的控制。

在第三世界里，某些依靠外援建立的情报系统，由于外援用完或中止而告吹，并不少见。

发达国家控制了世界主要的情报源，在各个国家广设联机检索终端，从而增加了发展中国家在获取情报方面对他们的依赖性。对发展中国家来说，这种过分的依赖性可能隐藏着危险。例如，联机检索的课题，有可能被人用来作为分析国家经济与科研发展水平与动向的材料。另外，发达国家也可能出于政治上的需要，可以随时取消某些国家对一些特定数据库的存取权，或停止供应某些数据库磁带，或者在将来遇到战争等情况，情报检索与传递渠道可能被切断，而这将导致发展中国家面临情报的危机。此外，向发达国家购买或租用的设备与数据库，发达国家有权进行使用的核查，零部件或备件的补充有时得不到保证，系统的维护和更新（如软件版本升级换代）的主动权也可能落在别人手中。

更重要的是,本国的情报资源得不到很好的保护,情报的自主权受到危害。前面说过,发展中国家由于经济与技术条件的限制,不得不同发达国家合作建立数据库,将自己的情报资源按发达国家指定的学科范围和收录标准进行选择,按发达国家拟定的规格进行加工,作为一个很小的份额纳入其数据库,作为回报,发展中国家可以取得该数据库在国内的使用权,但也丧失了本国情报资源在国际上的发行权。虽然在一定的条件下,这种合作建库对于情报交流是有积极意义的,并且可以使发展中国家积累建库的经验。但是,它也可能导致不良的后果:由于数据库的选题必须以发达国家的兴趣为转移,因而不利于建立发展中国家自己的全面网罗情报资源的数据库体系;由于各发达国家的数据库彼此在著录规则、分类与主题组织方法,以及索引品种方面的不一致,也不利于发展中国家在建库方面走上标准化的道路,导致数据库的互不兼容;由于按发达国家的文种建库,也不便本国人民的使用。作为非第三世界的法、苏等国都在现在的国际情况环境下致力于建立自己的数据库体系和数据库统一规格化,也从侧面说明了发展中国家目前以发达国家为转移的建库道路并非长久之计,更不是唯一的建库道路。在情报领域中,发展中国家能够引起发达国家尊重的是自己的情报资源,这是发达国家无法取代的财产。如果发展中国家无法很好地保护自己的情报资源,这不能不是一个值得考虑的问题。

四、发展中国家接受外援建立现代情报系统的经验

许多第三世界的经验表明,在发展中国家建立情报系统确实是一个复杂的问题,如何确立一种有效的机制把技术经验从工业化国家传输到第三世界,需要深入分析。不加区别地传输科技情报,而缺乏使新技术适用本地条件的某些措施,这种情报传输的价值是值得怀疑的。对诸如这样一些口号:"情报就是力量","情报是发展的基础"等,需要重新审查,应当用第三世界的本地结构特点来加以检验,对第三世界的情报服务的概念,也需要很好地讨论。要在一个经济困难并且有时经历政治风暴的第三世界国家里,建立能够生存并带来积极影响的情报系统,存在许多的困难。

照搬发达国家的情报系统的模式往往行不通,发展中国家情报系统的建设经验表明,情报新技术的应用需要考虑下列因素或条件:(1)经济因素;(2)情报工作人员的因素;(3)基础结构因素;(4)环境因素等。他们有如下一些观点:在环境因素方面,政治的稳定性是首要的条件,要充分考虑文化、人口和社会的状况,使情报系统的建设同社会经济和文化条件相协调。注意不要太突然地改变社会中有关部门的生活与工作条件,不要使这方面的投资只有益于社会的一部分人而损害其他人。

在基础结构方面,要注意计划中的技术变更更能够在现有条件或即将创立的条件下确实能够实现。现代情报系统必须使用与电信相联系的设施,如果在某些发展中国家不存在电信方面的适当条件,就不能指望从使用这类设施中获得好处。情报

系统建设的计划要着眼于长期稳定的发展,而不是解决一些短期的或细小的问题。通过国际援助或合作而购买的设备必须符合本地的条件。一定要注意系统的可维护性。对于具体从事情报系统计划的机构,当局应从法律上赋予其职责,并保证其最终达到目标的连续性,否则计划便不能落实。从事类似计划或互为补充计划的其他机构,应当结合在一起,而不能各搞一套,没有必要坚持电讯信息传输和情报网络方面的一样化和标准化。

就技术因素方面而言,发展中国家的工作人员必须能够吸收消化购进的技术或为系统建设而研制出来的技术。当地应具备采用新技术的确实可能性,新技术的投入使用要有一个渐进的过程,即前一阶段的使用结果没有巩固下来之前不要立即进入第二阶段,在进口与现有技术相当的设备之间,应当分析使用现有适用技术的可能性。在系统建设中要注意鼓励使用本地的资源。

在经济因素方面,如果是接受外援进行情报系统建设,那么在开始任何活动之前就应保证双方用于该系统建设的资金已确实存在并能提供使用。资金提供的延迟可能危害计划。双方财政拨款的数额要仔细安排,对如何有效使用资金的条件也应很好研究,在偿还贷款方面要注意通货膨胀的影响。国际货币不能用来支付当地的工作人员,否则在计划结束时可能存在因无法支付工作人员而难以运行的危险。

在人员的因素方面,当地负责执行计划的领导人员必须有当局的支持。当地的工作人员必须具备必要的水平以掌握计划涉及的高新技能与新技术,应尽可能向他们保证,在系统建设计划完成后仍然存在继续雇用他们的必要的财政与工作条件。系统建设计划要为当地工作人员提供培训,使他们吸收有关的新知识和新技能,以保证其良好的服务功能并最终扩充这些功能。计划要保证用户(无论是个人用户还是机构)能参与评价服务的过程。

在管理因素方面,要保证具备必要的条件与机制来监督和控制计划中各阶段的实施、经费的开支、运行费用的计算,以及建设成果的用途与收益的评价。

发展中国家的有关专家认为,遵循上述各方面的因素与条件,那么国际合作的建设项目取得成功的机会较大,并能保证其连续性,节约经费。国际合作的双方应被视为互相补充的关系,在他们的努力与资源的协调一致情况下,将会出现新的发展条件。

为了探索在发展中国家建立情报系统的模式,交流适用技术的情报,便于业务交流,南半球的国家之间建立了直接的联系,成立了"技术情报中试系统"(Technological Information Pilot System,TIPS)计划。发展中国家之间的这种合作措施看来是有益的。

五、我们应有的一些反思

我国属于第三世界,我国的各种条件同第三世界的其他国家有许多相同之处。

他们在世界情报新技术蓬勃发展面前所遇到的问题，事实上在我国也有不同程度的反映。因此，在我们对包括计算机情报检索在内的现代情报系统建设进行反思的时候，注意研究发展中国家的教训尤为必要。

这些年来，我们往往把主要注意力投入发达国家，注重他们情报新技术的迅速进展，介绍其潜力与应用，而对发展中国家的经验教训注意不够。当然，研究发达国家的情报系统技术及在情报系统建设中的应用是必要的，但是要把新技术的潜力真正在我国得以发挥，研究第三世界在这方面的实践，起到借鉴的作用，更是必需的。我们不仅要向发达国家建立交流与合作关系，南半球发展中国家的 TIPS 计划也很值得我们学习。看来参与发展中国家这方面的交流是必要的。

这些年来，我们对情报新技术的研究，主要的注意力放在它们的积极方面，如高速、准确、高效率等及其给我们带来的挑战、机会和希望，而对情报新技术的发展可能带来的消极方面，即其给第三世界国家带来的困扰，却注意不够。这种困扰，并非危言耸听，哗众取宠，而是活生生的现实，更是发展中国家从自己痛苦的教训中反思的结果。我们应当从技术与社会和统一的观点，而不是单纯的技术观点，对情报新技术进行研究，这可能是更使研究工作符合我国国情的途径之一。

对于情报新技术的应用已在其他发展中国家产生的、并在我国初见端倪的各种问题要进行相应的研究，为制定综合的对策服务，我们需要研究的问题有：

1. 如何保护我国的情报资源，坚持我国的情报自主权的问题。尽管不少情报学家鼓吹情报是全人类的财富，倡导国际间的情报交流和资源共享，但是也有不少情报学专家（主要是发达国家的情报学专家）坦率地指出，情报正成为一种战略武器，因为情报导致知识，而知识意味着力量、财富和控制。在谁拥有、控制、分发和确认情报的价值上，存在冲突，这种冲突正在逐步升级。到 90 年代，将变得更为明显。这种文化上的战斗将在企业与政府之间、国家与国家之间进行。西方情报学家的这种论断确实反映了现实。因此，保护我国的情报资源，坚持情报的自主权，应当是我国情报政策的一部分。从长远目标来说，我国应有自己的检索系统与数据库体系。国际合作是必要的，但应作为我国全面开发情报资源计划的一部分，我国必须掌握拥有、控制、分发和确认情报的价值的自主权，情报新技术的采用，应该是服务于加速这种目标的实现，而不是相反。

2. 如何从我国的国情出发，在评价情报新技术的基础上，确定适用的情报技术，有指导地加以引进与采用。情报新技术的涌现是层出不穷的。各种技术具有其各自的适用范围、性能指标、成本费用及其他技术的兼容性。单凭商业广告的宣传，确实令人眼花缭乱。我国对市场上出现的情报新技术，缺乏系统的资料积累和科学的定期述评，这就可能导致引进与采用的盲目性。特别是我国作为一个发展中国家，经济与技术的底子较薄，对适用技术的确定尤为重要。在情报技术领域中，过去对适应技术的研究非常缺乏，为此，建议成立情报新技术行情情报中心，担负这个领域情报的搜集、分析、评价任务，并提供咨询、指导的职能。

3. 探索我国情报产业的模式。在发达国家，现代情报技术的采用，直接推动了情报产业的产生与发展，情报产业的存在，也能使情报新技术的进一步发展有了自身的基础和造血功能，唯有我国自己的情报产业的形成与发展，才能避免情报新技术的引进完全依赖发达国家的状况。我国不能长期地作为发达国家推销其情报新技术的市场，而应该将研制、改进、推广自己的情报新技术建立在产业化的基础上。

参考文献

1. J. Rohredo. Some Problems Involved in the Installation of Advanced Information Systems in Developing Countries. IFLA General Conference and Council Meeting Paris, 1998
2. Parker J. Stephen. UNESCO and Library Development Planning. London: Library Association, 1985
3. 陈光祚. 国外情报存贮与检索的若干发展动向. 现代图书情报技术, 1986(4)

原载《情报科学》1990 年第 10 期

OCLC的技术评估工作及其对我们的启示

OCLC(美国电脑图书馆中心)设有一个技术评估组,它成立于1988年4月,组内有6个成员,其任务是对那些有可能对OCLC产生影响的当前技术和正在研究中的技术进行评估。具体来说,就是查明重要的技术,提供专业的评价,向OCLC管理人员和其他工作人员介绍这些技术。

在技术评估组成立之前,OCLC中的一些技术部门已分散进行了一些技术评估工作,但有时彼此之间工作重复,有时却又都忽略了有关的评估。为了加强评估工作,因此成立了这个组,以便及时地向研究、市场推广新系统实现、电子出版物及发展等部提供评价报告。同时,这个评估组也负责协调OCLC各部门工作人员的技术评估工作。

技术评估工作之所以重要,是因为OCLC一直把采用经济有效的技术以减轻用户的负担放在特别优先的地位。OCLC必须有一种有效的方式来查明对自己的研究与发展有作用的关键技术。同时也要弄清和避免采用对OCLC用户看来是没有重要性的技术,事实上,评估组要经常考虑的是这样4个问题:OCLC在自己的内部系统中是否正在采用适当的技术?OCLC是否正在采用适当的技术革新自己的新产品?OCLC是否正在考虑采用像CD-ROM和FAX这样的重要技术?OCLC是否在避免采用没有出路的技术?只有对上述4个问题作出回答,评估组的工作才是有意义的。

技术评估和研究工作是有区别的。OCLC的研究部探索那些在图书馆中有效地使用技术以进行革新的方法。在这种探索中,技术只是一种工具,而不是研究的对象。技术评估组则评价硬件和软件工具本身,以测定它们的性能、耐用程度、对于它的拟定用途的适合性,技术评估一般是与OCLC的其他部门及研究部合作进行的。

近年来,评估组的主要评估项目有:光学字符识别装置、可擦的光盘存储装置、在地方区域网络环境中的CD-ROM、NEXT工作站(NEXT计算机256兆读写光盘存储器,易于联网,并有数字文库)、声音识别与合成等有可能应用于图书馆的技术。

技术评估的标准一般是考虑技术对OCLC及其用户的潜在用途。如果判断它是有用的,那么就进一步评估其性能、耐用性、对拟定用途的适合程度,它的各种说明文件,它的成本效益,以及它与其他技术相比较的独特之点,评估组尽可能使用OCLC软件进行这种评价,或者在类似图书馆的环境下评价该产品。

评估组把各种情报系统技术分成 9 个领域,这 9 个领域就是:

- 磁存储和光存储的进展
- 并行处理和超计算(Supercomputing)
- 光学字符识别
- 操作系统发展
- 工作站主要卖主的动向
- OSI(开放系统互联)和网际联网进展
- 专家系统和自然语言处理
- 显示和打印设备
- 文献表示语言

评估组的成员有所分工,每人负责一两个领域,通过多种途径了解有关领域的进展,例如浏览技术出版物,与技术产品的卖主保持密切接触,定期参加培训,与类似 OCLC 这样对技术有兴趣的其他组织进行联系等。

评估组在发现一些技术的重要性后,就以月度和季度的更新材料通告 OCLC 有关方面并把详细报告送给提问者。如果一项技术能引起广泛兴趣,评估组就组织展示。例如,面向目标的程序设计技术和 FAX 技术,评估组就组织过展示。

评估组认为,采用新技术太快或太慢都可能使 OCLC 面临危险。如果采用的太快,就会造成昂贵的、不可靠的并且会很快过时和被别的改进了的技术取代的硬件和软件挫伤用户。例如,如果 OCLC 采用磁—光驱动器作为当前工作站的存贮选择,那么,其价格为 5000 美元,在今后两三年内无疑会大大降价,而且这样的驱动器很可能被完全不同的甚至更好的技术所取代。

采用新技术太慢,其危险是用户不能享受有用技术的性能上的好处和其他好处,并且他们还会从其他更为革新的服务提供者那里发现这些好处,从而发现自已处于落后的地位。

评估组认为,从大局来看,硬件技术发展迅速,超过了可获得的软件。吸取已经可以获得的硬件技术来研究新的应用软件。例如,可以使用人工智能技术来研制监测文本数据库的应用软件。

评估组在实验室评估技术时,往往会从那些技术销售商从未考虑到的角度来进行评估。他们看准了某些技术,提出了建议,然后这些技术被结合到现有的 OCLC 系统中去的时候,就实现了评估组的自身价值。

下面简单介绍他们所进行的三项技术评估课题。

首先是图像处理技术的评估。具体来说,他们探索扫描仪、光学字符识别(OCR)、图像数据库管理系统、传真(FAX)等技术如何为文献提供所用。无论是一篇文章,还是内容目次,还是图书索引,图像扫描都是文献提供的第一步,然后用 OCR 软件对这些图像进行处理,把这些文字和数字图像转换成计算机可以阅读的

ASCII 文本。然后,文献图像被装入图像数据库管理系统,对 ASCII 文本进行处理,以建立这些被存贮文献的索引。完成上述各项工作后,则图像数据库管理系统将在图书馆中可以利用。整机的提问可以同文献进行匹配,而图像可以在连接的打印机上输出。例如,对馆际借书来说,图书可以通过传真(FAX)送到提出要求的图书馆,评估组已做了上述各项试验,需要把这些技术处理组合起来,以研制一个实际的系统,改进图书馆的文献提供工作。

第二项评估是对 NEXT 计算机的评估。这种计算机已引起广泛的注意,它被标榜成"高等教育的下一代计算机"。评估组对这种计算机进行研究,认为对图书馆来说,这种计算机可以有 3 个用途。首先,它可用作学者的工作站。这种计算机主要销往学术机构,不久之后,在学术机构会有不少这样的机器。人们会从他们的 NEXT 工作站来存取情报。通过对这种计算机能做些什么样的研究,OCLC 可以确定拥有这种计算机的图书馆怎样使这种计算机最好地为图书馆服务。这种计算机第二种可能的用途,是作为 OCLC 产品与服务的台站(Platform)。这种机器有 256 兆字节的读写光盘存储器,并且是为易于联网而设计的。它也有数字文库,带有莎士比亚全集、韦氏词典及牛津引证词典等。这就可建议研制 OCLC 的新产品。这种计算机的第三个可能的用途是作为研究工作站。技术评估不仅要看到计算机可以为图书馆员所使用,而且可以帮助 OCLC 为图书馆研制新软件和新产品。NEXT 计算机可以成为这样的一种计算机。

第三项评估是声音识别。评估组认为,通过声音识别进行图书馆的编目检索很有价值。由于不再必须操作键盘,馆员可以一边手持待编目的图书,一边向计算机说出著录事项。而不必放下图书来击键。评估组正在研究修改 Search CD 450 程序,以接受声音输入,使检索变得更容易,效率更高。目前计算机只能识别同一说话人的声音,也就是说,除了该操作员外,别人无法使用,但如果需要,也可以把计算机限定为接受另一种声音,评估组正在装上 Dragon 系统的 Voice Scribe-1000 声音识别系统的 IBM 兼容微机上进行这种评估工作。

OCLC 开展的技术评估工作,对我国图书馆工作现代化建设有借鉴意义。我国图书情报界比较忽略这种技术评估工作,对各种有可能应用于图书情报工作的新技术缺乏跟踪,对有关的资料缺乏系统的积累,对它们的性能与潜力缺乏从图书情报环境基点的评价,将技术与成本效益的密切结合起来进行分析做得不够,即使有些单位做了这方面的评估工作,但缺乏一种有效的渠道来发表与交流有关研究报告,使之成为广大图书情报界可供参考与借鉴的财富,至于从全国来看,这种技术评估工作更缺乏协调。显然,这种状态导致了新技术采用方面的混乱与失误。例如,不少图书情报单位在引进新技术时面对五光十色的商业广告而感到无所适从,在未掌握广度与深度的信息条件下盲目决策,盲目引进,致使若干单位购进的设备不适用、不兼容、不配套,造成浪费,或延误了系统开发的时间。至于引进一些即将淘汰的技术或没有出路的技术,也并非没有例子,由于缺乏地区性或全国性的总体部署,即使一个图书情报单位利用购进的技术形成了系统,也很难与其他单位形成网络,即使一个单位利用自己引进的技术生产了情报产品,也很难被其他处于不同技术环境的图书部门所采用。

为了做好我国图书情报界的技术评估工作,我们建议:

1. 设立图书情报有关技术的信息中心,负责资料的搜集、整理、提供等工作。

2. 在有条件的图书馆和情报单位成立技术评估组,负责对新技术的测试和分析工作,撰写分析报告,并予以传播。评估组的成员应成为图书情报有关技术的技术行情专家,向社会提供咨询服务。

3. 要确定一批当前急需的评估课题。这些课题既要考虑技术的最新发展,又要立足于我国的实际条件;既要评述一些有积极作用的新技术,又要对已造成的失误进行分析。

4. 图书馆学会、科技情报学会或有关行政主管部门应考虑全国的技术评估工作的协调。

总之,技术评估工作应提上议事日程。从局部来说,开展这种工作需要人员与经费的投入,但是从全局来说,可以减少或避免失误和浪费,从而得到远远高于投入的产出。

原文载于《情报科学技术》1992 年第 3 期

论文献与情报学科群的集成化

近些年来,图书馆学、情报学、档案学、文献学乃至出版发行学等出现了学科建设上集成化的趋势。这就是根据它们的共同的基本属性,集成为概括性更高的上位学科。这是在现代信息技术和信息产业的推动与影响之下,各个学科的内容进一步得到深化与丰富,学科间的交叉与相互依存性更为明显,需要从更广的视野来认识各学科的共性,揭示普遍的规律,使学科的理论深度进一步提高,并能使社会更好地理解、承认和支持这个领域的学科群。同时,学科集成化也受到了教育上考虑的影响,即关系到培养社会所需人才的口径。因此,学科的集成与高校专业的设置是密切相关的。

面向文献与信息服务的学科群集成,主要有两种趋势:一是在"文献"基点上的集成,出现了"图书情报学"、"文献情报学"、"图书馆学情报学"、"图书馆与情报科学"、"图书馆·情报与文献学"等名称;二是在"信息"基点上的集成,出现了"信息学"、"信息管理学"等名称。

1 从"文献"基点进行的学科的集成

图书馆学、情报学、档案学、文献学、出版发行学等都是面向文献的学科。它们以"文献"作为基点进行集成的依据是:知识记录在物理载体上,便于保存与传布;能够在人的个体记忆之外建立"外存",使其具有"客观性",因而能长期使用,反复使用。尽管个人生生死死,代代繁衍,人类的文明却借助文献而得以绵延不绝。

文献学是一切面向文献的学科的共同理论基础。

图书馆是社会共同使用文献、实现文献资源共享的组织。图书馆工作的主要内容是建立藏书和使藏书为读者所用。因而图书馆学是面向文献及其社会共同使用的学科。档案是国家机构、社会组织以及个人从事政治、军事、经济、科学、技术、文化、宗教等活动直接形成的具有保存价值的各种文字、图表、声像等不同形式的历史记录。档案是有史以来最早产生的文献之一。因而以档案和档案工作为对象的档案学也是面向文献的学科。

文献是情报的主要来源,尽管不是唯一的来源。情报工作着眼于文献中的知识与信息,根据社会的需要而加以组织,有针对性地传递。情报工作的成果——综述、研究分析报告以及各种数据库本身也是新产生的文献。因此,情报学与文献学、图书馆学、档案学有着天然的联系。至于通过实地调查、采访专家、样品分析等获得的信息,一般都有文字或声像记录,可称为“潜文献”信息。

文献的出版是文献产生的源头。发行则是文献通过市场直接到达用户手中的渠道,是文献流运动的一种形式,因而出版发行学也是面向文献的学科。

从历史发展的角度来看,它们既是同源同宗,又是殊途同归。例如我国殷商时代甲骨文及其收藏,既是档案的起源,也是图书的起源;既是档案馆的起源,又是图书馆的起源。书店与图书馆对于服务于社会的文化需求来说,从来是相互补充的。图书馆的读者、情报用户及档案使用者具有很大的交叉性。这些读者与用户的使用目的也是基本相同的,即用于求知、研究和决策。随着社会信息需求的增大,图书馆工作、情报工作、档案工作彼此渗透,互相结合。图书馆工作的情报化,图书馆与情报工作的一体化、图书、情报、档案工作一体化的思想与实践,已经取得了很大的进展。这种“同归”,就是归结到一体化的文献信息服务。

这些学科的横断面大体是相似的和接近的,即采集、编目、标引、索引、检索、典藏、流通、读者用户需求分析及组织管理等。这些环节的流程和使用的技术及设备也有很大的共同性。

这些学科按照“文献”基点集成的上位学科,其命名的争议相对不大,主要是命名的概括性程度和用词的确切性问题。

“图书情报学”这个名称使用较早,80 年代初我国就设立了图书情报学院、图书情报学系或专业。刊名也有命名为《图书情报工作》、《图书情报知识》等的。尽管它比较简短流行,但经不起严格推敲。似乎这个名称的“图书”部分是指图书馆,情报则是指情报工作。然而图书馆从来没有简称为“图书”的,图书馆工作也没有简称为“图书工作”的。这个名词的英译是 Library and Information Science,而不是 Book and Information Science。在翻译时,这个名词包含的“图书”必须转译为“图书馆”。如果直译,则在国际上是不能接轨的。对“图书情报学”的另一种可能的理解,在广义上,“图书”是指文献,正如图书馆同时收藏报刊并未改变其名称那样。这种沿用旧称的情况很多,如“马路”、“银行”等,它们的真正含义并非如字面规定的那样。但是,今天命名学科群,完全可以采用更恰当的名词。同时,“图书情报学”这一名称,并未明确标示文献学,因而是隐含的。对于档案学来说,则未被包括在内。因此,这个名称是不完善的。

“图书馆学情报学”有些人分明是感到“图书情报学”这一名词不严密、不确切,因而采用“图书馆学情报学”。有些高校就曾以这个名称命名系或专业。这个名称是将二门学科“并联”起来,采取列举的方式加以表述。它虽然消除了“图书情报学”的含混,但没有体现出高于图书馆学、情报学的概括性,显示不出图书馆学与情报学二者之间的交叉与结合。

“图书馆与情报科学”。这个名称与西方流行的 Library and Information Science

对称。它表明是一个完整的学科,而不是两门学科的名称。事实上,图书馆学与情报学有许多交叉与结合的内容。图书馆的技术服务与情报机构中的文献加工是一致的。图书馆的公共服务中的文献加工是一致的。图书馆的公共服务中的情报提供与咨询服务,事实上就是情报工作。特别是专业图书馆所主要履行的实质上是情报职能。从"图书馆学"演进到"图书馆与情报科学",显著地反映了图书馆工作情报化的进程。但是主张这一学科名称的,大多数是从事图书馆工作与图书馆学研究的人。而从事情报工作与情报学研究的不少人则主张向"信息"方面靠拢,即根据所谓"大情报"观,把情报学融进信息范畴的学科之中。

"图书馆·情报与文献学"。这是国家技术监督局作为标准公布的名称。与"图书馆与情报科学"相比,它把后者隐含的文献学明白地标示出来,成为三位一体,因而更具有规范性。但是,档案学没有明确的位置。

"文献信息学"。黄宗忠等人认为文献信息学是研究文献信息的本质、结构、功能以及文献信息的集聚、存贮、转化、传递、利用与组织管理的活动及其规律的科学。它是一门综合性的应用学科,是信息科学的分支,是图书馆学、情报学、档案学、图书发行管理学的共同本质、特征、方法的抽象与概括,是图书馆学、情报学、档案学、图书发行管理学的上位类学科。这个名称具有较大的包容性,并且明白地提出了"信息"这一范畴,将文献信息作为信息的一个分支,揭示了文献及其工作的本质。在一定程度上,这个名称具有信息时代的气息,更能引起人们的重视。然而,文献包含信息,这只是文献的一个属性。文献除了"信息"之外,还是一种有载体的实物,后者引发了一系列工作和研究,例如文献保护(这里显然不是指信息的保护,而是指文献实物免受物理的、化学的、生物的侵害)、文献典藏、文献修补、期刊装订、复印服务等。文献毕竟是信息的包装。在文献采集中,也要考虑同一著作的不同载体或装订形式的经济性能(价格及维护方面的费用)及对读者用途的适用性。同时对情报工作信息来源的多样性考虑不足。因此,"文献信息学"这个名称似不全面。

"文献情报学"。它坚持"情报"与"信息"在概念上的差异。认为只有经过处理、用于传递的有用信息才是情报。在这一点上,它是较为确切的。它与"图书情报学"相比,"文献"要比"图书"有更大的包容性,更能体现现代信息技术所创造的信息载体的多样性。从社会的可接受程度上来说,这个名称更符合人们的习惯,更容易被理解。如果把"文献情报"看成一个名词,它也存在"文献信息学"同样的问题。如果把"文献情报"作为并列的两个词,用"情报"代替"信息",似嫌太窄。

"文献学"。这是对文献学这一名称赋予新的解释与界定,以此作为面向文献的学科群的集成化名称,认为文献信息学和文献交流学是文献学学科群中的两大支柱学科。前者侧重文献内在规律的研究,后者侧重文献外在规律的研究,它们共同构成文献学的主要基础理论。图书馆学、情报学、档案学都是文献学学科群中的成员，既是文献学发展的基础，又是文献学理论与方法在特定状况下的具体体现。这种集成化学科名称的命名更有科学的根据性。它的研究对象单一明确，其研究领域是其他学科所不能取代的，因而具有生存发展的基础。值得注意的是这个命名对情报学的包容问题。倡导这种“文献学”的周文骏、杨晓骏先生一方面认为情报学的研究内容十分丰富，超出了文献情报和文献情报工作的范围，但认为情报学还不很成熟，现阶段情报机构从事的工作与“文献情报”工作没有什么本质上的区别，情报学的主要研究对象是文献及其工作，因而情报学目前也从属于文献学。事实上，这种见解在国际上有先例。在欧洲一些国家，是以“文献工作”来称呼情报工作的。国际文献工作联合会（FID）的存在就是一种证明。但是，这种“文献学”在界定时，对情报工作与情报学的解释，特别强调“目前”、“现阶段”，这似乎不是长久之计。从这一点来说，这个命名的解释尚不够学科的确定性。

以上从文献基点进行的学科集成，主要存在的问题是文献并非情报的唯一来源，情报学的基点不是文献，而是信息，因而从事情报工作和情报学研究的人士不满足于这种依照“文献”基点的集成。同时，在社会信息化与信息社会化的浪潮面前，本来实质上是从事信息处理与信息服务的图书馆、档案馆、情报机构及其工作，在学科名称上却没有举起“信息”这面旗帜，占领“信息”阵地，显得落后于时代的发展。于是从90年代开始，人们越来越多地以“信息”作为基点进行学科的集成。

2　从“信息”基点进行的学科的集成

“信息学”。目前不少人主张将情报改为信息，因而将情报学改为信息学。改名的动机有两个：一是社会上人们将“情报”误作“谍报”，“情报人员”似乎属特工之类。为避免不必要的麻烦而改名，这就是所谓的“避嫌说”。二是随着信息化社会的到来，信息产业发展迅速。认为情报工作有必要纳入整个信息的大范畴，扩大自己的活动领域，以便走出单纯“科学情报”殿堂，最大限度地为社会的各种信息需求服务，使情报业走上产业化道路。在学科上，信息学从研究信息的属性与运动机制出发，揭示信息产生、识别、计量、编码、存贮、变换、分发、服务的普遍规律。由于信息广泛存在于自然界、人类社会和人的思维过程中，因此这种信息学具有基本学科的意义，它远比作为应用学科的图书馆学、情报学、档案学广泛，并有较大的理论深度。

但是“信息”的范围极其广泛，信息是物质存在与运动的形式，以及其作用于人类感官的结果。自然界物质的形状、温度、颜色、气味、运行速度、辐射等，都是信息。社会上的各种现象也是信息。在人的思维中，大脑就是信息的加工厂。信息是认识事物的先导和桥梁，许多学科都是通过对信息的研究进行的，例如疾病诊断、天气预测、卫星对农作物产量估算、民意测验、遥感探矿等。在这些领域，搜集信息是进行各门科学研究的起点，将其用于根据学科基础理论进行的分析。

关于信息理论与信息系统，目前在认识角度上存在很大的差异。

在科学技术领域中，人们把电子学与信息系统作为一个学科。它研究信息理论、信息编码、信源编码、信息获取、传输、处理、存储、显示、安全的基本理论，模糊信息理论，通信系统与通信网，光通信系统，空间通信系统，计算机通信系统，通信软件与协议工程，信息系统的仿真，新的定位测定技术，信号处理，语言处理，图像处理，生物医学信号处理，模式识别，神经网络，人工智能与实时信号处理，等等。并且认为，电子学与信息系统已经历了约一个世纪的发展，在基本理论、系统和器件与材料等方面形成了众多的分支学科。显然，这些都是硬科技。

图书馆、档案馆、情报机构等，只是社会上的信息服务系统。事实上，它们只属于信息工作的范畴。信息与信息工作是有区别的。后者是社会的一定分工，是人们有意识的活动，并不包含前面所说的科技领域的那些信息技术，即硬科技的研究。

因此，笼统地建立"信息学"，即使是在其框架中包含了图书馆学、情报学、档案学、文献学，它们充其量也只占有极小的地位，无助于这些学科的相对集中的研究，并且有可能走上自我否定的道路。

即使是信息工作与信息服务也有两个方面。一是信息技术服务，如邮政电信服务、计算机网络服务等。二是信息内容的服务，即采集、加工、提供信息的服务。后者的范围也是很广泛的。例如，天气预测是气象学的研究内容，但通过电视、广播等媒体，向社会公众传播这些预测结果（即天气预报）是属于信息内容方面的信息服务。因此，"信息学"虽然可以形成一门作为横断学科的科学，但是对于图书馆学、情报学、档案学等学科的集成来说，范围太宽、距离太远，会使这些学科失去自己特定的领域。至于从避嫌出发，将"情报"改为"信息"，将"情报学"改为"信息学"，只是一种权宜之计。事实上也不必多虑。如日本就是使用"情报"一词的，并没有"图书馆情报大学"，在国内国际上并未引起异议。在我国，由于情报工作已建立四十多年，"情报"一词，人们已见多不怪。特别是在知识界，"情报资料"、"情报工作"、"情报研究所"等词已被广泛接受，人们并不把它们神秘化。

"信息管理学"。这是目前国内最流行的一个新的学科名称。根据胡昌平所下的定义："信息管理学是一门以普遍存在的社会信息现象为研究对象，在提示其基本规律的基础上，围绕社会的信息服务，从社会的运行机制、信息需求与利用形态分析出发，研究信息资源与技术开发、信息的有序化组织以及社会信息活动控制（即研究社会化、系统化的信息管理）的一门新兴学科。"它与"信息学"的区别主要是限定为信息的管理。信息管理是一种使有价值的信息资源通过有效的管理与控制程序，所进行的实现某种利益的目标活动。提出这一名称的出发点是，认为现代社会信息需求的增大,包括图书馆和情报工作在内的科技与经济信息工作机制的变革,以及信息经济的发展,要求人们在揭示社会现象及其基本规律的基础上,寻求普遍适用的信息管理理论。社会对信息的采集、加工、分发、传递采用了多种渠道和载体。图书馆、情报研究与服务机构、书店、出版社、通讯社、档案馆、广播电视单位、商业化的数据库生产公司和联机服务系统、咨询服务机构等,都是服务于信息用户的社会部门。这些部门之间既有协作又有竞争,向信息用户提供在获取信息的及时性、准确性、方便性、经济性等方面的选择。这些渠道所从事的信息活动都具有共同的属性,即社会化、公用性、服务性。同时又具有相似的环节:采集、鉴别、存贮、整序、分发、服务。它们都受共同的社会环境的影响与约束,又都受现代信息技术发展的冲击。信息处理与服务活动的集成化是当前一个值得重视的趋势。例如,通讯社、出版社不仅直接制作电子出版物和各类机读数据库,而且近年来收购经营数据库生产业和联机检索服务业,电视部门推出可交互式检索的图文电视服务,图书情报部门趋向于一体化;报纸杂志纷纷出版电子版报刊甚至全文数据库。至于INTERNET(国际互联网)更把大量的图书馆、情报检索系统、视听服务、电子邮件、计算机会议、专题讨论集成在一起。信息处理与服务的集成化是信息管理学科集成化的基础。因此,信息管理学的提出是有根据的,要达到学科建设的目标较有现实的基础。但这个名称的不足之处是需要对"信息"作某种限定。

"信息资源管理学"。这个名词是对信息管理学的进一步限定,它强调经过开发的、形成资源的信息的管理,因而更有明确的研究范围与针对性。"信息资源"与文献更为接近。文献就是信息资源中的主体。因此它也更能界定我们所讨论的学科群的范围。

以上各种名称众说纷纭,反映了人们对文献学、图书馆学、情报学、档案学、出版发行学等学科集成化的多方位探索。科学地确定集成学科的名称,是一项艰巨的任务,还有赖于实践的发展和认识的深化。

3 几点思考

信息技术对于面向文献与情报学科群的影响是深刻而广泛的,特别是由此而引起的这些学科之间的融合与集成,是当前这个学科群建设中的中心课题。但是我们也应当看到,除了现代信息技术这个因素之外,还有一些其他因素也在影响学科群的建设。这些因素与学科发展的内在规律大体是一致的,但有时也不完全一致。因此,在学科集成化的方案中有迁就、迎合某些需要的权宜之计和策略考虑。

首先是教育因素。高等学校有关文献情报专业和学系的设置,虽然是以学科的划分作为基础的,但是社会对人才的需求状况也是一个重要的影响因素。拓宽专业面,使培养出的人才具备更大的对社会需求的适应性,正是当前教育改革的需要。从近年来毕业生的就业动向来看,到企业等单位从事管理信息系统开发的、到信息产业部门就业的日益增多。从社会人才需求的口径来说,"信息管理人才"更具竞争性。从某种意义上说,许多图书馆学专业、情报学专业或系改名为信息管理专业或系的目的就在于此。这种情况,自然影响到这些学科的集成化方向及其命名。

其次,对图书馆学、情报学等在整个科学体系中的地位问题的考虑,也是影响学科集成化研究的因素。出于将图书馆学、情报学等争取作为一级学科列入国家有关管理部门学科专业目录的目的,以便在学位授予、科研立项上得到重视和主动权,改变过去无明确位置或作为附庸的情况。为了确保一级学科的地位,为了在学科集成上使形成的上位学科名称与范围有相当的"分量",使学科集成面过宽,这也是影响我们所讨论的学科集成化的重要因素。

经过近年来的努力,国家有关管理部门已将"图书馆·情报与文献学"作为一级学科进行了定名。在研究生培养专业目录中,已列出"图书馆与情报科学"的名称。这两个由政府管理部门确定的名称是应该珍视的。因为它是正式的名称,在全国可作为有行政文件根据的名称而被广泛承认。

但从学术的角度看,对于图书馆学、情报学、文献学以及档案学、出版发行学等的集成及其上位学科的命名仍然是可以再讨论的,以便使学科的集成化具有更充分的科学依据,不受各种权宜之计的干扰。

我们所要集成的上位学科,其核心是文献学、图书馆学、情报学。对这一点大家的认识比较一致。我们不妨根据这些学科所研究对象的共同基本属性的分析入手进行探讨。

(1)图书馆、情报机构、档案部门是社会一定分工而形成的专门从事文献与情报工作的部门。社会性是它们共同的基本属性。换个角度说,就是公用性。

(2)图书馆、情报机构、档案部门一般来说不是新知识的创造者,而是已有知识的传递者。这种传递,有两个不同的方向,即"为书找人"、"为人找书"(这里的"书"是广义的)。前者如文献的采集整理及各种检索工作和数据库的编制,后者如参考咨询服务、定题服务、联机检索服务、出自一定目的的情报分析研究等。从著者与读者角度上看,也是类似的双向传递。这种双向传递,可称为交流。实现交流,正是图书馆、情报机构、档案部门的共同基本属性。

(3)图书馆、情报机构、档案部门是信息服务机构。服务性是他们的共同基本属性。它们存在的前提是读者(用户)的需求。当然,这里所说的读者与用户是广义的,既有当前用户,又有潜在用户、未来用户。

(4)图书馆、情报机构、档案部门,无论是从单个还是从群体来说,都是拥有信息资源(藏书)、信息加工的技术手段与方法、具有实现文献与信息交流的功能,以达到为读者(用户)的文献与信息需求服务的目标而进行组织的系统。

将上述4个方面总括起来,可以说:图书馆、情报机构及档案部门是社会上公用的实现文献与信息交流的服务性系统。

出版社与书店,离这个基本性质就有距离。出版社属信息的制造业,书店是文化商业机构,主要实现从著者向读者的方向交流。新闻、电视、广播等工作也有类似的情况。

因此,笔者认为,图书馆学、情报学、档案学(也包括文献学)进行学科的集成是完全合理的。这种集成所形成的上位学科名称可叫“文献与信息系统管理学”。

这个名称,由于把文献与信息并列,一方面可以排除过于广泛的信息范围,只限于社会上的信息系统所处理的信息。正如“电子学与信息系统”,其范围有所限定,只指自然科学与技术领域的信息系统一样。另一方面,“文献与信息系统”可以包括图书馆、情报机构、档案部门之外的社会上一切商业化信息处理与服务组织及其活动。把“山外之山,天外之天”包括进来,可以反映当前信息处理与服务业的多样化与集成化。因而能使我们的学科敞开大门,扩大研究领域,占领更多的阵地,跟上社会发展的步伐。实现预期收益,往往容易引起责任纠纷,而且常常找不到可供依据的标准来解决。因此,政府应结合信息商品的无形特征,制定出一套完整的、可操作的交易规则和交易制度,包括信息产品的质量评定标准、合同履行方式、付款方式和付款时机、责权利划分以及交易双方的权利保障等,以保证和引导信息交易逐步走向规范化。

由于信息具有易于扩散和集体消费性,信息生产者本身无法有效地排斥“搭便车”行为,这就要求有一个明晰的产权界定和权利保障制度,以保护信息生产者的各种权利(包括收益权)不受侵害,从而使信息生产和再生产过程得以顺利完成。从国内外的发展经验看,主要有两种方式:知识产权制度和 Know-how 合同方式。前者要求权利人以公开信息为代价,获得法律赋予的权利保护;后者则是以合同方式规定信息(技术秘密)受让方必须履行保密义务,以避免信息扩散。尽管这两种方式形式殊异,但其目的都在于保护信息生产者的权利。实践证明,这些措施不仅是可行的,而且是有效的。

由于缺乏配套的管理措施,加上信息企业的数量增长过快,鱼龙混杂,前一个时期,我国的信息市场是比较混乱的,一些信息公司靠“剪刀 + 浆糊”就大张旗鼓地开展所谓信息服务,有的为了谋取暴利甚至出售虚假信息,利用信息质量的模糊性和效用滞后性,对消费者进行信息欺诈,严重地损害了信息企业的形象和信誉,使很多消费者将信息公司视为“皮包公司”、“骗子公司”的代名词,从而使信息交易活动更加难以进行。因此,政府有关部门必须加强信息行业管理,切实制止信息交易活动中的不法行为,关停一批不具备条件的信息企业,整顿信息市场,维护消费者的合法权益,重建消费者对信息企业和信息服务的信心。

信息企业只有依靠高质量的服务,赢得消费者的信赖,才能使信息交易走出效用滞后的“怪圈”。因此,信息企业应克服片面追求经济效益、经营行为短期化的倾向,注重社会效益、塑造良好的企业形象,以信誉求发展。

参考文献

1. 肯尼思·阿罗著;何宝玉等译.信息经济学.北京:北京经济学院出版社,1989
2. 马费成等著.情报经济学.武汉:武汉大学出版社,1991
3. 胡昌平.我国信息商品市场价格与定价管理.情报理论与实践,1996(1)
4. 王槐.论信息产业经济学.图书情报知识,1993(2)

原文载于《图书情报知识》1996年第3期

情报是推动认识发展　实现人类交流的知识

——谈情报定义及属性

一、“情报”定义的探讨是必要的

尽管情报的传递和使用是社会生活中的普遍现象，但是作为一门学科的情报学，目前还处于形成之中。关于情报学中的许多基本理论概念，众说纷纭，尚无公认的定义或解释。例如，“情报”这一基本概念就是如此。

“情报”的定义及属性是什么？近年来国内情报学界也展开了一些讨论。赖在勇、杨沛霆的文章①②以及有关的情报学教材③中，都试图对“情报”及有关概念进行理论上的概括与表述。无疑，这些探讨有助于对情报和情报工作的本质及规律的认识，推动人们更加自觉地做好科技情报工作。①

赖在勇同志所表述的“情报”定义是：“情报是通过人类信息来负载、传递并在人类信息过程中发挥其使用价值的知识。”

杨沛霆同志所肯定的“情报”定义是：“情报，是意志、决策、部署、规划、行动所需要的知识和智慧。”②

武汉大学图书馆学系《科技情报工作概论》教材中，对“情报”的定义是：“情报就是含有最新知识内容的信息。”③

以上三种定义，有一个共同点，即认为“情报”的内涵（也是最本质的属性）是知识（和智慧）。前两种定义还有一个共同点，即都指出情报是有用的。所不同的只是前者着重强调情报“使用价值”得到发挥的条件与过程，而后者则强调情报对于“未来”的作用。

的确，在一个简短的定义中，如果要求把“情报”的各个方面的特征都加以表述是不可能的。但是，既然作为定义，就应当而且必须把情报的基本属性加以概括。只有这样，定义才能成为高度科学的概括。定义虽然是抽象的，但却应该是最能反映事物的实际面貌和包含最丰富的内容的。

看来，要较好地表述“情报”定义，应该先从分析情报的各种基本属性入手。

所谓情报的基本属性，就是构成“情报”这一概念所不可缺少的，并且是贯穿始终的，规定“情报”性质及其运动规律的特征。

那么，应该怎样来分析情报的基本属性呢？我们认为应从两方面来探讨：(1)从

“情报”与人类认识世界的关系上来分析;(2)从“情报”与人类“交流”的关系上来分析。也就是说,把“情报”这一概念放在人类对事物的认识过程和人类社会的交流过程这个大的范畴中来加以考察,以便从最基本的起点来认识“情报”。

二、从认识过程看“情报”

认识世界是人类伟大的社会实践。人类在改造世界中认识世界,又通过认识世界而进一步改造世界。人类在不断的认识世界的过程中,一步步地加深与扩大对客观事物规律的认识,把科学文化推向前进。

认识过程有连续性与继承性。人们总是在“已知”的基础上探索“未知”。当“未知”转化为“已知”之后,又向新的“未知”进军。因此,人类在认识世界的过程中,总是不断地遇到新的课题,获得新的材料,建立新的知识,增长新的智慧。人类的认识活动,总是一种生气勃勃的富有创造性的活动。

“情报”发源于认识过程。人们在接触事物中所获得的感觉、印象等,是感性知识,例如观察记录、实验数据等。感性知识有时是零碎的、还不能理解的,但却是有重要认识价值的情报,随着认识的深化,对事物的认识从感觉、印象而上升形成了概念,并且人们把自己对事物的认识加以描述、解释与分析,这就形成了大量的研究探讨的材料。这些都是理性知识,尽管有时可能包括错误的理解与结论,但都是有认识价值的情报;而当人们在掌握了对事物的大量认识材料的基础上,经过推理判断(这种能力就是智慧),而指明未来的计划、建议与行动,这是更高认识阶段上的产物。当然这些材料是更深刻、更集中的情报。因此,人们认识过程中的“所见所闻”(感性认识)以及对“所见所闻”的进一步“理解”而得出的认识(理性认识),都可能成为“情报”。“情报”也只能为来源于认识过程。离开了认识过程,就无所谓知识,也无所谓情报。

情报服务于认识过程。获得情报,往往不是认识的终结。恰恰相反,而是认识的开始,或者说是进一步深化认识的开始,一般来说,人们认识过程中的各阶段,都需要借助于情报。当对事物开始接触而处于茫无所知的时候,需要借助有关情报,了解情况、掌握动态与启发思路,以便把自己的认识的起点建立在前人或别人“已知”的成果基础上;当人们对事物有了一定认识的时候,也需要搜集有关的情报,以便同自己的认识进行对比分析、发现问题、找出差距、确定前进方向;而当人们对某一事物的认识作出结论的时候,同样也需要借助有关情报进行核实鉴定、了解反映、收集效果、寻找可能的应用方面。

情报关系到加速或延缓人们对事物的认识过程。情报可以为人的认识(例如科学研究)提供直接有关的素材、间接有关的背景、解决问题的方法、启发思考的思路。这样可以在借鉴各种“已知”的基础上,加速探索“未知”的过程。相反,如果人们在认识过程中闭目塞听,不能取得全面准确的情报,就必然会事倍功半,走弯路,绕圈子,付出大量的无谓劳动,从而延缓了认识过程。

情报的增长及其在人类社会中地位的提高,也根源于人类认识世界的活动的发展。随着人类认识世界的能力与规模的提高与扩大,情报的产生越来越多,越来越快;对情报的需求也越来越大,越来越迫切;情报的重要性也日益明显。

情报通过服务于认识世界而最终服务于改造世界。意志、决策、规划、部署和行动,这些都首先取决于对事物的认识及判断。情报有利于认识和认识的深化,情报是具有认识上的价值,这是情报的重要属性。

从情报与认识过程的关系中,我们可以看到,情报总是与探索"未知"的创造性活动相联系的。探索未知,主要是科学研究工作和决策规划工作,而不包括单纯传授知识的学校教育和科普工作。情报不是简单地"填补未知"的,而只是为探索未知创造条件、铺平道路。从人类认识的总体来看,情报的内涵——知识总是"已知"的东西,即前人或别人已经取得的知识和已经达到的成就。情报工作是搜集已知、提供为探索"未知"服务的工作。情报工作并不能代替科研工作,对具体的人来说,如果把前人或别人"已知"的东西,"填补"到他的身上,以此为目标的工作是教育与科普工作。如果这种"填补"只是为作为推进进一步的认识的手段,那才是情报工作。

前人或别人的"已知",只有当它同探索"未知"的目的联系起来,并推动探索"未知"的进程,它才发挥了"情报"的使用价值。正是在这个意义上,可以说情报是通向未来的桥梁。例如古书史册上关于地震的记录,可以说是已经存在千百年的"旧闻"。而当这种"已知"被寻找出来,用于探索地震规律和考虑工业部署的时候,它就获得了新的情报生命力。因此,简单地把情报限定为"最新"的知识,是不恰当的。当然,最新取得的知识与目前正在探索的"未知"有更紧密的联系,因而更富有认识上的价值,这一点是没有疑问的。但是,这里也正是从探索"未知"的观点来承认这种情报价值的。

三、从人类交流看"情报"

情报的存贮,传递与接收,是人类"交流"(或称"通讯")的一部分。"情报"从属于"交流"这个大的范畴。必须从人类交流的高度来分析"情报"。

人类总是生活在一定的社会关系之中。人们认识世界的实践,不是个人的单独行为,而是彼此协作、相互交流、共同提高的过程。没有这种交流,人类的科学文化的丰富与发展是不可设想的。人们在认识自然、认识社会及认识人类思维规律的过程中,需要沟通情况、交流经验、讨论问题、共议计划。这种交流,不仅仅是在当代人之间进行的,而且也是在前代人同后代人之间进行的。通过同代人之间的交流,个人对事物的认识才会成为同代人共同的财富。而文化科学的连续与继承,正是这后一种交流的表现与结果。这就是说,人类交流有两种方式:一是在同一时间里点对点的空间方向上的交流(横向交流),二是昨天与今天之间时间方向上的交流(纵向交流)。

如果说,人类社会不存在这种横向交流和纵向交流,也就无所谓情报及其传递。因而情报也是人类交流的产物。

人类有交流,就会有情报及情报的传递。有人说,情报“最早源于战争”。[②]这种说法承认了情报是人类交流的产物,但是却把人类的交流活动仅仅理解为战争。战争是人类社会进入阶级社会才有的现象。在这以前,人类早已开始了生产活动和初步的科学观察,早已开始认识世界。因此情报不是最早“源于战争”,而是源于生产和科学观察,源于对自然界的认识。据说在一个山洞里,曾发现原始社会的人所画的7个点,这是他们对北斗七星的描述与记录。这7个点之间的相对位置与今天北斗七星的相对位置有所不同,经过分析,北斗七星是朝着不同的方向运动的,这7个点正是当时北斗七星的相对位置。这幅7个点的图画,在当时就是科学观察的记录,对今天也可以起到核实七星向不同方向运动的情报价值。这幅图画也向我们提供了这样一个“情报”:早在战争出现以前,就有“情报”及“情报”的存贮与传递了。

人们对事物的认识,一旦成为交流的对象,实现了人与人之间的交流,就成为“情报”,发挥了情报的价值。

从人类交流这个角度来分析,“情报”具有3个属性。

第一,“情报”这一概念本身就包含了从情报源到吸收源的运动过程,情报拥有“传递性”。

要实现传递(交流),情报要力求能够清楚的表达、长期的贮存、远距离的传输。这是使接收者接受和理解情报的前提。也就是说,情报必须拥有表达、贮存和传输的手段。

情报采用符号或符号系列来加以表达,这种符号或者符号系列,就是信息。例如,颜色、图像、语言、文字、电脉冲等都是不同的信息。信息还必须通过一定的载体来存贮、传输和发送。例如纸张、感光胶片、唱片、磁带、计算机存储器等,都是各种载体。信息与载体的结合,就把情报转化成各种类型的文献,文献是固化了的情报。

情报之所以用信息来表达,是因为人们接受与理解情报最终是通过自己的感官(视觉、听觉、触觉、嗅觉等)而实现的。但是信息与情报是有区别的。尽管在不少外文中,它们是同一个字,然而却有不同含义。“情报”侧重指内容方面,即人们对事物的认识(知识)。而“信息”一般是指的符号或符号系列。同一情报,可以用不同的信息来表达。例如既可以用声音录在录音带上,也可以用文字印在纸张上,也可以用脉冲信息存贮在计算机存储器。今天,不同的信息可以转换,例如文字可以转化为声音,电波可以转化为图像等。“信息”转换了,但“情报”没有变。因此把“信息”与“情报”画上等号是值得商榷的。

第二,情报产生于情报源,经表达和传输而到达接收者。这是一个有起点、有终点、有方向的运动。

情报的潜在价值(即认识上的价值),只有当它在特定的时间里与特定的需求相结合的时候，才能转化成实际的效用。因此情报的有用性是随着时间、需求而改变的，即因人因事因时因地而异的。情报的有用性是相对的，例如一件情报，对甲的研究课题来说，可能无关紧要，因而甲对其漠不关心；而对乙的研究课题来说，就可能完全对口，因而乙对其视为至宝。同一件情报，在某个时间获得，正赶上火候，成为解决问题的“及时雨”；而在另一个时间获得，则可能成为无济于事的“马后炮”。

因此，应该从时间、空间和方向等多维概念的结合上来衡量情报及其价值。这就是情报的“特定性”，也就是情报“针对性”。

如果情报不具备“适用性”和“适时性”，它本身就很难称为“情报”。“适用性”与“适时性”是情报的针对性这一属性所固有的要求。

在现代人类的交流中，情报的“供”与“求”，“收”与“发”，形成了极为复杂的关系。情报用户需求的调查，情报效果的分析，情报加工与传输的目的性等，都已成为做好情报工作的重要因素。这些都根源于情报的特定性或针对性。

第三，“情报”既然从属于人类“交流”这个范畴，而“交流”是社会上人与人之间的一种联系方式。因此，“情报”这个概念也隐藏着人与人、组织与组织之间的关系，即“情报”具有一定的“社会性”。

“知己知彼”这是对情报的基本要求。对获得情报来说，人们总是把“触角”向外伸展，而把收到的情报向内传感的，所谓“眼观四路”、“耳听八方”，就是这个意思，这里，己知彼，内与外，正是情报所体现的人与人、组织与组织之间的联系。

情报的获得，并不像取得空气那样方便和自由，它往往受到许多人为的限制。例如对情报的保密、封锁和垄断。这种障碍来自人与人之间、组织与组织之间在社会利害上的考虑。情报的传递受情报政策的制约。这些都是情报的社会性的表现。虽然有不少人鼓吹情报是一种“为全人类所有的国际性资源”，然而，事实上国界对情报及其传递具有约束力。

在近代，随着情报量的迅速增长，对情报的搜集、加工与选择往往超出了个人的能力，因而出现了专职的情报机构。情报工作已从科研中分离出来，形成了一种专门的社会职业。情报系统与情报网络的建立与发展，使情报更带上了社会性。

当前，包括文献数据库的生产、联机检索服务和计算机化的书目索引文摘的出版发行在内的“情报工业”的出现，日益使情报商品化，而商品化也是社会性的表现。

以上说明，情报的“传递性”、“针对性”、“社会性”等属性，都是由于情报属于人类“交流”这个范畴而派生出来的。从人类“交流”这个角度或高度来分析“情报”的本质，是必要的，也是符合实际情况的。

从“交流”来看“情报”，情报是实现人类交流的纽带。

四、“情报”定义的表述

上面，我们从人类“认识过程”和“交流过程”分析了情报的属性。

(1)从“情报”与“认识”的联系上来看,情报来源于认识过程,服务于认识过程,影响于认识过程,情报是具有认识上价值的知识。

(2)从“情报”与“交流”的联系上来看,情报是人类交流的纽带。它通过表达、存贮与传输而有针对性地实现了人与人之间在认识世界方面的联系。

因此,“情报”的定义可以表述如下:

情报是推动认识发展,实现人类交流的知识。

这里,需要指出的是,这个定义是一个有机的整体,不能从先后两半分别来理解。推动认识发展的知识,如果它未能实现人类的交流,也不能成为“情报”。同样,实现人类交流的知识,也只有具备“推动认识发展”的前提,才能成为“情报”。

根据对“定义”的这种理解,我们对上述赖在勇、杨沛霆、武大教材三种定义总感到有些欠缺。

第一种定义,着重描述了情报的存贮、传递及发挥作用的动态过程,并澄清了“信息”与“情报”的联系与区别。但是,定义没有说明情报的“使用价值”的具体含义,没有指明情报对人类所负的使命。根据该定义,似乎人类社会中以传授知识为目标的教育,也应包括到情报工作中来。甚至连那些用来为人们单纯提供美感享受的文化,也都属于情报,因为“美感享受”也是一种“使用价值”。

第二种定义,正好与第一种定义相反,着重指出情报对“未来”有意义的“意志、决策、部署、规划、行动”的使用价值,从而突出了情报本身的特点。但是这种表述,仍很笼统。这个定义舍弃了情报的表达、存贮与传递的特性,没有从“运动”与“过程”上表述情报的特点。

至于第三种定义,则把“情报”限定为“最新”的知识,从而把人类历史上积累起来的科学文化排除在“情报”之外。另外,认为情报“就是”信息,或者说“就是”某种特定范围的信息。这种理解也是值得商榷的。

本着学习与探讨的态度,写出上面这些看法,求教于科技情报界的同行们。

参考文献

1. 钱在勇. 关于情报概念的探索. 科技能源工作,1979(8)
2. 杨沛霆. 谈谈情报工作的几个基本概念. 科技情报工作,1980(1)
3. 武汉大学图书馆学系. 科技情报工作概论,1978

原文载于《图书情报知识》1980 年第 1 期